COMME UNE OMBRE
DANS LA NUIT

Une femme dans la tourmente, 1998
L'Ultime Refuge, 1999

NORA ROBERTS

COMME UNE OMBRE DANS LA NUIT

*Traduit de l'américain
par Régina Langer*

belfond
12, avenue d'Italie
75013 Paris

Titre original :
CAROLINA MOON
publié par G.P. Putnam's Sons, New York.

Si vous souhaitez recevoir notre catalogue
et être tenu au courant de nos publications,
envoyez vos nom et adresse, en citant ce livre,
aux Éditions Belfond,
12, avenue d'Italie, 75013 Paris.
Et, pour le Canada, à
Havas Services Canada LTEE,
1050, boulevard René-Lévesque-Est,
Bureau 100,
Montréal, Québec, H2L 2L6.

ISBN 2.7144.3715.x

Tory

Pour moi, belle amie, tu ne seras jamais vieille
Car telle étais-tu lorsque mon œil a croisé le tien,
Telle encore ta beauté demeure au jour présent.

William Shakespeare

Aux amies de mon enfance,
mes sœurs par le sang, mes confidentes,
qui m'ont aidée à retrouver
le chemin des forêts magiques.

1

Tory se réveilla dans le corps de son amie morte.

À huit ans, elle était grande pour son âge, avec une ossature fragile et des traits délicats. Ses cheveux soyeux couleur de blé tombaient avec grâce sur son dos étroit. Sa mère aimait les brosser, cent coups chaque soir d'une brosse souple et douce à dos d'argent qui reposait sur la jolie table de toilette en merisier.

Le corps de l'enfant se souvenait de ces instants, percevait encore le long mouvement appuyé de la brosse qui lui donnait l'impression d'être un chat que l'on caresse. Le corps de l'enfant se rappelait la lumière glissant sur les boîtes à épingles et les flacons de cristal bleu, jetant un éclat sur le dos argenté de la brosse qui dansait au-dessus de ses cheveux.

La fillette se rappelait aussi le parfum de la chambre, toujours présent. Un parfum de gardénia. Maman ne voulait que du gardénia.

Et dans le miroir, à la lueur des lampes, ce pâle visage ovale était encore là, si jeune, si gracieux, avec ses yeux bleus pensifs, sa peau satinée. Si vivant.

Cette fillette s'appelait Hope.

Les fenêtres et portes-fenêtres demeuraient fermées car on était en plein été. La chaleur laissait son empreinte humide sur les vitres, mais, à l'intérieur de la maison, l'air était frais et le coton de sa chemise de nuit était si raidi qu'il crissait à chacun de ses mouvements.

C'était la chaleur qu'elle désirait, l'aventure à laquelle elle rêvait. Pourtant, elle garda ses pensées pour elle en souhaitant bonsoir à Maman. Un baiser léger sur une joue parfumée.

Chaque année, en juin, Maman faisait toujours retirer des couloirs les chemins de tapis que l'on roulait au grenier et, maintenant, le plancher de pin gordonie recouvert d'une bonne couche de cire semblait lisse et doux sous les pieds nus de la fillette. Elle traversa le hall lambrissé de bois de cyprès et décoré de tableaux aux lourds cadres d'un or passé, et se dirigea vers l'escalier. En haut de ses courbes serrées en colimaçon se trouvait le bureau de son père.

Là, elle reconnut son odeur familière, un mélange de fumée, de cuir, d'Old Spice et de bourbon.

Elle aimait cette pièce, ses murs arrondis et ses grands fauteuils de cuir de la couleur du porto que Papa buvait parfois après dîner. Tout autour, les étagères étaient remplies de livres et de trésors. Elle aimait l'homme qui était assis derrière son énorme bureau avec son cigare, son verre ballon et son grand registre.

Dans son cœur de femme encore enfant, l'amour était une douleur, un puits de désir et d'envie pour un sentiment si simple et si total.

Papa avait une voix sonore, des bras forts et doux qui la serraient tendrement, en une étreinte bien différente du baiser délicat et réservé de Maman.

— Voilà ma princesse, prête à partir pour le royaume des rêves.

— À quoi vais-je rêver cette nuit, Papa ?

— À des chevaliers sur de blancs destriers, à des aventures au-delà des mers.

Elle eut un petit rire et laissa sa tête sur son épaule un peu plus longtemps que d'habitude avec un bruit de gorge évoquant le ronronnement d'un chaton.

Savait-elle ? Pressentait-elle d'une manière ou d'une autre qu'elle ne connaîtrait plus jamais l'abri protecteur de ses bras ?

Elle redescendit l'escalier et passa devant la chambre de Cade. Pour lui, ce n'était pas encore l'heure d'aller au lit, car il avait quatre ans de plus qu'elle et c'était un garçon. Les soirs d'été, il pouvait regarder la télévision ou lire tout à son gré du moment qu'il était à l'heure, le lendemain, pour ses corvées du matin.

Un jour, Cade deviendrait à son tour le maître de *Beaux Rêves*. Ce serait lui qui s'assiérait dans le grand bureau de la tour devant le registre, lui qui s'occuperait du personnel, gérerait les plantations et la moisson et fumerait des cigares dans les réunions en se plaignant du gouvernement et du prix du coton.

Car c'était lui le fils.

Pour Hope, c'était bien ainsi. Elle n'avait pas envie de s'asseoir derrière un bureau pour additionner des tas de chiffres.

Elle s'arrêta devant la porte de sa sœur, hésitante. Avec Faith, les choses étaient plus difficiles. Rien ne semblait jamais lui convenir. Lilah, la gouvernante, disait que Mlle Faith chercherait même querelle au Tout-Puissant, rien que pour L'irriter.

Hope supposait que c'était vrai et, bien que Faith fût sa jumelle, elle ne comprenait pas ce qui pouvait la rendre toujours aussi susceptible. Ce soir, par exemple, elle avait été envoyée dans sa chambre pour avoir répondu. À présent, sa porte était fermée et aucune lumière ne filtrait dessous. Hope imagina Faith étendue sur son lit à contempler le plafond, l'air boudeur et les poings serrés, comme pour en découdre avec les ombres.

Elle posa la main sur la poignée. La plupart du temps, elle savait comment chasser les sombres pensées de sa sœur. Elle aurait pu se faufiler dans son lit et lui raconter des histoires jusqu'à ce que Faith se mette à rire et que la colère, dans ses yeux, se tarisse.

Cependant, ce soir, elle avait d'autres choses à faire. Ce soir, l'aventure l'attendait.

Tout était organisé, mais elle ne se laissa gagner par l'excitation que lorsqu'elle se retrouva dans sa chambre derrière la porte close. Lumière éteinte, elle se prépara silencieusement à la seule lueur argentée de la lune. Elle remplaça sa chemise de nuit par un short et un tee-shirt, sentant, non sans plaisir, son cœur battre plus vite. Puis elle disposa ses oreillers de sorte qu'ils évoquent, à ses yeux naïfs d'enfant, la forme d'un corps endormi.

Elle tira de dessous le lit son kit d'aventurier. La vieille boîte au couvercle bosselé qui avait autrefois transporté des repas d'écolier contenait une bouteille de Coca-Cola tiède, un sac de biscuits chapardés à la cuisine, un petit canif rouillé, des allumettes, une boussole, un pistolet à eau – chargé à bloc – et une lampe de poche en plastique rouge.

Elle resta un instant assise par terre et respira l'odeur de ses crayons de couleur mêlée aux effluves du talc qui s'accrochait encore à sa peau après le bain. Elle entendait vaguement, de très loin, la musique s'échappant du salon de sa mère.

Quand elle souleva le panneau de la fenêtre et écarta l'écran de la moustiquaire, elle souriait.

Jeune et agile, vibrante d'une joyeuse anticipation, elle lança ses jambes par-dessus le rebord et chercha du pied un point d'appui dans le treillage sous la glycine.

L'air était épais comme du sirop, et elle emplit ses poumons de son chaud parfum sucré en descendant. Une écharde se ficha dans un de ses doigts ; elle poussa un petit cri, mais ne s'arrêta pas, les yeux fixés sur les fenêtres illuminées du premier étage. Heureusement, songea-t-elle, elle n'était qu'une ombre parfaitement invisible.

Car, ce soir-là, Hope Lavelle s'était glissée dans la peau d'une espionne. Elle avait rendez-vous avec son contact, sa partenaire, à vingt-deux heures trente-cinq précises.

Elle étouffa un gloussement de satisfaction en atteignant le sol, haletante d'avoir dû refréner son rire.

Pour rendre la situation plus excitante encore, elle courut se cacher derrière les troncs épais des grands arbres qui ombrageaient la maison et, de là, elle observa la pâle lueur bleue de la télévision dans la chambre de son frère et la douce lumière dorée filtrant des pièces où ses parents passaient chacun leur soirée.

Pas question de risquer d'être découverte maintenant, se dit-elle, car cela signifierait immanquablement l'échec de sa mission. Courbée en deux, elle se faufila vite dans les jardins où les roses et les jasmins exhalaient leurs parfums nocturnes. Le jeu impliquait qu'elle évitât toute capture, car le sort du monde entier reposait sur ses épaules et celles de sa fidèle partenaire.

Tout au fond d'elle, une voix, celle de la femme qu'elle aurait dû devenir, cria soudain : *Rentre ! Je t'en supplie, rentre !* Mais l'enfant qu'elle était encore ne l'entendait pas.

Elle dégagea sa bicyclette rose du buisson de camélias où elle l'avait cachée dans l'après-midi, déposa sa boîte dans le panier blanc et fit rouler le vélo sur la bordure d'herbe grasse du long chemin recouvert de gravier, jusqu'à ce que les lumières de la maison ne soient plus qu'un faible halo trouant la nuit au loin.

Alors, elle enfourcha la bicyclette et pédala, rapide comme le vent, imaginant qu'elle chevauchait une puissante moto au moteur gonflé, équipée d'armes aussi sophistiquées qu'un diffuseur de gaz paralysants et un projecteur de nappes de pétrole. De chaque côté du guidon, les câbles en plastique blanc des freins voletaient dans le vent en s'entre-choquant gaiement.

Elle filait dans l'air épais, et le chœur des grillons et des cigales devint pour elle le rugissement de panthère de sa redoutable machine.

Au croisement de la route, elle obliqua sur la gauche, puis sauta lestement de la bicyclette pour la pousser vers un étroit fossé où des buissons la dissimuleraient. Bien que le clair de lune soit suffisamment brillant, elle prit sa lampe de poche. Sur le cadran de sa montre, la souriante princesse Leia lui indiqua qu'elle avait un quart d'heure d'avance. Sans éprouver la moindre crainte, sans réfléchir, elle s'engagea sur l'étroit sentier menant au marais.

Vers la fin de l'été. De son enfance. De sa vie.

Là, le monde bruissait de mille sons – l'eau, les insectes et toutes les petites créatures invisibles de la nuit. La lumière filtrait en minces rayons à travers le dais de verdure formé par les tupélos et les cyprès recouverts d'une mousse humide. De grosses fleurs de magnolia s'épanouissaient et dégageaient un parfum intense et sucré. Elle aurait pu retrouver les yeux fermés le chemin de la clairière. Ce lieu de rencontre, ce lieu *secret* était un endroit bien gardé, qu'elle aimait.

Elle était arrivée la première et cueillit sur la pile de bois quelques brindilles et deux ou trois branches ventrues pour préparer un feu. La fumée éloignait les moustiques, mais elle gratta paresseusement les piqûres qui couvraient déjà ses jambes et ses bras.

Un biscuit et la bouteille de Coca à portée de main, elle s'installa pour attendre.

Tandis que les minutes s'écoulaient, elle ferma les yeux, bercée par la musique du marais. Après avoir dévoré toutes les branches, le feu baissa et se réduisit à une lueur rougeâtre. Assoupie, Hope posa une joue sur ses genoux repliés.

Au début, le bruit fut juste un élément de son rêve, qui l'avait conduite à se faufiler dans les rues de Paris pour échapper aux ruses de l'espion russe. Mais le craquement d'une branche sous un pied lui fit relever la tête et dissipa le sommeil qui alourdissait ses yeux. Elle eut d'abord un grand sourire, auquel elle substitua bientôt la sévère expression professionnelle d'un agent secret.

Mot de passe !

Hormis le bourdonnement des insectes et le faible grésillement du feu en train de mourir, le marais demeura silencieux.

Elle sauta sur ses pieds et brandit sa lampe électrique comme un revolver. *Mot de passe !* répéta-t-elle en agitant le mince rayon lumineux.

À présent, le bruit venait de derrière elle. Elle se retourna brusquement, le cœur battant, et le faisceau de la lampe dansa dans l'obscurité. L'angoisse s'infiltra en elle, lui serrant la gorge, une sensation qu'elle avait bien peu connue dans ses huit courtes années de vie.

Sortez de là. Montrez-vous. Vous ne me faites pas peur !

Un son lui répondit sur la gauche, délibéré, provocant. L'effroi gagna du terrain et elle recula d'un pas.

Alors elle entendit un rire – faible, haletant, si proche.

Elle se mit à courir, à courir à travers les ombres épaisses, le rayon de lumière sautant avec elle. La terreur lui écrasait la gorge, étouffant ses cris. Des pas martelaient le sol derrière elle. Rapides, trop rapides. Trop proches. Quelque chose la frappa dans le dos, une douleur intense rayonna dans tout son corps. Ses os s'entrechoquèrent, son souffle se

15

figea tandis qu'elle tombait rudement à terre. Un long sanglot s'échappa de ses poumons alors qu'il la clouait de tout son poids sur le sol. Elle sentit l'odeur de la sueur et du whisky.

Elle crie, maintenant. Un long cri de désespoir. Elle appelle son amie à l'aide.

Tory ! Tory ! Au secours !

Au fond d'elle-même, la femme qu'elle ne deviendrait jamais se mit à pleurer.

Quand Tory reprit conscience, elle gisait sur les dalles du patio, vêtue seulement d'une chemise de nuit trempée par la fine bruine de printemps. Son visage était mouillé et, sur ses lèvres, elle sentit le goût salé des larmes.

Les cris résonnaient encore dans sa tête, mais elle ne pouvait dire s'ils venaient d'elle ou de l'enfant qu'elle ne pouvait oublier.

Frissonnante, elle roula sur le dos pour que la pluie baigne son visage et chasse les larmes. Ces crises – que sa mère qualifiait toujours de « malédictions » – la laissaient pantelante et nauséeuse. Il y avait eu un temps où elle parvenait à les maîtriser avant qu'elles la submergent. Sinon, elle s'exposait à subir les coups de ceinture de son père qui lui déchiraient la chair.

Je chasserai le diable hors de toi avec ce fouet, ma fille !

Pour Hannibal Bodeen, le diable était partout. Chaque peur, chaque tentation portait la marque de Satan. Et il avait fait de son mieux pour expulser le mal de sa fille, son unique enfant.

À présent que la nausée lui tordait l'estomac, Tory se prit soudain à souhaiter qu'il y fût parvenu.

Elle s'étonnait encore d'avoir pu, en quelques années, faire le tour de cette réalité qui l'habitait, l'explorer, l'utiliser et même, parfois, s'en féliciter. Un don héréditaire, lui avait dit sa grand-mère. Le don de voyance. Les visions. Un héritage du sang, par le sang.

Mais il y avait Hope. De plus en plus souvent. Ces flashes qui ravivaient le souvenir de son amie d'enfance la blessaient jusqu'au fond de son cœur. Et la terrorisaient.

Qu'elle s'abandonne à ce don ou qu'elle cherche à le refouler, jamais encore elle n'avait fait l'expérience d'une telle emprise. Les visions *s'emparaient* d'elle d'un seul coup, l'entraînant loin, la submergeant. Elles la laissaient faible, impuissante, alors qu'elle s'était pourtant bien promis de ne plus jamais l'être.

Et maintenant, elle était là, dans son patio, sous la pluie, incapable de se souvenir de ce qui avait pu l'emporter ainsi hors d'elle-même.

Quelques instants plus tôt, elle était en train de se préparer du thé dans la cuisine, en lisant, appuyée au comptoir, une lettre de sa grand mère, lumières allumées et stéréo en marche.

C'était ça le lien, songea Tory. Lentement, elle se remit debout. Sa grand-mère l'avait ramenée à son enfance. À Hope.

Dans Hope, songea-t-elle en refermant la porte du patio. Dans la souffrance et l'horreur de cette terrible nuit. Mais elle ne savait toujours pas pourquoi.

Encore frissonnante, Tory gagna la salle de bains, pénétra dans la cabine de douche et fit jaillir l'eau brûlante sous laquelle elle resta un long moment.

— Je ne peux pas t'aider, murmura-t-elle les yeux fermés. Cette nuit-là, je n'ai pas pu venir à ton secours et je ne le peux toujours pas aujourd'hui.

Cette nuit-là, sa meilleure amie, la véritable sœur de son cœur, était morte dans le marais alors qu'elle-même était enfermée à clé dans sa chambre et sanglotait après la terrible correction qu'elle venait de recevoir.

Et elle avait su. Elle avait vu. Sans pouvoir intervenir.

Un sentiment amer de culpabilité s'empara d'elle à nouveau, comme il l'avait fait dix-huit ans plus tôt.

— Je ne peux pas t'aider, répéta-t-elle, mais je reviens.

Cet été-là, nous avions huit ans. Cet été si lointain, quand il semblait que ces jours épais et chauds dureraient toujours. Cet été d'innocence, de rêves délicieusement absurdes et d'amitié qui se combinaient pour envelopper notre monde dans une bulle de verre protectrice. Il a suffi d'une nuit pour que tout bascule. Rien ne fut plus jamais pareil pour moi depuis lors. Comment aurait-ce pu l'être ?

Au long de ma vie, j'ai évité d'en parler la plupart du temps. Mais cela n'empêche pas les souvenirs, ni les images. Pendant des années, j'ai cherché à les enfouir, comme Hope avait été enfouie dans la terre. À présent, j'éprouve le soulagement de leur faire face, de réveiller la mémoire, même pour moi seule. Comme si j'arrachais une épine de mon cœur. La douleur durera encore un peu.

C'était ma meilleure amie. Notre lien avait cette profondeur, cette intensité immédiate que seuls les enfants sont capables de forger. Nous formions une drôle de paire : Hope Lavelle, brillante, privilégiée, et la sombre Tory Bodeen, toujours si timide. Mon père louait un lopin de terre, minuscule fraction de la grande plantation appartenant aux Lavelle. Parfois, lorsque la maman de Hope donnait un grand dîner ou l'une de ses somptueuses réceptions, ma mère allait aider à servir et à ranger.

Cependant, ce fossé entre nos situations sociales respectives n'avait jamais eu le moindre effet sur notre amitié. En réalité, nous n'en avions même pas conscience.

Hope habitait une grande demeure construite par l'un de ses ancêtres, un homme excentrique, qui avait préféré au style géorgien si prisé à son époque celui d'un château fort. C'était une maison en pierres, hérissée de tours et de tourelles, avec des murs qu'on aurait pu qualifier de remparts. Mais Hope n'avait rien d'une princesse lointaine.

Elle aimait les aventures et, quand j'étais avec elle, je les aimais aussi. J'échappais ainsi aux misères et aux tourments de ma propre maison, de ma propre vie. Je devenais sa partenaire. Nous étions des espionnes, des détectives, des chevaliers, des pirates ou des aventuriers de l'espace. Nous étions braves et sincères, audacieuses, hardies.

Au printemps précédant cet été-là, nous avions taillé une estafilade dans nos poignets à l'aide de son canif et solennellement mêlé nos sangs. Je suppose que nous avons eu de la chance de ne pas attraper le tétanos. En tout cas, nous étions devenues sœurs de sang.

Hope avait une sœur jumelle, Faith. Elle se joignait rarement à nos jeux, qu'elle jugeait trop stupides, ou trop rudes, ou trop salissants. Pour Faith, ils avaient toujours quelque chose de « trop ». Avec ses caprices et ses plaintes, elle ne nous manquait pas. Hope et moi étions les véritables jumelles.

Si quelqu'un m'avait alors demandé si je l'aimais, j'aurais été embarrassée de répondre. Je n'aurais pas compris la question. Mais depuis ces terribles événements du mois d'août, il ne s'est pas écoulé un seul jour sans qu'elle me manque, sans que me manque cette partie de moi-même qui est morte avec elle.

Nous devions nous retrouver au marais, qui était notre lieu de rencontre secret. Un secret largement éventé, je suppose, mais qui restait le nôtre. Nous venions fréquemment jouer dans cette atmosphère humide et verte, et nos aventures se déroulaient dans la jungle des troncs moussus et des azalées sauvages où résonnait autour de nous le chant des oiseaux.

Nous n'avions pas le droit d'y aller après le coucher du soleil, mais, à huit ans, il est excitant de transgresser les règles.

Je devais apporter des marshmallows et de la limonade. C'était une affaire de fierté. Mes parents étaient pauvres et j'étais plus pauvre encore, mais ma contribution me semblait indispensable. Ce soir-là, j'avais compté l'argent de la tirelire que je cachais sous mon lit :

deux dollars et quatre-vingt-six cents. Une fois les provisions prévues achetées chez Hanson's, je remis en place les quelques sous durement gagnés qui restaient.

Nous avions mangé du poulet et du riz au dîner. Il faisait très chaud dans la maison, même avec les ventilateurs qui fonctionnaient, et le repas était une corvée. Mais tant qu'il restait un grain de riz dans l'assiette, Papa exigeait qu'on l'avale avec reconnaissance. Il avait récité les grâces avant dîner. Selon son humeur, cela pouvait prendre de cinq à vingt minutes, tandis que la nourriture refroidissait dans nos assiettes, que nos estomacs grondaient de faim et que la sueur nous coulait dans le dos.

Ma grand-mère avait coutume de dire que, lorsque Hannibal Bodeen partait à la recherche de Dieu, Dieu lui-même tentait de se cacher.

Mon père était un homme grand, avec des épaules et des bras puissants. J'avais entendu dire qu'autrefois on le jugeait bel homme. Les années sculptent les êtres différemment, et elles avaient rendu mon père amer. Amer et sévère, rongé par une sourde méchanceté. Ses cheveux sombres et coiffés en arrière donnaient l'impression que son visage était taillé à coups de serpe dans le flanc rocheux d'une montagne. Des rochers prêts à vous écraser à la moindre maladresse. Ses yeux aussi étaient sombres, d'un noir brûlant que je retrouve parfois à la télévision dans les yeux de certains prédicateurs.

Ma mère le craignait et encore aujourd'hui je m'efforce de le lui pardonner. Elle le craignait tellement qu'elle ne vint jamais à mon secours quand il prenait sa ceinture pour me fouetter au nom de son dieu vengeur.

Ce soir-là, je me tins tranquille au souper. Si j'étais discrète et vidais bien mon assiette, il m'ignorerait peut-être. Je savourais par avance le projet que nous avions formé pour la nuit et qui allumait en moi une lueur joyeuse. Je gardais les yeux baissés et m'efforçais de manger lentement, mais pas trop, pour ne pas être accusée de lambiner ou d'engloutir la nourriture. Avec Papa, le point d'équilibre était toujours précaire.

Je me souviens encore du ronronnement du ventilateur au plafond et du bruit des fourchettes sur les assiettes. Je me souviens aussi du silence, le silence dans lequel les âmes craintives peuplant la maison de mon père tentaient de se dissimuler.

Quand ma mère lui proposa de reprendre du poulet, il la remercia poliment et se resservit. La pièce sembla respirer mieux. C'était bon signe. Encouragée, ma mère fit allusion au fait que la récolte de tomates et de maïs s'annonçait bien et qu'elle allait pouvoir faire des

19

conserves dans les semaines à venir. À Beaux Rêves aussi on se mettrait prochainement aux conserves. Serait-il d'accord pour qu'elle aille les aider comme on le lui avait demandé ?

Elle ne fit pas allusion au salaire qu'elle toucherait. Même lorsque Papa était de bonne humeur, il n'était pas prudent d'évoquer les quelques pièces que les Lavelle remettraient à ma mère pour indemniser son travail. C'était lui qui gagnait le pain dans cette maison, et nous n'avions pas le droit d'oublier ce point essentiel.

Un silence fragile s'installa. À certains moments, le seul fait d'évoquer le nom des Lavelle suffisait pour que les yeux sombres de Papa lancent des éclairs. Mais ce soir-là, il se contenta de reconnaître que ce serait une bonne idée d'y aller. Tant que ma mère ne négligeait aucune des tâches qui lui incombaient dans la maison, il pouvait se montrer conciliant.

Sa réponse relativement aimable amena un sourire sur les lèvres de Maman. Je me souviens de son visage qui s'était adouci et la rendait presque jolie de nouveau. En réfléchissant bien, je crois pouvoir dire qu'elle avait été jolie.

– Ne t'inquiète pas, Han, dit-elle – elle l'appelait ainsi dans les bons moments –, Tory et moi veillerons à ce que tout aille bien ici. Demain, j'irai voir Mlle Lilah pour lui demander comment arranger les choses. Avec les framboises qui seront bientôt mûres, je ferai de la gelée pour nous aussi. Je dois avoir de la paraffine quelque part dans la maison, mais je ne me souviens plus où je l'ai mise.

Ce fut cette simple remarque à propos de gelée et de cire pour boucher les pots qui bouleversa l'atmosphère détendue de ce soir-là. Pendant leur conversation, mes pensées devaient vagabonder, tout aux aventures qui m'attendaient. Je parlai sans réfléchir, sans avoir la moindre idée des conséquences que mes paroles allaient entraîner. J'ai prononcé ces mots qui apportaient la damnation :

– La boîte de paraffine est sur le rayon du haut dans le placard au-dessus de la cuisinière, derrière la mélasse et la fécule.

Je m'étais contentée de dire ce que je voyais dans ma tête – la boîte carrée avec le bloc de cire derrière la bouteille sombre de sirop – et j'avançai la main pour prendre mon thé et boire une gorgée afin de faire descendre le riz collant.

Avant d'avoir pu en avaler une goutte, je sentis le silence s'abattre comme une chape de plomb sous laquelle s'effaçait même le ronronnement monotone du ventilateur. Mon cœur se mit à battre violemment, tel un lourd marteau égrenant ses coups de plus en plus fort, tandis qu'une alarme se déclenchait dans ma tête, enflée par la pulsation de mon sang, de ma peur.

Il parla d'une voix douce, comme il le faisait toujours avant chaque explosion de rage. Comment sais-tu où se trouve la cire, Victoria ? Comment sais-tu où elle est puisque tu ne peux pas la voir ? Ni même l'attraper ?

Je mentis. C'était stupide, j'étais déjà condamnée, mais le mensonge me vint aux lèvres comme une défense désespérée. Je répondis que j'avais vu Maman la ranger là, que je me souvenais de l'avoir vue et que c'était tout.

Il mit ce mensonge en lambeaux. Il avait un talent bien à lui de discerner les mensonges et de les désintégrer. Quand l'avais-je vue ? Pourquoi est-ce que je ne travaillais pas mieux à l'école avec une si bonne mémoire ? On ne s'était pas servi de la paraffine depuis la précédente saison... Alors comment pouvais-je savoir qu'elle se trouvait derrière la mélasse et la fécule et non pas devant, ou à côté ?

Oh ! c'était un homme intelligent, mon père, et aucun détail ne lui échappait, pas même le plus infime.

Tandis qu'il me jetait tous ces mots de sa voix douce, comme autant de coups de poing dans un gant de soie, Maman se taisait. Elle avait joint ses mains, qui tremblaient. Était-ce à cause de moi ? Je le suppose, j'aime à le croire. Mais elle ne broncha pas quand la voix de mon père s'enfla, quand il se leva de table, quand il m'arracha des mains mon verre pour le jeter à terre où il se brisa. Un éclat vint se ficher dans ma cheville et je ressentis une douleur fulgurante au milieu de la terreur qui m'envahissait.

D'abord il alla vérifier. Sans doute se disait-il qu'il était juste de le faire. Lorsqu'il eut ouvert le placard, écarté les bouteilles et saisi lentement la boîte carrée de cire derrière le flacon de mélasse, je me mis à pleurer. J'avais toujours des larmes toutes prêtes en moi à cette époque, et aussi de l'espoir. J'espérais encore quand il m'empoigna brusquement pour me mettre debout. J'espérais que la punition consisterait seulement en prières, des heures de prière à genoux jusqu'à en avoir les jambes endolories. Quelques rares fois durant cet été-là, cela lui avait suffi.

Ne m'avait-il pas avertie d'avoir à barrer le passage au démon ? Pourtant, je m'obstinais à semer la perversité dans cette maison, à lui faire honte devant Dieu. Je lui dis que j'étais désolée, que je ne le faisais pas exprès. Je t'en prie, Papa, je t'en supplie. Je ne le ferai plus. Je serai une bonne fille.

Je continuais à le supplier alors qu'il clamait des malédictions extraites des Écritures en me traînant vers ma chambre de ses grandes mains rudes. Je le suppliais encore. Ce fut la dernière fois que je le fis.

21

Il n'était pas question de lui résister. Sinon, c'était encore pire. À ses yeux, le quatrième commandement était sacré : « Tu honoreras ton père dans sa maison »... même s'il te bat jusqu'au sang.

Il avait le visage rouge, irradiant la satisfaction, la certitude de sa vertu comme un grand soleil aveuglant. Il me gifla une seule fois. Cela suffit pour faire cesser mes prières, mes excuses et pour tuer tout espoir.

Il me jeta à plat ventre sur mon lit, aussi passive qu'un agneau prêt au sacrifice. J'entendis sa ceinture glisser dans les passants quand il la retira de son pantalon de travail. On aurait dit le sifflement d'un serpent. Puis il la fit claquer.

Il la faisait toujours claquer trois fois. Une sainte trinité de cruauté.

Le premier coup est toujours le pire. On ne s'y habitue jamais, et il est impossible de retenir un cri sous la morsure du fer de la boucle. Le corps proteste dans un sursaut. Dans un ultime accès d'incrédulité. Mais déjà le deuxième coup mord votre chair, puis le troisième.

Bientôt, les cris qui vous échappent sont davantage ceux d'un animal que ceux d'un être humain. Votre humanité est ébranlée, ensevelie sous l'intensité de la douleur et sous l'humiliation.

Il me sermonnait tout en me battant, et sa voix me parvenait comme un roulement de tonnerre. Je percevais dans ce grondement un vil plaisir que je ne pouvais comprendre mais que je reconnaissais... Aucun enfant ne peut saisir de telles pulsions souterraines, et cela au moins me fut épargné, du moins pour quelque temps.

J'avais cinq ans quand il me battit pour la première fois. Ma mère tenta de l'arrêter, mais il la fit reculer sous la noirceur de son regard, et elle ne s'y risqua plus jamais. Je ne sais à quoi elle s'occupa ce soir-là tandis qu'il me rossait, frappant ce démon qui me donnait des visions. Je ne voyais plus rien, pas plus avec mes yeux qu'avec mon esprit. J'étais plongée dans une sorte de brume rouge au goût de sang.

Cette brume était de la haine, mais je ne le savais pas.

Il m'abandonna enfin, en larmes, et verrouilla la porte de l'extérieur. Peu après, je m'endormis, brisée par la souffrance.

Quand je m'éveillai, il faisait nuit et j'avais l'impression qu'un feu me dévorait. Je ne peux parler d'une douleur insupportable : il fallait bien la supporter. Avais-je un autre choix ? Je me mis à prier, à prier pour que ce qui était en moi, quoi que ce fût, soit enfin chassé. Je ne voulais pas être mauvaise.

Tandis que je priais, je sentis soudain mes entrailles se nouer et perçus un picotement sur la nuque, tels de petits doigts acérés dansant sur ma peau. C'était la première fois que cela m'arrivait, et je pensai d'abord que j'étais malade, fiévreuse.

Alors j'eus la vision de Hope, aussi précise que si je me trouvais à côté d'elle dans notre clairière du marais. Je respirais en même temps qu'elle les odeurs de la nuit, de l'eau, j'entendais le bourdonnement des moustiques, des insectes. Et, comme Hope, j'entendis le froissement des buissons.

Comme Hope, j'étais en proie à la peur. Des bouffées brûlantes de peur. Quand elle se mit à courir, je courus avec elle et, comme elle, je sanglotai, la poitrine douloureuse. Je la vis tomber sous le poids de quelque chose qui sauta sur elle. Une ombre, une forme que je ne pouvais distinguer nettement alors que je la voyais, elle.

Elle m'appelait. Elle criait mon nom.

Puis je fus engloutie par l'obscurité. Quand je repris conscience, le soleil était déjà haut dans le ciel. Je gisais par terre. Et Hope était morte.

2

Elle avait choisi de brouiller sa trace au cœur de Charleston et y réussit pendant près de quatre ans. La ville fut pour elle comme une amie bonne et généreuse, prête à la serrer contre son cœur et à apaiser ses nerfs détruits par la grande et impitoyable cité de New York.

À Charleston, les voix parlaient plus lentement, et Tory se laissait emporter, reconnaissante, par le flot de leurs accents chaleureux. Ici, elle pouvait enfin se cacher, ainsi qu'elle avait cru pouvoir le faire dans la foule dense et mouvante du Nord.

L'argent ne posait pas de problème. Elle savait comment vivre frugalement et était disposée à travailler. Elle économisa férocement jusqu'à ce que la réserve qu'elle s'était constituée fût assez importante pour lui permettre de rêver d'avoir sa propre affaire, de travailler pour elle seule et de mener enfin cette vie tranquille et stable qui lui avait toujours été refusée jusqu'alors.

Elle était solitaire. De vrais amis impliquent de vrais liens, et elle ne se sentait pas encore assez forte pour s'ouvrir aux autres. Les gens posent des questions. Ils aiment savoir des choses vous concernant, ou prétendent s'y intéresser.

Tory n'avait pas de réponses à leur donner et rien à leur dire.

La petite maison, vieille et délabrée, qu'elle dénicha lui sembla parfaite et elle en discuta âprement le prix pour l'acheter.

Les gens sous-estimaient fréquemment Victoria Bodeen. Ils voyaient une jeune femme, petite et d'ossature frêle. Ils voyaient la peau fine, les traits délicats, la bouche sérieuse et les clairs yeux gris, qu'ils jugeaient à tort candides. Un petit nez, légèrement busqué, ajoutait une touche de douceur à ce visage encadré de cheveux bruns. Ils voyaient la fragilité, reconnaissaient les douces inflexions du Sud dans sa voix. Mais jamais ils ne voyaient l'acier dont elle était faite. Un acier forgé par d'innombrables coups de ceinture.

Quand elle désirait quelque chose, Tory mettait tout en œuvre pour l'avoir. Elle se battait avec la concentration, la détermination d'un soldat de première ligne jeté dans l'offensive. Elle voulait cette vieille maison avec sa cour pleine de mauvaises herbes et sa peinture écaillée. Elle négocia, harcela, rusa jusqu'à l'obtenir enfin. Les appartements lui rappelaient New York, ses mauvais souvenirs et le désastre par lequel son séjour là-bas s'était terminé. Il n'y aurait plus d'appartements pour Tory.

Elle traita cet investissement avec le plus grand soin, passant tout son temps libre à réparer habilement la maison, une pièce après l'autre. Il lui fallut trois bonnes années, mais, à présent qu'elle l'avait vendue, cette somme ajoutée à ses économies allait lui permettre de réaliser son rêve.

Il ne lui restait plus, pour cela, qu'à retourner à Progress.

Assise à la table de la cuisine, Tory relisait pour la troisième fois l'engagement de location pour la boutique de Market Place. Elle se demanda si M. Harlowe, l'agent immobilier, se souviendrait d'elle.

Elle avait à peine dix ans quand ses parents avaient quitté Progress pour Raleigh, où ils comptaient trouver un travail stable. Un emploi plus digne, avait prétendu son père, que d'avoir à gagner une maigre subsistance sur un lopin de terre loué par les puissants Lavelle.

Bien entendu, ils s'étaient retrouvés aussi pauvres à Raleigh qu'à Progress. Ils y étaient seulement plus à l'étroit.

Peu importe, songea Tory. Elle ne serait plus jamais pauvre. Elle n'était plus la fillette maigre et effarouchée d'autrefois, mais une femme d'affaires prête à créer une nouvelle entreprise dans sa ville natale.

Mais alors, lui aurait demandé sa thérapeute, *comment se fait-il que vos mains tremblent ?*

C'est l'anticipation, décida Tory. L'excitation. Et les nerfs. D'accord, elle était nerveuse. Mais c'est humain de l'être. Elle en avait le droit. Rien de plus normal. Elle était ce qu'elle avait toujours voulu être.

— Qu'ils aillent tous au diable !

Les dents serrées, elle saisit son stylo et signa le bail.

Ce n'était que pour un an. Une seule année. Si ça ne marchait pas, elle pourrait toujours s'en aller. Elle l'avait déjà fait si souvent. On aurait dit qu'elle était condamnée à toujours s'en aller.

Toutefois, avant de partir, il lui restait encore beaucoup à faire. Le bail ne représentait qu'un mince feuillet dans un amoncellement de paperasse. La plupart des autorisations nécessaires pour ouvrir la boutique étaient déjà acquises et signées. Même si l'État de la Caroline du Sud était à ses yeux le plus grand des voleurs, elle avait payé toutes les taxes. Restait encore à liquider la maison et à traiter avec les avocats et notaires, qu'elle jugeait plus redoutables encore que le « voleur ».

Mais, à la fin de la journée, elle avait le chèque en poche et était prête à partir.

Elle avait pratiquement terminé d'emballer ses affaires. Il ne lui restait pas grand-chose, puisqu'elle avait vendu à peu près tout ce qu'elle avait acheté depuis son arrivée à Charleston. Voyager léger simplifiait les choses, et elle avait appris de bonne heure à ne pas s'attacher à ce qui pouvait lui être pris.

Elle se leva, rinça sa tasse, l'essuya et l'enveloppa dans du papier pour la déposer dans le carton contenant déjà les quelques ustensiles de cuisine qu'elle avait jugé bon d'emporter. À travers la fenêtre au-dessus de l'évier, elle regarda la minuscule courette arrière.

Le patio avait été balayé et récuré. Elle abandonnerait aux nouveaux propriétaires les pots de verveine et de pétunias blancs. Elle espérait qu'ils entretiendraient le jardin, mais, après tout, s'ils le négligeaient, c'était leur affaire.

Elle laissait derrière elle les marques de son passage. Ils pouvaient bien repeindre, changer les tentures, les carrelages ou la moquette, ce qu'elle avait fait, elle, serait toujours dessous, à la base de tout.

On ne peut pas effacer le passé, ni le tuer ou le balayer hors de son existence. Pas plus qu'on ne peut ignorer le présent ou changer ce qui vient. Nous sommes tous piégés dans le cycle du temps, tournant autour de l'axe des jours passés. Et parfois ce passé est assez fort, assez déterminé pour vous aspirer en arrière, quelle que soit la force avec laquelle vous vous débattez.

Pouvait-elle être encore plus déprimée ? se demanda Tory en poussant un soupir.

Elle ferma le carton et le souleva pour le porter dans sa voiture. Elle sortit de la cuisine sans regarder derrière elle.

Trois heures plus tard, le chèque provenant de la vente de sa maison était déposé à sa banque. Elle salua les nouveaux propriétaires, prêta une oreille polie à leurs exclamations enthousiastes – c'était leur toute première installation – et prit congé.

La maison et les gens qui allaient dorénavant y vivre ne faisaient plus partie de son monde.

— Tory, attendez une minute !

Elle fit volte-face, une main sur la portière de sa voiture, l'esprit déjà tourné vers la route. Mais elle attendit son avocate, qui traversait le parking. Ou plutôt qui serpentait entre les voitures, corrigea Tory. Abigail Lawrence ne faisait rien à la hâte, surtout quand il s'agissait de se déplacer. C'était sans doute la raison pour laquelle elle paraissait toujours sortir d'une couverture de *Vogue*.

Pour la vente d'aujourd'hui, elle avait revêtu un ensemble bleu pâle. Un collier de perles qui devait lui venir de sa grand-mère soulignait son cou et, à seulement les regarder, ses talons hauts donnaient à Tory des crampes dans les pieds.

— Dieu, quelle chaleur !

Abigail s'éventa le visage de la main comme si elle venait de courir trois kilomètres.

— Et dire que nous sommes à peine en avril ! (Elle aperçut le break de Tory et vit les cartons.) Alors, vous partez vraiment ?

— On dirait bien. Merci, Abigail, de vous être occupée de tout.

— C'est plutôt vous qui avez tout fait. La plupart du temps, mes clients ne comprennent même pas de quoi je parle. Et c'est bien rare qu'ils m'apprennent quelque chose.

Elle jeta un coup d'œil à l'arrière du break, l'air vaguement surpris que les biens matériels d'une femme puissent occuper si peu de place.

— Je ne pensais pas que vous étiez sérieuse quand vous parliez de partir dès cet après-midi. J'aurais dû le croire. (Elle reporta son regard sur Tory.) Car vous êtes une femme sérieuse, Victoria.

— Je n'ai aucune raison de rester plus longtemps.

Abigail ouvrit la bouche, mais se ravisa et hocha la tête.

— Je voudrais pouvoir dire que je vous envie. Emballer vos affaires, les caser dans votre voiture et vous en aller vers un nouvel endroit, une nouvelle vie, un nouveau départ. Cela m'est impossible. Seigneur Dieu, quelle énergie il vous a fallu, quel cran ! Il est vrai que vous êtes assez jeune pour en avoir à revendre.

— C'est peut-être un nouveau départ, mais qui me ramène à mes origines. J'ai encore de la famille à Progress.

— Il faut encore plus de cran pour revenir que pour partir n'importe où ailleurs. Je vous souhaite d'être heureuse, Tory.

— Tout ira bien.

— Que tout aille bien est une chose. (À la surprise de Tory, Abigail lui prit la main, se pencha et effleura sa joue d'un léger baiser.) Mais être heureuse en est une autre. J'espère que vous serez heureuse.

— C'est bien mon intention.

Tory se recula. Elle sentit passer quelque chose dans le geste d'Abigail, dans le regard soucieux qu'elle lui lança.

— Vous saviez..., murmura-t-elle.

Abigail étreignit brièvement sa main avant de l'abandonner.

— Bien entendu ! Les nouvelles de New York parviennent jusqu'ici et, dans notre profession, on s'y intéresse. Vous avez changé de coiffure, de nom, mais je vous ai reconnue. Je suis une bonne physionomiste.

— Pourquoi n'avez-vous rien dit ? Vous ne m'avez posé aucune question...

— Vous m'avez confié le soin de m'occuper de vos affaires, non de vous espionner. Si vous aviez voulu nous informer que vous étiez la Victoria Mooney qui avait défrayé la chronique dans la presse new-yorkaise il y a quelques années, vous l'auriez fait, je pense.

— Je vous en remercie.

Le formalisme, la réserve du ton firent sourire Abigail.

— Pour l'amour du ciel, chérie, est-ce que vous vous imaginez que j'allais vous demander de me révéler si mon fils allait enfin se marier ou ce que j'ai bien pu faire de la bague de fiançailles de ma mère, que j'ai égarée ? Je sais seulement que vous avez traversé des temps difficiles, et j'espère que vous vous sentez mieux. Maintenant, si vous avez le moindre problème à Progress, donnez-moi un coup de fil.

La gentillesse, surtout aussi directe, l'émouvait toujours. Tory saisit la poignée de la portière.

— Encore une fois, je vous remercie. Sincèrement. Bon, il me faut partir, car je dois faire plusieurs haltes en route. Croyez bien que j'apprécie tout ce que vous avez fait pour moi.

— Bonne route !

Tory se glissa dans la voiture, hésita un instant, puis abaissa la vitre tout en mettant le moteur en marche.

— Dans le tiroir du classeur de votre bureau, chez vous. Entre les « D » et les « E ».

— Quoi donc ?

— La bague de votre mère. Elle est un peu trop grande pour vous et elle a glissé de votre doigt dans les dossiers. Vous devriez la faire mettre à votre taille.

Tory fit vivement demi-tour, laissant derrière elle Abigail, qui, figée, la regardait s'éloigner, les yeux écarquillés.

Elle quitta Charleston en direction de l'ouest, puis obliqua vers le sud pour entamer le circuit qu'elle avait prévu avant d'atteindre Progress. Une liste des artistes et artisans auxquels elle se proposait de rendre visite était dans son nouveau porte-documents, soigneusement tapée à la machine. Avec des indications pour chacun d'eux. Il lui faudrait emprunter pas mal de routes secondaires. Cela prendrait du temps, mais c'était nécessaire.

Elle avait déjà conclu des accords avec plusieurs artistes du Sud pour vendre leur production dans la nouvelle boutique qu'elle comptait ouvrir sur Market Street, cependant il lui fallait davantage d'objets. Elle ne devait pas commencer trop petitement.

Cela signifiait pas mal de dépenses, la constitution d'un stock, son propre logement à dénicher. La totalité de ses économies allait y passer. Toutefois, elle avait bien l'intention de faire fructifier ces investissements.

D'ici une semaine, si tout marchait comme prévu, elle serait en train d'installer un joli magasin qui ouvrirait ses portes fin mai. Alors, ils verraient ce dont elle était capable.

Pour le reste, elle agirait selon les circonstances. Et, le moment venu, elle emprunterait la longue allée ombreuse menant à *Beaux Rêves* pour revoir les Lavelle.

Pour retrouver Hope et lui faire face.

À la fin de la semaine, Tory était épuisée, soulagée de quelques centaines de dollars à cause du radiateur défaillant de sa voiture et presque prête à déposer les armes. Le remplacement de la pièce l'avait obligée à repousser au lendemain son arrivée à Florence et à passer la nuit dans le confort douteux d'un motel sur la route 9, à la sortie de Chester.

La chambre sentait la fumée de cigarette froide. Pour tout équipement, elle offrait un petit morceau de savon sur le lavabo, et quelques cassettes vidéo payantes destinées à stimuler les désirs sexuels des clients qui louaient à l'heure, ce qui évitait à l'établissement de faire faillite. Quant aux taches sur le tapis, elle décida de ne pas se préoccuper de leur origine.

Elle avait payé en espèces car il lui déplaisait d'avoir à remettre sa carte de crédit à l'employé au regard rusé assis derrière le comptoir, sirotant du gin astucieusement dissimulé dans une tasse à café.

La chambre n'était certes pas engageante, mais l'idée de rouler encore une heure non plus. Tory cala la poignée de la porte avec l'unique chaise branlante de la pièce. Elle n'offrirait guère plus de résistance que la mince chaîne de sécurité rouillée. Toutefois, ce double barrage lui donnait au moins l'illusion d'être un peu à l'abri.

C'était une erreur d'avoir accumulé une telle fatigue, elle le savait. Sa résistance était vaincue par une série de contretemps. Le potier auquel elle avait rendu visite à Greenville s'était révélé difficile et retors. S'il n'avait pas été aussi doué, Tory aurait quitté son atelier au bout de vingt minutes ; au lieu de ça, elle y avait passé deux heures à le complimenter sur son travail, à apaiser ses réticences, à le persuader enfin.

Il avait ensuite fallu quatre heures pour se faire remorquer, négocier l'achat d'un radiateur d'occasion et persuader le mécanicien d'effectuer la réparation sans délai.

Mais, si elle se trouvait maintenant dans ce motel de passage, c'était aussi de sa faute. Si elle avait pris une chambre à Greenville ou dans un des confortables hôtels de l'autoroute, elle ne serait pas en train de tomber de fatigue dans cette pièce malodorante.

Enfin, ce n'était que pour une nuit, se dit-elle en regardant la couverture du lit d'un vert défraîchi. Juste quelques heures de sommeil et elle reprendrait la route de Florence, où sa grand-mère aurait préparé pour elle la jolie chambre d'amis avec des draps immaculés et un bain chaud. Juste une nuit à passer.

Sans même retirer ses chaussures, elle s'étendit sur le lit et ferma les yeux.

Des corps en mouvement, trempés de sueur.

Allez, bébé. Laisse-toi aller, bébé. Donne-toi à moi. Plus fort.

Une femme en train de pleurer, sa douleur, brûlante comme la lave, lui déchirant le corps.

Oh ! mon Dieu, mon Dieu ! qu'est-ce que je vais bien pouvoir faire ? Où pourrai-je aller ? N'importe où, sauf rentrer. Je vous en prie, faites qu'il ne me trouve pas !

Des pensées éparses, des mains qui tâtonnent, une excitation panique, une culpabilité dévorante.

Et si je tombais enceinte ? Ma mère me tuerait. Est-ce que ça fait mal ? Seigneur, c'est tellement bon. Est-ce que ça fait mal quand il va me pénétrer ? Est-ce qu'il m'aime vraiment ?

Des images, des pensées, des voix la submergeaient comme des vagues de formes et de sons.

« Laissez-moi tranquille, pria-t-elle. Laissez-moi seule. » Les yeux toujours clos, Tory se représenta un mur épais, haut et blanc. Elle l'édifia pierre par pierre jusqu'à ce qu'il s'élève entre elle et tous les souvenirs flottant dans la pièce comme de la fumée. Derrière ce mur, tout était frais et bleu clair, comme l'eau, une eau sur laquelle on pouvait flotter, dans laquelle on pouvait s'enfoncer. Et, finalement, s'endormir.

Au-dessus, le soleil était aveuglant et chaud. Elle entendait le chant des oiseaux, le clapotis de ses mains quand elle les agitait dans l'eau.

Son corps ne pesait plus rien, son esprit était apaisé. Elle distinguait au bord de l'étang les grands chênes avec leur lacis de mousse. Un saule s'inclinait comme un courtisan pour tremper ses branches dans la surface miroitante.

Elle sourit en elle-même et s'abandonna, les yeux fermés.

L'écho d'un rire lui parvint, le rire clair et léger d'une fillette joyeuse, insouciante. Tory ouvrit paresseusement les yeux.

Là-bas, près du saule, Hope lui faisait signe.

Hé, Tory, Hé ! Je te cherchais.

D'abord, la joie la traversa comme une flèche. Tory se retourna dans l'eau et fit un signe de la main.

Viens me rejoindre ! L'eau est délicieuse.

Nous allons nous faire attraper si on nous voit nous baigner toutes nues.

Mais, avec un petit rire, Hope se débarrassa vivement de ses chaussures, de son short et de sa chemisette.

Je croyais que tu étais partie.

Ne sois pas idiote. Où voudrais-tu que j'aille ?

Je t'ai cherchée longtemps. Hope se glissa lentement dans l'eau. Mince comme un saule et blanche comme du marbre. Ses cheveux s'étalèrent à la surface de l'eau. De l'or sur fond bleu. *À tout jamais et pour l'éternité.*

Puis la surface de l'étang s'assombrit et se mit à bouillonner. Les gracieuses branches de saule claquèrent tels des fouets. Et l'eau devint soudain si froide que Tory frissonna.

L'orage se lève. Nous ferions mieux de rentrer.

Quelque chose me bloque. Je ne peux pas atteindre le fond. Il faut que tu m'aides.

Hope se débattait dans l'eau gonflée de remous, la fouettant de ses bras minces, soulevant des gerbes d'un liquide opaque qui avait pris la couleur sombre du marais.

Tory se mit à nager à longues brassées aussi vite qu'elle pouvait, mais chacun de ses mouvements l'éloignait davantage de l'endroit où la fillette s'agitait désespérément. L'eau brûlait ses poumons, la tirait vers le fond. Elle se sentait couler. Elle se noyait elle-même et la voix de Hope résonnait dans sa tête.

Vite ! Il faut que tu viennes. Dépêche-toi !

Tory s'éveilla dans le noir avec le goût du marais dans la bouche. Sans la moindre force pour reconstruire son mur. Elle se retourna sur le lit et se leva. Dans la salle de bains, elle s'aspergea le visage d'une eau teintée de rouille puis le leva, encore ruisselant, vers la glace.

Des yeux cernés, dans lesquels se reflétait encore son rêve, la fixèrent. « Il est trop tard pour revenir en arrière », songea-t-elle. Il avait toujours été trop tard.

Elle saisit son sac et la petite trousse qu'elle avait emportée mais dont elle ne s'était pas servi, quitta la chambre et gagna sa voiture.

La nuit était calme maintenant. La barre de chocolat fourré et le soda qu'elle avait achetés au distributeur automatique du motel suffiraient à remettre son métabolisme en marche. Elle tourna le bouton de la radio pour chasser ses pensées. Elle ne voulait songer à rien d'autre qu'à la route.

Quand elle atteignit le centre de l'État, le soleil était déjà haut et le trafic intense. Elle s'arrêta pour faire le plein avant de s'engager sur la nationale 20. Quand elle passa devant la bretelle conduisant à l'endroit où ses parents s'étaient autrefois réinstallés, son estomac se contracta et demeura noué pendant près d'une cinquantaine de kilomètres.

Elle se força à penser à sa grand-mère, au stock empilé à l'arrière de sa voiture ou à celui qui devait lui être livré à Progress, à son budget pour les six mois à venir et à tout le travail qui l'attendait si elle voulait ouvrir sa boutique à temps pour le Memorial Day.

Elle laissa ses pensées vagabonder sur n'importe quel sujet, sauf sur la véritable raison de son retour dans sa ville natale.

À la sortie de Florence, elle s'arrêta de nouveau pour faire un peu de toilette dans les lavabos d'une station-service, brosser ses cheveux, se maquiller légèrement. Sa grand-mère ne serait pas dupe, mais, au moins, elle aurait fait un effort.

Sur une brusque impulsion, elle stoppa devant un fleuriste. Le jardin de Gran était toujours une véritable exposition florale, mais la douzaine de tulipes roses qu'elle acheta représentaient autre chose. Tory songea, mal à l'aise, qu'elle n'était pas revenue voir sa grand-mère depuis Noël, alors que seulement deux heures de route les séparaient.

En s'engageant dans la rue coquette ornée de cornouillers et de buissons fleuris, elle se demanda pourquoi elle ne l'avait pas fait. C'était un endroit charmant, de ceux où l'on voit des enfants jouer dans la cour et des chiens sommeiller à l'ombre. Où l'on échange entre voisins quelques paroles aimables par-dessus la haie, où les gens remarquent les voitures étrangères et gardent un œil sur la maison d'à côté, pas seulement par curiosité.

Celle d'Iris Mooney, située au milieu de la résidence, était coquette et cernée d'énormes azalées. Leurs teintes commençaient à passer, mais les tons de rose n'en étaient que plus délicats contre les volets que sa grand-mère avait choisis d'un bleu éclatant. Comme on pouvait s'y attendre, le jardinet devant la maison était ravissant, le talus de la pelouse bien entretenu et le porche parfaitement propre.

Une camionnette sur le flanc de laquelle on pouvait lire « Plomberie à toute heure » était garée dans l'allée derrière la voiture de Gran, et Tory se rangea un peu plus loin. La tension intérieure qui ne l'avait pas quittée durant tout le trajet commença à se relâcher tandis qu'elle se dirigeait vers le porche.

Elle ne frappa pas. Elle ne l'avait jamais fait dans cette maison, dont la porte lui était toujours ouverte et où elle se savait bienvenue. À certains moments, cela seul avait suffi à l'empêcher de s'écrouler.

Elle fut surprise de trouver un calme complet. Il était près de dix heures et elle s'était attendue que sa grand-mère soit dans le jardin ou occupée à l'intérieur.

Comme toujours, le salon était encombré de meubles, de bibelots, de livres. Tory remarqua dans un vase une douzaine de roses rouges qui firent paraître ses tulipes bien modestes. Elle posa sa valise, son sac et se tourna vers le hall pour appeler :

— Gran ? Tu es là ?

Son bouquet de fleurs à la main, elle monta vers les chambres et s'arrêta, interdite, en percevant un mouvement derrière la porte close de la chambre de sa grand-mère.

— Tory ? C'est toi, ma chérie ? Je viens tout de suite. Descends et... sers-toi donc un thé glacé.

Avec un haussement d'épaules, Tory prit la direction de la cuisine, mais jeta un coup d'œil derrière elle en entendant ce qui ressemblait à un rire étouffé.

Déposant ses fleurs sur la table, elle ouvrit le réfrigérateur. Le pot de thé l'attendait, préparé comme elle l'aimait avec des tranches de citron et quelques brins de menthe. Gran n'oubliait jamais rien, se dit Tory en sentant des larmes lui monter aux yeux sous le coup de la fatigue et de l'émotion.

Elle se retourna au son des pas rapides de sa grand-mère dans l'escalier.

— Mon Dieu ! Tu es en avance ! Je ne t'attendais pas avant midi.

Petite, mince et agile, Iris Mooney entra dans la pièce et serra Tory dans ses bras.

— Je suis partie de bonne heure et j'ai roulé d'une traite. Je te réveille ? Tu ne te sens pas bien ?

— Quoi ?

— Tu n'es pas encore habillée.

— Oh ! Ha ! (Iris recula après une dernière embrassade.) Je vais très bien. Voyons plutôt comment tu vas, toi. Oh ! mais tu sembles complètement épuisée.

33

— Juste un peu fatiguée. Par contre, toi, tu as l'air en pleine forme.

C'était indiscutablement vrai. Ses soixante-sept années de vie avaient semé quelques rides sur son visage, sans pour autant ternir son teint de magnolia ni délaver le gris profond de ses yeux. Elle avait eu dans sa jeunesse des cheveux roux et veillait à ce qu'ils le demeurent. Si Dieu avait voulu que les femmes aient les cheveux gris, disait-elle, il n'aurait pas laissé inventer les teintures. Gran prenait soin de sa personne et savait se mettre en valeur.

Ce qui n'était pas le cas de sa petite-fille, était-elle en train de penser.

— Assieds-toi tranquillement ici. Je vais te préparer un petit déjeuner.

— Ne te dérange pas, Gran.

— Tu crois que tu vas t'en sortir comme ça ? Assieds-toi !

Elle désigna du doigt une chaise devant la petite table du coin repas.

— Oh ! mais d'où viennent ces fleurs ? Comme elles sont jolies ! (Elle s'empara des tulipes et ses yeux brillèrent de plaisir.) Tu es la plus adorable des enfants, ma Tory !

— Tu m'as manqué, Gran. J'aurais dû venir te voir plus tôt.

— Tu as ta propre vie et c'est ce que j'ai toujours souhaité pour toi. À présent, détends-toi et, quand tu seras installée, tu pourras me parler de ton voyage.

— Cela valait vraiment la peine de faire tous ces détours. J'ai trouvé des objets superbes.

— Tu es comme moi, tu as l'œil pour dénicher de jolies choses.

Elle se retourna juste à temps pour voir sa petite-fille sursauter devant la silhouette de l'homme qui se tenait sur le seuil de la cuisine.

Il était grand comme un chêne, avec des épaules aussi larges qu'une Buick. Ses cheveux gris, encadrant un visage hâlé aux traits réguliers, avaient la couleur et la texture de la paille de fer. Ses yeux brun clair tombaient sur les coins tels ceux d'un basset. Il se gratta la gorge avec exagération et fit un signe de tête à Tory.

— Bonjour, dit-il avec l'accent traînant du Sud. Ah ! madame Mooney, j'ai réparé cette conduite d'eau...

— Cecil, cesse de faire l'idiot. Tu n'as même pas ta boîte à outils avec toi.

Iris posa sur la table une boîte d'œufs.

— Tu n'as pas besoin de rougir, ajouta-t-elle. Ma petite-fille ne va pas s'évanouir en découvrant que sa grand-mère a un amant. Tory, je te présente Cecil Axton, la raison pour laquelle je ne suis pas encore habillée à cette heure-ci.

— Iris ! (Il rougit de plus belle.) Heureux de vous connaître, Tory. Votre grand-mère avait hâte de vous revoir.

— Comment allez-vous ? bredouilla Tory, incapable de trouver une réplique plus intelligente.

Elle lui tendit la main et, parce qu'elle était encore sous le coup de la surprise et que les sentiments du nouvel arrivant étaient si évidents, elle eut une brusque vision de ce qui avait fait rire sa grand-mère derrière la porte de sa chambre.

Elle l'écarta bien vite avant de croiser le regard de Cecil.

— Vous êtes... plombier, monsieur Axton ?

— Il est venu réparer mon chauffe-eau, intervint Iris, et, depuis lors, c'est lui qui me tient chaud.

— Iris !

Cecil baissa la tête et laissa tomber ses vastes épaules, mais il ne put s'empêcher de sourire.

— Bon, eh bien, il est temps de vous laisser seules. Je vous souhaite un bon séjour, Tory.

— Tu ne vas pas partir comme ça sans m'embrasser !

Sur ce, Iris se dirigea vers lui, prit sa tête entre ses mains pour l'abaisser à son niveau et lui planta un solide baiser sur la bouche.

— Voilà ! Il n'y a eu ni éclairs ni tonnerre, et cette enfant ne s'est pas trouvée mal pour avoir reçu un tel choc.

Elle l'embrassa de nouveau et lui tapota la joue.

— Va-t'en à présent, mon joli, et bonne journée !

— À plus tard !

— Je l'espère bien ! Maintenant, fiche le camp ! C'était prévu comme ça. J'ai à parler à Tory.

— J'y vais ! (Il se tourna vers Tory avec un sourire hésitant.) Si on tente de discuter avec cette femme, tout ce qu'on en retire, c'est un mal de tête.

Il décrocha une casquette d'un bleu délavé du porte-manteau de la cuisine, la planta sur sa tignasse grise et sortit vivement.

— N'est-il pas adorable ? Voilà, j'ai du bacon. Comment désires-tu tes œufs ?

— Dans des biscuits au chocolat, Gran.

Tory prit une petite inspiration et se leva.

— Cela ne me regarde absolument pas, mais...

— En effet, cela ne te regarde pas, à moins que je ne t'y invite, ce que j'ai fait.

Iris mit à frire le bacon dans la vieille poêle noire où l'huile grésilla.

— Si tu es choquée et scandalisée à l'idée que ta grand-mère puisse avoir une vie sexuelle, tu vas devoir t'y faire.

Tory eut un sursaut, mais réussit à maîtriser son expression quand Iris se tourna vers elle.

— Je ne suis ni choquée ni scandalisée mais, disons, un peu déconcertée. Quand je pense qu'en arrivant ce matin j'ai failli... euh...

— Eh bien, tu es arrivée de bonne heure, mon trésor. Je vais faire cuire ces œufs et nous allons toutes les deux prendre un bon petit déjeuner malgré l'heure tardive.

— J'imagine que cela t'a ouvert l'appétit.

Iris lui jeta un coup d'œil puis se mit à rire à gorge déployée, la tête rejetée en arrière.

— Ah ! je te retrouve là, ma petite fille. Tu m'inquiètes, trésor, quand tu ne souris pas.

— Pour quelle raison sourirais-je ? C'est toi qui t'es offert des distractions.

Amusée, Iris redressa la tête.

— À qui la faute ?

— À toi. C'est toi qui as vu Cecil la première.

Tory disposa deux tasses et versa le thé. Elle se demanda combien de femmes pouvaient avoir des grand-mères entretenant des relations amoureuses avec un plombier. Elle ne savait pas si elle devait en être fière ou s'en amuser. Une combinaison des deux convenait sans doute à la situation.

— Il a l'air d'un homme vraiment très bien.

— Mieux encore.

Iris vérifia la cuisson du bacon et décida de tout avouer.

— Tory, il vit ici.

— Ici ? Avec toi ?

— Il voudrait que nous nous mariions, mais je ne suis pas sûre d'en avoir envie. Alors, je l'ai pris sous mon toit pour ce qu'on pourrait appeler un bout d'essai.

— Je crois que j'ai besoin de m'asseoir. Seigneur, Gran ! En as-tu parlé à Maman ?

— Non, et je n'ai pas l'intention de le faire. Je n'ai pas besoin de discours sur le péché et la perdition de mon âme aux yeux du Tout-Puissant. Ta mère est une épine dans mon cœur. Comment ai-je pu concevoir une fille si desséchée, avec un museau de souris ?

— Pour elle, c'était une question de survie, murmura Tory.

Mais Iris eut un grognement désapprobateur.

— Elle aurait survécu beaucoup mieux si elle avait quitté ce fils de chienne qu'elle a épousé il y a vingt-cinq ans. C'était son choix, Tory. Si elle avait eu la moindre jugeote, elle aurait pris une autre direction. Comme tu l'as fait toi-même.

— Crois-tu ? Je ne sais pas quels choix j'ai bien pu faire, ni ceux qui ont été faits pour moi. Je ne sais pas lesquels étaient bons et lesquels étaient mauvais. Et me voilà, Gran, revenant au point de départ. Je me dis que je suis responsable de ma vie, maintenant. Que c'est à moi d'en décider. Mais au fond de moi-même, je sais que je ne peux pas m'empêcher d'agir ainsi.

— Est-ce que tu désires vraiment retourner là-bas ?

— Je ne connais pas la réponse.

— Alors tu dois continuer jusqu'à ce que tu la découvres. Tu as en toi une lumière si puissante, Tory. Tu trouveras ton chemin.

— C'est ce que tu as toujours dit.

— J'aurais dû t'aider davantage.

— Gran !

Tory se leva, enlaça tendrement la taille de sa grand-mère et pressa sa joue contre la sienne tandis que le bacon grésillait.

— Tu as toujours été le pôle de ma vie, le seul point stable. Sans toi, je ne serais pas là.

— Oh ! que si ! (Iris caressa la main de Tory avant de se précipiter pour retirer le bacon et le déposer sur un papier absorbant.) Tu es bien plus forte que nous tous réunis. Et, si tu veux mon avis, c'est ça qui faisait peur à Han Bodeen. Il voulait te briser pour vaincre sa peur. Mais, en fin de compte, il a forgé ta résistance, n'est-ce pas ?

Elle cassa un œuf sur le coin de la poêle et le fit glisser dans la graisse chaude.

— Fais griller quelques toasts, mon cœur.

— Maman ne te ressemble absolument pas, dit Tory en introduisant les tranches dans le grille-pain. Elle n'a rien de toi.

— Je ne sais pas à quoi ressemble aujourd'hui Sarabeth. Il y a des années qu'elle s'est éloignée de moi. C'était à l'époque où j'ai perdu ton grand-père, je crois. J'avais deux enfants à élever. Ce fut la pire année de ma vie. Seigneur ! je n'en ai jamais connu de plus difficile. J'aimais tellement cet homme.

Elle poussa un soupir et plaça les œufs sur une assiette.

— Mon cher Jimmy... Il était tout pour moi. En une minute, le monde qui me paraissait si stable s'est écroulé. Sarabeth avait douze ans et J.R. seize. Elle m'a échappé alors. J'aurais dû mieux l'éduquer, oui, j'aurais dû.

— Tu n'as pas de reproches à te faire.

— Ce n'est pas ça. Mais quand on regarde en arrière, on comprend mieux les choses. On voit la vie sous un autre angle. Si j'avais quitté Progress, si j'avais utilisé l'assurance de Jimmy pour vivre au lieu d'accepter un travail à la banque, si je n'avais pas tant cherché à économiser pour que mes enfants puissent aller à l'université...

— Tu as voulu qu'ils aient la meilleure éducation possible.

— C'est vrai. (Iris posa les assiettes sur la table et sortit du réfrigérateur le beurre et la confiture.) J.R. a fait des études et en a bien profité. Mais Sarabeth a choisi Hannibal Bodeen. Il devait en être ainsi. Et si c'était à refaire, je n'y changerais rien, sinon, je ne pourrais pas être assise ici avec ma petite-fille devant une assiette d'œufs au bacon. Sinon, je ne t'aurais pas.

— Je retourne là-bas, Gran. Il m'est impossible de faire autrement. (Tory mit les toasts sur une assiette qu'elle déposa sur la table.) J'ai peur, car j'ignore pourquoi j'ai tellement envie de revenir. Je ne connais plus les gens. J'ai peur de ne plus me reconnaître moi-même une fois là-bas.

— Tu ne trouveras pas la paix tant que tu ne l'auras pas fait, Tory. Tant que tu n'auras pas surmonté tout cela. Alors, persévère. Du jour même où tu as quitté Progress, tu as cherché à y retourner.

— Je sais.

Se sentir comprise la soulageait. Tory prit une tranche de bacon en souriant.

— Et maintenant, parle-moi de ton plombier.

— Oh ! cet adorable chou !

Enchantée d'aborder ce sujet, Iris attaqua son petit déjeuner.

— Il a l'air d'un gros ours, n'est-ce pas ? Tu n'imagines pas combien il est gentil. Il a créé son entreprise voilà une quarantaine d'années. Et perdu sa femme – que je connaissais vaguement – il y a cinq ans. Maintenant, il est plus ou moins à la retraite. Deux de ses fils font marcher l'affaire. Il a six petits-enfants.

— Six ?

— Oui, vraiment. Il y en a même un qui est médecin. Un beau jeune homme. Je me disais justement que...

— Arrête ! (Tory étala de la confiture sur un toast.) Je ne suis pas intéressée.

— Comment peux-tu le savoir ? Tu ne l'as jamais vu.

— Je ne suis pas intéressée par les jeunes gens. Ni par les hommes.

— Tory, depuis quand n'as-tu pas eu de relation avec un homme ?

— Depuis Jack, avoua-t-elle. C'est vrai. Et je n'ai pas l'intention d'en avoir d'autre. Une fois suffit. (Elle but une gorgée de thé pour effacer le goût amer qui lui était venu à la bouche.) Tout le monde n'est pas destiné à vivre en couple, Gran. Je suis heureuse ainsi.

Comme Iris affichait un air de doute, elle haussa les épaules.

— Bon, disons que j'ai l'intention d'être heureuse ainsi. Et je vais faire de mon mieux pour y parvenir.

3

Il y avait trop longtemps, songeait Tory, qu'elle ne s'était pas balancée ainsi sous un porche à regarder les étoiles et à écouter le chant des grillons. Trop longtemps qu'elle n'avait pas été assez détendue pour rester simplement assise en savourant la brise du soir.

Tout en pensant cela, elle se disait aussi qu'il s'écoulerait sans doute encore un grand moment avant qu'elle puisse de nouveau le faire.

Demain, elle prendrait la route pour parcourir les derniers kilomètres qui la séparaient de Progress. Là, il lui faudrait rassembler les morceaux de sa vie et faire enfin le deuil de son amie morte.

Mais, ce soir, l'air était doux et les pensées s'abandonnaient.

Elle leva les yeux en entendant grincer le treillis de la porte et sourit à Cecil. Sa grand-mère avait raison, il ressemblait vraiment à un gros ours. Qui pour l'instant avait l'air nerveux.

— Iris m'a mis à la porte de la cuisine.

Il tenait à la main une bouteille de bière brune et se dandinait d'un pied sur l'autre, pointure 45, l'air embarrassé.

— Elle m'a dit de m'asseoir dehors un instant et de vous tenir compagnie.

— Elle voudrait que nous fassions connaissance. Alors obéissez-lui et venez près de moi. J'aime avoir de la compagnie.

— Ça semble un peu drôle. (Il casa sa grande carcasse sur la balancelle en lançant à Tory un regard en coin.) Je sais ce que vous pensez, vous autres les jeunes. Un vieil idiot comme moi qui fait la cour à une femme comme Iris...

Il sentait le savon parfumé à la lavande dont il avait dû se servir pour faire sa toilette avant dîner. Savon de lavande et bière Coors, songea Tory. Une agréable combinaison virile.

— Votre famille n'est pas d'accord ?

— Oh ! si. Du moins, maintenant. Iris a ensorcelé tous mes garçons. Elle a sa manière à elle. Un de mes fils, Jerry, a d'abord été un peu fâché, comme un gosse, mais Iris a fait sa conquête. Le fait est plutôt que...

Il laissa traîner les mots et se gratta la nuque. Tory croisa les mains et s'adossa confortablement en lui souriant, tandis qu'il se lançait dans un petit discours qu'il devait sûrement avoir préparé avec soin.

— Vous comptez beaucoup à ses yeux, Tory. Vous êtes probablement la personne la plus importante pour elle. Elle est fière de vous, se fait du souci à votre sujet et parle souvent de vous. Je sais qu'un fossé s'est creusé entre elle et votre mère. J'imagine que cela vous rend encore plus précieuse à son cœur.

— C'est un sentiment réciproque.

— Je sais. Je m'en suis rendu compte pendant le dîner. Le fait est que... (Il laissa la phrase en suspens et but une bonne gorgée de bière.) Bah... au diable les préjugés ! Le fait est que je l'aime ! Je sais bien que ça vous paraît idiot de la part d'un homme qui a dépassé la soixantaine, mais...

— Pourquoi cela me paraîtrait-il idiot ?

Elle ne se sentait pas très à son aise pour traiter avec légèreté ce genre d'émotions, cependant il semblait avoir besoin de réconfort. Elle lui tapota gentiment le genou.

— Qu'est-ce que l'âge a à voir dans tout cela ? Gran vous aime beaucoup. Et, pour moi, c'est amplement suffisant.

Il parut soulagé et Tory l'entendit pousser un soupir.

— Je n'ai jamais cru pouvoir éprouver à nouveau de tels sentiments. J'ai été marié quarante-six ans à une femme merveilleuse. Nous avons grandi ensemble, fondé une famille, monté une entreprise coude à coude. Quand je l'ai perdue, j'ai pensé que toute cette partie de ma vie était terminée. Puis j'ai rencontré Iris et... Seigneur, elle m'a donné l'impression d'avoir de nouveau vingt ans !

— Et vous, vous avez allumé des étoiles dans ses yeux.

Il rougit et esquissa de ses lèvres crispées un sourire de contentement.

— Eh ! Je sais encore me servir de mes mains !

Comme Tory ne pouvait retenir un éclat de rire, il se hâta de préciser :

— Je veux dire que je sais me rendre utile dans une maison, accrocher des choses, les réparer...

— Je sais bien ce que vous voulez dire.

— Avec Stella – c'était ma femme –, j'ai été à bonne école. Pas question de laisser des traces de boue sur un sol propre, ni de jeter par terre les serviettes mouillées. Je sais même cuisiner un peu si l'on n'est pas trop exigeant, et j'ai de quoi vivre.

Gran avait raison, songea Tory. Cet homme était un amour.

— Cecil, êtes-vous en train de me demander ma bénédiction ?

Il inspira à fond.

— Je voudrais l'épouser. C'est elle qui ne veut pas pour l'instant. Cette femme est entêtée comme une mule. Mais j'ai la tête dure, moi aussi. Je tenais à vous le dire car je ne veux pas que vous pensiez que je me sers d'elle. Il faut que vous sachiez que mes intentions...

— ... sont honorables, dit Tory en terminant la phrase à sa place, profondément émue. Je suis de votre côté, Cecil.

— Vraiment ? (Il s'adossa à la balancelle, qui grinça.) C'est un réel soulagement pour moi, Tory. Un réel soulagement. Dieu tout-puissant ! Je suis heureux que cette épreuve soit derrière moi. (Il but une nouvelle gorgée de bière.) J'en ai la gorge sèche.

— Vous vous en êtes très bien sorti, Cecil. Rendez-la heureuse.

— J'en ai bien l'intention.

De nouveau à l'aise maintenant, il étendit le bras sur le dossier de la balancelle et contempla le jardin.

— Quelle belle nuit !

— Oui. Une très belle nuit.

Tory dormit profondément et sans rêves dans la maison de sa grand-mère.

— J'aurais aimé que tu restes encore un peu, juste un jour ou deux.

— Je dois absolument partir.

Iris hocha la tête, maîtrisant à grand-peine son envie d'insister, tandis que Tory portait sa valise dans la voiture.

— Téléphone-moi dès que tu seras un peu installée.

— Bien entendu.

— Et va voir tout de suite J.R. Boots et lui pourront t'aider.

— J'irai le voir, ainsi que tante Boots et Wade.

Elle embrassa sa grand-mère sur la joue.

— Cesse de te faire du souci.

— Tu me manques déjà. Donne-moi tes mains.

41

Comme Tory hésitait, Iris s'en saisit et les tint fermement entre les siennes.

— Je t'en prie, trésor, fais-moi plaisir...

Tandis qu'elle se concentrait, son regard se troubla un peu.

Les visions d'Iris n'étaient pas aussi lumineuses que celles de sa petite-fille. Mais elle pouvait percevoir des couleurs et des formes. Le gris sale des soucis, le rose vif de l'excitation, le bleu terne du chagrin. Et, au-delà du noir, le rouge profond de l'amour.

— Tout ira bien, dit-elle en serrant une dernière fois légèrement les mains de Tory. Je serai toujours là si tu as besoin de moi.

— Je l'ai toujours su. (Tory s'installa dans la voiture et prit une profonde inspiration.) Ne leur dis pas où je suis, Gran.

D'un signe de tête, Iris donna son accord. Elle avait bien compris qu'elle parlait de ses parents.

— Je t'aime.

Tory s'éloigna, le regard fixé au loin.

Les champs défilèrent, douces ondulations couvertes du vert tendre de la végétation naissante. Le long de la route, Tory repérait au passage les cultures – soja, tabac, coton –, dont les pousses délicates recouvraient le sol brun d'un voile léger.

Le contact avec la nature lui avait manqué.

Elle n'était pas une inconditionnelle du jardinage comme certains, mais elle aimait s'occuper de temps à autre des fleurs sans éprouver pour autant le besoin de travailler la terre de ses mains, de la nourrir, de récolter ce qu'on y avait semé.

Elle appréciait le cycle des saisons, la continuité, la vue des champs cultivés qui se découpaient nettement de part et d'autre de la route, alternant avec la végétation luxuriante parsemée de chênes verts moussus, le sumac envahissant, les rubans d'une eau sombre qui ne serait jamais tout à fait domptée.

Il s'en dégageait une odeur lourde et riche. Une odeur d'engrais et de marais. Elle songea que celle-ci caractérisait bien plus le Sud que le magnolia. Elle symbolisait son cœur même car, au-delà des coquets jardins et des pelouses bien entretenues, c'était dans les plantations, dans la sueur, dans l'ombre secrète de ses rivières qu'il battait.

Pour éviter le trafic, elle avait choisi d'emprunter des petites routes, et chaque kilomètre parcouru lui donnait le sentiment d'être plus proche de ce cœur.

À proximité de Progress, vers l'ouest, des constructions neuves avaient remplacé les fermes et les champs. Une urbanisation bien contrôlée, avec de grands espaces verdoyants et soignés entre les maisons et un arrosage automatique dans les jardins. On apercevait dans les rues des voitures de tourisme dernier modèle ou des 4×4 et, partout, de larges allées bien planes. Là devaient vivre des couples de jeunes mariés, bénéficiant d'un double salaire et désireux d'emménager dans une jolie maison des faubourgs de la ville pour y élever ensuite leurs enfants.

C'était précisément le genre de clientèle que Tory visait et qui justifiait son installation dans la ville. Des propriétaires ayant de bons revenus qui se faisaient un plaisir de décorer leur intérieur. Elle saurait les attirer par une publicité intelligente et de jolies vitrines.

Ensuite, ils se laisseraient tenter.

Trouverait-elle encore des familles qu'elle avait connues dans son enfance ? Qui se souviendrait de cette maigre fillette arrivant à l'école couverte de meurtrissures ? Qui se rappellerait qu'elle savait parfois des choses qu'elle n'était pas censée savoir ?

Les souvenirs sont fugaces, songea Tory. Et si certains se souvenaient d'elle, elle n'avait qu'à s'en servir pour faire marcher ses affaires.

Aux abords de la ville, les maisons devinrent plus serrées, comme si elles cherchaient à se tenir compagnie. Elle eut brusquement la vision d'une autre banlieue de Progress, là où le lit étroit de la rivière se resserre et forme la limite de la ville. Dans sa jeunesse, les maisons et les camions rouillés – souvent simplement posés sur une pile de vieux parpaings – qui s'entassaient là-bas étaient tristes et sombres, et leurs toits prenaient l'eau. C'était la zone, le bidonville, un endroit où les chiens grondaient et sautaient de manière inquiétante en tirant sur leur chaîne, où les femmes suspendaient un linge misérable, où les enfants s'asseyaient dans une herbe pelée et sale.

Certains hommes travaillaient la terre pour gagner de quoi vivre, d'autres se contentaient de bière et de vagues subsides. Enfant, son sort avait été un peu meilleur, mais de si peu que, même à cet âge, elle avait craint de perdre ce léger avantage et de se retrouver dans ce trou où le pain quotidien était servi avec parcimonie.

Elle aperçut d'abord le clocher de l'église. La ville en avait quatre, du moins à l'époque. Mais la plupart des personnes de sa connaissance appartenaient à l'église baptiste. Autrefois, elle avait passé des heures et des heures assise sur un banc dur, s'efforçant de ne rien perdre des sermons interminables du pasteur car, le soir avant le souper, son père la questionnerait en détail sur ce qu'elle avait entendu.

Si elle ne répondait pas correctement, la punition était immédiate et rude.

Elle n'avait pas pénétré dans une église, de quelque confession qu'elle soit, depuis huit ans.

« N'y pense pas, se dit-elle. Pense à aujourd'hui. » Mais aujourd'hui, pour ce qu'elle en voyait, ressemblait de près à hier. Elle avait l'impression que bien peu de choses avaient changé à Progress.

Elle s'engagea délibérément dans Live Oak Drive pour pénétrer dans le plus ancien quartier résidentiel de la ville. Les maisons y étaient belles et spacieuses, les arbres vieux et feuillus. Son oncle s'était installé ici quelques années avant qu'elle ne quitte Progress. Grâce à l'argent de sa femme, avait observé le père de Tory d'un ton cassant.

Elle n'avait pas été autorisée à venir leur rendre visite et, maintenant encore, elle se sentit vaguement coupable en passant devant la jolie demeure de pierres blanches aux vitres étincelantes, nichée dans un écrin de buissons fleuris.

Son oncle devait être au travail à cette heure-ci, à la banque qu'il dirigeait depuis toujours. Tout en éprouvant une sincère affection pour sa tante, Tory ne se sentait pas d'humeur à supporter la voix douce et les mains papillonnantes de Boots Mooney.

Elle poursuivit son chemin à travers les rues, longea des maisons plus petites, un immeuble relativement récent qui n'existait pas seize ans plus tôt. Elle leva un sourcil surpris en découvrant un nouveau magasin d'alimentation aux vives lumières rouges et blanches, tout près de l'ancien *drive-in* de la ville.

Le lycée s'était agrandi, et un charmant petit parc avait été aménagé là où se dressaient autrefois une rangée de maisons croulantes. De jeunes arbres avaient été plantés à côté des anciens, des fleurs pimpantes débordaient de grands pots de grès.

Tout semblait à la fois plus joli, plus propre, plus frais que dans ses souvenirs. Elle se demanda ce qui en resterait quand la première couche de ce vernis extérieur aurait disparu.

En s'engageant dans Market Street, elle se sentit un peu stupide en se réjouissant de découvrir le magasin *Hanson's*, toujours là, avec sa même vieille enseigne et sa vitrine parsemée de prospectus et d'affiches.

Le goût sucré des bonbons Grape Nehi qu'elle y achetait dans son enfance lui revint aussitôt à la bouche et la fit sourire.

Elle remarqua que le salon de coiffure avait changé de propriétaire. Ce n'était plus *Lou's Beauty Shoppe* mais, désormais, *Hair Today*. Toutefois, le petit restaurant était toujours à la même place, et il lui sembla voir traîner devant, en train de bavarder, les mêmes vieux messieurs portant les mêmes survêtements.

Au milieu du pâté de maisons, nichée entre la droguerie *Rollins Paint* et *The Flower Basket*, la boutique de la fleuriste, se trouvait la vieille épicerie. C'était là que Tory avait l'intention d'apporter du changement.

Elle se gara et sortit de voiture dans la moiteur épaisse et brûlante de la mi-journée. La façade du bâtiment était bien telle que dans ses souvenirs, avec ses vieilles briques liées par un mortier gris fumée. La vitrine, haute et large, était pour l'instant sale et poussiéreuse, mais elle allait y remédier.

La porte vitrée grinçait à chaque passage et elle nota dans un carnet de la faire réviser par le propriétaire.

Elle ferait placer un banc à l'extérieur – celui qu'elle avait emporté, étroit, au dossier en fer forgé – avec des pots de pétunias rouges et blancs. Des fleurs jolies, accueillantes.

Et en haut de la vitrine, au-dessus du banc, il y aurait le nom de la boutique : *Southern Comfort*.

Voilà ce qu'elle comptait offrir à sa clientèle. Dans un décor confortable, un choix d'articles disposés avec art et discrètement étiquetés.

Elle s'y trouvait déjà en pensée, en train de garnir les étagères, de disposer les petites tables et les lampes. Elle n'entendit pas qu'on l'appelait et se sentit soudain enlevée dans les airs entre des bras puissants.

Son sang ne fit qu'un tour et la panique accéléra son pouls.

— Tory ! Je pensais bien que c'était toi. Depuis quelques jours, j'ouvre l'œil.

— Wade ! s'exclama-t-elle avec un soupir de soulagement.

Il la reposa à terre d'un air contrit.

— Je t'ai fait peur ? Désolé, mais je suis si heureux de te voir.

— Laisse-moi reprendre mes esprits.

— Reprends-les pendant que je te regarde. Deux ans déjà qu'on s'est vus ! Tu as l'air en pleine forme.

— Vraiment ?

C'était toujours agréable à entendre, même si elle n'y croyait pas une seconde. Elle rejeta ses cheveux en arrière et sentit les battements de son cœur s'apaiser.

Il mesurait près d'un mètre quatre-vingt-dix et elle dut lever la tête pour le regarder. Il avait toujours été joli garçon, elle s'en souvenait, mais quelques années de plus avaient sculpté ses traits, qui avaient perdu leur expression angélique, et elle se dit qu'il devait en être satisfait. Ses yeux étaient d'un brun chocolat profond et son visage, quoique plus viril à présent, avait gardé ses fossettes. Ses cheveux, un peu plus clairs que les siens, étaient soigneusement coupés pour discipliner leur tendance à boucler.

Il portait un jean et une simple chemise de coton bleu pâle. Elle le vit sourire sous son regard.

Décidément, songea-t-elle, il avait toujours l'air aussi jeune, séduisant et agréablement prospère.

— Si j'ai l'air en forme, moi, je ne trouve pas de mots pour parler de ton aspect. C'est toi qui as pris tout le stock de séduction de la famille, cousin Wade.

Il lui sourit en retour, un rapide sourire, juvénile, et maîtrisa son envie de la serrer de nouveau dans ses bras. Sachant que Tory n'avait jamais apprécié les grandes effusions, il se contenta de lui tapoter les cheveux.

— Je suis content que tu sois de retour.

— Je n'aurais pu souhaiter un meilleur comité d'accueil. (D'un geste, elle désigna la rue.) Les choses ont l'air d'aller bien ici. Peu de changements et tous dans le bon sens. On dirait que la ville est plus soignée.

— Progress est en progrès, dit-il. Nous le devons pour une bonne part aux Lavelle, au conseil municipal et au maire élu depuis cinq ans. Tu te souviens de Dwight ? Dwight Frazier ?

Elle esquissa un sourire.

— Dwight the Dweeb[1] ? Il formait un fameux trio avec Cade Lavelle et toi, non ?

— Le Dweeb a fait son chemin. Il est diplômé de l'université, chasseur émérite et marié à une beauté locale. Il a repris les rênes de la société de construction de son père et a contribué à l'évolution de Progress. Nous sommes tous devenus de sacrés bons citoyens.

En le voyant se découper devant elle sur le fond du trafic clairsemé de la rue, en entendant le timbre familier de sa voix, elle se rappela pourquoi elle avait toujours éprouvé pour lui de l'affection.

— Ça doit te manquer, un peu de chahut, parfois, n'est-ce pas, Wade ?

— De temps en temps. Écoute. Je suis entre deux rendez-vous. Il faut que je regagne mon cabinet pour convaincre un grand danois nommé Igor de se laisser vacciner contre la rage.

— Je ne te propose pas mon aide, docteur Mooney.

— Mon cabinet est juste de l'autre côté de la rue, à l'extrémité du pâté de maison. Viens avec moi jusque-là et je t'offrirai un thé glacé.

---

1. *Dweeb* est un mot récent difficile à traduire car possédant de nombreux sens. Plutôt péjoratif, il évoque souvent un mordu d'ordinateurs, d'Internet et de jeux vidéo. *(N.d.T.)*

— J'aimerais bien, seulement je dois d'abord aller à l'agence immobilière pour voir s'ils ont quelque chose à me proposer. Je ne sais pas encore où habiter. (Elle remarqua une lueur dans ses yeux.) Qu'y a-t-il ?

— J'ignore ce que tu vas en penser, mais votre ancienne maison, tu sais, elle est libre.

— La maison ?

Elle croisa instinctivement les bras sur sa poitrine, coudes serrés. « C'est le destin, songea-t-elle. Ses voies sont parfois si tortueuses. »

— Je ne sais pas, dit-elle. Je vais y réfléchir.

Dans une ville de moins de six mille habitants, il est difficile de longer deux pâtés de maisons sans tomber sur quelqu'un de connaissance. Qu'on l'ait quittée depuis seize ou soixante ans. Quand elle pénétra dans l'agence immobilière, elle n'y trouva qu'une seule personne, assise derrière un bureau.

Une jolie femme, petite et soignée. Ses longs cheveux blonds étaient rejetés en arrière, dégageant un visage en forme de cœur dans lequel brillaient deux grands yeux bleu porcelaine.

— Bonjour !

La jeune femme battit des paupières et reposa le roman qu'elle était en train de lire, sur la couverture duquel on voyait un pirate torse nu.

— Que puis-je faire pour vous ?

Tory eut une brève vision de la cour de récréation, à l'école élémentaire de Progress, et d'un groupe de fillettes criant de peur et de dégoût en se sauvant. Et elle revit le coup d'œil suffisant, satisfait, de leur chef, dont la longue chevelure blonde flottait au vent.

— Lissy Harlowe !

Lissy leva la tête.

— Devrais-je vous connaître ? Désolée, mais je... (Les grands yeux s'élargirent encore.) Tory ? Tory Bodeen ? Seigneur !

Avec un petit cri, elle se leva vivement. À la rondeur soulevant son chemisier rose, on pouvait constater qu'elle était enceinte d'environ six mois.

— Papa m'a dit que tu devais arriver dans le courant de cette semaine...

Bien que Tory ait fait un pas en arrière, elle contourna le bureau pour venir l'embrasser comme une amie perdue de vue depuis longtemps.

— Quelle nouvelle excitante : Tory Bodeen de retour à Progress après tant d'années ! Tu sais que tu es ravissante ?

— Merci.

Tory vit les yeux de Lissy l'examiner attentivement et une lueur de satisfaction s'y allumer après avoir constaté que l'avantage restait de son côté.

— Tu es très en forme, toi aussi. Tu as toujours été la plus jolie fille de Progress.

— Oh ! quelle bêtise !

Lissy écarta la remarque d'un geste de la main mais ne put retenir un mouvement de vanité.

— Assieds-toi donc. Je vais te chercher une boisson bien fraîche.

— Non, merci. Ne te dérange pas. Est-ce que ton père a le bail ?

— Il me semble, oui. Toute la ville parle de ta boutique. Je suis impatiente de la voir. Impossible de trouver de jolies choses à Progress.

Tout en parlant, elle était repassée de l'autre côté du bureau.

— Chaque fois qu'on veut un objet qui ait un peu d'allure, il faut aller jusqu'à Charleston.

— Voilà qui est bon à savoir.

Tory prit place sur la chaise, et ses yeux tombèrent sur la plaque ornant le bureau et portant le nom de Lissy Frazier.

Frazier ?

— Tu as épousé Dwight ?

— Il y a cinq ans, cinq heureuses années. Nous avons un fils, Luke, le plus adorable des bambins. (Elle retourna une photo pour montrer un garçonnet aux grands yeux et aux cheveux clairs.) Il aura un petit frère ou une petite sœur à la fin de l'été.

Elle se tapota le ventre d'un air satisfait en faisant jouer ses doigts afin de mettre en valeur sa bague de fiançailles, dont le diamant étincela.

— Et toi, ma chérie, tu ne t'es pas mariée ?

Tory décela dans cette question anodine un autre sujet de fierté pour Lissy, qui, depuis toujours, aimait à se considérer comme la meilleure dans tous les domaines.

— Non.

— Je suis pleine d'admiration pour vous autres, les femmes qui sacrifient tout à leur carrière. Toujours si courageuses, si intelligentes. Comparées à vous, qui sommes-nous, nous, simples femmes d'intérieur ?

Voyant Tory jeter un regard interrogateur à la plaque, Lissy se mit à rire.

— Oh ! ça ? s'exclama-t-elle en esquissant un geste négligent. Je viens juste quelques heures par semaine pour rendre service à Papa.

Quand le bébé sera né, je n'aurai sûrement plus le temps ni l'énergie de le faire.

Tory ne put s'empêcher de penser que deux enfants à la maison lui en coûteraient sans doute davantage. Mais elle le verrait bien elle-même. Et Dwight aussi...

— Maintenant, raconte-moi ce que tu as fait et ce que tu deviens.

— J'aimerais beaucoup bavarder avec toi, Lissy, seulement je dois d'abord songer à m'installer.

— Bien sûr ! Que je suis bête ! Tu dois être affreusement fatiguée. (Son mince sourire révéla à Tory qu'elle en avait probablement l'air.) Nous rattraperons tout cela plus tard, quand tu sera reposée.

— Je n'y manquerai pas.

« Souviens-toi qu'elle représente exactement le genre de clientèle que tu vises », songea Tory, qui enchaîna :

— Je viens juste de tomber sur Wade, il y a quelques instants. Il m'a dit que notre ancienne maison – celle où j'ai vécu enfant – était à louer.

— En effet. Les locataires de Lavelle sont partis il y a quelques semaines. Ma chérie, tu ne vas pas retourner habiter là-bas ? Nous avons quelques jolis appartements disponibles au centre-ville. À River Terrace, une femme seule peut trouver tout ce dont elle a besoin, y compris des hommes célibataires, ajouta-t-elle avec un petit signe complice. Ameublement moderne, moquette partout. Nous avons justement là, dans nos dossiers, un ravissant appartement sur jardin.

— Je ne suis pas intéressée par un appartement. Je préfère être en contact avec la nature. Quel est le montant du loyer ?

— Je vais te le dire.

Elle devait le savoir, bien sûr. Lissy avait l'esprit beaucoup plus vif qu'on ne le pensait en général. Mais elle préférait jouer les oies blanches. Elle repoussa sa chaise et manipula quelques instants le clavier de son ordinateur, pour la forme.

— Décidément, je ne comprendrai jamais rien à ces machines, reprit-elle. Voilà. Naturellement, tu sais déjà qu'il y a deux chambres, une salle de bains et...

— Je sais, oui.

Les yeux sur l'écran, Lissy annonça le montant du loyer.

— C'est au moins à quinze ou vingt minutes de la ville en voiture, ajouta-t-elle, alors que l'appartement dont je te parlais est à cinq ou dix minutes à pied.

— Je vais prendre la maison.

— La prendre ? Maintenant ? (Lissy lui jeta un rapide coup d'œil et cilla.) Tu ne veux pas aller la voir d'abord ?

— Je l'ai assez vue. Je vais te faire un chèque. Deux mois de loyer, n'est-ce pas ?

— Oui. (Lissy haussa les épaules.) Je vais établir le bail.

Deux minutes plus tard, tout était réglé et Tory quitta l'agence les clés en poche. Lissy était déjà au téléphone pour répandre la nouvelle.

Là aussi, il y avait du changement. La maison était toujours au même endroit, au bout d'une étroite allée mal entretenue, tout près du marais. Des champs s'étendaient à l'ouest. Les premiers bourgeons de coton sortaient déjà de terre en rangs bien alignés tels des enfants à l'école. Mais on avait planté des azalées roses et blanches et un magnolia près de la fenêtre de la chambre.

Elle se souvenait d'écrans grillagés rouillés et d'une peinture blanche devenue grise avec le temps. Une main nouvelle était passée par là. Les vitres étincelaient et la peinture était fraîche, d'un bleu tendre. On avait ajouté à la maison un porche d'une taille suffisante pour qu'on puisse s'y asseoir et s'y balancer. Un fauteuil à bascule était d'ailleurs là, près de la porte.

La maison était presque accueillante.

Le pouls de Tory s'accéléra tandis qu'elle s'en approchait. Les lieux devaient être peuplés de fantômes, mais c'était justement pour cela qu'elle était revenue. N'était-il pas préférable de les affronter tout de suite ?

Les clés s'entrechoquèrent dans sa main.

La porte grillagée de la moustiquaire grinça. C'était un bruit familier, rassurant. Une porte grillagée devait toujours grincer un peu et retomber avec un petit claquement.

Elle la retint d'une main le temps d'introduire la clé dans la serrure. Puis, prenant une profonde inspiration, elle entra.

Elle eut la soudaine vision du divan usé avec son tissu imprimé de roses passées, du vieux poste de télévision, du tapis de paille tressée tout effiloché. Et des murs d'un jaune bizarre, sans le moindre tableau. La maison sentait les légumes bouillis et le désinfectant.

Tory, te voilà enfin. Lave-toi les mains immédiatement. Tu ne sais donc pas que tu dois mettre le couvert pour le souper avant que papa soit de retour ?

La vision s'effaça et elle se retrouva dans une pièce vide. À présent, les murs avaient une couleur crème, simple mais supportable. Le sol était nu, propre, et il flottait dans l'air une odeur de peinture mêlée d'encaustique qui n'était pas désagréable.

50

Elle se dirigea vers la cuisine.

Les surfaces de travail, désormais en pierre d'un gris neutre, avaient été refaites et les placards repeints en blanc. La cuisinière était neuve, ou en tout cas plus récente que celle dont sa mère se servait. Au-dessus de l'évier, la fenêtre donnait toujours sur le marais. Sur sa verdure, sa végétation exubérante, sur ses secrets.

Rassemblant son courage, elle se détourna pour se rendre dans son ancienne chambre.

Était-elle donc si petite ? s'étonna-t-elle. Un mouchoir de poche, mais elle l'avait trouvée assez grande dans son enfance. Son lit avait été placé près de la fenêtre et, de là, elle aimait contempler la nuit ou voir le jour se lever. Elle avait eu une petite commode dont les tiroirs étaient difficiles à ouvrir ou à fermer. Elle cachait des livres dans celui du bas, car Papa ne voulait pas qu'elle lise autre chose que la Bible.

Dans cette pièce, de bons souvenirs se mêlaient aux mauvais. La lecture tard dans la nuit, en cachette, les rêveries, les projets d'aventures à partager avec Hope.

Et, naturellement, tous les coups reçus.

Maintenant, plus personne ne porterait la main sur elle. Jamais.

Elle installerait un petit bureau dans cette pièce, décida-t-elle. Une table, un classeur, peut-être un fauteuil pour lire, une lampe. Cela suffirait. Elle coucherait dans l'ancienne chambre de ses parents. Oui, ce serait là qu'elle s'installerait. Cette chambre serait dorénavant la sienne.

Au moment où elle allait quitter la pièce, elle ne put résister au désir de revenir sur ses pas et, calmement, ouvrit la porte du placard. Là, son propre fantôme surgit de l'obscurité, le visage couvert de larmes. Elle avait versé assez de larmes depuis l'âge de huit ans pour une vie entière.

Accroupie, elle tâta du bout des doigts la planche du bas et y trouva l'inscription gravée qu'elle pouvait lire les yeux fermés, comme les aveugles : « Je suis Tory. »

« Oui, c'est bien moi, Tory. Vous ne pouvez pas me prendre cela, même en me battant. Je suis Tory et je suis de retour. »

Elle se redressa, chancelante. « J'ai besoin d'air », se dit-elle. Il n'y avait jamais d'air dans le placard, jamais de lumière. Elle s'écarta, les mains moites.

Elle voulut alors quitter la pièce, sortir de cette maison et s'enfuir en courant. Mais une ombre se dessinait sur l'écran grillagé de la

51

porte, accentuée par le soleil de l'après-midi derrière elle. La silhouette d'un homme.

Quand la porte s'ouvrit en grinçant, elle eut l'impression de se retrouver à l'âge de huit ans.

Seule. Sans recours. Terrifiée

4

L'ombre l'appela par son nom. Son nom entier. « Victoria ! » Les sons se répandirent dans l'air comme un liquide chaud et riche.

Elle eut d'abord envie de se sauver, puis eut honte de découvrir toujours présent en elle cet instinct semblable à celui du lièvre, qui ne songe qu'à se dissimuler dans son trou au premier bruit. Les fantômes de la maison l'encerclaient en se moquant d'elle.

Elle s'était trop souvent sauvée, autrefois. Mais elle n'y avait jamais rien gagné.

Elle demeura immobile, pétrifiée, tel le lapereau surpris par le rayon lumineux d'une torche. La peur lui serra la gorge quand la porte s'ouvrit.

— Je vous ai effrayée, pardonnez-moi.

La voix était calme, celle d'un homme rassurant.

— Je me suis arrêté en passant pour voir si vous aviez besoin de quelque chose.

Il restait là sur le seuil, dans la lumière du soleil. Elle sentit ses pensées se bousculer dans sa tête.

— Comment avez-vous su que j'étais là ?

— Vous êtes partie depuis trop longtemps. Avez-vous oublié combien les nouvelles vont vite à Progress ? Plus vite que la vigne vierge qui grimpe sur le mur.

Il parlait d'un ton rieur, probablement pour la mettre à l'aise. Il s'était donc rendu compte de la peur panique qui la rendait si vulnérable. Elle se détendit et croisa les doigts.

— Non, je n'ai rien oublié. Mais qui êtes-vous ?

— Voilà qui ébranle sérieusement mon ego. Même après toutes ces années, je vous aurais identifiée n'importe où dans la foule. Je suis Cade. Kincade Lavelle.

Il s'écarta de la vive lumière qui avait projeté son ombre à contrejour. La peur la quitta quand elle découvrit ses traits.

Kincade Lavelle. Le frère de Hope. L'aurait-elle reconnu ? Sans doute pas, conclut-elle. Dans ses pensées, il n'était qu'un garçon mince au visage doux. Elle retrouvait un homme, solidement bâti, dont les bras musclés et bronzés jaillissaient des manches roulées d'une chemise de travail. Et, bien qu'il soit en train de lui sourire, il n'y avait plus rien de doux dans les traits bien dessinés de son visage.

Ses cheveux étaient plus sombres qu'autrefois, de la couleur des noisettes, avec des mèches blondies par le soleil ici et là. Il avait toujours aimé le grand air, elle s'en souvenait. Elle le revoyait parcourant les champs en compagnie de son père avec cette espèce de désinvolture dans la démarche que donne le sentiment d'être le propriétaire de la terre foulée.

Mais elle aurait reconnu les yeux. De ce même bleu sombre que les yeux de Hope. Le soleil avait laissé sa marque autour d'eux, de petites griffes qui donnent du caractère au regard des hommes et désespèrent les femmes.

Ces yeux la regardaient pour l'instant avec une sorte de patiente nonchalance qui l'aurait peut-être embarrassée si elle avait été plus calme.

— Il y a bien longtemps...

C'est tout ce qu'elle trouva à dire.

— Presque la moitié de ma vie.

Il ne lui tendit pas la main. Son instinct lui soufflait qu'ils pourraient tous deux en être gênés. Elle semblait sur le point de défaillir. Il se contenta de glisser les pouces dans les poches avant de son jean d'un air décontracté.

— Venez donc vous asseoir sous le porche. On dirait que ce vieux fauteuil à bascule est le seul siège qui se trouve dans la maison.

— Je vais bien. Tout à fait bien.

Blanche comme une morte, voilà ce qu'elle était, avec ces grands yeux gris qui l'avaient toujours fasciné, larges et brillants. Ayant grandi dans une maison dominée par les femmes, il savait comment s'y prendre avec elles. Il se retourna et ouvrit la porte grillagée.

— On étouffe ici, dit-il en sortant, retenant la porte pour qu'elle le suive.

N'ayant pas d'autre choix, elle traversa la pièce et gagna le porche. Il perçut au passage une bouffée de son parfum, qui le fit songer au jasmin, cette fleur qui choisissait la nuit pour s'épanouir, presque en secret, dans le jardin de sa mère.

— Ce doit être un sérieux choc, fit-il en la prenant légèrement par le coude pour la guider vers le fauteuil. De revenir ici, je veux dire.

En entendant ces mots, Tory parvint à ne laisser aucune émotion transparaître, mais, tout en avançant, elle s'écarta de façon imperceptible.

— Il me fallait un endroit pour vivre et m'installer rapidement.

Elle ne se sentait pas encore à l'aise. On ne sait jamais ce qui se cache sous des paroles faciles, des sourires de surface, surtout chez les hommes.

— Vous avez vécu un certain temps à Charleston, je crois. La vie est sûrement plus calme par ici.

— C'est le calme que je recherche.

Il s'adossa à la rambarde. Malgré son apparence délicate, il la sentait tendue comme une corde de violon, les nerfs à vif. Curieux, songea-t-il, c'était précisément de cela qu'il se souvenait. De sa sensibilité à fleur de peau, nerveuse, affinée comme la pointe d'un scalpel.

— Tout le monde parle de votre future boutique.

— C'est très bien ainsi. (Elle sourit du coin des lèvres, mais son regard restait grave.) Les bavardages entretiennent la curiosité et la curiosité amènera les gens à ma porte.

— Vous vous occupiez déjà d'un magasin à Charleston ?

— Oui. Mais qui ne m'appartenait pas. Toute la différence est là.

— Sans doute.

Beaux Rêves était maintenant sa propriété, et il pouvait comprendre. Il jeta derrière lui un coup d'œil en direction des champs où les jeunes bourgeons se tournaient vers le soleil.

— Comment avez-vous trouvé la ville, après tout ce temps ?

— À la fois semblable et différente.

— C'est exactement ce que j'étais en train de penser de vous. Vous vous êtes révélée. (Il lui jeta un coup d'œil, aperçut ses doigts crispés sur les bras du fauteuil à bascule, comme pour s'y agripper.) Cela se voit à vos yeux. Vous avez toujours eu les yeux d'une femme. Quand j'avais douze ans, ils me fascinaient déjà.

Par un effort de volonté, et aussi par fierté, elle réussit à ne pas baisser les yeux.

— Quand vous aviez douze ans, vous étiez bien trop occupé à courir partout avec mon cousin Wade et avec Dwight le Dw... avec Dwight Frazier pour me prêter la moindre attention.

— Vous vous trompez. Quand j'avais douze ans, répéta-t-il lentement, il fut un temps où rien ne m'échappait de ce qui vous concernait. J'ai toujours en moi l'image de vous à cette époque.

55

Il observa une courte pause et ajouta :

— Pourquoi ne pas admettre qu'elle est encore présente aujour-d'hui, là, entre nous ?

Tory se leva d'un bond et gagna l'extrémité du porche, où elle resta plantée, les bras croisés sur la poitrine, à contempler les champs.

— Tous deux, nous l'aimions, dit Cade. Tous deux, nous l'avons perdue. Et nous ne l'avons oubliée ni l'un ni l'autre.

Un poids pesa soudain sur eux, comme des mains invisibles étreignant leur poitrine.

— Je ne peux pas vous venir en aide, soupira Tory.

— Je ne vous demande pas d'aide.

— Que voulez-vous alors ?

Il eut un mouvement de surprise, puis s'adossa pour examiner son profil. Elle s'était refermée, constata-t-il. La mince ouverture qu'elle avait pu lui offrir était de nouveau close.

— Je ne vous demande rien, Tory. Est-ce cela que vous attendez des autres ? Rien ?

Elle se sentait maintenant plus solide sur ses pieds et elle se retourna pour le regarder bien en face avant de répondre.

— Oui.

Un oiseau passa derrière lui comme une rapide flèche grise et alla se percher sur l'un des tupélos bordant le marais. Elle eut l'impression qu'il chanta à pleine gorge pendant des heures avant que Cade ne se décide à parler de nouveau.

Avait-elle donc oublié cela aussi ? Ces longs silences paisibles, ce rythme lent et patient des conversations de la campagne ?

— C'est vraiment dommage, dit-il enfin alors qu'elle croyait entendre les battements de son cœur résonner dans le silence. Rassurez-vous, je ne suis pas venu vous demander quoi que ce soit, sauf peut-être une parole amicale de temps à autre. Le fait est que, tous deux, nous aimions Hope. La perdre a changé ma vie. Et, bien que je n'aime pas accuser une dame de mensonge, si vous me disiez que cela n'a pas changé la vôtre, c'est pourtant ce que je ferais.

— En quoi les sentiments que je peux éprouver vous intéressent-ils ?

Elle aurait voulu se frotter les bras pour faire disparaître le frisson qui les secouait, mais elle résista.

— Nous ne nous connaissons pas vraiment, reprit-elle. Nous ne nous sommes jamais fréquentés.

— Tous deux, nous la connaissions. Votre retour fait peut-être remonter certaines choses à la surface. Ce n'est pas votre faute, mais c'est ainsi.

— Êtes-vous venu me souhaiter la bienvenue ou m'avertir d'avoir à garder mes distances ?

Il ne répondit pas tout de suite, se contentant de hocher la tête, mais une lueur malicieuse passa dans son regard, plus rapide que les mots.

— Vous êtes devenue très susceptible, Tory. Il n'est pas dans mes habitudes de demander aux jolies femmes de garder leurs distances. Je serais le premier à en pâtir, non ?

Elle ne sourit pas, lui si. Cette fois, il s'avança délibérément d'un pas pour s'approcher d'elle. À cause de ce mouvement peut-être, ou du bruit des bottes raclant le bois, l'oiseau s'enfuit au fond du marais et le silence succéda à son chant mélodieux.

— Vous pouvez toujours me demander de garder les miennes, reprit-il, seulement je ne suis pas disposé à écouter. Je suis venu vous souhaiter la bienvenue, Tory, et vous voir. J'ai bien droit à un peu de curiosité. Et le fait de vous voir a réveillé en moi le souvenir de cet été lointain. Quoi de plus normal, n'est-ce pas ? Il en ira de même pour d'autres personnes. Vous deviez bien le savoir avant de vous décider à revenir.

— Je suis revenue pour moi-même.

— Est-ce pour cela que vous avez l'air malade, effrayée, épuisée ? demanda-t-il. Alors, bienvenue chez vous.

Il lui tendit la main. Après une brève hésitation, elle décida de relever le défi. Quand elle mit sa main dans celle de Cade, elle trouva celle-ci plus chaude et plus ferme qu'elle ne s'y était attendue. Et ce contact éveilla un elle un déclic inattendu. Importun.

— Je suis désolée d'avoir pu paraître hostile. (Elle libéra sa main.) Mais j'ai eu un tas de choses à faire. Je dois mettre tout en route.

— Si je peux faire quelque chose, n'hésitez pas...

— Je vous en remercie. Au fait... cette maison a été agréablement rafraîchie.

— C'est une bonne maison.

En disant cela, il avait les yeux sur elle et il s'empressa de rectifier :

— Elle est bien située. Bon, il est temps de vous laisser...

Il descendit les marches et s'approcha d'un break passablement défraîchi qui aurait eu besoin d'un sérieux lavage.

— Tory ? Vous savez, cette image de vous que je vous disais avoir gardée dans ma tête ? (Il ouvrit la portière de la voiture et un courant d'air souleva ses mèches striées par le soleil.) Je l'ai rectifiée, en mieux.

Il s'éloigna, les yeux fixés sur elle dans son rétroviseur, jusqu'à ce que le break quitte la poussière du chemin et s'engage sur l'asphalte.

Il n'avait pas voulu parler de Hope. Il avait pensé que c'était de son devoir de lui rendre visite en tant que propriétaire de *Beaux Rêves*, de la maison qu'elle avait louée, en tant qu'ami d'enfance. Mais il n'était pas dupe et, à l'évidence, elle non plus.

La curiosité seule l'avait conduit tout droit à cette maison – que les gens du pays continuaient d'appeler la « maison du marais » – alors qu'il avait cent autres choses plus pressantes à faire. Tout jeune déjà, il avait été éduqué pour diriger plus tard la plantation. À présent, il le faisait à sa manière. Une manière qui ne plaisait pas à tout le monde.

Il avait appris à se montrer plus politique, plus diplomate. À jouer le rôle qu'on attendait de lui – à condition d'obtenir ce qu'il voulait.

Il était justement en train de se demander quel rôle il devait jouer avec Tory.

Qu'elle soit prête à l'admettre ou non, son retour modifiait l'équilibre des choses. C'était un pavé dans la mare, et il allait former à la surface des rides qui s'étendraient loin.

Il ne savait pas trop comment faire avec elle – ni ce qu'il désirait faire. Mais c'était un homme de la terre, et les hommes habitués à vivre avec la terre, avec les semences, avec le temps qu'il fait, savent comment maîtriser ces éléments.

Sur une brusque impulsion, il stoppa la voiture au bord de la route, bien que rien ne justifiât cet arrêt. Toutes ses responsabilités étaient concentrées à *Beaux Rêves*. La nouvelle récolte s'annonçait bien, pourtant avec les plantes poussaient aussi les mauvaises herbes. Il devait y veiller de près. C'était une année cruciale pour les projets qu'il avait mis en route. Il lui fallait vérifier chaque pas, chaque étape.

Il quitta la voiture, s'engagea sur le petit pont de bois – certaines planches étaient à remplacer, songea-t-il paresseusement – et pénétra dans le marais.

C'était un monde où tout était vivant, luxuriant, vert. Des sentiers avaient été dégagés et, de part et d'autre, des buissons d'azalées, alignés comme dans un parc, formaient une haie à la floraison incroyablement exubérante. Des touffes de fleurs sauvages couraient entre les magnolias et les tupélos, cernaient de hauts buissons au feuillage persistant. Ce n'était plus là le monde excitant et vaguement dangereux de son enfance.

Il était devenu un sanctuaire, en mémoire d'une enfant disparue.

C'était son père qui l'avait voulu ainsi. Par chagrin, par fierté, peut-être aussi pour exprimer une fureur qu'il n'avait jamais montrée. Mais qui l'avait habité, Cade le savait, qui l'avait rongé jusqu'à l'os, tel un cancer. Des tumeurs formées de rage et de désespoir, qui s'étendaient en secret, en silence.

Entre les murs de *Beaux Rêves*, le chagrin avait été traité comme une maladie. Mais ici, songea-t-il, il s'est transformé en fleurs.

En été, les lis formeraient une mouvante parade colorée, mais les iris, qui aiment l'humidité, étaient déjà épanouis et jetaient des éclats de soleil dans les ombres printanières. On les avait dégagés de la broussaille. Celle-ci repoussait rapidement et, du vivant de son père, on avait toujours veillé à la couper. Cette responsabilité incombait maintenant à Cade.

Il y avait à présent un petit banc de pierre dans cette clairière où Hope avait fait un feu ce soir-là, qui devait être le dernier de sa vie. Et un autre pont en dos d'âne au-dessus de cette eau brunâtre où se reflétaient les cyprès, bordée d'épais buissons de fougères bouclées et de rhododendrons aux fleurs d'un blanc éclatant. Des camélias et des pensées prendraient leur relais en hiver pour qu'il y ait toujours des fleurs et des parfums.

Entre le banc et le pont, au milieu d'un parterre de fleurs roses et bleues, se dressait une statue de marbre représentant une fillette rieuse qui aurait à jamais huit ans.

Ils l'avaient enterrée il y a dix-huit ans sur une colline ensoleillée. Mais c'était ici que vivait l'esprit de Hope, dans ces ombres vertes et ces odeurs sauvages.

Cade s'assit sur le banc, les mains entre les genoux. Il ne venait pas souvent là. Depuis la mort de son père, huit ans plus tôt, personne ne le faisait, du moins aucun membre de la famille.

Aux yeux de sa mère, ce lieu avait cessé d'exister à partir du moment où l'on y avait découvert le corps de Hope. Violée, étranglée et jetée dans un coin comme une poupée défraîchie.

De ce qu'elle avait subi, qu'en savait-il vraiment ? C'était une question qu'il s'était posée un nombre incalculable de fois pendant toutes ces années.

Il s'adossa et ferma les yeux. Il devait admettre maintenant n'avoir pas dit la vérité à Tory. Il attendait bel et bien quelque chose d'elle. Il attendait des réponses. Des réponses à des questions qui l'avaient hanté pendant plus de la moitié de sa vie.

Il s'accorda encore cinq minutes de son temps précieux pour s'apaiser. Curieusement, il n'avait pas réalisé jusqu'ici à quel point le fait de la revoir l'avait troublé. Elle avait eu raison en faisant observer qu'il n'avait dû lui prêter que peu d'attention quand ils étaient enfants. Elle était la petite Bodeen, l'amie avec laquelle sa sœur aimait aller jouer, donc sans grand intérêt pour un garçon de douze ans.

Jusqu'à ce matin-là. Cet affreux matin du mois d'août où elle s'était présentée à la porte, le visage défait, couvert de meurtrissures, et les yeux terrifiés. Depuis cet instant, rien de ce qui la concernait ne lui avait échappé. Et il n'en avait rien oublié.

Il avait voulu tout savoir d'elle, où elle allait, ce qu'elle faisait, ce qu'elle était devenue après avoir quitté Progress.

Il savait presque à l'heure près quand elle avait commencé à projeter son retour.

Pourtant, il n'avait pas été préparé à la retrouver ainsi dans cette pièce vide, le visage si blême que ses yeux semblaient deux puits de fumée.

Ils avaient tous deux besoin d'un peu de temps, décida Cade en se levant. Ensuite, ils s'occuperaient l'un de l'autre. Ils s'occuperaient de Hope.

Il regagna son break et alla surveiller ses plantations et son personnel.

Il avait chaud et se sentait sale, trempé de sueur, quand il franchit les deux piliers de pierre marquant l'entrée de la longue allée ombragée menant à *Beaux Rêves*. Vingt chênes la flanquaient de part et d'autre, formant un dais de verdure au-dessus d'un tunnel doré. Il apercevait entre leurs troncs puissants les buissons en fleur, les larges étendues de pelouse et le ruban du sentier dallé conduisant au jardin et aux dépendances.

Quand il était las, comme à cet instant, ce dernier parcours ne manquait jamais de s'imposer à lui, d'apaiser sa fatigue comme une main aimante. Malgré les épreuves de la sécheresse et de la guerre, malgré le fantastique écart d'un style de vie à l'autre, *Beaux Rêves* restait là, immuable.

Le domaine était aux mains des Lavelle depuis plus de deux cents ans. Ils l'avaient soigné, entretenu, parfois négligé, maudit, mais il avait survécu et continuait d'abriter leurs naissances.

Et maintenant, il lui appartenait.

La demeure représentait une véritable excentricité, plus forteresse que maison, plus provocante que gracieuse. Les derniers rayons du soleil frappaient ses pierres et les faisaient luire. Les tours pointaient fièrement vers le ciel, qui prenait lentement la couleur d'une meurtrissure toute fraîche.

Devant la maison, l'allée formait une courbe ovale dont le centre était occupé par un immense parterre de fleurs. Cade avait toujours pensé qu'un de ses lointains ancêtres avait voulu ainsi atténuer l'arrogance virile de la bâtisse. Cet océan de fleurs et de buissons formait un contraste saisissant avec les massives portes de chêne sculpté de la façade et les hautes fenêtres, semblables à des flèches.

Il gara sa voiture à l'extrémité de l'allée et franchit les six marches de pierre du perron. C'était son arrière-grand-père qui avait ajouté la véranda. Une touche de douceur, songea Cade, avec son toit donnant de l'ombre et sa luxuriante clématite grimpante. S'il le voulait, il pouvait s'asseoir là comme l'avaient fait les siens depuis des générations et contempler les pelouses, les arbres et les fleurs – sans que la vue soit gâchée par la perspective des champs évoquant un travail acharné et harassant.

C'était d'ailleurs la raison pour laquelle il ne s'y asseyait que rarement.

Il gratta la terre qui salissait les semelles de ses bottes. Derrière ces portes, c'était le domaine de sa mère. Elle ne dirait sans doute rien, mais son silence désapprobateur, le regard glacial qu'elle porterait sur la moindre trace venant des champs seraient pires encore que de vifs reproches.

Le printemps était agréable et on avait ouvert les fenêtres à la douceur du soir. Les senteurs montant des jardins se mêlaient au parfum des bouquets de fleurs disposés à l'intérieur.

Le hall d'entrée était massif, avec un sol dallé de marbre vert océan qui donnait l'impression de marcher dans une eau fraîche.

Cade avait envie d'une douche, d'une bière et d'un bon repas chaud avant de se plonger dans la paperasse pour la soirée. Il s'avançait tranquillement, l'oreille tendue, admettant sans la moindre honte qu'il ne tenait pas à rencontrer un membre quelconque de sa famille avant d'être propre et rassasié.

Il se trouvait devant le bar, dans le grand salon, et venait juste de faire sauter la capsule d'une bouteille de bière Beck quand il entendit le claquement de talons féminins. Il grimaça, mais s'était déjà recomposé un visage détendu quand Faith entra en coup de vent dans la pièce.

— Pour moi, ce sera un verre de vin blanc, mon chou. J'ai les nerfs à vif et besoin de me calmer.

Tout en parlant, elle s'était laissée tomber sur le canapé avec un soupir de lassitude en passant les doigts dans son casque de cheveux courts et blonds. Elle était blonde de nouveau. Certains prétendaient que Faith Lavelle changeait de couleur de cheveux presque aussi souvent que d'hommes.

Certains se délectaient même à le dire. En particulier Faith elle-même.

À vingt-six ans, elle était déjà divorcée deux fois et avait eu – et découragé – plus d'amants qu'on ne pouvait en dénombrer. Mais elle s'arrangeait toujours pour ressembler à une délicate fleur du Sud, avec son teint de camélia et les yeux bleus des Lavelle. Des yeux bleus changeants, capables sur commande de se remplir de larmes et entraînés à refléter des promesses qu'elle seule comptait respecter ou non.

Son premier mari avait été un garçon de dix-huit ans, beau et dissolu, avec lequel elle s'était enfuie deux mois avant de terminer ses études secondaires. Elle l'avait aimé avec toute la passion et la flamme de la jeunesse et s'était effondrée quand il l'avait abandonnée moins d'un an plus tard.

Mais ça, personne ne l'avait su. Elle avait raconté à qui voulait l'entendre qu'elle avait plaqué Bobby Lee Matthews et qu'elle était rentrée à *Beaux Rêves* parce qu'elle en avait assez de jouer les ménagères.

Trois ans plus tard, elle avait épousé un chanteur de musique country rencontré dans un bar. Elle l'avait fait par lassitude, mais avait tenu deux ans avant de s'apercevoir que Clive aspirait surtout à vivre la vie palpitante et pleine d'expédients décrite dans ses chansons, dont il gribouillait les paroles dans un nuage de bière Budweiser et de cigarettes Marlboro.

Une fois de plus, elle était donc revenue à *Beaux Rêves*, nerveuse, déçue et secrètement mécontente d'elle-même.

Elle remercia Cade d'un charmant petit sourire lorsqu'il lui apporta un verre de vin.

— Tu as l'air vanné, mon chou. Pourquoi ne t'assieds-tu pas un instant les pieds en l'air ? (Elle lui saisit la main et la tira d'un petit coup.) Tu travailles trop.

— Tu peux t'y mettre quand tu veux.

Le sourire qu'elle lui renvoya s'était durci comme une lame acérée.

— *Beaux Rêves* t'appartient. Papa nous l'a fait comprendre toute notre vie.

— Papa n'est plus là.

Faith se contenta d'un mouvement d'épaules insouciant.

— Ça ne change rien aux faits.

Elle leva son verre et but une gorgée de vin. C'était une jolie femme et elle prenait grand soin de son apparence. Même pour cette soirée à la maison, elle avait maquillé ses joues et ses lèvres pulpeuses et revêtu un pantalon moulant d'un joli ton de rose avec un chemisier de soie assorti.

— On peut toujours changer quelque chose quand on le désire.

— J'ai été élevée pour être décorative – et inutile. (Elle redressa la tête et s'étira comme un chat.) Et j'y réussis fort bien.

— Tu m'énerves, Faith.

— Je sais, c'est un autre de mes talents.

Amusée, elle lui donna, du bout de son pied déchaussé, un petit coup sur la jambe.

— Ne te fâche pas, Cade. Une dispute gâterait le goût de mon vin. J'ai déjà eu des mots avec Maman aujourd'hui.

— Pas un jour ne se passe sans que tu aies des mots avec Maman.

— Ce ne serait pas le cas si elle n'était pas sans cesse en train de tout critiquer. Elle a été de mauvaise humeur la journée entière. (Une lueur traversa les yeux de Faith.) Depuis le coup de téléphone de Lissy.

— Ce n'est pas ça. Elle savait que Tory devait revenir.

— Mais elle est là maintenant, et c'est différent. Je ne crois pas qu'elle apprécie l'idée de lui louer la maison du marais.

— Si elle ne s'installe pas là, elle ira tout simplement ailleurs et ça sera pareil. (Fatigué, il renversa la tête en arrière en s'efforçant de dénouer la tension de la journée dans son cou et ses épaules.) Elle est de retour et il semble bien qu'elle ait l'intention de rester.

— Tu es allé la voir, donc.

Faith pianota du bout des doigts sur sa cuisse, léger tapotement de l'émail sur la soie.

— Je pensais bien que tu le ferais. Il faut toujours que tu joues les hommes de devoir, hein ?

Elle enroula distraitement une mèche soyeuse et dorée autour de son doigt.

— Alors, à quoi ressemble-t-elle ?

— Polie, réservée, nerveuse, du fait d'être de retour je pense. Et séduisante.

— Séduisante ? Je me souviens de cheveux hérissés, de genoux pointus. Maigre et sinistre.

Il laissa passer. Faith avait tendance à bouder dès qu'un homme – fût-ce son frère – osait quelque remarque appréciative sur l'apparence d'une autre femme. Il n'était pas d'humeur à supporter ses caprices.

— Tu pourrais faire l'effort de te montrer gentille avec elle, Faith. Tory n'est pas responsable de ce qui est arrivé à Hope. Pourquoi la traiter comme si c'était le cas ?

— Ai-je dit que je n'avais pas l'intention de me montrer gentille avec elle ?

Faith laissa glisser ses doigts sur le bord de son verre – on aurait dit qu'elle ne pouvait pas les laisser immobiles –, puis passa dessus le bout de la langue.

— J'imagine qu'elle doit avoir besoin d'une amie, lâcha Cade.

Faith secoua la main, et sa voix mélodieuse perdit tout éclat.

— Elle a été l'amie de Hope. Jamais la mienne.

— Possible. Mais Hope n'est plus là. Et tu aurais bien besoin d'une amie, toi aussi.

— Mon chou, j'ai un tas d'amis, mais il se trouve qu'il n'y a pas de femmes parmi eux. À propos, j'irais bien en ville ce soir. On s'ennuie tellement ici. Je vais voir si je peux trouver un ami pour quelques heures.

— À ton gré. (Il reposa ses pieds par terre et se leva.) J'ai besoin d'une douche.

— Cade ! lança-t-elle avant qu'il n'ait atteint la porte.

La lueur de mépris qui avait traversé les yeux de son frère quand il avait parlé n'avait pas échappé à Faith.

— J'ai le droit de vivre ma vie comme je l'entends.

— Tu as le droit de détruire ta vie comme tu l'entends.

— Très bien, dit-elle calmement. Toi aussi. Mais, pour une fois, il y a un point sur lequel je suis d'accord avec Maman. Ce serait beaucoup mieux pour nous tous si Victoria Bodeen n'était pas revenue de Charleston pour s'installer ici. Et tu ferais drôlement bien de te tenir à distance. Elle risque de t'attirer des ennuis.

— De quoi as-tu donc peur, Faith ?

« De tout, se dit-elle pendant qu'il s'éloignait. De tout. »

Nerveuse à présent, elle se déploya et se dirigea vers les hautes fenêtres de la façade. Ce n'était plus la langoureuse beauté du Sud qui marchait. Ses mouvements étaient rapides, presque saccadés, vibrant d'une énergie tendue.

Pourquoi n'irait-elle pas en ville ? décida-t-elle. Quelque part, n'importe où. S'en aller, simplement.

Mais pour aller où ?

Quand elle quittait *Beaux Rêves*, rien n'était jamais comme elle l'avait espéré. Ni personne. Y compris elle-même, songea-t-elle.

Chaque fois qu'elle était partie, elle s'était toujours dit que c'était pour de bon. Mais elle était toujours revenue. Chaque fois, elle se disait que ce serait différent. Qu'elle-même serait différente.

Pourtant ce n'était jamais le cas.

Comment pouvait-elle espérer que quelqu'un comprenne enfin que tout ce qui s'était passé avant, tout ce qui s'était passé depuis, tournait autour de cette seule nuit quand elle – tout comme Hope – avait huit ans ?

Et voilà que la personne qui reliait cette nuit à toutes les autres était aujourd'hui de retour.

Debout à regarder les pelouses et les jardins se couvrir d'une brume argentée, Faith envoya Tory Bodeen à tous les diables.

Il était près de huit heures quand Wade en eut fini avec son dernier patient, un vieux chien de race incertaine avec des reins défaillants et un souffle au cœur. Sa maîtresse, tout aussi âgée, ne pouvait se résoudre à mettre fin à ses jours. Wade avait donc soigné encore une fois le chien et apaisé la vieille dame.

Il était trop fatigué pour aller dîner et se dit qu'il se contenterait d'un sandwich et d'une bière.

Le petit appartement situé au-dessus de son cabinet lui convenait parfaitement. Pratique et bon marché. Il aurait pu s'offrir mieux – et ses parents ne se privaient pas de le lui rappeler –, mais il préférait vivre simplement et investir ses bénéfices dans son cabinet.

Pour l'instant, il ne possédait pas personnellement d'animal familier. Enfant, il avait eu à la maison toute une ménagerie. Des chiens, des chats, bien entendu, et aussi nombre d'autres animaux blessés : oiseaux, grenouilles, tortues, lapins et même une fois un pauvre petit cochon tout chétif qu'il avait appelé Buster. Sa mère n'avait rien dit jusqu'au jour où il avait voulu rapporter à la maison un serpent noir qu'il avait trouvé étendu en travers de la route.

Il avait été certain de pouvoir l'amadouer, pourtant quand il était apparu à la porte de la cuisine, les yeux implorants, avec plus d'un mètre de serpent se tortillant dans les mains, sa mère avait poussé un tel cri que leur voisin, M. Pritchett, était accouru en sautant par-dessus la barrière.

Pritchett s'était claqué un tendon, sa mère avait lâché le pot à lait en verre qu'elle aimait tant et qui s'était brisé sur le carrelage, et le serpent avait été banni vers la rivière en dehors de la ville.

Et, pourtant, bénie soit-elle ! songea Wade, car elle avait accepté sans trop se plaindre toutes les autres espèces qu'il avait traînées chez eux.

Finalement, il avait eu une maison à lui, une cour et la possibilité de faire ce qu'il voulait. Mais, jusqu'à ce qu'il ait les moyens d'avoir davantage de personnel, il devait travailler au moins dix heures par jour, sans compter les urgences. Les gens qui n'ont pas de temps à consacrer à leurs animaux familiers ne devraient pas en avoir. Il pensait qu'il en était de même avec les enfants.

Il pénétra chez lui en feuilletant le courrier pris en passant et se dirigea vers sa chambre.

Il sentit son parfum avant de la voir. Une onde chaude et féminine qui parcourut tous ses sens et se répandit dans ses pensées. Elle remua sur le lit, bruissement de peau satinée entre les draps.

Elle ne portait rien, arborant seulement un sourire d'invite.

— Hello, mon amour ! Tu travailles bien tard.

— Tu m'avais dit que tu étais occupée ce soir.

Faith plia un doigt.

— C'était bien ça. Pourquoi ne viendrais-tu pas ici pour... t'occuper de moi ?

Wade reposa son courrier.

— Pourquoi pas, en effet ?

5

Quel sort peu enviable pour un homme, songeait Wade, d'être prisonnier toute sa vie de la même femme. Surtout lorsque cette femme exigeait la liberté d'entrer dans sa vie ou d'en sortir en voletant comme un papillon. Et que cet homme la laissait faire.

Chaque fois qu'elle lui revenait, il se promettait de ne plus jouer ce jeu. Mais, chaque fois, elle le repêchait jusqu'à ce qu'il soit tellement englué dans leur relation qu'il en devenait incapable de se libérer d'elle et de s'éloigner.

Il avait été le premier homme à la posséder. Mais il n'avait aucun espoir d'être le dernier.

Cependant, il savait mieux lui résister maintenant que dix ans auparavant. Lors de cette lumineuse nuit d'été où elle avait grimpé à sa fenêtre pour se glisser dans son lit pendant qu'il dormait. Il se souvenait encore de la sensation qu'il avait alors éprouvée en sentant ce corps lisse et chaud se glisser sur le sien, cette bouche affamée l'étouffer, le dévorer et rester collée à la sienne jusqu'à ce qu'il soit tout émoustillé et dur comme le roc.

À quinze ans, songea-t-il, elle avait pris possession de lui avec l'efficacité rapide et insensible d'une prostituée à cinquante dollars. Or elle était alors vierge.

C'était justement ça la question, lui avait-elle dit. Elle ne voulait pas rester vierge, et elle avait décidé de se débarrasser de ce fardeau avec le moins d'embarras possible, avec quelqu'un qu'elle connaissait, qu'elle aimait bien et en qui elle avait confiance.

C'était aussi simple que cela.

Tout avait toujours été simple pour Faith. Mais pour Wade, cette nuit fut la première de beaucoup d'autres qui, année après année, avaient tissé le lien complexe l'attachant à Faith Lavelle.

Ils avaient fait l'amour aussi souvent que possible cet été-là. Sur la banquette arrière de sa voiture, tard le soir dans le hall lorsque ses parents dormaient, au milieu de la journée quand sa mère se trouvait dans la véranda en train de bavarder avec ses amies. Faith était toujours partante, avide, prête. Un rêve pour les débuts d'un jeune homme dans la vie.

Ce rêve était devenu pour Wade une obsession.

Cependant, moins de deux ans après, tandis qu'il étudiait férocement et faisait des projets d'avenir – leur avenir –, elle était partie avec Bobby Lee. Wade s'était consciencieusement enivré, et n'avait pas dessoûlé une semaine durant.

Bien entendu, elle était revenue un beau jour à Progress et, finalement, à lui. Sans donner d'excuse, sans verser de larmes, sans implorer son pardon.

Tel était le style de leur relation. Il la détestait pour cela, presque autant qu'il se détestait lui-même.

— Au fait...

Faith l'enjamba, tira une cigarette du paquet posé sur la table de nuit et, à califourchon sur lui, l'alluma.

— ... si tu me parlais un peu de Tory...

— Depuis quand refumes-tu ?

— Aujourd'hui. (Elle se pencha avec un sourire pour lui mordiller le menton.) Ne cherche pas à me culpabiliser, Wade. Tout le monde a le droit d'avoir un vice.

— Lequel te fait défaut ?

Elle éclata de rire, mais il y avait une arête tranchante dans ce rire, dans ces yeux.

— Si tu ne les essaies pas tous, comment savoir ceux qui te conviennent ? Allons, mon chou, parle-moi de Tory. Je meurs d'envie de tout savoir.

— Il n'y a rien à savoir. Elle est de retour.

— Les hommes sont des êtres vraiment irritants, soupira Faith. De quoi a-t-elle l'air ? Comment se comporte-t-elle ? Qu'est-ce qu'elle projette ?

— Elle a l'air d'une personne adulte et se comporte comme telle. Elle projette d'ouvrir une boutique de cadeaux dans Market Street.

Devant le regard agacé de Faith, il précisa avec un haussement d'épaules :

— Elle semble lasse. Très lasse, même, et elle est peut-être un peu trop mince, comme quelqu'un qui ne s'est pas senti très bien dans sa peau ces derniers temps. Mais il y a en elle une sorte d'éclat, ce genre d'éclat qu'on acquiert lorsqu'on vit dans une grande ville. Quant à ses autres projets, je les ignore. Pourquoi ne pas le lui demander ?

Elle fit lentement courir un doigt sur ses épaules. Il avait de superbes épaules.

— Je ne crois pas qu'elle me le dirait. Elle ne m'a jamais beaucoup aimée.

— Ce n'est pas vrai, Faith.

— Je le sais, c'est tout.

Impatiente, elle roula à côté de lui puis hors du lit, gracieuse et lointaine comme un chat. Elle se mit à aller et venir en tirant de longues bouffées de sa cigarette. Le clair de lune faisait luire sa peau blanche en lui prêtant un pâle reflet bleuté exotique. Il distingua quelques ombres sur elle, de légères meurtrissures.

Elle avait désiré une étreinte brutale.

— Je me souviens comment elle me regardait autrefois, de ses yeux inquiétants. Elle disait à peine bonjour – sauf à Hope. D'ailleurs, elle avait toujours des tas de choses à dire à Hope. Elles n'arrêtaient pas de se chuchoter des secrets. Pourquoi a-t-elle voulu se réinstaller dans la vieille maison du marais ? À quoi pense-t-elle ?

— Elle doit trouver agréable d'avoir un toit familier au-dessus de sa tête, j'imagine.

Il se leva et alla tranquillement tirer les rideaux avant qu'un de ses voisins ne puisse la voir.

— Tu sais aussi bien que moi ce qui s'est passé sous ce toit.

Faith se retourna, et ses yeux scintillèrent brièvement quand Wade alluma la lampe de chevet à éclairage tamisé.

— Qui peut vouloir revenir dans un endroit où l'on s'est fait piéger ? Elle doit être aussi folle qu'on le dit.

— Elle n'est pas folle du tout. (Fatigué maintenant, Wade remonta son jean sur ses hanches.) Elle est solitaire. Parfois, les gens solitaires reviennent à la maison parce qu'ils n'ont pas d'autre endroit où aller.

C'était une réflexion touchant d'un peu trop près le domaine du cœur. Elle détourna les yeux et se mit à tapoter sa cigarette d'un geste mécanique.

— Quelquefois, c'est à la maison qu'on se sent le plus solitaire, rétorqua-t-elle.

Il effleura ses cheveux d'une caresse légère. Elle en profita pour se nicher contre lui et le serrer étroitement dans ses bras. Puis elle renversa la tête en arrière avec un grand sourire.

— Pourquoi parler de Tory Bodeen, d'ailleurs ? Préparons-nous plutôt un petit souper que nous mangerons au lit. (Lentement, les yeux plongés dans les siens, elle fit glisser la fermeture Éclair de son jean.) J'ai toujours tellement d'appétit avec toi.

Quand il s'éveilla plus tard, il faisait nuit. Et elle était partie. Elle ne restait jamais, ne dormait jamais avec lui. Parfois, Wade se demandait même s'il lui arrivait de dormir, si ce moteur interne qui l'animait s'arrêtait parfois, alimenté sans fin par ses nerfs et par des désirs toujours insatisfaits.

C'était sa malédiction, se dit-il, d'aimer une femme sans doute incapable d'éprouver en retour des sentiments authentiques. Il devrait l'extraire de sa vie. C'était la seule chose de bon sens à faire. Elle se contentait de venir cueillir en lui ce qu'elle voulait et, chaque fois, il mettait un peu plus de temps à guérir. Un jour ou l'autre, il ne resterait de son cœur qu'un tissu criblé de cicatrices et il n'aurait à s'en prendre qu'à lui-même.

Il sentit la colère monter en lui, noire onde de chaleur faisant bouillonner son sang. Sans allumer les lumières, il s'habilla dans la pénombre. Il avait besoin de diriger sa colère vers une cible quelconque avant qu'elle ne se retourne contre lui et n'explose.

Il aurait été plus intelligent, plus confortable et Dieu sait combien plus raisonnable de prendre une chambre à l'hôtel pour la nuit. Et encore plus simple d'avoir accepté l'hospitalité de son oncle et de dormir dans une de ces pièces décorées à l'excès, avec un soin maniaque, que Boots tenait prêtes dans sa grande maison.

Enfant, elle avait souvent rêvé de dormir dans cette demeure si parfaite, située dans une rue si parfaite, où elle s'imaginait que tout devait être luisant de cire et parfumé.

Au lieu de cela, Tory se contenta d'étendre une couverture sur le sol nu et de rester allongée dans l'obscurité sans parvenir à fermer l'œil.

Orgueil, entêtement, besoin de se prouver à elle-même qu'elle pouvait le faire ? Elle n'était pas certaine d'avoir compris les raisons qui l'avaient poussée à passer sa première nuit à Progress dans la maison de son enfance, aujourd'hui totalement vide. Selon le dicton populaire, comme on fait son lit on se couche, et elle était bien résolue à rester là.

70

Dans la matinée, elle aurait des tas de choses à faire. Ce soir encore, elle avait pointé sa liste et y avait ajouté une douzaine de lignes. Il lui fallait un lit, un téléphone. Des serviettes de toilette, un rideau de douche. Également une lampe, et une table pour la poser.

Elle n'avait plus pour le camping le même enthousiasme qu'autrefois et, malgré ses goûts simples, elle appréciait un confort élémentaire.

Couchée dans le noir, elle se servait de cette liste comme elle le faisait d'habitude de son mur blanc. Chaque ligne supplémentaire était la pierre qu'elle ajoutait au mur pour bloquer les images et rester dans le présent.

Elle irait au marché faire des provisions. Si elle se négligeait trop longtemps dans ce domaine, elle retomberait dans l'habitude de sauter des repas. Quand elle malmenait son corps, il lui était plus difficile de contrôler son esprit.

Elle se rendrait aussi à la banque, afin d'ouvrir un compte personnel et un autre pour son affaire. Un saut au *Progress Weekly*, le journal de la région, serait opportun. Elle avait déjà conçu sa publicité.

Par-dessus tout, pendant qu'elle installerait sa boutique dans les semaines à venir, elle devrait se montrer. Veiller à paraître amicale, à faire bonne figure. À être normale.

Il faudrait du temps pour calmer les bavardages inévitables, les questions, les regards. Elle s'y était préparée. Quand elle ouvrirait son magasin, les gens se seraient déjà habitués à sa présence. Et, plus important que tout, à la voir telle qu'elle voulait être vue.

Peu à peu, elle ferait partie intégrante de la ville. Alors, elle pourrait commencer à explorer les lieux, et ce serait *elle* qui poserait des questions. Qui chercherait des réponses.

Ce n'est qu'après les avoir trouvées qu'elle pourrait dire adieu à Hope.

Fermant les yeux, elle prêta l'oreille aux bruits de la nuit : le chœur des grillons, si joyeusement monotone, le cri aigu et discordant d'une chouette en train de chasser, le léger craquement d'une vieille branche s'affaissant, parfois le glissement furtif des souris trottant dans les murs.

Poser des pièges, songea-t-elle, déjà ensommeillée. Elle n'aimait pas cette idée, mais elle ne voulait pas non plus partager les lieux avec des rongeurs. Elle mettrait aussi de la naphtaline sous les porches pour éloigner les serpents.

C'étaient bien des boules de naphtaline qu'il fallait mettre, au moins ? Il y avait si longtemps qu'elle avait quitté la campagne. Là où on apprend à placer dehors de la naphtaline contre les serpents, à

71

accrocher des pains de savon pour les chevreuils et à protéger son bien, même si cette terre avait d'abord été la leur.

Et si les lapins viennent creuser des terriers dans le jardin, il faudra mettre plus loin des morceaux de tuyau qu'ils prennent pour les serpents chassés par la naphtaline. Sinon Papa leur tirera dessus avec sa 22 Long Rifle quand il rentrera à la maison. Et nous serons obligés de les manger au souper, même si cela nous rend malade parce que nous nous rappelons alors comme ils étaient mignons, agitant leurs longues oreilles dans l'herbe. Mais il faut manger ce que Dieu vous offre, ou en payer le prix. Plutôt être malade que battue.

Non, ne pense pas à cela, s'ordonna-t-elle en s'agitant sur le dur plancher. Personne ne l'obligera plus à manger ce dont elle ne veut pas, plus jamais. Personne ne lèvera plus une ceinture sur elle. Ni un poing.

Elle était libre, à présent.

Elle rêva qu'elle était assise sur un sol élastique près d'un feu qui craquait et fumait, grillant un morceau de marshmallow piqué au bout d'un bâton. C'était comme ça qu'elle les aimait, noirs et croquants à l'extérieur, blancs et fondants à l'intérieur. Elle le retira du feu en soufflant dessus afin d'éteindre les flammes qui le parcouraient encore.

Elle se brûla un peu l'intérieur de la bouche, mais cela faisait partie du rituel. Une rapide douleur, puis le contraste entre le croquant et le sucre moelleux.

— Autant manger un morceau de charbon, fit observer Hope en faisant tourner la friandise pour la dorer sur tous les côtés. Regarde... voilà un marshmallow parfaitement grillé.

— Moi, je les aime comme ça.

Et, pour en apporter la preuve, Tory tira un autre bonbon de son sac et l'enfonça dans la pointe d'un bâton.

— Comme dit Lilah, chacun ses goûts.

Avec un petit rire, Hope suça délicatement son marshmallow.

— Je suis contente que tu sois revenue, Tory.

— J'ai toujours eu envie de le faire. Mais je crois que j'en avais peur. C'est d'ailleurs toujours le cas.

— Mais tu es là. Tu es venue, exactement comme tu devais le faire.

— Cette nuit-là, je ne suis pas venue.

Tory détourna les yeux du feu pour les plonger dans son enfance.

— Tu n'as sans doute pas pu.

— J'avais promis de le faire. D'être là à dix heures trente-cinq. Mais je n'ai pas pu. Je n'ai même pas essayé.

— Tu dois essayer maintenant. Car il y en a eu d'autres. Et il y en aura encore si tu n'y mets pas fin.

Elle sentit alors le poids écrasant de ces mots s'abattre sur ses frêles épaules, les épaules d'une fillette de huit ans.

— Que veux-tu dire par là ?

— D'autres comme moi. Juste comme moi.

Les yeux bleus de Hope, au regard si sérieux, profonds comme des lacs, étaient plongés dans ceux de Tory.

— Il faut que tu fasses ce que tu as à faire, Tory. Mais sois prudente et rusée. Victoria Bodeen, l'espionne, comme autrefois.

— Hope, je ne suis plus une petite fille.

— C'est pourquoi il est grand temps d'agir.

Les flammes devinrent plus hautes, plus brillantes, et allumèrent des reflets et des étincelles dans les yeux bleu sombre.

— Tu dois faire cesser cela.

— Comment ?

Mais Hope se contenta de hocher la tête et de murmurer :

— Il y a quelque chose dans le noir.

Tory ouvrit brusquement les yeux, le cœur battant à grands coups. Elle avait dans la bouche le goût du bonbon brûlé mêlé à celui de la peur.

Quelque chose dans le noir. Il lui semblait encore entendre l'écho de la voix de Hope et, dehors, un curieux bruissement – semblable à un souffle de vent agitant les feuilles – juste sous sa fenêtre.

Puis elle vit une ombre obscurcir un bref instant la lueur de la lune.

Comme une enfant, elle eut soudain envie de se blottir dans un coin, de se couvrir le visage de ses mains, de se rendre invisible. Elle était seule. Sans défense.

Quelqu'un dehors la guettait, l'attendait. Elle le sentait, même à travers l'écran de sa peur. Elle tenta de retrouver ses esprits, de distinguer un visage, une forme, un nom. Mais elle ne vit que la paroi lisse de sa terreur.

Pourtant, elle n'était pas seule à l'éprouver.

Eux aussi ont peur, réalisa-t-elle. Peur de moi. Pourquoi ?

D'une main tremblante, elle saisit la lampe de poche qu'elle avait posée par terre à côté de la couverture. Le contact de cet objet solide l'aida à maîtriser une partie de son angoisse, la pire. Elle ne resterait pas là, impuissante. Elle se défendrait, elle ferait face, elle assumerait.

La victime avait été une enfant. Mais la femme qu'elle était devenue aujourd'hui ne serait pas une victime.

Elle s'agenouilla, appuya sur le bouton en tâtonnant et faillit jeter un cri quand la lumière jaillit. Elle dirigea le rayon lumineux sur la fenêtre, comme une arme.

Mais il n'y avait rien, seulement la lune et des ombres.

Haletante, elle se mit néanmoins debout, se précipita vers la porte, alluma la lumière d'un geste brusque. Ceux qui attendaient là, dehors, qui qu'ils fussent, pourraient ainsi la voir. Qu'ils regardent donc. Qu'ils voient bien qu'elle ne se dissimulait pas dans le noir.

L'arc de sa lampe électrique s'agita tandis qu'elle courait à la cuisine. Là aussi, elle alluma le plafonnier. Qu'ils regardent donc, se dit-elle encore en saisissant un couteau à découper sur la planche de bois qu'elle avait sortie de ses bagages. Qu'ils regardent et constatent que je ne suis pas sans défense.

Elle verrouilla toutes les portes – une habitude prise en ville. Mais elle avait bien conscience que c'était là une précaution inutile. Un bon coup de pied suffirait à faire sauter les serrures.

Elle s'écarta de la lumière pour gagner le salon obscur et, là, le dos au mur, s'efforça de calmer son souffle et de le ramener à un rythme normal. Elle ne pouvait pas voir lorsque ses pensées tourbillonnaient, elle ne pouvait pas se concentrer quand son sang bouillait.

Pour la première fois depuis quatre ans, elle se mit en condition pour utiliser ce don qu'elle avait reçu à la naissance, ce don qui était aussi une malédiction.

Des rayons lumineux et mouvants traversèrent la fenêtre donnant sur la façade et balayèrent la pièce. Ses pensées se dispersèrent aussitôt, tels des pétales emportés par le vent, au son d'une voiture empruntant à vive allure le chemin de chez elle.

Des pneus firent gicler la mince couche de gravier, un bruit impatient, exigeant. Tory se força à marcher vers la porte, de nouveau haletante. Elle fourra la lampe électrique dans la poche du gilet de laine dans lequel elle s'était enveloppée pour dormir, saisit d'une main ferme son couteau et déverrouilla la porte.

Les phares de la voiture s'éteignirent au moment où elle l'ouvrait brusquement.

— Que voulez-vous ? (Elle sortit sa lampe et l'alluma.) Que faites-vous ici ?

— Juste une visite à une vieille amie.

Tory dirigea le rayon lumineux sur la silhouette qui descendait de voiture. Elle sentit ses genoux se dérober sous elle et sa peau se hérisser.

— Hope ! s'exclama-t-elle d'une voix étouffée en laissant tomber le couteau, qui tinta sur le sol. Oh ! mon Dieu !

Un nouveau rêve. Un nouvel épisode. Ou simplement de la folie. Peut-être n'avait-ce toujours été que de la folie.

La silhouette s'avança vers le porche. La lune argentée fit briller ses cheveux, ses yeux. La porte de la moustiquaire extérieure grinça.

— On dirait que tu viens de voir un fantôme, ou que tu en attendais un. (La silhouette se baissa, ramassa le couteau et, d'un doigt élégant, en tapota le tranchant.) Mais je suis bien réelle.

En disant cela, elle leva son doigt sur lequel perlait maintenant une minuscule goutte de sang.

— Je suis Faith, précisa-t-elle en entrant simplement. J'ai aperçu de la lumière en passant.

— Faith ? répéta Tory d'une voix blanche.

Une onde la parcourut, une brusque vague de joie, et elle répéta :

— Faith !

— Exact. Il y a quelque chose à boire ici ?

Elle se dirigea vers la cuisine.

« Comme si elle était chez elle », pensa Tory. Mais elle se souvint alors que les Lavelle étaient effectivement propriétaires de la maison. Elle se passa une main sur le visage et dans les cheveux et, rassemblant son courage, lui emboîta le pas.

— J'ai du thé glacé.

— Je pensais à quelque chose d'un peu plus nerveux.

— Non. Désolée. Rien de ce genre. Je ne suis pas encore installée pour recevoir des visites.

— C'est ce que je vois. (Faith fit le tour de la cuisine, déposant au passage le couteau sur le comptoir.) Encore plus spartiate que je ne pensais. Même pour toi.

— Je n'ai pas besoin de grand-chose.

— C'est ce qui a toujours fait la différence – une des différences – entre nous. Tu n'as pas besoin de grand-chose. Moi, j'ai besoin de tout.

— Et tu l'obtiens toujours ?

Faith leva les sourcils, mais se contenta de sourire en s'adossant au comptoir.

— Oh ! je cherche encore. Quel effet ça te fait d'être de retour ?

— Je ne suis pas là depuis assez longtemps pour le savoir.

— Assez en tout cas pour venir à la porte avec un couteau de cuisine à la main quand on te rend visite.

— Je n'ai pas l'habitude de recevoir des visites à trois heures du matin.

— J'ai eu un rendez-vous tardif. Je suis entre deux mariages pour l'instant. Tu ne t'es jamais mariée, n'est-ce pas ?

— Non.

— J'avais pourtant entendu dire que tu avais été fiancée à un moment donné. Je suppose que ça n'a pas marché.

Les mots réveillèrent ses souvenirs d'échec, de désespoir, de trahison.

— Non, ça n'a pas marché. On dirait que tes mariages – deux, n'est-ce pas ? – n'ont pas marché non plus.

Faith sourit, cette fois de bon cœur. Elle aimait les matchs à armes égales.

— Tu es devenue mordante, je vois.

— Je ne cherche pas à m'en prendre à toi, Faith. Et il n'y a pas non plus de raison pour que tu t'en prennes à moi après tant d'années. Pour moi aussi, cela a été une perte terrible.

— Elle était ma sœur. Tu devrais t'en souvenir.

— Elle était ta sœur, c'est vrai. Et aussi ma seule amie.

Quelque chose remua en Faith, mais elle l'empêcha de se développer.

— On peut se faire de nouveaux amis.

— Tu as raison. (Tory leva une main, puis la laissa retomber.) Je ne peux rien dire pour arranger les choses, rien faire pour les changer, pour la ramener parmi nous.

— Alors, pourquoi es-tu revenue ?

— Parce que je n'ai pas pu faire mes adieux.

— C'est trop tard pour cela. Crois-tu à un nouveau départ, à une seconde chance, Tory ?

— Oui, j'y crois.

— Moi pas. Et je vais te dire pourquoi. (Faith extirpa une cigarette de son sac, l'alluma et, après en avoir tiré une bouffée, l'agita.) Personne ne veut jamais recommencer. Ceux qui le disent sont des menteurs, ou se font des illusions, mais, le plus souvent, ce sont des menteurs. Les gens veulent reprendre les choses là où ils les ont laissées, même si ça s'était mal passé, et partir dans une nouvelle direction sans aucun bagage. Ceux qui y parviennent ont de la chance, parce que cela signifie qu'ils ont réussi à se débarrasser du maudit poids de la culpabilité ou des conséquences de leurs actes.

Elle aspira une nouvelle bouffée et examina Tory avec attention.

— Tu n'as pas l'air d'avoir eu cette chance, apparemment.

— Toi non plus, on dirait. Et cela me surprend.

Faith ouvrit une bouche qui tremblait un peu, puis la referma et esquissa un petit sourire.

— Oh ! j'aime voyager léger et je voyage souvent. Tu peux demander à tout le monde.

— On dirait que nous en sommes au même point. Pourquoi ne pas prendre les choses du bon côté ?

— Pas de problème. N'oublie pas que c'est moi qui suis venue te voir.

— Impossible de l'oublier. Écoute, Faith, je suis ici chez moi, maintenant, et je suis fatiguée.

— Bon, à un de ces jours alors.

Elle se dirigea vers la porte suivie d'un lourd sillage de fumée.

— Dors bien, Tory. Et si tu veux un bon conseil, toute seule ici, à ta place j'échangerais mon couteau contre un revolver.

Elle s'arrêta, ouvrit son sac et montra un petit pistolet à la crosse de nacre.

— Une femme n'est jamais trop prudente, hein ?

Avec un petit rire, elle le laissa retomber, referma son sac et sortit en faisant claquer la porte derrière elle.

Tory se força à demeurer immobile, même lorsque les phares l'aveuglèrent par la fenêtre. Elle regarda la voiture parcourir le chemin en sens inverse, tourner sur la route et prendre de la vitesse.

Elle regagna alors la cuisine pour y prendre sa lampe de poche et son couteau. Une partie d'elle-même aurait voulu sauter en voiture, aller en ville et sonner à la porte de son oncle. Mais si elle ne parvenait pas à passer cette première nuit à la maison, ce ne serait pas plus facile la deuxième, ni les suivantes.

Elle s'allongea tout contre le mur, les yeux fixés sur la fenêtre, jusqu'à ce que l'obscurité s'estompe et que les premiers oiseaux du matin s'éveillent.

Il avait eu peur. Quand il avait rampé si doucement jusqu'à la fenêtre, ses entrailles s'étaient nouées sous le coup de l'angoisse, ce qui lui arrivait rarement.

Tory Bodeen était de retour, là où tout avait commencé.

Elle dormait, roulée en boule par terre comme une gitane, et il entrevit dans un rayon de lune la courbe de sa joue, le tracé de ses lèvres.

Bientôt, il faudrait agir. Il le savait et il était déjà en train d'élaborer un plan à sa manière calme et sûre. Mais quel choc de la voir ici, de retrouver des souvenirs si vivaces !

Le choc avait été plus grand encore quand elle s'était éveillée, sortant du sommeil aussi rapide et droite qu'une flèche. Même dans le noir, il avait deviné des visions dans ses yeux, une moiteur soudaine dans ses paumes, sur son visage. Mais il y avait aussi beaucoup d'ombres, assez pour y trouver refuge. Des fentes dans le mur.

Il se glissa dans l'une d'elles et vit Faith approcher. Ses cheveux clairs luisant sous la lune formaient un contraste intéressant avec la chevelure sombre de Tory. Tory semblait absorber la lumière et non la refléter.

Naturellement, dès qu'il les avait vues ensemble, entendu leurs voix se répondre, il avait su où elles le prendraient. Où il les prendrait.

Ce serait comme la première fois, il y avait maintenant si longtemps. Ce serait ce qu'il cherchait à retrouver depuis dix-huit longues années.

Ce serait parfait.

Elle avait prévu de se lever de bonne heure. Quand des coups frappés à la porte l'éveillèrent à huit heures, Tory se sentit fâchée de cette nouvelle visite autant que contre elle-même. Elle quitta sa chambre d'un pas incertain en se frottant les yeux pour en chasser le poids du sommeil, cilla devant la lumière du soleil et chercha à tâtons le verrou.

Elle jeta à Cade un regard flou à travers la porte grillagée de la moustiquaire.

— Je ne devrais peut-être pas payer de loyer si les Lavelle ont décidé d'élire domicile ici aussi.

— Je vous dérange ?

— Non.

Elle repoussa à demi l'écran grillagé, ce qui ne constituait pas vraiment une invitation, et tourna les talons.

— Il me faut d'abord un café.

— Je vous ai réveillée. (Il entra et la suivit dans la cuisine.) Les gens de la campagne ont tendance à penser que tout le monde se lève à l'aube. Je...

Il s'arrêta devant la porte de la chambre restée ouverte.

— Seigneur Dieu, Tory, vous n'avez même pas un lit !

— Je vais m'en procurer un aujourd'hui.

— Pourquoi n'êtes-vous pas restée chez J.R. et Boots ?

— Parce que je n'en avais pas envie.

— Et vous avez préféré dormir par terre ? Bon sang ! Qu'est-ce que c'est que ça ?

Il entra dans la pièce d'un pas décidé, exactement comme sa sœur pendant la nuit, se dit Tory, et ressortit, le couteau à la main.

— Un crochet. Je suis en train de faire une couverture.

Comme il continuait à la fixer, elle soupira et se dirigea, chancelante, vers la cuisine.

— Désolée, Cade, mais je me suis couchée tard et je suis de mauvaise humeur, alors faites attention.

Il ne répondit pas, se contentant de remettre le couteau à sa place sur la planche de bois. Pendant qu'elle mesurait l'eau et le café, il déposa l'assiette qu'il portait sur le comptoir.

— Qu'est-ce que c'est ?

— C'est Lilah qui l'envoie. Elle savait que je passerais par ici ce matin. (Cade souleva un coin de la feuille.) Elle a dit que vous adoriez autrefois son gâteau au café et à la crème aigre.

Tory le regarda, confuse de sentir ses yeux se mouiller. Avant qu'il n'ait bougé, elle leva une main comme pour se protéger derrière un bouclier et se détourna.

Incapable de résister, il voulut lui caresser les cheveux, mais laissa retomber sa main quand elle fit un brusque pas en arrière afin de se mettre hors d'atteinte.

— Vous lui direz que je suis très touchée. Comment va-t-elle ?

— Pourquoi ne viendriez-vous pas en juger par vous-même ?

— Non, pas maintenant, pas avant un certain temps je pense.

Elle se sentait plus solide, à présent, et ouvrit un placard pour y prendre une tasse.

— Vous m'accompagnez ?

Elle lui jeta un coup d'œil par-dessus l'épaule. Il n'avait vraiment pas l'air d'un paysan. Certes, il était mince, bronzé et le soleil avait blondi des mèches dans ses cheveux. Il portait un vieux jean et une chemise d'un bleu délavé. Des lunettes de soleil étaient négligemment glissées dans la poche de poitrine.

Elle songea qu'on l'aurait plutôt pris pour ce que les metteurs en scène d'Hollywood considèrent comme l'image même d'un jeune et prospère agriculteur du Sud, dont le moindre sourire est désarmant de charme et de *sex-appeal*.

Toutefois elle ne se fiait pas aux images.

— Je suppose que je dois me montrer polie.

— Vous pouvez vous montrer désagréable et mal élevée, mais vous le regretteriez trop après.

Il nota qu'elle avait quatre tasses et quatre soucoupes d'une belle matière blanche et solide. Une cafetière automatique également, mais pas de lit. Les rayonnages étaient maigrement garnis d'une vaisselle également blanche. On ne voyait aucune chaise dans la maison.

Que révélait tout cela sur Tory Bodeen ? se demanda-t-il.

Elle reprit le couteau sur la planche et fit une première entaille dans le gâteau, puis leva un sourcil interrogateur en mesurant une tranche. Des doigts, il lui fit signe de l'augmenter.

— On dirait que vous avez de l'appétit ce matin, dit-elle en coupant la tranche.

— J'ai senti l'odeur de ce gâteau pendant tout le trajet jusqu'ici. (Il prit les assiettes.) Allons donc le déguster sous le porche. Pour moi, ce sera du café noir, précisa-t-il en sortant de la pièce.

Tory se contenta de soupirer et remplit deux tasses.

Lorsqu'elle sortit, elle le trouva assis sur les marches. Elle s'assit à côté de lui en buvant son café à petites gorgées et en contemplant les champs. Des champs qui appartenaient aux Lavelle.

Ce spectacle lui avait manqué. Elle le comprit soudain, plus surprise que mélancolique. Elle aimait tant ces matinées fraîches, quand la chaleur du jour ne rend pas encore l'air étouffant, quand les oiseaux chantent merveilleusement et que, dans les champs, s'étirent, tendres et vertes, les cultures en pleine croissance.

Enfant, elle avait connu des matins aussi délicieux que celui-là : elle s'asseyait sur ce qui était alors des marches délabrées pour regarder le jour se lever en se laissant aller à des rêves fous.

— Voilà un bien joli sourire, observa-t-il. Est-il dû au gâteau ou à la compagnie ?

Le sourire s'effaça aussitôt comme un fantôme.

— Pourquoi êtes-vous venu ce matin, Cade ?

— Je dois aller examiner des champs et contrôler le personnel. (Il coupa un morceau de gâteau.) Et je voulais jeter un autre coup d'œil sur vous.

— Pourquoi ?

— Pour voir si vous étiez toujours aussi jolie qu'il m'a paru hier.

Elle hocha la tête et mordit dans sa tranche de gâteau, qui la ramena tout droit à la merveilleuse cuisine de Mlle Lilah. Elle en fut si réjouie qu'elle sourit à nouveau et avala une autre bouchée.

— Vous aviez l'air en meilleure forme hier, poursuivit-il sur le ton de la conversation. Mais je dois tenir compte du fait que vous avez dû mal dormir sur le plancher. Votre café est excellent, madame Bodeen.

— Il n'y a aucune raison pour que vous vous sentiez obligé de venir voir ici ce qui se passe. Je vais tout à fait bien. J'ai seulement besoin de quelques jours pour m'installer. Je ne serai d'ailleurs pas souvent chez moi. Le magasin prendra l'essentiel de mon temps.

— J'imagine. Si nous dînions ensemble ce soir ?

— Pourquoi ?

Comme il ne répondait pas, elle tourna la tête vers lui et lut dans ses yeux une lueur amusée. Un léger sourire flottait sur ses lèvres. Et dans cette expression amicale, ouverte, elle distingua ce qu'elle cherchait depuis des années à éviter. L'intérêt évident d'un homme pour une femme.

— Non, non. Oh ! non !

Elle leva sa tasse et but avidement.

— Voilà qui me semble plutôt définitif ! Disons demain soir, alors ?

— Non, Cade. Je suis persuadée que cette invitation est très flatteuse, mais je n'ai ni le temps ni le désir de... de quoi que ce soit.

Il étendit ses longues jambes et croisa ses chevilles.

— Nous ne savons ni l'un ni l'autre quel genre de chose nous avons à l'esprit à ce stade. En ce qui me concerne, j'apprécie un bon dîner de temps à autre, et plus encore en bonne compagnie.

— Je ne veux pas de rendez-vous.

— Est-ce une obligation religieuse ou une préférence sociale ?

— C'est un choix personnel. Maintenant...

Comme il avait l'air de s'installer trop confortablement, elle se leva.

— ... Je suis désolée, mais je dois me mettre en route. J'ai déjà du retard sur mon programme.

Il se leva à son tour et vit ses yeux s'agrandir et prendre une expression vigilante lorsqu'il esquissa un mouvement en avant.

— On vous a rudement malmenée, n'est-ce pas ?

— Ce n'est pas ça.

— C'est exactement ça, Tory.

Comme il ne voulait pas la voir s'enfuir, il fit un pas en arrière.

— En tout cas, vous n'avez rien à craindre de moi. Merci pour le café.

Il se dirigea vers sa fourgonnette et se retourna après avoir ouvert la portière. Il lui lança un long regard, en songeant qu'elle ferait bien de s'y habituer.

— J'avais tort, lança-t-il en grimpant sur le siège. Vous êtes aussi jolie aujourd'hui qu'hier.

Elle ne put s'empêcher de lui sourire et le vit en faire autant en engageant la voiture sur le chemin.

Une fois seule, elle se rassit.

— Oh ! et puis qu'il aille au diable, murmura-t-elle en engouffrant un autre morceau de gâteau.

6

Dans une petite ville, les banques indépendantes sont une espèce en voie de disparition. Tory le savait bien car son oncle, qui dirigeait depuis douze ans la Progress Bank and Trust, ne cessait de le rappeler. Elle aurait choisi de toute façon cet établissement pour son affaire, même en l'absence de lien familial. C'était de bonne politique.

L'agence était située sur la branche est de Market Street, à deux pâtés d'immeubles de sa boutique. Cet emplacement la rendait encore plus commode. Le vieux bâtiment de briques rouges avait été conservé, entretenu avec soin et amour, ce qui ajoutait à son charme. La banque avait été fondée en 1853 par les Lavelle, qui y conservaient des intérêts.

Là aussi, c'était de bonne politique, songea-t-elle en se dirigeant vers l'entrée principale. À Progress, Caroline du Sud, si l'on voulait réussir dans les affaires, il fallait traiter avec les Lavelle. Il n'existait guère de secteurs dans lesquels ils n'avaient pas un droit de regard.

L'aménagement intérieur de la banque avait été modifié. Elle se souvenait d'y être venue autrefois avec sa grand-mère et d'avoir alors pensé que les guichetiers ressemblaient à des animaux exotiques enfermés dans une cage de zoo. Le vestibule était maintenant largement ouvert, bien aéré, et quatre employés travaillaient derrière un long et haut comptoir.

On avait ajouté à l'arrière un guichet vitré pour opérer directement avec les automobilistes et, de l'autre côté d'une balustrade en bois munie d'une grille à hauteur de poitrine, on pouvait apercevoir deux employés assis à de beaux bureaux anciens équipés d'un matériel informatique des plus modernes. Les murs étaient ornés de jolis tableaux représentant des paysages de la Caroline du Sud ou des marines.

C'était une modernisation réussie, songea-t-elle, et qui n'avait pas altéré l'âme de la maison. Peut-être pourrait-elle discrètement inciter son oncle à lui acheter un des tableaux qu'elle proposerait prochainement dans sa boutique.

— Tory Bodeen, c'est bien vous ?

Tory sursauta et tourna son attention vers la femme qui se tenait derrière la balustrade. Elle lui sourit en s'efforçant de mettre un nom sur ce joli visage d'une quarantaine d'années surmonté de cheveux lisses et courts d'un noir de jais. Mais elle n'y parvint pas.

— Bonjour...

— Eh bien, c'est un plaisir de vous revoir. Vous voilà devenue une adulte, à présent !

La femme était petite, à peine un mètre soixante. Elle franchit la grille et s'avança, les deux mains tendues.

— J'ai toujours su que vous deviendriez une femme ravissante. Naturellement, vous ne devez pas vous souvenir de moi.

Devant un accueil si sincèrement aimable, Tory maudit sa mémoire défaillante et fut même tentée un bref instant de recourir à son don pour parvenir à identifier l'inconnue. Mais elle avait fait vœu de ne l'utiliser que dans des circonstances importantes.

— Désolée, dit-elle.

— Non, il n'y a pas lieu de l'être. La dernière fois que je vous ai vue, vous n'étiez qu'un tout petit bout de chou. Mon nom est Betsy Gluck. Votre grand-mère m'a fait travailler lorsque j'ai achevé mes études au lycée. Je me souviens que vous veniez souvent et que vous restiez bien sagement assise dans un coin de la pièce, tranquille comme une souris.

— Et vous, vous me donniez des sucettes !

Soulagée d'avoir mis un nom sur ce visage, Tory retrouva dans la bouche le goût sucré des sucettes à la cerise.

— Eh bien ! Vous rappeler cela après tant d'années ! (Les yeux verts de Betsy brillèrent de plaisir et elle serra les mains de Tory.) Maintenant, vous devez aller voir J.R.

— S'il est occupé, je peux juste...

— Ne soyez pas stupide. J'ai ordre de vous conduire directement à son bureau.

Elle glissa un bras autour de sa taille pour la guider de l'autre côté de la grille.

Il fallait se souvenir aussi de cela, songea Tory. Être touchée, serrer des mains. Ici, elle ne pouvait pas se comporter en étrangère.

— Comme ce doit être excitant d'ouvrir un magasin, et tout à vous encore ! J'ai hâte d'aller y faire des achats. Je parie que Mme Mooney doit littéralement irradier de fierté !

Quelques pas plus loin, Betsy frappa à une porte.

— J.R., votre nièce est là et aimerait vous voir.

La porte s'ouvrit brusquement et J.R. Mooney apparut sur le seuil. Tory fut surprise par sa taille. Comment un homme aussi grand et bien charpenté pouvait-il être issu de sa frêle grand-mère ? C'était là un mystère.

— La voilà enfin !

Sa voix était aussi forte que le reste de sa personne, et elle éclata, sonore, tandis qu'il faisait un pas en avant.

Tory se sentit enlevée dans les airs et faillit perdre le souffle quand il la serra dans ses bras avec la force d'un grizzly. Et, comme toujours, cette étreinte à vous rompre les os la fit éclater de rire alors que ses pieds décollaient du sol.

— Oncle Jimmy !

Tory enfouit le nez dans son cou de taureau et enfin, enfin, se sentit de retour à la maison.

— J.R., vous allez briser cette fille comme une brindille de bois.

— Elle est petite, mais solide. (J.R. fit un signe entendu à Betsy.) Arrangez-vous pour que nous soyons quelques minutes tranquilles, vous voulez bien ?

— Ne vous inquiétez pas. Et bienvenue parmi nous, Tory ! ajouta Betsy en refermant la porte.

— Bon, assieds-toi. Tu bois quelque chose ? Un Coca-Cola ?

— Non, merci. Je n'ai besoin de rien. (Au lieu de s'asseoir, elle leva les mains, puis les laissa retomber.) J'aurais dû aller te voir hier.

— Ne t'inquiète pas pour ça. Tu es ici maintenant et cela seul compte.

Il s'adossa à son siège. L'âge n'avait pas terni la teinte ardente de ses cheveux roux, mais ils étaient maintenant parsemés de fils blancs. Sa moustache en brosse qui formait une tache sur son visage rond était devenue d'un bel argent, tout comme ses sourcils broussailleux. Ses yeux plus bleus que gris avaient toujours regardé Tory avec bonté.

Il partit soudain d'un grand rire.

— Eh bien, ma belle, on voit que tu viens de la ville ! Aussi jolie et soignée qu'une star de la télé. Boots va adorer te montrer partout. (Il rit plus fort encore en voyant Tory sursauter.) Allons, tu vas bien la laisser faire un peu, non ? Elle n'a jamais eu la fille dont elle rêvait, et Wade n'a pas l'air pressé de se marier et de lui donner des petites-filles à pouponner.

— Si elle essaie de me mettre en tablier de dentelle, nous allons avoir des problèmes. J'irai la voir, oncle Jimmy. Mais il me faut d'abord m'installer, aller à la boutique et retrousser mes manches. J'attends tout un stock d'articles au cours des prochains jours.

— Te voilà prête à te mettre au travail, hein ?

— J'ai hâte de le faire. Il y a longtemps que je désire franchir ce pas. J'espère que la Progress Bank and Trust peut accueillir un nouveau compte ?

Il sourit.

— Nous avons toujours de la place quand il s'agit de faire rentrer de l'argent ! Je vais m'en occuper moi-même, ça sera fait en une minute. À propos j'ai entendu dire que tu avais loué votre vieille maison ?

— Lissy Frazier aurait-elle le record du bavardage à Progress ?

— Au coude à coude avec d'autres. Écoute, je ne veux pas t'importuner avec ça, mais, si tu changes d'avis, Cade Lavelle acceptera sûrement de résilier ton bail. Boots et moi aimerions beaucoup que tu viennes vivre chez nous. Ce n'est pas la place qui manque, Dieu sait !

— Je suis très touchée, oncle Jimmy...

— Bon, ça va. Tu es une femme à présent. J'ai des yeux pour le voir. Tu es indépendante depuis pas mal d'années déjà. Mais je ne peux pas dire que je sois enchanté de te voir t'installer là-bas. Je ne vois pas en quoi cela pourrait te faire du bien.

— Bien ou mal, cela me semble nécessaire. C'est dans cette maison qu'il me battait.

Comme J.R. eut un rapide mouvement des yeux, Tory s'approcha de lui.

— Oncle Jimmy, je ne dis pas cela pour te blesser.

— J'aurais dû faire quelque chose. J'aurais dû t'arracher à cette brute. T'éloigner de lui. Vous sortir de là toutes les deux.

— Maman ne serait pas partie. (Elle s'efforça de parler doucement, car elle voyait qu'il en avait besoin.) Tu le sais autant que moi.

— J'ignorais à quel point c'était affreux, à cette époque. Je n'y ai pas prêté assez attention. Mais maintenant je sais, et je n'aime pas l'idée de te savoir là-bas avec tous ces souvenirs.

— Tous ces souvenirs m'accompagnent partout, oncle Jimmy. Quant au fait de rester là-bas, eh bien, cela me prouve que je peux affronter le passé, vivre avec. Je n'ai plus peur de lui, désormais. Et je ne le laisserai plus jamais avoir de l'emprise sur moi.

— Pourquoi ne viendrais-tu pas à la maison d'abord pour quelques jours ? Le temps de t'installer ? (Comme elle faisait non de la tête, il soupira.) Je suis entouré de femmes entêtées. C'est mon sort. Dans ces conditions, assieds-toi pour que nous remplissions ces papiers et que je te prenne ton argent.

À midi, les cloches de l'église baptiste sonnèrent. Tory fit un pas en arrière et essuya la sueur qui ruisselait sur son visage. La vitrine de sa boutique étincelait maintenant comme un diamant. Elle avait sorti de sa voiture les boîtes qu'elle avait apportées pour les empiler dans la réserve, pris des mesures pour les étagères et les comptoirs, dressé la liste des réclamations et demandes qu'elle comptait présenter à l'agence immobilière.

Elle était en train d'en établir une autre pour ses achats à la quincaillerie quand quelqu'un frappa à la porte du magasin, dont la vitre était fêlée.

En s'approchant, elle examina le petit homme en vêtements de travail. Des cheveux noirs bien coupés, un visage agréable, lisse, avec un sourire de circonstance. Ses yeux étaient cachés par des lunettes de soleil.

— Désolée. Le magasin n'est pas ouvert, fit-elle en entrebâillant la porte.

— On dirait que vous avez besoin d'un menuisier. (Il tapota d'un doigt la vitre fêlée.) Et d'un vitrier. Comment allez-vous, Tory ?

Il ôta ses lunettes de soleil, révélant des yeux sombres, intenses, et une minuscule cicatrice courbe sous l'œil droit.

Dwight Frazier.

— Je ne vous ai pas reconnu.

— Quelques centimètres de plus et plusieurs kilos en moins depuis que vous m'avez vu la dernière fois. J'ai pensé venir vous souhaiter la bienvenue en tant que maire et, à cette occasion, voir si Frazier Construction pourrait faire quelque chose pour vous. Ça vous dérange si j'entre une minute ?

— Bien sûr que non. (Elle s'effaça pour le laisser entrer.) Mais il n'y a encore rien à voir.

— C'est un bel espace.

Il se déplaçait avec aisance, remarqua-t-elle. Plus du tout comme le gros garçon maladroit qu'il avait été autrefois, un adolescent gauche affublé d'affreuses bretelles et les cheveux impitoyablement rasés, sur l'ordre de son père.

86

Il avait l'air compétent et prospère. Non, se dit à nouveau Tory, elle ne l'aurait pas reconnu.

— C'est un immeuble sain, poursuivit-il, avec de solides fondations. Et un bon toit.

Il se tourna vers elle en lui lançant un sourire qui avait certainement permis à son orthodontiste de s'acheter un bateau de plaisance.

— J'en sais quelque chose. C'est nous qui l'avons refait il y a deux ans.

— Eh bien, je saurai à qui m'adresser s'il se met à fuir.

Il éclata de rire et accrocha ses lunettes de soleil à l'encolure de son tee-shirt.

— « Frazier, construit pour durer ! » Vous allez avoir besoin de comptoirs, d'étagères, de présentoirs.

— En effet, je viens juste de prendre des mesures.

— Je peux vous envoyer un bon menuisier, à un tarif raisonnable.

Elle songea à nouveau qu'il était de bonne politique de faire travailler la main-d'œuvre locale. Dans la mesure où les coûts correspondaient à son budget.

— Nous n'avons peut-être pas la même appréciation de ce que vous appelez un tarif raisonnable.

Son sourire s'élargit encore, se fit charmeur.

— Laissez-moi aller chercher certaines choses dans ma camionnette. Vous me direz ce que vous désirez et je vous ferai une estimation. Nous verrons alors si nos calculs concordent.

Il avait conscience qu'elle le jaugeait pendant qu'il mesurait ses murs. Il en avait l'habitude. Enfant, déjà, son père le passait sous la toise, et c'était toujours pour le trouver au-dessous de la marque.

Dwight Frazier Senior, ex-marine, chasseur enragé, membre du conseil municipal et fondateur de Frazier Construction, s'était fixé des critères élevés pour le fruit de sa semence. Et il avait été très déçu quand il s'était avéré que ce fruit était d'une taille inférieure à la moyenne et enclin à la mollesse.

Le jeune Dwight Junior n'avait jamais eu le droit de l'oublier.

Tout en griffonnant des chiffres sur son bloc-notes, Dwight songeait qu'il avait bel et bien été en dessous de tout, à cette époque. Petit, gros, gauche, il était une cible privilégiée pour les plaisanteries et les moqueries de tous, et la cause de la grande déception de son père, qui le contemplait les lèvres serrées.

Pour ne pas arranger les choses, il était intelligent. Il n'y avait pas pire combinaison qu'un corps dodu et des pieds maladroits avec un cerveau brillant. Il avait été le chouchou de ses professeurs, ce qui ne contribuait pas à sa popularité auprès de ses camarades.

Sa mère avait cherché à faire pour lui de son mieux. Donc, elle le gavait de nourriture. Dans l'esprit de sa chère maman, rien ne valait une boîte de bonbons Ho-Ho pour que tout aille bien dans ce bas monde.

C'étaient Cade et Wade qui l'avaient sauvé. Dwight n'avait jamais vraiment compris pourquoi ils l'avaient pris sous leur aile. Affaire de classe sociale peut-être. Tous trois appartenaient aux meilleures familles de la ville. Il leur en avait été reconnaissant et continuait de l'être.

Peut-être ressentait-il encore au fond de lui une pointe de rancune contre les caprices du destin, qui avait fait d'eux de grands et beaux garçons alors qu'il avait été grassouillet, fade et plutôt laid. Mais il s'en était arrangé. Et, plus tard, il avait réagi.

— J'ai commencé à faire de la course à pied à l'âge de quatorze ans, dit-il négligemment en tirant de nouveau son mètre-ruban.

— Pardon ?

— Je sais que vous vous posez des questions.

Il s'accroupit, nota quelque chose sur son bloc.

— J'en avais assez d'être le petit gros, alors j'ai décidé de faire quelque chose. Perdu douze livres de graisse en quelques mois. Les premières fois que j'ai voulu courir – je le faisais de nuit, quand personne ne pouvait me voir –, j'ai été malade comme un chien. J'ai cessé de manger les petits gâteaux, les barres chocolatées et les chips que ma mère me donnait tous les jours à emporter pour le déjeuner. J'ai bien cru mourir de faim, au début.

Il se releva et afficha de nouveau un large sourire.

— Pendant ma première année de lycée, j'ai commencé à aller au stade, le soir, pour courir. J'étais encore trop gros, trop lent, mais je ne vomissais plus mon dîner. Il se trouve que Heister, l'entraîneur, avait l'habitude de venir par là aux mêmes heures dans sa Chevy avec la femme d'un autre homme. Je ne donnerai pas son nom, car elle est toujours mariée et a trois petits-enfants aujourd'hui. Tenez donc ça pour m'aider, mon chou.

Fascinée, Tory saisit l'extrémité du mètre tandis que Dwight reculait afin de prendre la longueur de ce qui devait être le comptoir.

— Alors il s'est trouvé qu'un soir, lors d'une compétition de course à pied au collège de Progress, je suis tombé sur l'entraîneur et la future grand-mère. Comme vous pouvez l'imaginer, ce fut un moment pénible pour tout le monde.

— C'est le moins qu'on puisse dire.

— Mais moins on en dit, mieux ça vaut, c'est ce que m'a suggéré l'entraîneur en serrant fort ma gorge dans ses mains. J'ai bien été contraint d'obtempérer. Comme c'était un brave homme et, disons, une nature plutôt soupçonneuse, il m'a offert un marché en retour : si je continuais à m'entraîner et si je pouvais perdre encore environ dix livres de lard, il me prendrait au printemps dans son équipe de coureurs. Nous convenions tacitement que, si j'oubliais l'incident, il se retiendrait de me tuer et d'enfouir mon corps dans quelque profond tombeau.

— Une bonne affaire pour tous les deux, apparemment.

— En tout cas pour moi. J'ai perdu du poids et j'ai surpris tout le monde – à commencer par moi – non seulement en entraînant l'équipe, mais en faisant sauter le record de la course des cinq cents yards. J'étais un formidable sprinter, semblait-il. J'ai gagné trois ans de suite le All Star trophée – et l'amour de la jolie Lissy Harlowe.

— C'est une belle histoire, reconnut Tory.

Elle pouvait apprécier le parcours d'un *outsider*, car elle en était un elle-même.

— Tout est bien qui finit bien. Je pense pouvoir vous aider à installer votre boutique. Venez, je vous invite à déjeuner et nous en parlerons pendant ce temps.

— Je ne pense pas...

Elle s'interrompit en entendant la porte derrière elle s'ouvrir.

— Ne me dis pas que tu fais travailler cet arnaqueur ! (Wade entra en trombe et posa un bras affectueux sur les épaules de Tory.) Dieu merci, je suis arrivé à temps.

— Cet espèce de docteur pour petits chiens ne connaît absolument rien au bâtiment. Retourne t'occuper de tes caniches, Wade. Je compte bien emmener déjeuner ta jolie cousine et, je l'espère, ma future cliente.

— Dans ces conditions, je vous accompagne. Avec un renard comme toi, Tory a besoin qu'on protège ses intérêts.

— J'ai davantage besoin d'étagères que d'un sandwich, intervint la jeune femme en souriant.

Dwight lui fit un clin d'œil.

— Je vais veiller à ce que vous obteniez les deux. Venez, mon chou. Et, puisqu'il insiste tant, amenez donc aussi ce poids mort avec vous.

Cette demi-heure de pause lui fut plus agréable qu'elle ne s'y était attendue. C'était un plaisir de voir que Dwight et Wade avaient conservé à l'âge adulte une amitié dont les racines plongeaient dans leur enfance, quand ils n'étaient encore que des jeunes garçons dont elle gardait un lointain souvenir.

Elle songea à Hope avec nostalgie.

Elle qui était rarement à l'aise avec les hommes se sentit détendue entre ces deux-là, dont l'un était son cousin et l'autre si bien marié. Au point que Dwight sortit de sa poche des photos de son fils pour les leur montrer avant que les sandwichs ne soient servis. Tory était prête à pousser de toute façon les exclamations attendues, mais le fait est que le petit garçon se révéla absolument adorable, un heureux mélange entre le joli visage de Lissy et les yeux pénétrants de Dwight.

Les choses semblaient aussi constructives qu'aisées, songea-t-elle en décidant d'aller faire quelques courses. Dwight avait parfaitement compris ce qu'elle voulait et même perfectionné son plan de base. Quant au devis, il respectait le budget qu'elle s'était fixé, tout au moins après qu'elle eut négocié sur tous les tons, questionné et usé de tous les stratagèmes pour en venir à ses fins. Tout en faisant mine d'essuyer sur son front une sueur imaginaire, Dwight avait fini par promettre que les travaux seraient terminés pour le milieu du mois de mai.

Satisfaite, elle sortit pour aller s'acheter un lit.

Son intention était de se contenter d'un sommier et d'un matelas. Des années de modération ne lui avaient jamais permis d'effectuer des achats sur un coup de cœur. Et il était rare, très rare, qu'elle éprouve un réel désir de posséder telle ou telle chose.

Mais au moment où elle le vit, elle fut conquise.

Elle s'en éloigna par deux fois et revint sur ses pas, vaincue. Le prix n'était pas exagéré, mais avait-elle vraiment besoin de ce joli lit classique en fer forgé avec ses montants fins et lisses, au si joli dessin ? Un robuste cadre de lit et un bon et solide matelas, voilà tout ce qu'il lui fallait. Après tout, elle ne ferait qu'y dormir, heureusement.

Son débat intérieur se poursuivit tandis qu'elle sortait sa carte de crédit, conduisait sa voiture à la porte de la réserve du magasin et rentrait chez elle, le joli lit en fer forgé dans son coffre. Ensuite, elle fut trop occupée à le tirer, le pousser et se maudire pour avoir le temps de débattre plus longuement du sujet.

Debout entre des rangées de jeunes pousses de coton, Cade observa son manège pendant dix minutes. Puis, après avoir murmuré quelques jurons entre ses dents, il se dirigea vers sa camionnette et s'engagea sur le chemin menant chez elle.

En descendant de voiture, il eut envie de claquer la portière, mais se retint de le faire.

— On dirait que vous avez oublié vos bracelets magiques.

Elle était hors d'haleine, des mèches de cheveux échappées de sa natte lui barraient le visage, mais l'énorme et lourd emballage avait déjà franchi les premières marches du porche. Elle s'efforça de reprendre son souffle.

— Pardon ?

— Vous ne pouvez pas vous transformer en Wonder Woman si vous n'avez pas vos bracelets magiques. Laissez-moi finir ça.

— Je n'ai pas besoin d'aide.

— Cessez de faire l'idiote et tenez la porte.

Elle avança en martelant ses pas et ouvrit la porte d'un coup sec.

— Faut-il vraiment que vous traîniez tout le temps ici ?

Il ôta ses lunettes de soleil et les posa à côté de lui. C'était une habitude qui lui coûtait en moyenne deux paires par mois.

— Vous voyez ce champ là-bas ? Il m'appartient. Maintenant, écartez-vous, que je fasse entrer ce truc. Quelle foutue sorte de lit est-ce donc ?

— Fer forgé, dit-elle avec une pointe de satisfaction en constatant qu'il devait s'arc-bouter pour soulever l'énorme paquet.

— Il va falloir faire passer un coin d'abord pour franchir la porte.

— Je sais bien.

Elle se planta solidement sur ses pieds, se baissa et souleva l'extrémité de son côté. Après un bon nombre de grognements irrités, de manœuvres haletantes et, pour elle, une main égratignée aux jointures, ils finirent par en venir à bout. Elle continua à marcher à reculons, obligée, pour se diriger, d'obéir aux injonctions de Cade jusqu'à ce que le lit atterrisse enfin dans la chambre.

— Merci, Cade. (Elle laissa retomber ses bras endoloris.) Je peux faire le reste toute seule.

— Vous avez des outils ?

— Bien entendu.

— Bon. Donnez-les. Cela m'évitera d'aller chercher les miens. Nous ferions aussi bien de monter ce truc avant d'apporter le reste.

D'un geste irrité, elle repoussa en arrière ses mèches trempées de sueur.

— Je peux très bien me débrouiller toute seule.

— Et vous êtes presque assez désagréable avec moi pour que je sois tenté de vous laisser faire. Dommage que je sois piégé par mon excellente éducation.

Il lui saisit la main, examina l'égratignure et l'embrassa légèrement avant qu'elle n'ait pu réagir.

91

— Vous devriez mettre quelque chose là-dessus pendant que je m'occupe de ça.

Elle songea à lui répondre vertement, à lui dire de sortir et même à l'y pousser, mais décida que tout ça n'était qu'une perte de temps. Réprimant un soupir, elle alla chercher le matériel de bricolage.

Il admira la boîte à outils noire bien équipée.

— Vous vous êtes préparée à faire face à tout, on dirait.

— Je pense m'y connaître un peu, en effet. Vous, je parie que vous ne distinguez pas des pinces d'un tournevis.

Manifestement amusé, il sortit de la boîte une paire de pinces à bec fin.

— Et ça ? Vous allez peut-être encore me dire qu'il s'agit de vos crochets ?

Le souffle qu'elle se préparait à expirer se transforma en rire tandis qu'il s'attaquait aux grosses et solides agrafes plantées dans l'emballage.

— Allez mettre quelque chose sur vos doigts.

— Ils vont très bien.

Il ne prit même pas la peine de lever le regard vers elle ou de hausser la voix, mais parla d'un ton habitué à commander où l'on devinait l'éclat de l'acier sous l'apparence sobre et légère.

— Je vous dis d'aller mettre quelque chose. Ensuite, pourquoi ne nous prépareriez-vous pas quelque chose de frais à boire ?

— Écoutez, Cade, je ne suis pas votre femme de chambre.

Cette fois, il leva les yeux pour la jauger d'un regard tranquille.

— Vous êtes une femme et vous êtes dans une chambre. Et c'est moi, ne l'oubliez pas, qui ai le crochet.

— Je suppose que, si je vous dis à quoi je pense employer ces pinces, cela ne fera pas disparaître votre petit sourire suffisant ?

— Et moi, je suppose que, si je vous dis combien vous êtes sexy quand vous êtes énervée, cela ne vous convaincra pas d'étrenner ce lit avec moi quand nous l'aurons monté ?

— Seigneur ! s'exclama-t-elle, résignée, en sortant de la pièce à grands pas.

Elle le laissa seul et alla sortir ses provisions du coffre. Un peu plus tard, tout en préparant le thé, elle pouvait l'entendre travailler à côté et, de temps à autre, laisser échapper quelques jurons bien sentis. Il avait de longues mains, songea-t-elle. D'élégants doigts de pianiste qui contrastaient avec ses paumes dures et calleuses. Elle était certaine qu'il savait planter, entretenir et récolter. Il avait été élevé pour cela. Mais les tâches quotidiennes ? Non, c'était autre chose.

Il ne devait pas avoir assemblé un seul montant de lit tout au long de sa vie privilégiée, et la situation, à côté, devait tenir du chaos. Elle décida de lui laisser tout le loisir d'achever le désastre.

Elle fixa son nouveau téléphone mural, rangea ses torchons neufs et, lentement, entreprit de couper des tranches de citron pour le thé. Quand elle estima qu'il devait avoir eu assez de temps pour se faire honte, elle emplit deux verres de thé glacé et se dirigea vers la chambre.

Il finissait de visser le dernier boulon.

Stupéfaite, elle laissa échapper un petit cri de joie, les yeux brillants.

— Oh ! c'est absolument merveilleux ! Merveilleux ! Je savais bien que ça serait ainsi !

Sans réfléchir, elle lui mit les deux verres dans les mains afin de libérer les siennes pour caresser le fer forgé.

Il eut une première réaction d'amusement suivie d'un agréable sentiment de satisfaction.

Soudain, une bouffée de désir l'envahit, si primitive, si forte, qu'il fit un pas en arrière. Il eut la claire vision de Tory enroulant les doigts sur ces barreaux et s'y agrippant, tandis qu'il la pénétrait par longues poussées successives et que ses yeux de sorcière aux longues paupières devenaient vagues.

— J'ai l'impression que c'est du solide ! s'exclama Tory en secouant la tête du lit.

Cade sentit son plexus se nouer.

— Il a intérêt à l'être, grogna-t-il.

— Vous avez bien travaillé, et j'ai été désagréable. Merci et pardon.

— Je vous en prie. N'y pensez plus.

Il lui rendit son verre et leva la main pour tirer la chaînette du ventilateur fixé au plafond.

— On étouffe, ici.

Si seulement il avait pu mordiller cet endroit, là, sous son oreille gauche, où s'amorçait la courbe de sa mâchoire.

Il avait parlé d'une voix un peu étouffée et, se méprenant sur son trouble, elle se sentit coupable.

— Je me suis montrée franchement désagréable, Cade. Je ne sais pas m'y prendre avec les gens.

— Vous ne savez pas vous y prendre ? Et vous allez ouvrir une boutique dans laquelle vous aurez affaire à des clients toute la journée !

— C'est différent. Je sais très bien m'y prendre avec eux.

— Ah ! oui... (Il se déplaça pour se trouver de l'autre côté du lit.) Alors, comme ça, si j'achète quelque chose dans votre boutique, vous serez enfin gentille avec moi ?

Elle n'avait pas besoin de lire dans ses pensées : ses yeux parlaient pour lui.

— Pas dans ce sens-là.

D'un mouvement agile, elle s'écarta et se dirigea vers la porte.

— Je pourrais être un très bon client, vous savez.

— N'essayez pas de m'avoir encore une fois.

— Mais si, Tory. J'essaie encore.

Comme il effleurait son épaule, il la sentit se raidir.

— Arrêtez ça, dit-elle doucement.

Il posa son verre sur le sol et l'obligea doucement à lui faire face.

— Allons, ça ne fait pas mal, non ?

Ses mains étaient légères. Il y avait longtemps, très longtemps vraiment, qu'elle n'avait pas senti sur elle la tendre main d'un homme.

— Je ne suis pas intéressée par le flirt.

— Moi si, mais nous pouvons faire un compromis pour l'instant. Soyons amis.

— Je ne suis pas douée en amitié.

— Mais moi, je le suis. Maintenant, pourquoi ne pas apporter ici le reste de votre literie afin que vous puissiez dormir convenablement cette nuit ?

Elle le laissa presque atteindre la porte. Elle s'était pourtant promis de ne pas lui en parler. Ni à lui ni à personne, d'ailleurs. Pas avant d'être prête. Avant qu'elle ne se sente suffisamment forte. Mais les mots bouillonnaient en elle.

— Cade ! Vous n'avez jamais demandé... Ni à l'époque, ni maintenant. Vous n'avez jamais une seule fois demandé comment je pouvais savoir...

Elle sentit ses paumes devenir moites et les cala sous ses coudes.

— ... comment je pouvais savoir où la trouver. Comment je savais ce qui était arrivé.

— Je n'avais pas à le demander.

Elle se mit à parler rapidement, les mots bondissant hors de sa bouche comme autant de petits ressorts trop tendus.

— Certains ont pensé que j'étais avec elle, malgré mes dénégations. Que je m'étais enfuie et que je l'avais abandonnée. Oui, que je l'avais abandonnée.

— Ce n'est pas mon opinion.

— Et ceux qui m'ont crue, qui ont cru que j'avais vu comme je le disais, ceux-là se sont écartés de moi, ont éloigné leurs enfants de moi. Depuis ce jour, ils n'ont même plus voulu me regarder dans les yeux.

— Je vous regarde dans les yeux, Tory. Je l'ai fait alors et je le fais maintenant.

Elle reprit son souffle avant de poursuivre.

— Pourquoi ? Si vous croyez à ce don en moi, pourquoi ne vous écartez-vous pas comme les autres ? Pourquoi venez-vous ici ? Avez-vous l'intention de me demander de vous prédire l'avenir ? Car je peux le faire. À moins que vous ne souhaitiez des conseils pour vos placements ? N'y comptez pas.

Il remarqua son visage rouge et ses yeux sombres voilés par les émotions. Et qui trahissaient, entre toutes, une ardente colère.

Mais il ne jouerait pas son jeu. Il ne se laisserait pas entraîner, du moins pas là où elle semblait l'attendre.

— Je préfère vivre les jours comme ils se présentent, répondit-il enfin. Merci quand même. Et j'ai un conseiller financier qui s'occupe de mon portefeuille d'actions. Il ne vous est pas venu à l'esprit que je viens ici parce que j'aime vous regarder ?

— Non.

— Alors vous êtes la seule femme de ma connaissance qui n'ait pas – ne serait-ce qu'une once – de vanité. Soit dit en passant, cela ne vous ferait pas de mal d'en avoir un peu. Maintenant (Il redressa la tête.), voulez-vous que nous apportions ce matelas ici ou préférez-vous me surprendre en me révélant ce que j'ai mangé au déjeuner aujourd'hui ?

Elle le regarda, interloquée, tandis qu'il quittait la pièce. Plaisantait-il vraiment ? La plupart du temps, lorsqu'elle abordait ce sujet, les gens se moquaient d'elle ou la croyaient dérangée, quand ils ne se détournaient pas prudemment. Certains s'enhardissaient à lui parler dans l'espoir qu'elle pourrait résoudre leurs problèmes. Mais personne, jamais personne, n'avait pris la chose en plaisantant.

Elle secoua les épaules pour les détendre et sortit l'aider à rentrer la literie.

Ils travaillaient en silence maintenant, elle ruminant ses pensées et lui l'esprit ailleurs. Quand le lit fut prêt, Cade termina son thé, rapporta le verre à la cuisine et sortit.

— Vous pouvez vous occuper du reste à présent. Je suis un peu en retard sur mon horaire.

« Oh ! non ! » songea-t-elle en sortant vivement derrière lui.

— J'ai apprécié votre aide, dit-elle très vite. Vraiment.

Elle le suivit et, d'un geste impulsif, le saisit par le bras. Il s'arrêta et baissa les yeux vers elle.

— Eh bien, pensez à moi cette nuit quand vous partirez pour le pays des rêves.

— Je sais que cela vous a coûté du temps. N'avez-vous pas parlé de déjeuner ?

Il hocha la tête, interloqué.

— Déjeuner ?

— Oui, le déjeuner que vous avez pris aujourd'hui. La moitié d'un sandwich au jambon avec du gruyère et de la moutarde brune. Vous avez donné l'autre moitié à ce chien noir efflanqué qui est venu mendier à manger dans les champs quand il vous a aperçu.

Il réfléchit un instant et décida de suivre son instinct.

— Tory, dites-moi à quoi je suis en train de penser.

Elle sentit une envie de rire la traverser.

— Je crois que je vais vous laisser garder vos pensées pour vous.

Et, tournant les talons, elle se dirigea vers la maison et fit claquer la porte grillagée derrière elle en rentrant.

7

Margaret avait toujours pensé que seules les fleurs lui permettaient de garder son équilibre. Jamais elles ne lui répondaient désagréablement, jamais elles ne lui disaient qu'elle n'y comprenait rien, jamais elles ne pliaient bagage pour s'en aller en ronchonnant.

Elle pouvait tout à loisir élaguer les parties sauvages de chaque plante – ces pousses surgies d'un seul coup et qui s'imaginaient pouvoir monter où elles voulaient – jusqu'à ce qu'elle obtienne enfin la forme désirée.

Il aurait été bien préférable qu'elle demeure célibataire et fasse pousser des tulipes au lieu d'élever des enfants. Simplement parce qu'ils sont des enfants, ils vous brisent le cœur.

Mais tout avait été programmé pour qu'elle se marie. Elle avait toujours fait ce qu'on attendait d'elle, aussi loin que remontaient ses souvenirs. Parfois, elle faisait même un peu plus, et rarement, plus rarement encore, elle faisait moins.

Elle avait aimé son mari, c'était d'ailleurs ce qu'on attendait d'elle. À l'époque où il lui fit la cour, Jasper Lavelle était un beau jeune homme. Il avait aussi beaucoup de charme avec son petit sourire furtif, ce même sourire qu'elle surprenait parfois sur le visage de leur fils. Oh ! bien sûr, Jasper avait son caractère, mais elle était alors assez jeune pour trouver cela excitant. C'était ce même caractère – et ces mêmes sautes d'humeur – qu'elle retrouvait aujourd'hui dans leur fille.

Celle qui avait vécu.

Il avait été un homme grand et fort, du genre qui en impose, au rire sonore et aux mains puissantes. C'était peut-être pourquoi elle décelait tant de lui et si peu d'elle dans les enfants qui leur restaient.

Quand elle faisait l'inventaire, elle s'irritait de constater combien son empreinte sur l'argile de ces vies était vague et indécise, des vies qu'elle avait pourtant contribué à créer. Pour finir, elle avait choisi – sûrement à bon escient – de se concentrer sur *Beaux Rêves*. Ici, au moins, sa marque, sa vision du monde étaient aussi profondément ancrées que les racines des vieux chênes bordant la grande allée.

Et de cela elle était fière, plus encore que de ses enfants.

Bien sûr, si Hope avait vécu, les choses auraient été différentes. Elle coupa la tête fanée d'un dianthus, sans état d'âme, sans regret pour ce qui avait été une fleur au riche parfum. Si Hope avait vécu, elle aurait illustré et réalisé tous les espoirs, tous les rêves qu'une mère peut investir dans une fille. Elle aurait ajouté un nouveau lustre à l'éclat du nom des Lavelle.

Jasper serait resté un homme fort et fidèle. Il ne se serait jamais égaré avec des femmes perdues dans toutes sortes de scandales. Il ne se serait jamais détourné du sentier sur lequel ils s'étaient engagés ensemble au début de leur mariage, n'aurait jamais laissé à son épouse le soin de laver la souillure dont, jour après jour, il entachait le nom qu'ils partageaient.

À la fin, Jasper était devenu aussi difficile à contrôler qu'un ouragan, et quand il ne se retrouvait pas plongé dans toutes sortes de problèmes, il cuvait. La vie à ses côtés avait été... une succession d'étranges événements, décida-t-elle. Pour finir, il avait poussé le mauvais goût en ayant une crise cardiaque fatale dans le lit de sa maîtresse. Celle-ci avait eu le bon sens et la dignité de se tenir en retrait, mais l'incident était resté en travers de la gorge de Margaret comme une arête effilée.

Quoique, tout compte fait, il se révélât beaucoup plus facile d'être sa veuve que son épouse.

Elle ne savait pas pourquoi elle pensait autant à lui juste à cet instant, par cette matinée délicieusement fraîche, tandis que la rosée recouvrait encore les fleurs – tel un baiser irisé – et que le ciel arborait cette douce teinte bleue du printemps.

Jasper avait été un bon époux, se dit-elle en se baissant pour désherber un parterre où se mêlaient de faux indigotiers, des penstémons et des plumeaux aux vives couleurs. Durant la première partie de leur mariage, il lui avait assuré une vie matérielle aisée et insouciante, se chargeant de toutes les décisions importantes et lui épargnant ainsi les détails. Il s'était également montré un père attentif, bien que peut-être un peu trop indulgent.

Dès le premier anniversaire de leur mariage, la passion entre eux s'était apaisée. Mais la passion est un élément difficile et dérangeant dans la vie. Une source d'émotion exigeante et instable. Non qu'elle se soit jamais refusée à lui, bien sûr, pas une seule fois depuis leur nuit de noces elle ne s'était détournée de lui dans leur lit.

Margaret en était fière, fière d'avoir été une bonne épouse accomplissant son devoir – même quand la seule idée du sexe la rendait malade. N'avait-elle pas su, tant de fois, rester silencieuse et soumise, le laissant prendre son plaisir ?

Elle cisailla d'autres fleurs fanées d'un coup net et les déposa dans le panier prévu à cet effet.

C'était lui qui s'était éloigné, lui qui avait changé. Rien n'avait plus jamais été pareil depuis ce terrible matin, ce matin d'août brûlant et poisseux où ils avaient trouvé leur Hope dans le marais.

Avec ce même chagrin familier qui, au fil des années, s'était engourdi, mais aussi alourdi, elle pensa à sa fille bien-aimée. Leur douce Hope, au caractère si agréable, son petit ange de lumière, la seule de ses enfants qui tînt vraiment d'elle, à laquelle elle se sentait intimement liée. La seule véritable chair de sa chair.

Même après tout ce temps, il lui arrivait encore de se demander si cette perte n'avait pas été une sorte de punition du ciel. On lui avait enlevé l'enfant qu'elle préférait. Quel crime, quel péché avait-elle pu commettre pour mériter un pareil châtiment ?

L'indulgence, peut-être. Avoir laissé sa petite fille agir comme bon lui semblait alors qu'il aurait été plus sage – mais il est si facile d'être sage avec le recul – de décourager et même d'interdire les relations que sa douce, son innocente petite Hope entretenait avec cette fille Bodeen. Elle avait commis là une faute, mais certainement pas un péché.

Et si péché il y avait, c'était davantage Jasper qui l'avait commis. Il avait écarté d'un geste ses préoccupations quand elle lui en avait fait part, il en avait même ri. Cette fille Bodeen était inoffensive, voilà ce qu'il avait dit.

Inoffensive.

Jasper avait payé tout le reste de sa vie cette erreur de jugement, cette faute, ce péché. Et, malgré tout, ce n'était pas assez. Ce ne serait jamais assez.

Cette fille Bodeen avait tué Hope aussi sûrement que si elle l'avait elle-même étranglée de ses petites mains sales.

Et voilà qu'elle était de retour à Progress. Dans la maison du marais. Dans leurs vies. Comme si elle en avait le droit.

Margaret arracha quelques tiges de liseron et les jeta dans son panier. Sa grand-mère aimait à dire que les mauvaises herbes n'étaient pas autre chose que des fleurs sauvages qui poussaient au mauvais endroit. Mais ce n'était pas vrai. Il fallait les traiter tels des envahisseurs, les arracher, les couper, les détruire par tous les moyens.

Il n'était pas question de laisser Victoria Bodeen prendre racine et éclore à Progress.

Comme sa mère était belle, songea Cade. Si admirable, si inaccessible. Habillée à la perfection pour jardiner, comme elle savait le faire en toute circonstance. Toujours nette et soignée, sans le moindre défaut.

Elle portait un chapeau de paille à larges bords entouré d'un ruban bleu pâle assorti à sa tenue : longue jupe de coton et chemisier impeccable, protégés par un tablier de jardinier gris fer.

Ses oreilles étaient ornées de perles, boules rondes d'un blanc aussi lumineux que les gardénias, sa fleur préférée.

À seulement cinquante-trois ans, elle gardait ses cheveux blanchis, comme si elle avait voulu afficher ce symbole d'âge et de dignité. Elle avait un teint lisse ne révélant aucun tourment. Le contraste entre les cheveux blancs et ce joli visage encore jeune était saisissant, et peut-être aussi le résultat d'une secrète vanité.

Elle avait conservé sa ligne de jeune fille et l'entretenait impitoyablement par un régime approprié et de l'exercice. Les onces de graisse n'étaient pas plus tolérées que les mauvaises herbes dans son jardin.

Il y avait maintenant six ans qu'elle était veuve, et elle s'était si bien adaptée à cet état qu'il était difficile de se souvenir d'elle autrement.

Cade savait qu'elle était mécontente de lui, mais il n'y avait là rien de nouveau. La plupart du temps, sa désapprobation prenait la même forme que son approbation. Quelques mots froids et précis.

Il ne se souvenait d'aucun contact tendre ou chaleureux de sa part ; en retour, il n'en avait sans doute jamais attendu d'elle.

Mais elle était néanmoins sa mère, et il était décidé à faire de son mieux pour combler le fossé qui les séparait. Il ne savait que trop bien combien un tel fossé pouvait s'élargir et devenir un gouffre quand on garde le silence.

Un petit papillon jaune voleta autour de sa tête, mais elle l'ignora. Elle savait qu'il était là, comme elle savait qu'il venait à sa rencontre à grandes enjambées sur le sentier dallé. Pourtant, elle fit mine de ne pas s'en apercevoir.

— C'est une belle matinée pour être dehors, commença Cade. Le printemps a été favorable à la floraison.

— Un peu de pluie ne ferait pas de mal.

100

— On en annonce pour cette nuit, et ce n'est pas trop tôt. Avril a été trop sec à mon goût.

Il s'accroupit en prenant soin de laisser un espace entre eux. Tout près, des abeilles bourdonnaient follement dans les massifs d'azalées.

— Nous avons pratiquement terminé les travaux des champs. Je vais aller faire un tour pour voir comment va le bétail. Il va falloir stériliser quelques veaux mâles. J'ai un certain nombre de courses à faire... Y a-t-il quelque chose que je pourrais te rapporter ?

— J'aurais besoin de désherbant.

Elle releva la tête. Ses yeux, d'un bleu plus pâle que ceux de Cade, étaient tout aussi directs.

— À moins que tu n'aies quelque objection morale à l'emploi de désherbant dans mon jardin.

— C'est ton jardin, Maman.

— Mais les terres sont à toi, comme on ne manque pas de me le rappeler. Tu peux en faire ce que tu veux. De même que les propriétés t'appartiennent. Tu peux les louer à qui tu veux.

— C'est exact. (Il pouvait se montrer aussi glacial qu'elle s'il le voulait.) Et les revenus de ces terres, de ces propriétés, permettent d'entretenir *Beaux Rêves* convenablement. Du moins tant qu'elles seront entre mes mains.

D'un geste rapide et précis, elle cueillit une pensée.

— On ne construit pas une vie avec ses revenus pour seule référence.

— Ils rendent la vie sacrément plus facile.

— Tu n'as pas à me parler sur ce ton.

— Je te demande pardon. Je te donnais seulement mon avis.

Il posa les mains sur ses genoux et attendit que ses doigts se dénouent.

— J'ai changé de méthode pour l'exploitation. J'ai commencé à le faire il y a maintenant cinq ans. Et ça marche. Mais tu refuses toujours d'accepter et même de reconnaître que j'ai réussi. Je ne peux rien y faire. Quant aux propriétés, je les gère comme je l'entends. Mes méthodes sont différentes de celles de Papa.

— Crois-tu qu'il aurait toléré que cette Bodeen remette les pieds sur un sol qui nous appartient ?

— Je n'en sais rien.

— Et tu ne t'en soucies pas, laissa-t-elle tomber froidement en reprenant son désherbage.

— Peut-être pas.

Il laissa son regard errer au bout du chemin dallé sur les parterres où les fleurs s'épanouissaient en exhalant de riches parfums.

— Je ne peux pas diriger ma vie en me demandant sans cesse ce que Papa aurait fait ou souhaité que je fasse. Mais je sais que Tory Bodeen n'est absolument pas responsable de ce qui est arrivé il y a dix-huit ans.

— Tu te trompes.

— Eh bien, l'un de nous deux se trompe.

Il se releva.

— De toute façon, elle est là et a le droit d'y être. On ne peut rien y faire.

« Ils verront bien, songea Margaret tandis que son fils s'éloignait. Ils verront qu'on peut bel et bien y faire quelque chose. »

Cade fut d'humeur morose toute la journée. La froideur de sa mère le blessait toujours aussi vivement, malgré ses nombreuses tentatives – toujours soldées de déconvenues – pour se rapprocher d'elle.

Il avait cessé de lui expliquer, de justifier les changements apportés à l'exploitation agricole. Il se souvenait encore du soir où il lui avait montré des cartes, des graphiques, des projets. Il se souvenait du regard indifférent qu'elle lui avait jeté en lui déclarant froidement que *Beaux Rêves* n'était pas quelque chose qu'on pouvait représenter sur un papier pour l'analyser. Après quoi, elle était partie, sans rien ajouter.

Il en avait été profondément affecté, d'autant qu'il se disait, tout au fond de lui, qu'elle avait sans doute raison. Le domaine ne pouvait pas se représenter sur un papier. Ni cette terre, qu'il était si fermement décidé à protéger pour la transmettre aux générations suivantes.

Comme sa mère, il en était fier et s'en sentait responsable. Mais, pour lui, la terre était quelque chose de vivant, qui respirait, croissait, changeait avec les saisons. Pour Margaret, tout était statique – tel un monument soigneusement entretenu. Ou un tombeau.

Il admettait qu'elle n'ait pas confiance en lui, comme il admettait que ses voisins se moquent de lui ou lui fassent des reproches. Quand il se retrouva à la tête de l'exploitation, les trois premières années avaient été marquées par un nombre incalculable de nuits sans sommeil. Et par la peur, la crainte de l'échec, l'angoisse de gâcher cet héritage, maintenant entre ses mains, à cause de son impatience, de son entêtement.

Mais il ne s'était pas trompé, en tout cas pour la plantation. Certes, pour obtenir du coton dans des conditions strictement biologiques, il fallait davantage de temps, d'effort et d'argent. Mais la terre – oh, comme elle s'épanouissait ! Il la voyait exploser en été, se reposer en

102

hiver et absorber avidement les semences dans ses sillons au printemps.

Il refusait de l'empoisonner, même sous la pression de tous ceux qui affirmaient qu'en agissant ainsi il compromettait le sol et la récolte. Ils le traitaient de fumiste, d'entêté, de fou, parfois pire encore.

La première année où il avait obtenu du coton biologique correspondant aux normes officielles et où il avait vendu sa récolte, il avait fêté l'événement en s'enivrant tout seul dans le bureau de la tour que son père avait occupé avant lui.

Il avait acheté davantage de bétail : il croyait en la nécessité de se diversifier. Et aussi des chevaux, car il les aimait. Et puis un bon cheptel fournissait un excellent engrais naturel.

Il misait sur le coton vert, sur sa bonne tenue et sa valeur. Il étudiait, expérimentait, apprenait. S'accrochait à ses convictions, même quand il lui avait fallu arracher des tonnes de mauvaises herbes et soigner ses ampoules sans se plaindre. Il observait le ciel avec le même intérêt que les cours de la bourse et réinvestissait les profits dans la terre comme il labourait le sol après la récolte.

Bien sûr, il ne négligeait pas pour autant les autres secteurs – loyers, propriétés, usines –, qu'il gérait avec habileté. Mais ils ne mobilisaient pas son cœur autant que la terre.

Il ne pouvait expliquer ce sentiment et n'avait jamais essayé de le faire. Mais il aimait *Beaux Rêves* à la manière dont un homme aime une femme. De façon entière, obsessionnelle et jalouse. Et il exultait lorsqu'elle lui donnait chaque année la récolte promise.

La fraîche matinée s'était transformée en un après-midi torride quand il eut achevé l'essentiel de ses tâches et de ses courses. Systématiquement, il en cochait mentalement la liste qu'il gardait en mémoire.

Il s'arrêta chez le pépiniériste, non loin de la Grand-Place, pour acheter le désherbant demandé par sa mère. Les étalages de fleurs attirèrent son regard et, sous le coup d'une brusque impulsion, il choisit un plateau d'impatiens roses encore en bouton et le porta à l'intérieur.

Les Clampett étaient pépiniéristes depuis dix ans. Au départ, ils ne possédaient qu'une petite échoppe au bord de la route destinée à leur assurer quelques revenus supplémentaires, car ils cultivaient principalement du soja. Mais, au cours des dix dernières années, les fleurs s'étaient révélées plus avantageuses que la culture. Plus les affaires étaient bonnes et plus le succès montait à la tête des Clampett.

— Si tu prends un autre plateau, tu as vingt pour cent de réduction, dit Billy Clampett en tirant sur sa Camel, juste au-dessous du panneau « Interdit de fumer » que sa mère avait fixé sur le mur.

— Bien, comptes-en deux, alors. Je prendrai l'autre en sortant.

Cade posa les fleurs sur le comptoir. Il était allé en classe avec Billy sans se lier particulièrement avec lui.

— Comment vont les affaires ?

— Doucement, mais sûrement.

Billy loucha à travers la fumée. Il avait des yeux sombres à l'expression mécontente. Ses cheveux mal coupés semblaient avoir été passés sous la tondeuse et ressemblaient à des piquants d'une couleur indécise. Il avait pris du poids depuis le lycée ou, plus exactement, il avait perdu les muscles qui faisaient alors de lui un champion de l'attaque au rugby.

— Tu vas te mettre à cultiver aussi des fleurs, maintenant ?

— Mais non.

Cade n'avait nullement l'intention de perdre son temps en bavardage. Il alla examiner quelques autres plantes, sélectionna deux grands pots de terre d'un ton vert-de-gris et les déposa sur le comptoir.

— J'ai besoin d'engrais.

Billy ôta sa cigarette et jeta le mégot dans la bouteille qu'il cachait sous une étagère. Il se doutait bien que, si sa mère la trouvait, elle lui passerait un sérieux savon.

— Tiens, je ne pensais pas que tu approuvais ce genre de produits. Depuis quand as-tu cessé de parler aux arbres et de les serrer dans tes bras ?

— ... avec un sac de terreau pour les impatiens, poursuivit Cade, imperturbable.

— Pendant que tu y es, prends donc de l'insecticide.

— Non, merci.

— Ah ! oui, c'est vrai ! (Billy émit un rire rauque.) Tu es contre les insecticides, les pesticides et tous ces vilains engrais chimiques. Tes plantations sont virginales. J'ai lu dans un magazine que tu défendais ça.

— Depuis quand as-tu appris à lire ? demanda Cade sur le ton de la plaisanterie. Ou alors as-tu seulement regardé les images ?

— Tout le monde sait bien que tu te contentes de rester assis et de tirer profit des produits que tes voisins mettent dans leurs champs à leurs frais.

— Vraiment ?

— Ouais, vraiment. (Billy pointa un doigt dans sa direction.) Tu as eu quelques bonnes années, mais ce n'est qu'un coup de chance, si tu veux mon avis.

— Je ne me souviens pas de te l'avoir demandé. Fais mon compte, veux-tu ?

— Tôt ou tard, ça te retombera dessus. Tu ne fais que favoriser les mauvais germes et les maladies.

La journée avait été longue, morose, et Cade Lavelle était l'une des cibles favorites de Billy. Les femmelettes ne rendent pas les coups.

— Tes plantations seront infectées, les autres aussi et ça coûtera des masses d'argent.

— Je m'en souviendrai. (Cade sortit quelques billets et les mit sur le comptoir.) Je porte tout ça dans ma camionnette pendant que tu fais ma note.

Il s'efforça de tenir en laisse sa colère comme on le ferait avec un chien dangereux. S'il se laissait aller, il pouvait se montrer dur et méchant.

Tout en déposant dans son véhicule les pots et les deux plateaux de fleurs, Cade se dit que Billy Clampett ne valait pas la perte de temps et l'effort nécessaire pour le remettre en place.

Quand il revint, il trouva sur le comptoir un sac d'engrais et vingt livres de terreau.

— Je te dois trois dollars et six pences. (Billy compta la monnaie avec une lenteur calculée.) Au fait, j'ai aperçu ta sœur une ou deux fois par ici en ville. Elle a l'air vraiment en forme en ce moment. (Il leva les yeux avec un sourire.) Vraiment en forme.

Cade glissa la monnaie dans sa poche et y garda un temps son poing serré, qu'il aurait aimé flanquer sur cette bouche ricanante.

— Et comment va ta femme en ce moment, Billy ?

— Darlene va très bien. De nouveau enceinte, pour la troisième fois. J'espère avoir semé en elle encore un fils solide. Quand je laboure un champ ou une femme, je le fais bien. (Une lueur s'alluma dans ses yeux et son sourire s'élargit.) Demande à ta sœur.

La main de Cade sortit de sa poche comme une fusée pour agripper Billy par le col.

— Tu ferais bien de te rappeler à qui appartient la maison dans laquelle tu vis, articula Cade lentement. Oui, tu ferais bien de te le rappeler. Et ne t'approche pas de ma sœur.

— Tu es rapide quand il s'agit de te vanter de ton fric, mais tu n'as pas les couilles pour te servir de tes poings comme un homme.

— Ne t'approche pas de ma sœur, répéta Cade, ou tu verras alors pour de bon si j'ai des couilles ou non.

Cade le relâcha, ramassa le reste de ses achats, sortit et regagna d'un pas rapide son véhicule. Il roula quelques minutes avant de s'arrêter au premier stop pour rester simplement assis, les yeux fermés, jusqu'à ce que sa colère s'apaise.

Il ne savait pas ce qui l'affectait le plus : en être venu aux mains avec Clampett au milieu de toutes ces fleurs ou être rongé par l'idée que sa sœur avait pu laisser une telle ordure poser ses sales pattes sur elle.

Il remit le moteur en marche, tourna et prit la direction de Market Street. Là, il se gara non loin de la boutique de Tory, juste derrière la camionnette de Dwight. Tout en s'efforçant de retrouver son calme, il sortit les pots et les posa par terre à côté de la porte.

Il entendit le bruit strident d'une scie avant même d'entrer.

Le socle des comptoirs était déjà en place et les premiers rayonnages posés. Tory avait opté pour du pin qu'elle s'était contentée de vernir. Un bon choix, jugea Cade. Simples et nets, les rayons exposeraient les objets sans distraire l'attention du client. Le sol était recouvert d'une bâche encombrée d'outils, l'air sentait la sciure et la sueur.

— Salut, Cade !

Dwight s'approcha en évitant de se prendre les pieds dans le matériel. Cade tapota du doigt sa cravate rayée bleu et or :

— Tu es bien chic !

— J'avais une réunion. Un groupe de banquiers.

Comme s'il se souvenait soudain qu'elle était terminée, Dwight dénoua sa cravate.

— Je suis venu faire un tour pour voir où en étaient les travaux avant de regagner mon bureau.

— Tu fais des progrès.

— Ma cliente a des idées arrêtées. Elle sait ce qu'elle veut et quand elle le veut. (Dwight roula les yeux.) Nous sommes ici pour nous arranger et je peux t'assurer, mon vieux, qu'avec elle il n'y a pas moyen de s'en tirer. Cette espèce de petite maigrichonne est devenue une femme d'affaires exigeante.

— Où est-elle ?

Dwight fit un signe en direction d'une porte fermée.

— Derrière. On ne l'a pas sur le dos, ça, il faut le reconnaître. Elle nous laisse bosser tranquilles, mais seulement quand elle est sûre d'obtenir ce qu'elle veut.

Cade prit le temps d'examiner le travail en cours.

— Elle a bon goût, remarqua-t-il.

— C'est vrai. Écoute, Cade... (Dwight remua les pieds d'un air embarrassé.) Lissy a une amie qui...

— Non.

— Merde, écoute-moi quand même !

— Ce n'est pas nécessaire. Je sais ce que tu vas me dire : Lissy a une amie, une femme absolument parfaite pour moi. Pourquoi est-ce que je

106

ne lui donnerais pas un coup de fil ? À moins que je ne passe chez vous un soir où vous l'auriez justement invitée à boire un verre ?

— En effet, pourquoi pas ? Lissy sera sur mon dos jusqu'à ce que tu cèdes.

— Ta femme, ton dos, ce sont tes problèmes. Dis à Lissy que tu viens juste de découvrir que je suis homosexuel, ou quelque chose comme ça.

— Oh ! tiens, pourquoi pas ? Ça marchera, j'en suis sûr.

L'idée amusa tellement Dwight qu'il éclata de rire.

— Ça marchera même très bien. Et alors, elle cherchera à te présenter des hommes !

— Dieu tout-puissant !

Cade réalisa que ce n'était pas hors des possibilités.

— Alors, tu n'as qu'à lui raconter que j'ai une aventure secrète et sulfureuse.

— Avec qui ?

— Qui tu voudras, dit Cade en lui faisant un signe négligent de la main et en se dirigeant vers la porte de la réserve. Mais fais-lui comprendre que c'est non.

Il frappa et entra sans attendre de réponse.

Tory était sur un escabeau en train de remplacer un tube fluorescent fixé au plafond.

— Attendez, laissez-moi faire ça.

— C'est déjà fait. (Elle lui jeta à peine un coup d'œil.) C'est au propriétaire, et non au locataire, de s'occuper de ça.

À ces mots, elle se rappela soudain qu'il était propriétaire de l'immeuble.

— J'ai vu qu'on est venu remplacer les vitres de la porte d'entrée.

— En effet. Merci.

— Et on a réparé le climatiseur.

— C'est exact.

— Si vous avez décidé de me mettre les nerfs à vif, vous pouvez attendre longtemps.

Il se détourna, les mains dans les poches. Elle avait choisi pour cette pièce des rayonnages métalliques, remarqua-t-il. Gris, vilains, solides, pratiques. Ils étaient déjà garnis de boîtes en carton et d'écrins portant sur une étiquette un numéro de stock.

Elle avait acheté un bureau, lui aussi solide et pratique. On y voyait déjà un ordinateur, un téléphone et une pile de papier bien nette.

Elle s'était remarquablement bien organisée en dix jours. Pas une seule fois elle n'avait demandé ni accepté son aide. Il aurait souhaité que cela ne l'irrite pas autant de faire appel à lui.

Elle portait un short noir, un tee-shirt et des tennis gris. Il aurait souhaité que cela ne lui plaise pas autant.

Comme elle descendait de l'escabeau, il saisit un des montants pour le replier en même temps qu'elle saisissait l'autre.

— Je vais le ranger, dit-il.

— Je peux le faire.

— Bon sang, Tory !

Il tira de son côté.

La soudaine pointe de colère, l'éclat inquiétant de ses yeux la firent reculer et ouvrir les mains. Il replia l'escabeau et alla le ranger dans un petit réduit adjacent.

Tandis qu'il se tenait là, le dos tourné, elle fut envahie par un brusque sentiment de culpabilité et de sympathie. Elle nota avec curiosité qu'elle n'était ni inquiète ni nerveuse, comme c'était sa réaction habituelle face à des hommes en colère.

— Asseyez-vous, Cade.

— Pourquoi ?

— Vous avez l'air d'en avoir besoin.

Elle se dirigea vers un petit réfrigérateur, en sortit une bouteille de Coca et dévissa le bouchon.

— Tenez, prenez quelque chose de frais.

— Merci.

Il se laissa tomber lourdement sur la chaise placée derrière le bureau et but longuement à même la bouteille.

— Mauvaise journée ?

— J'en ai connu des tas de bien meilleures.

Sans rien dire, elle ouvrit son sac et en sortit un tube d'aspirine. Comme elle lui en tendait deux comprimés, il leva les sourcils.

Une brusque bouffée de chaleur monta au visage de Tory.

— Je ne voulais pas... Il me semblait juste que...

— J'apprécie le geste.

Il avala les comprimés, soupira et roula les épaules.

— Je suppose que vous ne voudrez pas améliorer encore les choses en venant vous asseoir sur mes genoux.

— Non, je ne le ferai pas.

— On peut toujours demander. Que pensez-vous d'un dîner et d'une séance de cinéma ? Non, ne répondez pas avant d'y avoir réfléchi, ajouta-t-il alors qu'elle ouvrait la bouche. Juste un dîner et le cinéma. Une pizza. Un hamburger, une petite soirée amicale. Je vous promets de ne pas vous demander en mariage.

— Voilà qui me soulage sans pour autant me motiver.

— Réfléchissez-y. (Il reposa la bouteille sur le bureau et se leva.) Sortons un moment. J'ai apporté quelque chose pour vous.

— Je n'ai pas terminé ici.

— Femme, faut-il vraiment que vous discutiez la moindre chose ? Cela devient fatigant.

Pour résoudre le problème, il lui saisit la main et l'entraîna vers la porte.

Elle aurait pu résister, au moins par principe. Mais il y avait deux menuisiers en train de travailler dans la boutique, ce qui signifiait deux paires d'yeux et d'oreilles. Ils auraient moins de choses à raconter si elle se contentait de suivre Cade dehors.

— Ça m'a plu, dit-il en faisant un geste en direction des pots de terre cuite et en continuant à l'entraîner vers sa camionnette. Si ce n'est pas à votre goût, vous pouvez toujours les échanger chez Clampett. Et ça aussi, je pense. (Il sortit du coffre un des plateaux de fleurs.) Mais je trouve que ça convient bien.

— Ça convient à quoi ?

— À votre boutique. Considérez ceci comme un cadeau de bienvenue. Mais vous devrez les repiquer vous-même dans les pots.

Il déposa le premier plateau entre ses mains et s'empara du second – sur celui-là, les fleurs étaient blanches – ainsi que du sac de terre.

Elle resta plantée là, surprise et touchée. Elle avait eu envie de fleurs, se souvint-elle, de fleurs en pots pour mettre devant sa boutique. Elle avait songé à des pétunias, mais celles-ci étaient encore plus jolies.

— C'est vraiment gentil à vous. Et bien pensé. Je vous remercie.

— Vous ne pourriez pas me regarder quand vous me parlez ? (Il attendit qu'elle ait levé les yeux vers lui.) Ah ! c'est mieux. Où voulez-vous que je les mette ?

— Juste devant. Je les empoterai moi-même.

Tandis qu'il traversait, les bras chargés, elle lui jeta un regard en coin.

— Bon, vous avez gagné ! Vous pouvez passer vers six heures. Je n'ai rien contre une pizza. Et si tout va bien, nous pourrions envisager un cinéma.

— Très bien.

Il déposa les fleurs et le terreau devant la vitrine.

— Je reviendrai.

— Oui, je le sais, murmura-t-elle tandis qu'il s'éloignait à grands pas.

8

Les gens ne meurent peut-être plus d'ennui de nos jours, décida Faith, mais elle ne savait pas comment ils faisaient pour vivre avec ce fardeau.

Quand elle se plaignait, enfant, d'être désœuvrée, ses paroles étaient plutôt mal accueillies par les adultes, qui lui trouvaient aussitôt quelque tâche à accomplir. Elle détestait le travail, presque autant que l'ennui. Mais certaines leçons se révèlent difficiles à retenir.

— Il n'y a rien à faire par ici.

Faith traînait à la table de la cuisine et saisit l'une des galettes préparées pour le petit déjeuner. Il était plus de onze heures du matin, mais elle n'avait pas pris la peine de s'habiller. Elle portait la robe de soie qu'elle avait achetée en avril quand elle avait fait un tour à Savannah.

Elle en était déjà fatiguée, également.

— Tout est toujours pareil, jour après jour, mois après mois. C'est vraiment un miracle que l'un de nous ne se mette pas à hurler au milieu de la nuit.

— La véritable cause de cet ennui ne serait-elle pas au fond de vous, mademoiselle Faith ?

Dans la voix rauque de Lilah se mêlait une pointe d'accent français. Elle le tenait de sa grand-mère créole, mais l'employait surtout parce que cela l'amusait.

— Il ne se passe jamais rien ici, se lamenta la jeune fille. Chaque matin ressemble à celui de la veille, et la journée est là devant nous comme une longue allée vide.

Lilah continua à nettoyer le comptoir. En réalité, il y avait déjà plus d'une heure que la cuisine était en ordre, mais elle savait que Faith allait venir. Elle l'avait attendue.

— J'ai l'impression que vous avez besoin de vous trouver une occupation.

Elle jeta à Faith un long regard candide. Ce n'était pas la malice qui manquait à Lilah, et elle avait dû s'entraîner pour réussir un tel regard.

Mais elle connaissait bien sa cible. Elle s'occupait de Mlle Faith depuis le jour où elle était née – en pleurant et en agitant contre le monde ses petits poings fermés, se souvenait-elle non sans tendresse. Lilah elle-même faisait partie de la maison des Lavelle depuis l'âge de vingt ans, quand elle avait été engagée pour aider au ménage à l'époque où Mme Lavelle attendait Cade.

À l'époque, les cheveux de Lilah étaient noirs et pas encore poivre et sel. Et ses hanches étaient plus étroites. Mais elle ne s'était pas négligée et savait, non sans quelque satisfaction, qu'on la considérait comme une belle femme.

Sa peau était de la couleur du caramel dont elle enduisait les pommes d'Halloween, chaque année. Elle aimait la mettre en valeur par un beau rouge à lèvres cramoisi dont elle gardait toujours un tube dans la poche de son tablier.

Elle ne s'était jamais mariée. Non par manque d'occasions : Lilah Jackson avait eu de nombreux prétendants dans sa jeunesse. Et bien que ce temps-là soit loin, à présent, elle aimait toujours se mettre sur son trente et un pour sortir en ville avec un homme de belle allure.

Mais se marier ? C'était une autre histoire.

Elle se plaisait dans sa situation actuelle, tout comme elle aimait qu'un homme vienne la chercher de temps à autre, un soir, pour l'accompagner là où elle avait envie d'aller. Et s'il voulait pouvoir sortir avec elle une autre fois, il avait intérêt à se présenter avec une boîte de chocolats ou un petit bouquet et à lui tenir la porte comme un gentleman pour la laisser passer.

Mariez-vous, et vous passerez votre vie à courir après lui, à le voir perdre son temps ou faire des bêtises tandis que vous vous échinerez à faire durer le chèque de sa paye pour pouvoir survivre et peut-être, si c'est votre jour de chance, réussir à acheter quelque chose pour vous-même.

Non, pas question. Elle vivait dans une belle maison – après tout, Dieu lui pardonne, *Beaux Rêves* était autant à elle qu'à n'importe qui d'autre –, où elle avait élevé trois enfants et pleuré la perte de l'un d'eux. Autant d'avantages qui, du point de vue de Lilah, valaient bien ceux que procure un homme mais, toutefois, sans les inconvénients.

Oh ! bien sûr, elle ne dédaignait pas de temps en temps un petit câlin. Si le Seigneur n'avait pas voulu que Ses enfants connaissent de tels plaisirs, Il ne leur en aurait pas donné l'envie.

En attendant, Mlle Faith promenait un peu partout une mine d'enterrement et il allait falloir trouver un moyen d'y remédier. Cette fille était vraiment bourrée de problèmes, la plupart n'étant dus qu'à elle-même. Certains poussins mettent plus de temps que d'autres à trouver leur chemin dans le poulailler, Lilah le savait bien.

— Pourquoi ne pas aller faire une petite promenade en voiture ? suggéra-t-elle.

— Où donc ? (Faith but distraitement une gorgée de café.) Tout se ressemble, où que l'on aille.

Lilah sortit son bâton de rouge et se remaquilla en se regardant dans le chrome du grille-pain. Puis elle pinça les lèvres et hocha la tête, satisfaite.

— Je sais ce qui me remonte le moral quand je suis déprimée. Une bonne séance de shopping. Rien de mieux que quelques achats pour retrouver le sourire.

— Possible.

Faith soupira et envisagea l'idée d'aller jusqu'à Charleston. Si, vraiment, il n'y avait rien de mieux à faire.

— Très bien, alors, reprit Lilah. Allez faire des courses, cela vous fera du bien. Voici la liste.

Faith battit des paupières puis contempla la liste d'achats que Lilah agitait devant sa figure.

— De l'épicerie ? Mais ce n'est pas dans des épiceries que j'avais l'intention d'aller !

— Vous n'avez rien de mieux à faire, vous l'avez dit vous-même. Faites attention que les tomates soient bien mûres, hein ? Et prenez le produit pour nettoyer le sol que j'ai noté. Ils ont passé une publicité très drôle à la télé. Ça vaut le coup de l'essayer.

Elle se détourna pour rincer dans l'évier son torchon et dissimula un sourire en voyant la jeune fille ouvrir la bouche toute grande.

— Vous irez ensuite au drugstore acheter un pot de crème Oil of Olaz. Attention, le pot, pas le flacon. Et aussi des sels de bain. Ceux qui sont au lait et au miel. Au retour, vous vous arrêterez chez le teinturier pour prendre tout ce que j'ai donné à nettoyer la semaine dernière. Presque rien que des affaires à vous. Dieu sait ce que vous pouvez bien faire de tant de chemisiers en soie.

— Rien d'autre ? demanda Faith, les sourcils froncés.

— Tout est écrit là-dessus, clair comme le jour. Ça vous occupera quelques heures puisque vous vous ennuyez. Maintenant, allez vous habiller. Il est bientôt midi. C'est un péché, un véritable péché que de paresser comme ça par un beau jour de printemps dans cette tenue. Allez-vous-en, allez !

Lilah esquissa quelques gestes de la main pour la chasser puis débarrassa la table de l'assiette et de la tasse de Faith.

— Je n'ai pas terminé mon petit déjeuner.

— Je ne vous ai pas vue en train de manger. Vous n'avez fait que picorer par-ci par-là et bouder. À présent, sortez de ma cuisine et rendez-vous utile, pour une fois.

Lilah croisa les bras, pencha la tête et la regarda. Elle avait une façon de le faire qui aurait attendri le cœur le plus insensible. Faith s'écarta de la table, renifla et sortit.

— Je ne sais pas quand je serai de retour, jeta-t-elle en faisant claquer la porte derrière elle.

Avec un signe de tête et un gloussement de rire, Lilah but le restant de café dans la tasse de Faith.

— Certains poussins n'apprennent décidément jamais qui commande, à la maison.

Il avait fallu à Wade trois ans et dix-huit chiots pour décider Dottie Betrum à faire stériliser sa chienne, une femelle labrador retriever, dont les ovaires fonctionnaient à un régime excessif. La dernière portée de six était tout juste sevrée et, tandis que la maman dormait encore après l'opération, il s'activait à injecter tous les vaccins requis à chacun des chiots, qui jappaient joyeusement.

— La seule vue des aiguilles me fait tourner de l'œil, Wade.

— Ne regardez pas, madame Betrum. Pourquoi n'iriez-vous pas attendre tranquillement à l'extérieur ? Ce sera terminé dans quelques minutes.

— Oh !

Elle fit voleter ses mains jusqu'à ses joues, et ses yeux de myope exprimèrent son désarroi derrière les verres épais de ses lunettes.

— Mon devoir est de rester, il me semble. Est-ce qu'il n'est pas normal de...

Sa voix devint inaudible au moment où Wade glissait une aiguille sous la fourrure.

— Maxine, accompagnez Mme Betrum à la salle d'attente. (Il fit un petit clin d'œil à son assistante.) Je peux me débrouiller tout seul.

113

« D'autant mieux, songea-t-il pendant que Maxine faisait sortir la cliente chancelante, si je n'ai pas une charmante vieille dame évanouie par terre. »

— Voilà, mon petit vieux.

Wade frotta le ventre du chiot pour atténuer la piqûre et acheva les injections. Puis il le pesa, gratta les oreilles, rechercha d'éventuels parasites et remplit les fiches au milieu des aboiements dont les murs renvoyaient l'écho.

Sadie, la chienne de Mme Betrum, n'était pas encore réveillée de son anesthésie, Silvester, le vieux chat de M. Klingle, miaulait et s'agitait dans sa cage, et Speedy Petey, le hamster servant de mascotte aux élèves de dixième de l'école élémentaire de Progress, faisait tourner sa roue, ce qui prouvait qu'il était bien remis d'une légère infection de la vessie.

Le Dr Wade Mooney régnait là sur son petit royaume.

Il acheva de s'occuper du dernier chiot, dont les frères et sœurs se bousculaient l'un l'autre, tiraient sur ses lacets ou faisaient pipi par terre. Mme Betrum lui avait assuré que, pour au moins cinq d'entre eux, elle avait trouvé de bonnes familles d'accueil. Il avait refusé son offre d'en garder un pour lui-même, comme il le faisait toujours.

Mais il avait une idée pour caser le sixième.

— Docteur ?

Maxine glissa un œil dans la pièce.

— C'est terminé ici, dit Wade. Il n'y a plus qu'à rassembler les troupes.

— Ils sont tellement adorables. (Les yeux sombres de la jeune fille dansaient.) Je pensais que vous finiriez par céder et en garder un de la portée.

— Si on commence, on ne peut plus s'arrêter.

Cependant, les fossettes de Wade se creusèrent pendant qu'un chiot se tortillait dans ses mains.

— J'aurais voulu pouvoir en prendre un, soupira Maxine.

Elle ramassa un chiot et le caressa tandis que le petit animal lui manifestait un amour enthousiaste en lui léchant frénétiquement le visage.

Elle adorait les animaux et l'occasion de travailler pour doc Wade avait été pour elle un cadeau du ciel. Mais elle avait déjà deux chiens à la maison, et ses parents ne consentiraient pas à en adopter un troisième.

Elle était née dans les bas quartiers. Ses parents s'étaient usés au travail pour s'en sortir et pour assurer un avenir convenable à leur fille et à leurs deux fils. Pourtant, les finances de la famille demeuraient serrées, se souvint-elle en serrant le chiot contre elle et en le câlinant.

Pas d'espoir de voir la situation s'améliorer avant longtemps, songea-t-elle avec un soupir qui se refléta sur son joli visage couleur café. Elle était la première de sa famille à faire des études supérieures, et il fallait économiser chaque penny.

— Ils sont tellement charmants, doc. Comme j'aimerais pouvoir en prendre un chez moi. Mais, entre mon travail et les cours, je n'aurai pas assez de temps pour m'en occuper.

Elle sourit en reposant par terre le petit animal.

— De plus, mon père me tuerait.

Wade sourit lui aussi. Le père de Maxine adorait sa fille.

— Les études marchent bien ? demanda-t-il.

Elle roula les yeux. Elle était en seconde année ; son temps était aussi compté que l'argent. Si doc Wade ne s'était pas montré aussi compréhensif pour la flexibilité de ses heures de travail et s'il ne l'avait pas autorisée à étudier quand le cabinet était calme, elle n'aurait jamais pu aller aussi loin.

Il était son héros et, à un moment donné, elle avait même pour lui un béguin particulièrement douloureux. À présent, elle espérait pouvoir devenir un jour un vétérinaire aussi compétent que lui.

— L'examen final approche. J'ai tant de choses dans la tête que j'ai parfois l'impression qu'elle va exploser. Bon, il est temps d'emmener les chiots, doc Wade. (Elle souleva le panier où ils étaient entassés.) Que dois-je dire à Mme Betrum pour Sadie ?

— Qu'elle pourra venir la chercher en fin d'après-midi. Vers quatre heures. Oh ! dis-lui aussi de ne pas donner le dernier de la bande. Je connais quelqu'un qui serait peut-être intéressé.

— Entendu. Est-ce que je pourrais aller déjeuner maintenant ? Nous n'avons personne pendant une heure et je voudrais aller étudier un peu dans le parc.

— Vas-y. (Il se tourna vers le lavabo pour se laver les mains.) Prends l'heure entière, Maxine. Voyons ce que tu peux encore introduire dans ton cerveau.

— Merci beaucoup.

Il regretterait de la perdre, songea-t-il. Ce qui ne manquerait sans doute pas de se produire dès qu'elle aurait un diplôme entre les mains. Ce ne serait pas facile de trouver une assistante aussi efficace, d'une telle bonne volonté et si douce avec les animaux – capable en même temps de s'occuper de leurs propriétaires souvent paniqués, de taper à la machine et de répondre au téléphone.

Mais c'était la vie.

Il se dirigeait vers la salle de garde pour voir comment allait Sadie quand Faith entra par la porte arrière.

— Docteur Mooney. C'était toi que je cherchais.

— À cette heure de la journée, je ne suis pas difficile à trouver.

— Disons que je passais justement par là.

— En voilà une tenue, si tu ne fais que passer par là, dit-il en levant les sourcils.

— Oh ! (Elle passa un doigt sur la souple cotonnade finement rayée de sa jupe d'un beau rouge coquelicot.) Elle te plaît ? J'avais envie de porter cette couleur.

Elle rejeta en arrière ses cheveux dégageant des effluves de parfum et, après s'être avancée d'un pas, fit courir ses mains sur la poitrine et les épaules de Wade.

— Devine ce que j'ai dessous ?

C'était chaque fois la même chose, pensa-t-il, un seul regard sur elle et il était prêt à mendier, comme si elle avait claqué des doigts.

— Tu vas me le dire, j'en suis sûr.

— Tu es un homme tellement intelligent. Avec tous ces diplômes et ces initiales après ton nom. (Elle lui saisit la main et l'attira sur sa cuisse.) Je parie que tu peux trouver très vite.

— Seigneur !

Le sang de Wade fit un bond, telle une panthère.

— Tu te promènes comme ça en ville avec rien dessous ?

— Mais nous sommes les seuls, toi et moi, à le savoir.

Elle se pencha en avant, ses yeux brillants posés sur lui, et mordilla sa lèvre inférieure.

— Bon, alors, qu'est-ce qu'on fait ?

— Montons à l'étage.

— Trop loin ! (Avec un rire de gorge, elle ouvrit d'un coup de coude la porte derrière lui.) Je te veux tout de suite. Et je te veux vite.

Il jeta un coup d'œil à Sadie, qui dormait tranquillement, le souffle régulier. La pièce sentait le chien et les antiseptiques. La vieille chaise sur laquelle il passait de nombreuses heures à surveiller ses patients était couverte des poils d'un nombre incalculable de chats et de chiens.

— Je n'ai pas fermé la porte de devant.

— Vivons dangereusement. (Elle défit le bouton de son jean et abaissa la fermeture Éclair avec un sourire.) Voyons ce que je vais trouver...

Elle l'enveloppa de sa main et regarda ses yeux bruns se troubler avant qu'il n'écrase sa bouche contre la sienne.

La légère excitation qu'elle avait ressentie en s'habillant, en prenant sa voiture pour aller en ville avec l'intention de le voir et de le séduire se transforma en un besoin ardent et confus. Presque douloureux.

— Emmène-moi, Wade. (Elle s'arqua en arrière tandis qu'il couvrait sa gorge de baisers.) Fais-moi connaître la chaleur brûlante, les ténèbres, la passion. J'ai besoin de toi. Vite ! Prends-moi ici, tout de suite.

Cet appel désespéré le transperça jusqu'au sang, telle une lame déchiquetée, et le laissa pantelant. Quand ils se jetaient ainsi l'un contre l'autre, toute trace de maîtrise de soi, de douceur, de tendresse disparaissait en un instant. Quand elle prononçait son nom, haletante, et qu'elle laissait errer ses mains sur lui, il oubliait qu'il rêvait de douceur et de tendresse.

Tout ce qu'il désirait alors, c'était Faith.

Il releva la jupe rouge, saisit ses hanches. Elle était chaude, humide, et quand il la pénétra, elle s'agrippa à lui, avide.

Elle enroula une jambe autour de sa taille et gémit longuement, profondément. Il l'explora, la combla. Bien sûr, il ne s'agissait que d'un instant, et la terrible sensation de vide reviendrait s'emparer d'elle presque aussitôt. Mais lui seul savait calmer sa faim.

Comme dans un brouillard, il entendait le souffle rauque, animal, le bruit sourd et rythmique de leurs corps enlacés, il goûtait la sensation puissante, enivrante, de sa présence en elle tandis qu'il la pénétrait à grands coups. Elle s'abandonna à l'orgasme avec un petit cri de gorge étranglé. Wade était toujours si rapide, si puissant. Même après toutes ces années, il la surprenait encore.

Puis cela recommencerait, plus lentement, plus intensément, une longue déchirure progressive ouvrant au fond d'elle des abîmes qui crieraient de nouveau vers lui.

Et, chaque fois, elle savait qu'il serait là quand elle n'en pourrait plus.

Wade entendit le téléphone sonner. À moins que ce ne soient ses oreilles qui sifflaient. Avec Faith, chaque souffle apportait la plénitude. Elle bougeait avec lui, accompagnait chacun de ses mouvements, sans jamais s'arrêter, sans jamais ralentir. Quand il était en état de penser à elle avec bon sens et raison, il lui arrivait de se demander pourquoi ils ne se dévoraient pas, tout simplement, jusqu'à ce qu'il ne reste rien d'eux.

Elle répétait son nom sans relâche, le ponctuant de hoquets et de gémissements. Et juste avant qu'il ne s'abandonnât en elle, il la vit fermer les yeux comme pour une prière.

— Mon Dieu...

Elle frémit et laissa retomber sa tête en arrière contre la porte, les yeux toujours fermés.

117

— Je me sens merveilleusement bien. Comme si j'avais de l'or en moi et hors de moi.

Elle ouvrit les yeux, s'étira.

— Et toi ?

Il savait ce qu'elle attendait, aussi résista-t-il à l'envie d'enfouir son visage dans ses cheveux et de lui murmurer des mots qu'elle n'aurait pas crus. Des mots auxquels elle n'avait pas prêté attention quand il avait été assez fou, des années plus tôt, pour les lui dire.

— C'était nettement plus appétissant que le sandwich jambon-beurre que j'avais prévu pour déjeuner.

Cela la fit rire ; elle enroula les bras autour de son cou dans un geste à la fois amical et intime.

— J'ai encore quelques coins à grignoter sur ma personne et si tu...

— Wade ? Wade ? Chéri, tu es là-haut ?

— Seigneur ! (Blotti contre Faith, il frissonna.) Ma mère !

— Eh bien, voilà qui est... intéressant.

Avant que Faith n'ait pu laisser échapper son rire moqueur, Wade plaqua une main sur sa bouche.

— Tais-toi, pour l'amour du ciel ! Il ne manquerait plus que ça !

Les yeux pétillants et le corps secoué par un rire silencieux, Faith marmonna sous ses doigts.

— Ce n'est pas drôle, siffla-t-il, réprimant lui aussi à grand-peine une irrésistible envie de rire.

Il entendait sa mère aller et venir en s'époumonant joyeusement, comme elle l'appelait pour dîner lorsqu'il n'était encore qu'un petit garçon de dix ans.

— Ne bouge pas, murmura-t-il à Faith. Reste tranquille ici et, surtout, ne dis pas un mot.

Il se retira lentement, plissant les yeux quand Faith lui mordilla la lèvre inférieure et ricana.

— Wade, chéri..., commença-t-elle comme il se dirigeait vers la porte.

Elle mit ses doigts sur ses lèvres quand il se retourna pour grogner.

— Pas un mot, répéta-t-il.

— D'accord, mais je pensais que tu aurais peut-être intérêt à enfiler ça.

Baissant les yeux, il jura et se hâta d'enfiler son jean et de le fermer.

— Maman ? (Il lança à Faith un dernier regard d'avertissement et sortit en fermant avec soin la porte derrière lui.) Je suis en bas. J'étais en train d'examiner un patient.

Il escalada les marches, heureux que sa mère ait eu la bonne idée de le chercher au premier étage.

— Ah ! te voilà, mon bébé. J'allais te laisser un petit mot tendre.

Boots Mooney était une somme de contradictions. C'était une femme grande et élancée, mais tout le monde la trouvait petite. Sa voix ressemblait à celle des chats de dessins animés, mais elle avait une volonté de fer. Autrefois élue reine du coton au cours de sa dernière année d'université, Boots était devenue Miss Georgetown dans le comté.

Son apparence – très soignée, rose et jolie comme un bonbon – lui avait été utile. Elle en prenait un soin religieux, non par vanité, seulement par respect pour ses obligations. Son mari était un homme important et elle tenait à se montrer à la hauteur.

Boots aimait les jolies choses. Y compris elle-même.

Elle ouvrit tout grands les bras à Wade comme si elle ne l'avait pas vu depuis deux ans, et non deux jours. Quand il se pencha vers elle, elle l'embrassa sur les joues et recula aussitôt.

— Chéri, tu es tout rouge. Tu as de la fièvre ?

— Non. (Il ne tenta pas de lui échapper quand elle mit une main sur son front.) Non, je vais bien. Je viens de... terminer une opération. Il fait un peu chaud, en bas.

Il était impératif de distraire son attention et il savait comment le faire à coup sûr.

— Montre-toi. (Il lui prit les mains et lui lança un long coup d'œil approbateur.) Comme te voilà jolie aujourd'hui !

— Oh ! vraiment ?

Elle rit d'un air faussement indifférent, mais rougit de plaisir.

— Je suis juste allée me faire coiffer, c'est tout. Heureusement que tu ne m'as pas vue avant que Lori s'occupe de moi. J'avais l'air d'un épouvantail.

— Impossible.

— Tu es partial. J'avais un tas de courses à faire, mais je n'ai pas voulu rentrer chez moi sans avoir vu mon bébé. (Elle lui tapota la joue et se dirigea aussitôt vers la cuisine.) Je parie que tu n'as pas déjeuné. Je vais te préparer quelque chose.

— Maman, j'ai une patiente en bas. Sadie, de Mlle Dottie.

— Oh ! pauvre chérie. Qu'est-ce qu'elle a ? Dottie doit être perdue sans son chien.

— Rien de grave. Je viens juste de l'opérer.

— Si elle n'a rien de grave, pourquoi l'opérer alors ?

Wade se passa la main dans les cheveux pendant que sa mère fouillait dans le réfrigérateur.

— Je l'ai opérée pour qu'elle cesse d'avoir une portée de chiots tous les ans.

119

— Oh ! Wade, il n'y a pas assez de nourriture dans cette maison pour que tu puisses rester en forme. Je vais aller t'acheter quelque chose au marché.

— Maman...

— Il n'y a pas de « Maman » qui tienne. Depuis que tu as quitté la maison, tu ne te nourris pas convenablement, ne dis pas le contraire. J'aimerais que tu viennes dîner plus souvent. Demain, je t'apporterai un bon ragoût de thon. C'est ton plat favori.

Il détestait le ragoût de thon. Il avait même horreur de ça. Mais il n'avait jamais réussi à le lui faire admettre.

— Je t'en remercie.

— J'en porterai peut-être aussi un peu à Tory. Je viens de m'arrêter pour la voir. Elle a l'air épuisée.

Boots mit trois œufs à cuire.

— Sa boutique va ouvrir bientôt. Je ne sais pas où elle trouve toute cette énergie. Dieu sait que sa mère n'en a jamais eu la moindre, quant à son père... mieux vaut ne pas en parler.

Boots plissa les lèvres en saisissant un pot de pickles.

— J'ai toujours eu un faible pour cette enfant, bien que, pour une raison ou une autre, je n'aie jamais pu m'occuper vraiment d'elle. Pauvre petit agneau. Je voudrais pouvoir la décider à habiter à la maison.

L'amour rend si faible, si vulnérable, songea Wade. Partout et quelque forme qu'il prenne. Il s'avança, enveloppa Boots dans ses bras et posa sa joue sur les cheveux fraîchement laqués.

— Je t'aime, Maman.

— Je t'aime aussi, mon chéri. C'est pourquoi je vais te préparer une jolie salade d'œufs. Je ne vais pas rester plantée là à regarder mon fils unique mourir de faim. Tu as trop maigri.

— Je n'ai pas perdu un gramme.

— C'est que tu étais déjà trop maigre avant.

Il se mit à rire.

— Pourquoi ne mettrais-tu pas un autre œuf à bouillir afin qu'il y ait assez de salade pour nous deux ? Je descends voir comment va Sadie et je remonte tout de suite. Nous déjeunerons ensemble.

— Bonne idée. Prends ton temps.

Elle glissa un autre œuf dans l'eau et jeta un coup d'œil derrière elle comme il sortait.

Boots avait bien conscience que son fils était maintenant un homme, mais il restait néanmoins son « bébé ». Et une mère ne cesse jamais de se faire du souci ou de s'occuper de ses enfants.

Les hommes sont des créatures si fragiles, pensa-t-elle en soupirant. Et si *inconscientes*. Et les femmes – enfin, *certaines* femmes – peuvent tirer si facilement avantage de cet état de choses.

Les portes de la vieille bâtisse n'étaient pas aussi épaisses que son fils le croyait. Et une femme n'arrive pas à l'âge de cinquante-trois ans sans reconnaître certains... bruits. Elle savait fort bien qui se trouvait derrière cette porte avec son garçon. Pour l'heure, elle réservait son jugement sur ce sujet, décida-t-elle en éminçant les pickles.

Mais elle garderait Faith Lavelle à l'œil comme un faucon.

Elle était partie. À vrai dire, Wade s'y attendait. Elle avait collé un Post-it sur la porte, dessiné dessus un cœur sur lequel elle avait pressé ses lèvres, lui laissant ainsi un dernier baiser sexy.

Il le retira et, tout en se traitant d'idiot, le rangea dans un tiroir pour le conserver. Elle reviendrait quand elle en aurait envie. Et il la laisserait faire. Il la laissait faire au point d'en arriver à se mépriser. Dans ses bons jours, il parvenait à garder la tête froide et à la considérer seulement comme une agréable distraction.

Il caressa la tête de Sadie, contrôla ses principaux organes, l'incision qu'il avait pratiquée et les points de suture. Elle était maintenant réveillée et le regardait de ses grands yeux bruns au regard encore confus. Alors il la prit doucement dans ses bras pour la porter en haut près de lui afin de ne pas la laisser seule.

9

Le sexe lui donnait soif. En bien meilleure forme qu'auparavant, Faith décida de pousser jusque chez *Hanson's* pour s'acheter quelque chose de sucré et de bien frais qu'elle siroterait en allant au marché.

Elle jeta derrière elle un regard au cabinet du vétérinaire, puis leva les yeux vers les fenêtres de l'appartement de Wade en lui envoyant mentalement un baiser. Elle se dit qu'elle lui téléphonerait un peu plus tard pour voir ce qu'il pensait d'une balade en voiture dans la soirée. Ils pourraient peut-être aller à Georgetown et trouver un endroit agréable au bord de l'eau.

Elle se sentait bien avec Wade. C'était à la fois confortable et excitant. On pouvait absolument compter sur lui, comme sur le lever du soleil. Il était toujours là quand on avait besoin de lui.

Il y avait eu un temps, à présent lointain, où il avait parlé d'amour et de mariage, de maison et d'enfants. Le souvenir lui en revenait parfois, traversant son esprit, son cœur, mais elle l'écartait pour lui préférer le frisson de ces purs moments de sexe, rapides et secrets.

C'était ça qu'elle voulait et, par chance, lui aussi. Par la suite, elle avait fait en sorte qu'ils s'en tiennent là tous les deux. Il lui arrivait d'emprunter la décapotable de Cade et ils s'en allaient alors en direction de la côte pour s'arrêter dans quelque endroit tranquille et se bécoter comme des adolescents.

Elle avait garé sa voiture à une certaine distance du cabinet de Wade. Inutile de donner du grain à moudre aux mauvaises langues, Dieu sait qu'elles jasaient déjà à tout propos. Elle allait mettre le contact quand elle aperçut Tory qui sortait de sa boutique et, debout sur le trottoir, contemplait la vitrine en lui tournant le dos.

« Voilà un petit canard qui n'a pas encore perdu ses drôles de plumes... », songea Faith. La curiosité lui fit traverser la rue.

— Serais-tu en transe, par hasard ?

Tory sursauta, puis se détendit en la voyant.

— Je regardais quel effet faisait la vitrine. On vient juste de peindre l'enseigne.

— Hum.

Une main sur la hanche, Faith la contempla à son tour. Les lettres noires, enjolivées, avaient de l'allure et sentaient encore la peinture.

— *Southern Comfort*, c'est ça que tu vas vendre ? Des objets de décoration ?

— Oui.

Son plaisir maintenant gâché, Tory se dirigea vers la porte.

— Tu n'es pas très aimable à l'égard d'une future cliente.

Tory se retourna pour lui jeter un coup d'œil, s'efforçant de rester impassible. Faith était superbe. Vive, sûre d'elle, satisfaite. Mais Tory n'était pas d'humeur à lui témoigner de l'amabilité.

— Ce n'est pas encore ouvert.

Contrariée, Faith saisit la porte avant qu'elle ne se referme devant elle et se glissa à l'intérieur de la boutique.

— En effet, ça n'a pas l'air d'être prêt, observa-t-elle en jetant un regard aux rayons presque vides.

— Ne t'inquiète pas, l'installation sera terminée bientôt. En attendant, excuse-moi, Faith, j'ai beaucoup de travail.

— Oh ! ne t'occupe pas de moi. Fais ce que tu as à faire.

Elle agita la main et, autant par entêtement que par intérêt, se mit à aller et venir.

L'endroit était d'une propreté sans défaut, elle devait l'admettre. Les vitres des présentoirs installés par les hommes de Dwight étincelaient, le bois des étagères était parfaitement poli. Les cartons d'emballage eux-mêmes étaient impeccablement rangés, et un grand sac en plastique contenait les rubans nécessaires à la confection des paquets. Un ordinateur portable trônait sur le comptoir à côté d'un bloc-notes.

— Tu as assez d'articles pour remplir tout cet espace ?

— Je crois.

Résignée à cette intrusion, Tory continua à déballer son stock. Connaissant Faith Lavelle, elle se disait que celle-ci se lasserait bientôt et s'en irait.

— Si ça t'intéresse, je compte ouvrir samedi prochain. Il y aura une réduction de dix pour cent sur certains articles, mais ce jour-là seulement.

— Je suis généralement occupée le samedi, répliqua Faith en haussant les épaules.

Elle s'attarda vers un haut comptoir où, dans une vitrine, s'étalaient sur un drapé de satin blanc quelques modèles de bijoux – argent, perles et pierres de couleur – artistiquement présentés.

Incapable de se contrôler, elle voulut soulever la vitre, mais la trouva fermée et jura entre ses dents. Elle lança un coup d'œil prudent en direction de Tory ; celle-ci, heureusement, n'avait rien remarqué.

— Tu as là quelques jolies babioles.

Elle voulait les pendentifs d'oreilles en argent ornés de lapis-lazuli, et elle les voulait tout de suite.

— Je ne m'imaginais pas que tu t'intéressais à ce genre de trucs, reprit-elle. Tu n'en portes jamais toi-même.

— Trois artistes me fournissent ces... babioles, comme tu dis, précisa sèchement Tory. J'aime particulièrement la broche présentée au milieu. Le métal est de belle qualité et les pierres sont en grenat, citrine et cornaline.

— Je la vois. On dirait qu'elle est ornée d'étoiles. Ça me rappelle ces feux de Bengale que les gosses font partir le 4 Juillet [1].

— Oui, c'est tout à fait ça, admit Tory.

— C'est joli, mais je ne suis pas tellement portée sur les broches et les épingles.

Faith se mordit les lèvres ; puis la cupidité l'emporta sur l'orgueil.

— J'aime bien les pendants d'oreilles, là.

— Reviens samedi.

— Je ne serai peut-être pas libre.

Elle les voulait immédiatement.

— Pourquoi est-ce que tu ne me les céderais pas maintenant ? Ça te fera une première vente. C'est bien pour ça que tu ouvres une boutique, non ? Pour vendre.

Tory posa une lampe à huile en argile sur une étagère. Avant de se retourner, elle prit soin d'effacer le sourire qui avait surgi sur ses lèvres.

— Comme je viens de te le dire, ce n'est pas encore ouvert, mais... (elle se dirigea vers la vitrine)... en souvenir du bon vieux temps...

— Nous n'avons jamais eu de bon vieux temps.

— Tu as raison.

Tory décrocha les clés qui pendaient à un anneau de sa ceinture.

— Quels sont ceux qui te plaisent ?

1. Date de la fête nationale américaine. (*N.d.T.*)

— Ceux-là. (Elle tapota la vitre.) En argent et lapis.

— Oui, ils sont très jolis. Ils t'iront bien.

Tory les retira de leur lit de satin et les leva un instant dans la lumière avant de les donner à Faith.

— Si tu veux les essayer, il y a des miroirs là-bas. L'artiste qui les a créés vit aux environs de Charleston. Elle fait de très belles choses.

Faith se dirigea vers un miroir trois faces serti de bronze et de cuivre. Tory saisit dans la vitrine un long pendentif. Pourquoi se limiter à une seule vente si on peut en faire deux ?

— Voilà une autre de ses créations. C'est ma préférée, elle va bien avec les boucles d'oreilles.

Tout en s'efforçant de dissimuler son vif intérêt, Faith y jeta un coup d'œil. Le bijou consistait en un épais cylindre de lapis serti entre des mains d'argent.

— C'est original !

Elle retira les boucles qu'elle portait pour essayer les autres, puis jeta un nouveau regard au collier.

— Ce n'est pas le genre d'objet qu'on voit partout...

— En effet. (Tory se permit un sourire.) Mon intention est d'offrir des pièces uniques.

— Je pense que je vais prendre les deux. Il y a une éternité que je ne me suis rien acheté. À Progress, toutes les boutiques se ressemblent.

Tory referma tranquillement le couvercle de la vitrine.

— Ce n'est plus le cas maintenant.

Lèvres pincées, Faith tourna le collier pour regarder l'étiquette. Elle fit courir ses doigts dessus.

— Certains diront que tes prix sont trop élevés. Mais ils auront tort. Ce bijou est vraiment joli. En fait, tu pourrais le vendre plus cher si tu étais à Charleston.

— Je n'y suis pas. Je vais te chercher les écrins.

— Ne prends pas cette peine. Je veux les porter tout de suite. (Elle ouvrit son porte-monnaie et déposa négligemment dedans ses anciennes boucles d'oreilles.) Retire simplement les étiquettes et enregistre la somme.

— Ma caisse n'est pas encore ouverte.

— Ça ne fait rien.

Elle fixa à son cou le collier portant encore son étiquette.

— Je vais te faire un chèque.

Faith leva les sourcils en voyant Tory lui tendre la main.

— Il faut d'abord que tu m'indiques le montant.

— Non. Donne-moi tes autres boucles d'oreilles. Ce n'est pas une manière de les traiter. Je vais te donner une boîte.

Faith les ressortit du porte-monnaie avec un petit rire.

— Très bien, Maman !

Du sexe et des achats, songeait Faith en allant et venant de nouveau. Il n'y a pas de meilleure façon d'employer son temps. Et, selon toute apparence, elle allait pouvoir passer pas mal d'instants agréables dans la boutique de Tory.

Qui aurait pu penser que cette fille aux yeux fouineurs se révélerait avoir autant de goût ? Et s'en servirait si intelligemment ?

Il lui avait certainement fallu pas mal de temps et d'énergie pour dénicher les meilleurs articles et les gens capables de les réaliser, calculer combien elle devait les vendre et concevoir leur présentation.

Sans oublier la comptabilité et toutes les choses assommantes de ce genre.

Faith se sentit impressionnée et même un peu envieuse à l'idée que Tory avait su se débrouiller assez habilement pour monter seule une affaire à partir de rien.

Non qu'elle eût désiré participer à une telle entreprise et assumer elle-même tant de responsabilités. Une boutique comme celle-là vous liait sur place plus étroitement qu'un rouleau de Scotch. Mais n'était-ce pas agréable de la voir située si près de chez Wade ? La vie à Progress allait peut-être reprendre de l'intérêt pour quelque temps.

— Tu devrais relever le bord de cette coupe par un support...

Elle s'arrêta et effectua elle-même l'opération.

— ... comme ça, on peut voir la décoration intérieure depuis l'autre côté de la pièce.

Tory avait eu l'intention de le faire quand elle avait déballé les supports. Occupée à compter, elle releva à peine les yeux.

— Tu cherches un travail ? Voilà, j'ai calculé le total, taxes comprises. Mais vérifie par toi-même.

— Tu as toujours été meilleure que moi en calcul.

La porte s'ouvrit alors, et Faith crut entendre Tory grommeler.

De l'avis de Tory, le fait que Lissy possédât une voix affreusement criarde était un seul de ses travers. Parmi les autres, on notait sa fâcheuse tendance à s'inonder d'un parfum de muguet qui emplissait déjà la pièce avant même son arrivée et y demeurait encore longtemps après son départ.

Quand elle entra, dans un nuage de lourds effluves, claironnant déjà de sa voix suraiguë, Tory grimaça nerveusement en espérant que cela pourrait être pris pour un sourire.

— Comme c'est drôle ! lança Lissy. Je viens juste de me faire coiffer – Dieu sait qu'en ce moment je suis incapable de faire quoi que

126

ce soit par moi-même – et je regagnais l'agence quand, en passant, je vous ai vues toutes les deux ici.

Comme Lissy battait des mains en regardant autour d'elle, Tory lança un regard d'avertissement à Faith, qui y répondit par une petite grimace de compréhension et un clin d'œil complice.

— Et moi, dit Faith, je suis entrée aussi par hasard juste comme l'enseigne de Tory venait d'être terminée.

— Elle paraît très bien. On dirait que tout semble parfait, n'est-ce pas ?

Une main soutenant le poids de son ventre, Lissy se tourna pour examiner les rayons.

— Tout est tellement joli, Tory ! Tu as dû travailler comme un lion pour faire tant de choses en si peu de temps. Et on dirait que mon Dwight a fait du bon travail.

— Oui, je ne pourrais pas être plus satisfaite.

— Bien sûr que non. C'est lui le meilleur ici. Oh ! c'est charmant !

Elle s'empara de la lampe à huile que Tory venait de placer sur l'étagère.

— J'adore tous ces objets de décoration pour la maison. Dwight prétend que ce ne sont que des nids à poussière, mais c'est leur présence qui donne du style à un intérieur, n'est-ce pas ?

Tory retint son souffle. Un des autres traits déplaisants de Lissy consistait à mettre des points d'interrogation et d'exclamation à la fin de chacune de ses phrases.

— Oui, je le pense aussi. Si la poussière ne trouve pas un objet auquel s'accrocher, alors elle tombe simplement sur une table vide.

— C'est tellement vrai !

Lissy retourna discrètement l'étiquette pour vérifier le prix et ses lèvres dessinèrent un « oh ! » de surprise.

— C'est plutôt cher, non ?

— C'est fait main et signé par le créateur, commença Tory.

Mais Faith se retourna.

— Tu en as pour ton argent, Lissy, non ? Dwight en gagne assez pour t'offrir tout ce qui te fait plaisir – d'autant que tu vas lui donner un autre enfant. Je t'assure, si je devais porter pendant neuf mois un poids pareil, l'homme responsable de cela devrait m'acheter la lune et les étoiles avec.

Lissy se demandait si c'était là un compliment ou une insulte et fronça les sourcils.

— Dwight me gâte terriblement.

— Bien entendu qu'il te gâte. Je viens de m'acheter ces boucles d'oreilles. (Elle désigna les bijoux qu'elle portait.) Et aussi un pendentif. Tory a fait pour moi une entorse à sa date d'ouverture, c'est seulement samedi.

Le regard de Lissy se fit incisif.

— Vraiment ?

Comme Faith le savait pertinemment, Lissy ne tolérait pas que quelqu'un passe avant elle, dans quelque domaine que ce soit. Elle serra avidement la lampe contre sa poitrine.

— Tory, tu dois me vendre cette lampe maintenant. Elle me plaît tant. Je ne sais pas si je pourrai venir samedi dès l'ouverture et quelqu'un pourrait me l'enlever. Sois un amour, veux-tu, laisse-moi l'acheter aujourd'hui.

Tory encercla au stylo le montant dû par Faith.

— Il faudra que tu règles en espèces ou par chèque, Lissy. Je ne suis pas encore équipée pour les cartes de crédit. Mais je la mettrai volontiers de côté pour toi si...

— Non, non. Je vais te faire un chèque. Mais pendant que je suis ici, je pourrais peut-être jeter un coup d'œil au reste. Cela me donne l'impression de jouer à la marchande.

— À ton aise.

Tory prit la lampe et la posa sur le comptoir. Décidément, on aurait pu croire que la boutique était ouverte... Les affaires marchaient.

— Oh ! Et ces miroirs ! Ils sont à vendre ?

— Tout est à vendre !

Tory tira de dessous le comptoir une petite boîte bleu marine et y déposa les boucles d'oreilles de Faith.

— Je mets la carte de l'artiste qui a créé les bijoux avec tes anciennes boucles d'oreilles, dit-elle.

— Parfait, répondit Faith.

Puis elle ajouta à voix basse :

— Pas la peine de me remercier !

— Je me demandais justement si tu cherchais à m'aider ou à m'agacer, répondit Tory sur le même ton. Mais... (Elle nota le prix de la lampe.) Une vente est une vente, par conséquent je choisis de te remercier. Tu savais parfaitement sur quel bouton appuyer !

— Oh ! pour celle-là ? (Faith jeta un coup d'œil à Lissy en train de pousser des exclamations et de jacasser toute seule.) On lit en elle à livre ouvert.

— Si elle achète un de ces miroirs, je sens que je vais réviser mon opinion sur elle...

Faith s'amusait plus qu'elle ne l'aurait imaginé. Elle sortit son carnet de chèques.

— Et quelle opinion as-tu de moi ? reprit-elle à mi-voix, sur le même ton de plaisanterie. N'ai-je pas été ta première cliente ?

La voix geignarde de Lissy s'éleva du fond de la boutique.

— Il me faut absolument ce miroir, Tory. Celui qui est ovale et orné de lis sur le côté. Je n'ai jamais rien vu de semblable. Il ira si bien dans mon petit salon.

Les yeux de Tory croisèrent ceux de Faith par-dessus le comptoir.

— Désolée, murmura Tory en retenant un sourire. Mais Lissy vient de te griller au poteau. C'est elle ma meilleure cliente...

Puis elle reprit à voix haute à l'intention de Lissy :

— Je vais chercher la boîte dans la réserve.

— Merci, mon chou. Vraiment, c'est fou le choix que tu proposes déjà. Et j'imagine que tu n'as pas encore sorti tout ce que tu as en stock. Je disais justement à Dwight l'autre soir que je me demandais comment tu trouvais le temps de tout faire. T'installer chez toi, et ici, mettre en place tes articles et passer tes soirées avec Cade. Il doit te falloir des journées de vingt-six heures !

— Cade ?

Le nom s'échappa simultanément des lèvres de Tory et de Faith.

— Au fait, chapeau bas ! reprit Lissy. Il a été plus rapide que je ne l'aurais cru.

Elle revint vers les deux autres.

— Je ne vous imaginais pas ensemble, je dois l'avouer. Mais tu sais ce qu'on dit de l'eau qui dort...

— Oui. Non. (Tory leva une main.) Je ne sais absolument pas de quoi tu parles. Cade et moi ne sommes pas ensemble.

— Tu n'as pas besoin de faire ta sainte nitouche, nous sommes entre filles. Dwight m'en a parlé, il m'a expliqué que vous préfériez ne pas le révéler tout de suite. Ne t'inquiète pas. Je n'en ai soufflé mot à personne. Vraiment personne.

— Mais il n'y a rien à dire. Absolument rien. Nous avons seulement... (Elle vit deux paires d'yeux la dévisager et choisit avec soin ses mots.) Dwight s'est sûrement trompé. Je vais chercher la boîte.

— Je ne vois pas pourquoi elle tient tant au secret, commenta Lissy pendant que Tory se précipitait dans la réserve. Après tout, ils ne sont mariés ni l'un ni l'autre, ni rien de ce genre. Bien sûr, ajouta-t-elle avec un petit sourire affecté, le fait de coucher avec Cade alors qu'elle est de retour depuis moins d'un mois ne correspond pas exactement à l'image de la fille tranquille et convenable qu'elle cherche à donner d'elle, j'imagine.

Les affaires de Cade ne regardaient que lui, songea Faith. Mais elle ne laisserait pas les mâchoires de ce petit chat fouineur s'attaquer à son frère.

— Oh ! Tu penses donc que les filles tranquilles et convenables n'ont pas besoin de sexe, comme tout le monde ?

Avec un sourire entendu, elle tapota d'un doigt le ventre gonflé de Lissy.

— Cette bosse que tu as là, elle t'est venue parce que tu as mangé trop de chocolats ?

— Je suis une femme mariée.

— Vous ne l'étiez pas quand Dwight et toi vous trémoussiez sur le siège arrière de cette Camaro d'occasion que son père lui a achetée quand il a remporté tous ces championnats de course à pied.

— Oh ! s'il te plaît, Faith ! Tu t'es pas mal agitée sur le dos, toi aussi.

— Parfaitement. C'est pourquoi je fais drôlement attention à qui je jette la pierre, si par hasard j'éprouve le besoin urgent d'en jeter une.

Elle signa son chèque d'un paraphe fleuri et saisit la boîte contenant ses boucles d'oreilles.

— Tout ce que je veux dire, reprit Lissy d'un ton pincé, c'est que, pour quelqu'un qui est tout juste de retour à Progress et qui a fait Dieu sait quoi pendant toutes ces années, elle a eu bien vite fait de mettre la main sur un Lavelle.

— Personne ne met la main sur un Lavelle, comme tu dis, sans son consentement.

Malgré tout, Faith décida *in petto* de réfléchir à cette histoire sérieusement.

Très sérieusement, même.

Tory fut tentée de fermer boutique après avoir poussé dehors ses deux clientes impromptues. Mais cela aurait retardé le programme qu'elle s'était fixé et donné trop d'importance aux sottises proférées par Lissy.

Elle travailla donc sur son stock encore trois heures, étiquetant, enregistrant et disposant les objets en bon ordre. L'activité manuelle et l'ennuyeuse paperasserie l'empêchèrent de broyer du noir.

Mais le parcours en voiture jusque chez elle lui en donna malheureusement de nouveau l'occasion.

Ce n'était pas ainsi qu'elle entendait retrouver une place à Progress. Elle ne tolérerait pas une seule minute d'être à nouveau au centre des ragots qui couraient à travers la ville. La seule manière de les faire cesser, c'était de les ignorer, de rester autant que possible hors de portée.

Et de garder ses distances avec Cade.

Adopter une telle attitude ne lui causait aucun problème, dans aucun des deux cas.

Elle avait l'habitude de ne pas prêter attention aux mauvaises langues, et pour des sujets bien plus importants que cette prétendue romance. Et elle n'allait certainement pas passer son temps avec quelqu'un comme Cade Lavelle. D'ailleurs, elle n'en avait pas à perdre. Quelques repas, un ou deux cinémas, une balade en voiture, voilà tout ce qu'il y avait eu entre eux. En somme, rien que de très innocent.

Dorénavant, elle prendrait bien soin de rester seule. Voilà, du moins, comment auraient dû aller les choses si elle n'avait pas aperçu la camionnette de Cade au bord d'un champ.

Continuer son chemin, voilà ce qu'il fallait faire. Elle n'avait vraiment aucune raison de s'arrêter, aucune raison même de tergiverser. Il était bien plus raisonnable de rentrer chez elle et de laisser toutes ces folies mourir de leur belle mort.

Elle se remémora le regard de Lissy, cette lueur affamée, prédatrice.

Elle bifurqua vers le bord de la route, là où l'herbe ondulante était épaisse. Elle voulait juste lui en parler, rien d'autre. Simplement dire à Cade de fermer son bec et de cesser de parler d'elle avec ses imbéciles de copains. Ils n'étaient plus des gamins, bon sang !

Piney Cobb tira une longue bouffée de sa Marlboro, la dernière du paquet, tout en regardant autour de lui. Il vit le break se détourner et observa la femme – du diable si ce n'était pas la petite Bodeen, maintenant adulte – se diriger vers le champ et poursuivre son chemin entre les sillons.

À côté de lui, Cade examinait le travail de la journée et les progrès de la future récolte. Selon Cobb, ce garçon avait de drôles d'idées, mais elles avaient l'air de marcher. De toute façon, ce n'était pas ses affaires. Il était payé de la même manière, qu'il pulvérise des saletés chimiques sur les plantes ou les dorlote avec du fumier et des coccinelles.

— Une bonne pluie ne ferait pas de mal, dit Cade. Comme celle de l'autre soir.

— Ça s' pourrait. (Piney se gratta une barbe grisonnante et plissa les lèvres.) C' qui pousse là, ça a bien dix centimètres de plus que dans les champs traditionnels.

— Le coton biologique pousse plus vite, répondit Cade distraitement. Les produits chimiques ralentissent la croissance.

— Ouais. C'est c' que vous avez dit.

Malgré les doutes de Piney, la preuve en était faite. Après tout, l'instruction n'était peut-être pas que du vent, comme il l'avait toujours cru, pensa-t-il. Non qu'il le reconnaisse publiquement, mais on pouvait toujours y réfléchir.

— Patron... (Après une dernière bouffée, Piney écrasa soigneusement son mégot sous son pied.) Vous avez des problèmes avec les femmes ?

Tout occupé à son travail, Cade mit une minute à réagir.

— Pardon ?

— Ben, moi, j' me suis toujours tenu à l'écart des femmes, mais j' suis d'puis assez longtemps sur cette terre pour en reconnaître une qu'a l'air sous pression.

Cobb cligna des yeux face au soleil et fit un signe nonchalant en direction de Tory, qui avançait difficilement entre les rangées de plants.

— Regardez là-bas. D'après c' que j' vois, elle a l'air en pétard.

— Je n'ai pas de problèmes.

— J' parierais que vous vous trompez pour celle-là, marmonna Piney en reculant d'un pas pour ne pas se trouver dans la ligne de mire.

— Cade.

C'était un plaisir de la voir, un pur et simple plaisir.

— Tory. Quelle bonne surprise.

— Vraiment. C'est ce que nous allons voir. Je dois vous parler.

— Très bien.

— Seul.

— Je fais juste un tour.

Tory prit une longue inspiration et se souvint de ses bonnes manières.

— Je vous demande pardon, monsieur Cobb.

— Pas de quoi. Je ne pensais pas que vous vous souviendriez de moi.

De fait, elle ne se souvenait pas de lui – du moins pas consciemment. Son nom lui était venu aux lèvres sans qu'elle y pense. Sa colère fut un instant distraite par une image surgie du passé, celle d'un homme maigre, la poitrine étroite, avec des cheveux couleur de blé et qui sentait généralement l'alcool. Elle se souvint fugitivement qu'il lui donnait parfois des pastilles de menthe.

132

Cobb était toujours aussi maigre, constata-t-elle, mais l'âge et l'alcool avaient ravagé son visage. Il était rouge, usé, affaissé et ses cheveux – s'il en avait encore – étaient assez rares pour disparaître complètement sous une vieille casquette grise.

— Je me souviens que vous me donniez des bonbons et que vous veniez travailler dans le champ voisin de celui de mon père.

Elle vit ses lèvres s'étirer en un sourire qui révéla des dents penchées et espacées comme les piquets d'une vieille barrière.

— J' travaille maintenant pour ce garçon qu'a fait des études. Il paie mieux. Bon, j' vais y aller maintenant. À demain matin, patron.

Il toucha sa casquette, puis sortit de sa poche un bonbon à la menthe et le tendit à Tory.

— Vous aimiez bien ceux-là.

— Je les aime toujours. Merci.

— Il était content que vous n'ayez pas oublié son nom, observa Cade tandis que Piney traversait le champ pour rejoindre la route.

— Mon père avait toujours des mots avec lui à propos de ses cuites au whisky, mais, pour finir, ils allaient s'enivrer ensemble au moins une fois par mois. Le lendemain, Piney retournait dans son champ travailler comme d'habitude. Et mon père recommençait à crier après lui à travers les rangées de plants.

Elle hocha la tête et se tourna pour faire face à Cade.

— Mais je ne me suis pas arrêtée pour raconter des souvenirs. Qu'est-ce qui vous a pris de raconter à votre ami Dwight que nous nous fréquentions, vous et moi ?

— Je ne suis pas certain de...

— Nous ne nous fréquentons *pas*.

Cade haussa un sourcil, retira ses lunettes de soleil et les accrocha à sa chemise.

— Eh bien, pour l'instant, Tory, c'est ce que nous faisons. Je suis là devant vous et je vous vois.

— Vous savez très bien ce que je veux dire. Nous n'entretenons aucune... relation.

Il réprima un sourire et prit un air faussement surpris.

— Il me semble pourtant que nos rencontres y ressemblent de près. Nous sommes sortis ensemble, voyons, laissez-moi me rappeler... quatre fois au cours des dix derniers jours. À mon avis, quand un homme et une femme sortent ensemble pour dîner ou des choses de ce genre, cela signifie qu'ils ont une relation.

— Vous vous trompez. Ce n'est pas ce qu'on appelle une vraie relation. À présent, je vous demande de mettre instamment les choses au point.

133

— Oui, m'dame.

— Ne prenez pas cet air faussement innocent.

Trois corbeaux, lisses et brillants, se mirent à croasser.

— Et même si vous avez cette idée derrière la tête, reprit-elle, vous n'avez *aucun droit* de dire à Dwight qu'il y a quelque chose entre nous. Il est allé aussitôt le raconter à Lissy et maintenant, avec sa cervelle pas plus grosse qu'un petit pois, elle s'est mis dans la tête que nous vivions une relation amoureuse torride. Il n'est pas question que son entourage aille s'imaginer que je suis votre dernière conquête.

— Ma dernière ?

Il glissa les pouces dans ses poches et enfonça dans la terre les talons usés de ses bottes de travail. C'était là le clou de ce divertissement.

— D'après vous, quel serait le nombre de mes conquêtes amoureuses ?

— Ça ne m'intéresse pas.

— C'est vous qui avez abordé le sujet, souligna-t-il, juste pour le plaisir de la voir se hérisser à nouveau.

— Mais c'est vous qui êtes allé parler à Dwight de cette prétendue liaison.

— Non. Je ne l'ai pas fait. Je ne vois pas... (Il se souvint tout à coup.) Oh ! Seigneur ! Hum...

— Vous voyez bien !

Elle pointa le doigt vers lui avec un sentiment de triomphe.

— Vous êtes adulte maintenant, vous devriez avoir dépassé le stade de ces plaisanteries grossières.

— Il s'agit d'un malentendu. Écoutez, laissez-moi vous expliquer... Lissy n'abandonne pas l'idée de me caser – on dirait qu'elle ne supporte pas de voir un homme seul dans cette ville. C'est vraiment assommant. Après sa dernière tentative, j'ai demandé à Dwight de lui raconter que j'avais déjà quelqu'un dans ma vie, afin qu'elle me laisse tranquille.

— Et, naturellement, il s'agissait de moi...

Elle bouillait d'une telle rage qu'elle s'étonna de ne pas sentir de la fumée lui sortir des oreilles.

— Pourquoi donc avoir raconté de telles sornettes ?

— Je n'ai pas parlé de vous, interrompit Cade. Dwight a simplement dû mentionner votre nom au cours de la conversation. Si vous voulez absolument vous en prendre à quelqu'un, alors plaignez-vous auprès de lui. Mais je ne vois pas pourquoi vous faites toutes ces histoires. Après tout, nous sommes tous deux célibataires, nous nous voyons de temps en temps – mais oui, Tory, s'empressa-t-il d'ajouter

134

avant qu'elle ne discute ce point. Et si Lissy veut s'imaginer que nous en sommes venus à une étape naturelle de toute relation entre un homme et une femme, où est le mal ?

Elle n'était pas certaine d'être en mesure de parler. Il s'en amusait. Elle le devinait à ses yeux, au ton de sa voix.

— Vous trouvez ça drôle ?

— Pas vraiment drôle, non. Disons... anecdotique, décida-t-il. Juste une amusante petite anecdote.

— Une anecdote ? Mon œil ! Lissy va répandre la nouvelle dans tout le pays, si ce n'est déjà fait.

Les corbeaux réapparurent, volant en cercle.

— Alors c'est une tragédie. Nous devrions peut-être publier un démenti dans la presse.

Elle émit un son qui évoquait un grognement. Au moment où elle se détournait pour partir, il la saisit par le bras et la retint.

— Calmez-vous, Victoria.

— Ne me dites pas de me calmer. Je suis en train d'essayer de monter une affaire, de m'établir ici, et je ne veux pas faire l'objet de ragots entre voisins par-dessus les barrières.

— Ces ragots sont le carburant des petites villes. Vous avez vécu trop longtemps dans les métropoles si vous l'avez oublié. Et si les gens bavardent, ils iront faire un tour dans votre boutique pour voir les choses de près. Où est le mal ?

Il avait l'art de présenter les choses gentiment, raisonnablement.

— Je n'aime pas être regardée comme une bête curieuse. J'ai eu mon compte !

— Vous saviez bien que vous ne pourriez pas l'empêcher en revenant ici. Si les gens veulent regarder de près la femme qui a attiré l'œil de Cade Lavelle, il suffit qu'ils vous contemplent pour comprendre pourquoi.

— Vous présentez les choses à votre manière.

Sans trop savoir comment, elle se sentit soudain en terrain mouvant.

— Faith était dans le magasin quand Lissy en a parlé. (Voyant qu'il se crispait imperceptiblement, elle en éprouva une certaine satisfaction.) Alors, la situation n'est plus aussi légère maintenant, hein ?

— Si Faith se met à me taquiner là-dessus – et elle ne pourra pas y résister –, autant que j'en tire profit. Tout de suite.

Il resserra la main qui tenait le bras de Tory, jeta ses lunettes par terre à côté d'eux et l'attira à lui.

Des sonnettes d'alarme tintèrent en elle et, aussitôt, elle dressa un poing contre sa poitrine.

— Que faites-vous ?

— Pas de quoi sortir de vos gonds.

De sa main libre, il la saisit par la nuque.

— Je veux simplement savoir le goût que vous avez.

— Non !

Mais ses lèvres étaient déjà au bord des siennes.

— Ça ne fera pas mal. Je vous le promets.

Il tint parole. Cela la calmait et l'excitait, la mettait à l'aise et éveillait ces désirs qu'elle verrouillait si soigneusement au fond d'elle depuis si longtemps. Mais ça ne faisait pas mal.

Sa bouche douce, tendre, caressait la sienne pour... la goûter. Une bouffée de chaleur la parcourut tandis que faiblissaient sa tension et sa réserve. Elle savourait ce curieux mélange de sensations quand il recula.

— Vous avez éveillé en moi quelque chose de spécial, murmura-t-il en continuant à lui caresser la nuque. Je l'ai ressenti dès que je vous ai revue.

Tory sentit sa tête tourner ; elle n'aimait pas ça.

— C'est une erreur, je ne...

Elle fit un pas en arrière comme pour se protéger de lui et, presque aussitôt, sentit quelque chose craquer sous son pied.

— Bon sang ! C'est la seconde paire cette semaine !

Cade contempla les morceaux épars des lunettes de soleil écrasées. Il haussa les épaules.

— La vie est remplie d'erreurs, reprit-il en effleurant à nouveau les lèvres de Tory d'un baiser léger. Pourtant, cela ne ressemble pas à une erreur. Il va falloir examiner ça de près afin d'en avoir le cœur net.

— Cade, je ne suis pas douée pour cela.

— Quoi ? Embrasser ?

— Non. (Elle s'étonna de son propre rire. Comment parvenait-il à la faire rire alors qu'elle se sentait terrifiée ?) Pour les relations homme-femme, je veux dire.

— Alors, il va vous falloir un peu de pratique.

— Je ne veux pas de pratique.

Elle ne put que soupirer quand il pressa ses lèvres sur son front.

— Cade, il y a tant de choses que vous ignorez de moi.

— C'est vrai dans les deux sens. Nous prendrons le temps de nous découvrir. Quelle belle soirée, n'est-ce pas ? (Il chercha sa main et l'étreignit.) Pourquoi n'irions-nous pas faire un tour en voiture ?

— Cela n'a pas de rapport avec le problème.

— Nous pourrons nous arrêter pour manger quelque part quand l'envie nous en prendra.

Il la fit tourner avec grâce et se pencha pour ramasser ses lunettes cassées. Puis il se mit à avancer, séparé de la jeune femme par une rangée de jeunes pousses de coton.

— Petit à petit, Tory, dit-il tranquillement. Je suis un homme patient. Regardez autour de vous, et vous verrez combien je suis patient. Il m'a fallu trois saisons pour amener l'exploitation là où je voulais. Pour réaliser ce que je croyais bien – et ce à l'encontre des traditions respectées par toutes les générations précédentes. Certains continuent à me montrer du doigt en ricanant, à grommeler, à jurer. Tout ça parce que je ne suis pas leurs méthodes archaïques, parce qu'ils n'y comprennent rien. La plupart des gens ont peur de ce qu'ils ne comprennent pas.

Elle leva les yeux vers lui, puis les détourna. Cet homme charmant et nonchalant qui avait ri de sa colère abritait une armature d'acier. Il ne serait pas sage de l'oublier, songea-t-elle.

— Je le sais bien. Je vis moi-même avec ça.

— Alors, pourquoi ne pas nous considérer tous deux comme des hors-la-loi et voir où cela nous mène ?

— Je ne sais pas de quoi vous parlez. Un Lavelle ne peut pas être un hors-la-loi à Progress.

— Vous pensez cela parce que je ne vous ai pas encore infligé de discours assommants sur la culture biologique et la beauté du coton vert. (Il leva sa main et, comme par hasard, l'attira à lui pour l'embrasser.) Mais je le ferai : il y a longtemps que je n'ai pas trouvé de nouvelle victime. Écoutez, rentrez chez vous. J'ai besoin de faire un peu de toilette et je passe vous prendre d'ici une heure environ.

— J'ai plein de choses à faire.

— Il ne se passe pas un seul jour sans que moi aussi j'aie des choses à faire. Je serai là dans une heure, ajouta-t-il tandis qu'elle se glissait derrière le volant. Au fait, Tory, juste pour éviter tout malentendu. Ce soir... vous et moi... c'est bien un rendez-vous galant. Juste pour faire parler les langues de vipère à notre sujet...

Il ferma la portière et, les mains dans les poches, se dirigea tranquillement vers sa camionnette.

10

— Ne sois pas mesquin, Cade. Je ne te demande qu'une petite faveur.

Étendue en travers du lit de son frère, le menton reposant au creux de ses mains fermées, Faith dirigea sur lui son regard le plus enjôleur.

Elle avait pris l'habitude de venir dans sa chambre après la mort de Hope, car la solitude lui était insupportable. Maintenant, elle y venait le plus souvent quand elle désirait quelque chose.

Ils le savaient tous deux et, en ce qui le concernait, il semblait ne pas s'en formaliser.

— Tu gâches tes yeux avec moi, dit Cade.

Torse nu, les cheveux encore humides de sa douche, il tira une chemise propre de son armoire.

— Navré, j'ai besoin de la voiture ce soir.

Faith fit la moue.

— Tu peux l'avoir n'importe quand.

— Exact. Je peux. Et il me la faut ce soir.

Il lui fit le genre de petit sourire satisfait réservé aux frères et sœurs que l'on veut énerver.

— C'est moi qui ai fait le marché pour acheter ce que tu as mangé aujourd'hui, plaida-t-elle. (Elle se mit à genoux sur le lit.) Moi encore qui suis allée chez le teinturier rapporter tes vêtements. Tout ce que je te demande, c'est de me prêter ta foutue voiture pour un soir. Tu es un sale égoïste.

Il enfila sa chemise et commença à la boutonner avec le même sourire satisfait sur le visage.

— Je te déteste !

Elle souleva un oreiller et le lui jeta à la tête, manquant son but d'au moins cinquante centimètres. Elle n'avait jamais su viser.

— J'espère que tu casseras ta maudite voiture et que tu finiras dans un tas de tôles tordues en train de brûler !

L'autre oreiller passa au-dessus de son crâne et il ne prit même pas la peine de se baisser.

— J'espère que tu recevras des éclats de verre dans les yeux et que tu seras aveugle ! Crois-moi, je rirai bien quand tu te cogneras aux murs en tâtonnant dans le noir !

Il se détourna d'elle d'un mouvement délibéré, insultant.

— Alors, je pense que tu ne voudras pas emprunter ce qui restera de la voiture demain soir.

— C'est maintenant que je la veux !

— Faith, mon ange... (Il rentra les pans de sa chemise dans son pantalon et prit sa montre-bracelet posée sur le bureau.) Tu veux toujours tout *tout de suite*.

Incapable de résister, il ramassa les clés de voiture et les fit tinter dans sa main.

— Désolé, mais ce n'est pas possible.

Elle poussa un cri, semblable à un cri de guerre, et se lança hors du lit. Il aurait pu l'éviter en faisant un pas de côté – quand il le fallait, il savait se déplacer rapidement –, mais il trouva plus amusant de l'attraper et de lui maintenir les bras avant qu'elle ne puisse griffer sa figure de ses jolis ongles pointus.

En outre, s'il avait évité sa trajectoire, aveuglée par la colère, elle aurait atterri directement sur la table de toilette.

— Tu vas te faire mal, dit-il, luttant avec elle et tenant en l'air ses bras tremblants.

— Non. Je vais te tuer ! Je vais t'arracher les yeux !

— C'est une obsession chez toi ce soir. Tu veux me rendre aveugle. Si tu m'arraches les yeux, comment pourrai-je voir combien tu es jolie ?

— Lâche-moi, espèce de salaud ! Bats-toi comme un homme.

— Si je me battais comme un homme, je te tordrais le cou et je serais enfin débarrassé de toi. (Pour l'énerver encore davantage, il se pencha et lui donna un rapide petit baiser.) Cela me coûterait moins d'énergie.

Elle s'écroula, vaincue, les larmes aux yeux.

— Oh ! ça va. De toute façon, je n'en veux pas de ton vieux tas de ferraille.

Il lui embrassa le front.

— Ça ne marche pas non plus. Tu pleures trop facilement. Tu pourras avoir la voiture demain, toute la journée et la moitié de la nuit si tu veux.

Il lui serra affectueusement les bras, fit un pas en arrière pour sortir... et vit trente-six chandelles quand elle le frappa au menton.

— Bonté divine !

Il la repoussa, s'efforçant de calmer la douleur.

— Espèce de sale petite garce !

— Estime-toi heureux que je n'aie pas suivi mon premier instinct qui était de me servir de mon genou. J'ai failli le faire.

Quand il se pencha pour frotter son visage douloureux, elle bondit pour attraper les clés qu'il tenait toujours à la main. Ses doigts se refermèrent sur le trousseau, mais il fit brusquement demi-tour et, dans son mouvement en avant, elle le manqua et tomba par terre avec un bruit sourd.

— Kincade ! Faith Ellen !

La voix claqua tel un coup de fouet sur un tapis de velours. Margaret se tenait sur le seuil, le corps rigide, le visage blanc. Tout mouvement cessa aussitôt.

Cade s'éclaircit la voix.

— Maman...

— Je vous ai entendus crier et vous agiter d'en bas. De même que le juge Purcell que je reçois ce soir. Tout comme Lilah, la femme de service et le jeune homme venu la chercher pour la ramener chez elle.

Elle marqua une pause pour que ses enfants prennent le temps de mesurer l'étendue d'une telle inconvenance.

— Un pareil comportement est peut-être acceptable pour vous, mais pas pour moi, et je ne désire pas que mes invités, les domestiques ou des personnes étrangères puissent croire que j'ai élevé deux hyènes dans cette maison.

— Excuse-moi, dit Cade.

— Demande-lui de s'excuser auprès de moi, intervint Faith en se frottant le coude qu'elle avait cogné. Il m'a poussée par terre.

— C'est absolument faux. Tu t'es emmêlé les pieds toi-même.

— Il s'est montré cruel et déraisonnable. (Faith calcula qu'elle pouvait marquer un point et s'empressa de jouer sa carte.) Tout ce que j'ai fait, c'est lui demander poliment s'il pouvait me prêter sa voiture pour la soirée, et il s'est mis à m'injurier et à me bousculer.

Elle se crispa et se frotta avec précaution le coude.

— Je vais avoir des marques.

— Je me doute qu'il y a eu quelque provocation, mais tu n'as pas d'excuse pour avoir porté la main sur ta sœur, gronda Margaret à l'adresse de son fils.

— Non, m'dame, admit Cade en hochant la tête d'un petit mouvement contraint. Tu as raison sur les deux points et je te prie de me pardonner.

Il regrettait qu'un incident si anodin se trouve ramené à ces mots implacables et glacés.

— Très bien.

Margaret déplaça son regard vers Faith.

— Cade a le droit d'utiliser et de prêter ce qui lui appartient comme il l'entend. Maintenant, assez avec ça.

— J'avais juste envie de sortir quelques heures de cette maison ! lança Faith. (La colère perçait sous ses paroles.) Il peut aussi bien prendre sa camionnette. Son projet, c'est aller dans un endroit sombre et tranquille pour peloter Tory Bodeen.

— Voilà un beau discours, Faith, murmura Cade. Vraiment très intelligent.

— Alors, c'est vrai ! triompha sa sœur. Tout le monde en ville sait que vous sortez ensemble.

Margaret fit deux pas avant de réussir à se maîtriser.

— Est-ce que tu... as l'intention de voir Victoria Bodeen ce soir ?

— Oui.

— As-tu oublié les sentiments que j'éprouve pour elle ?

— Non, Maman. Je ne les ai pas oubliés.

— Manifestement, ces sentiments t'importent peu. Le fait qu'elle a joué un rôle dans la mort de ta sœur, le fait que sa présence est un rappel constant de cette perte, tout cela ne signifie donc rien pour toi ?

— Je ne la rends pas responsable de la mort de Hope. Je suis navré que tu le fasses, et plus encore que mon amitié pour elle te cause de la peine.

— Garde pour toi ces inquiétudes, repartit froidement Margaret. Être désolé est une piètre justification pour une attitude aussi déplorable. Tu peux choisir d'introduire cette femme dans ta vie, si cela te chante, mais veille à ce qu'elle reste hors de la mienne. C'est compris ?

Sans ajouter un mot, elle tourna les talons et s'éloigna d'un pas lent et mesuré.

Cade la regarda partir. Il aurait voulu ne pas lire dans ses yeux cette brève lueur de souffrance, ne pas sentir qu'il en était responsable. Pour mettre fin à sa culpabilité, il jeta à Faith un regard incendiaire.

— Tu as fait du bon travail. Comme toujours. Profite bien de ta soirée.

Quand il sortit à grands pas, Faith ferma les yeux. Elle avait une boule au creux de l'estomac et se désolait déjà de sa sottise. Elle resta là un bon moment, assise, se balançant d'avant en arrière, puis elle se leva et se dirigea vers l'escalier. Elle entendit alors la porte de devant claquer.

— Je suis désolée, murmura-t-elle en s'asseyant sur le palier. Je ne voulais pas ça. Ne me déteste pas, Cade. (Elle laissa tomber sa tête sur ses genoux.) Je me déteste déjà assez moi-même.

Margaret pénétra dans le grand salon, où son vieil ami l'attendait.

— J'espère que vous pardonnerez leur comportement, Gerald.

Il n'y aurait pas eu tant d'éclats dans sa propre maison quand ses enfants y vivaient encore, se dit-il. Mais il est vrai que ses filles avaient été dressées à se comporter correctement en toutes circonstances.

Il offrit néanmoins à Margaret un sourire de sympathie.

— Pas de quoi vous excuser, Margaret. Disons simplement qu'ils ont un surcroît d'énergie à dépenser...

Il prit le verre de sherry qu'elle avait posé sur la table avant de monter et le lui tendit.

Bach se faisait entendre en sourdine. Leur musicien favori à tous deux. Il lui avait apporté des roses – il ne manquait jamais de le faire – et Lilah les avait mises dans le vase de Baccarat sur le piano à queue.

Avec ses profonds canapés bleus et son vieux bois poli, la pièce était parfaite, paisible et nette comme l'exigeait Margaret. On se servait bien rarement du piano, mais il était néanmoins toujours bien accordé. Elle aurait souhaité que ses deux filles deviennent des pianistes accomplies, mais la vie ne lui avait pas permis de réaliser ce rêve.

On ne voyait aucune photo de famille dans ce salon considéré comme un lieu réservé aux mondanités et au divertissement. Chaque élément avait été choisi avec soin afin de s'accorder au style général, de sorte que les meubles de famille se mêlaient harmonieusement aux propres acquisitions de Margaret.

Ce n'était pas une pièce dans laquelle les hommes pouvaient poser leurs bottes sur une table ou les enfants éparpiller des jouets sur le tapis.

— Un « surcroît d'énergie », répéta-t-elle. C'est aimablement dit.

Elle se dirigea vers une fenêtre et regarda la voiture de Cade descendre l'allée. Le mécontentement faisait apparaître de minuscules lignes sur sa peau.

— Il y a là beaucoup plus qu'une vulgaire dépense d'énergie, je le crains.

— Nos enfants ont grandi, Margaret.

— Certains, oui.

Il garda le silence un instant. Il savait que Hope restait toujours un sujet difficile pour elle. Cependant il préférait les solutions de facilité, aussi fit-il comme si elle n'avait rien dit.

Il la connaissait depuis trente-cinq ans et lui avait même fait la cour pendant une courte période. Mais elle avait choisi Jasper Lavelle – plus fortuné et d'une famille plus honorable. Cet épisode n'avait été qu'une anicroche dans le parcours de Gerald, du moins aimait-il le penser.

Il avait été un jeune juriste ambitieux, fait un beau mariage et élevé deux enfants. Veuf depuis cinq ans, il menait une vie confortable.

À l'instar de sa vieille amie, il préférait le veuvage au mariage. Cela lui prenait moins de temps et moins d'énergie.

C'était un homme grand et robuste, portant bien sa soixantaine, avec d'énormes sourcils noirs ébouriffés saillant sur son visage carré à l'aspect plutôt solennel.

La loi était sa vie et il en connaissait toutes les ficelles, ce qui lui valait dans la communauté une position prospère et respectée. Il appréciait la compagnie de Margaret, leurs discussions sur l'art et la littérature, et lui servait de cavalier lors des sorties officielles. Ils n'avaient jamais échangé plus qu'un baiser sur la joue, léger et cordial.

Pour le sexe, il préférait les jeunes prostituées ; elles répondaient à ses fantaisies contre de l'argent et gardaient l'anonymat.

C'était un républicain convaincu qui pratiquait scrupuleusement la religion baptiste. Il considérait ses aventures sexuelles comme une sorte de passe-temps. Après tout, il ne jouait pas au golf.

— Je ne pense pas pouvoir vous offrir une bonne compagnie ce soir, Gerald.

C'était un homme d'habitudes. Il aimait venir à *Beaux Rêves*, partager avec Margaret un dîner paisible, suivi d'un café et d'une agréable promenade d'une demi-heure dans le jardin.

— Je suis votre ami depuis trop longtemps pour me soucier de cela.

— Il est vrai que j'ai bien besoin d'un ami. Je suis bouleversée, Gerald. À cause de Victoria Bodeen. Je pensais pouvoir me faire à son retour à Progress. Mais je viens d'apprendre que Cade la fréquente.

— C'est un homme, à présent, Margaret.

— C'est aussi mon fils. (Elle détourna son visage, figé comme de la pierre.) Je ne le supporte pas.

Il faillit soupirer.

— Il me semble que si vous en parliez sérieusement avec lui, vous verriez que vous accordez sans doute trop d'importance à la chose, et à cette fille.

— Je n'ai pas l'intention d'en discuter avec lui.

Non, elle savait ce qu'il fallait faire, et elle le ferait.

— Il aurait dû épouser votre Deborah, Gerald.

Tous deux le regrettaient.

— Nous aurions pu avoir ensemble des petits-enfants, dit-il avec un sourire mélancolique.

— Quelle idée, murmura Margaret.

Elle décida qu'elle avait besoin d'un autre verre de sherry.

Elle l'attendait. Tout était bien clair dans son esprit. Il lui avait fallu un peu de temps et de distance pour réaliser qu'elle se faisait manœuvrer par Cade. Certes, il s'y prenait avec finesse, calme et habileté, mais c'était néanmoins une manœuvre.

Il y avait maintenant trop longtemps qu'elle dirigeait seule sa vie pour permettre à quiconque de prendre les rênes à sa place.

Bien sûr, c'était un homme agréable et elle prenait plaisir à sa compagnie, elle devait bien le reconnaître. En se répétant cette phrase devant son miroir, elle fut assez fière de constater qu'elle dégageait une impression de calme et de maturité. Tout à fait le style qu'elle comptait adopter pour le petit discours prévu.

Elle était beaucoup trop occupée par l'ouverture du magasin, son retour en ville et la nécessité de reprendre contact avec cet environnement pour avoir le temps ou l'énergie d'entretenir une relation avec qui que ce soit.

Naturellement, l'intérêt qu'il lui portait était flatteur, mais il était préférable pour tous deux de faire marche arrière dès maintenant. Ils pourraient bien sûr rester de bons amis, mais les choses n'iraient pas plus loin. Ni maintenant ni jamais.

Elle mordit sa lèvre inférieure et retrouva le goût des lèvres de Cade sur les siennes. Elle était douée pour retrouver des saveurs, même malgré elle.

Le goût chaud et sucré des pêches tombées sous le vieil arbre tordu près du fleuve en dehors de la ville. Des abeilles, ivres de jus fermenté, entourant en essaim les fruits au sol et bourdonnant gentiment.

Elle ne s'était pas attendue à ce qu'il soit si chaud, si doux et en même temps si puissant.

Pas plus qu'elle n'aurait cru se sentir en si parfaite harmonie avec lui à ce moment, comme s'il était exactement la pièce manquante du puzzle de sa vie.

Mais c'était là donner des couleurs romantiques à quelque chose de tout à fait fortuit, se dit-elle. Pourquoi prétendre ne pas s'être imaginé l'effet de ce baiser avec lui ? Après tout, elle était un être humain.

Elle était normale.

Quand elle y avait pensé, les choses avaient eu l'air simples et agréables. Cependant la réalité avait été tout autre, plus un avant-goût prometteur qu'un véritable baiser. Et elle supposait qu'il l'avait fait exprès, pour l'intriguer.

Très intelligent de sa part. C'était un homme intelligent, pourtant ça ne marcherait pas.

À présent, elle était prête à le recevoir et son esprit était apaisé. Rien ne viendrait troubler ses sens : ni colère ni embarras. Quand il arriverait, elle sortirait à sa rencontre, l'empêchant ainsi d'entrer et lui ôtant toute occasion d'embrouiller de nouveau son esprit. Elle lui ferait son petit discours, lui souhaiterait bon vent et rentrerait en refermant la porte derrière elle.

Et resterait là où elle ne craignait rien.

Ce plan la détendit suffisamment pour lui permettre de retrouver le contrôle d'elle-même. Lorsqu'elle entendit la voiture dans le chemin, elle poussa un soupir de soulagement. Sa vie allait reprendre son cours normal.

Elle sortit et le vit.

Il était assis dans sa jolie décapotable, ses cheveux striés d'or soulevés par le vent, les mains posées sur le volant. Il lui adressa un petit sourire, mais elle distingua derrière cette façade de la colère et de la frustration. Plus que tout, de la tristesse.

Il n'aurait pu concevoir aucune manœuvre, aucun plan capable de frapper plus efficacement sa sensibilité.

— C'est une des choses que j'aime en vous, Tory. Vous êtes rapide.

Il descendit et contourna la voiture pour ouvrir la portière du passager.

Elle évita de le toucher. Un contact physique aurait rendu leur relation trop intime.

— Dites-moi ce qui ne va pas, s'enquit Tory.

— Ce qui ne va pas ?

Il la regarda, cherchant à comprendre, puis la lumière se fit. Il recula et revint prendre sa place tandis qu'elle s'installait.

— Alors, comme ça, vous avez pour habitude de vous introduire dans l'esprit des gens afin d'y jeter un coup d'œil ?

Elle eut un sursaut comme si on l'avait frappée. Puis elle joignit les mains sur ses genoux. Autant qu'il en soit ainsi. De toute façon, ce serait arrivé à un moment ou à un autre, se dit-elle. Autant en finir tout de suite.

— Non. Ce serait incorrect.

Il se mit à rire en se glissant derrière le volant.

— Je vois... Pour lire dans les esprits, on doit respecter une certaine étiquette.

— Je ne lis pas dans les esprits.

Elle serra fortement les doigts à s'en faire blanchir les jointures, exhala un soupir pour dénouer le nœud qui oppressait sa poitrine et regarda droit devant elle.

— Je ressens plutôt les sentiments des autres. J'ai appris à bloquer le processus car, quoique vous puissiez en penser, il n'est pas agréable d'être envahi par les états d'âme d'autrui. J'arrive assez facilement à les filtrer, mais parfois – si je ne fais pas attention – certaines émotions particulièrement fortes traversent ma barrière. Veuillez m'excuser d'avoir fait effraction dans votre intimité.

Il demeura un instant silencieux, la tête penchée en arrière, les yeux fermés.

— Non. C'est moi qui vous prie de me pardonner. C'était méchant. J'étais de mauvaise humeur quand vous êtes arrivée et je devais avoir besoin de passer mes nerfs sur quelqu'un. C'est tombé sur vous.

— Je comprends très bien le désagrément d'être en compagnie d'une personne en qui on ne peut pas avoir confiance. Et dont vous croyez qu'elle peut tirer avantage de vos propres pensées, s'en servir pour vous influencer, vous blesser ou diriger votre vie. C'est l'une des raisons pour lesquelles j'ai tenté de vous faire comprendre qu'il était difficile d'avoir avec moi des relations normales, et c'est pourquoi je ne veux pas en avoir. Il est tout à fait compréhensible que vous vous posiez des questions, que vous ayez des doutes, cela provoque du ressentiment et de la défiance.

Elle se tut et utilisa ce silence pour se préparer à la suite.

— Voilà une stupéfiante somme d'âneries, déclara Cade doucement. Cela vous ennuierait-il beaucoup de me dire quand je vous ai déclaré ça ?

— Ce sont vos propres mots.

Elle s'agita sur son siège, s'appuyant sur sa propre amertume pour lui faire face.

— Je suis telle que je suis et je ne peux rien y changer. Je sais m'en accommoder. Je n'attends de soutien de personne ; j'ai appris à accepter ma vie ainsi. Je me fiche pas mal de ce que vous ou d'autres en pensent.

— Vous devriez veiller aux ornières qui parsèment votre route, Tory. Car vous êtes montée sur un bien grand cheval.

Comme elle mettait la main sur la portière, il ajouta :

— Vous voulez déjà renoncer ? Ce n'est pas le courage qui vous étouffe, on dirait !

146

Elle serra les doigts sur la poignée, puis les détendit.

— Salaud !

— Exactement, je l'ai été en voulant passer sur vous ma mauvaise humeur. Je me suis fait dire ce soir que les excuses ne suffisaient pas à effacer une mauvaise conduite. Néanmoins, je suis désolé. Mais, de votre côté, vous me jetez à la figure des idées que je n'ai jamais exprimées. Je ne peux accepter cela avant même d'avoir eu le temps de me faire une opinion sur vous. Quand il s'agit de sujets importants, il me faut du temps pour étudier la question. Or vous me semblez importante.

Il se pencha vers Tory qui recula instinctivement sur son siège.

— Disons qu'il s'agit d'une sorte de défi. Voyez-vous, je suis fermement décidé à rester en contact avec vous, à resserrer ce lien, jusqu'à ce que vous cessiez de me fuir.

Il mit le moteur en route, étendit un bras sur le siège et laissa son regard s'attarder un instant sur la jeune femme.

— Vous pouvez attribuer cela à de l'orgueil ou à mon ego, si vous voulez. Je m'en fiche complètement.

La voiture s'engagea sur la route et accéléra.

— Je n'ai jamais levé la main sur une femme, reprit-il sur le ton de la conversation, mais elle perçut sous ce ton une colère contrôlée. Je ne vais pas commencer avec vous. Il me plairait certes de poser les mains sur vous, et j'ai bien l'intention d'y parvenir un jour ou l'autre. Mais pas pour vous faire du mal, Tory.

Silencieuse, elle regarda le paysage défiler afin de retrouver son calme, comme lorsqu'elle plaçait des briques sur son mur pour s'isoler.

— J'ai travaillé ce problème ainsi que quelques autres lors d'une thérapie, dit-elle enfin.

— Bien, fit-il simplement. Comme ça, je n'ai pas à craindre que vous preniez pour une menace chacun de mes gestes. Ça m'est égal de vous rendre nerveuse, mais je ne veux pas vous faire peur.

— Si j'avais peur de vous, je ne serais pas ici.

Elle sentit le vent caresser son visage, soulever ses cheveux.

— Je ne suis pas quelqu'un de facile, Cade, je ne me laisse pas marcher sur les pieds. Plus maintenant.

Il conduisit en silence quelques instants.

— Si vous étiez facile, vous ne seriez pas ici.

Elle tourna juste un peu la tête pour l'étudier d'un long regard.

— Très habile de votre part. Sans doute la chose la plus intelligente que vous puissiez trouver à dire. Mieux encore, je crois que vous le pensez.

— J'appartiens à ce genre particulier d'individus qui s'efforcent de penser ce qu'ils disent.

— Je le crois également.

Elle prit une profonde inspiration, respira la chaleur des champs, l'eau des marais et des effluves de savon – celui dont il s'était servi pour sa douche après le travail.

— Je ne voulais pas venir ce soir. Je voulais sortir de chez moi pour vous le dire, vous expliquer comment je voyais la situation. Et je me trouve ici.

— Vous avez eu pitié de moi. (Il lui lança un coup d'œil.) Ce fut votre première erreur.

Elle eut un petit rire.

— Ça doit être ça, je pense. Où allons-nous ?

— Aucun endroit précis.

— Bien. (Elle s'adossa au siège, surprise de voir combien elle se détendait vite, facilement.) Cela me paraît un excellent endroit.

Cade conduisit plus loin qu'il n'avait pensé, empruntant au hasard des routes secondaires, mais se dirigeant toujours vers l'est. Vers la mer. Derrière eux, le soleil baissait, jetant sur le ciel des rayons rouges qui se reflétaient sur les champs en traînées sanglantes, s'insinuaient entre les rangées d'arbres, plongeaient dans les méandres du fleuve.

Il la laissa sélectionner la musique et, bientôt, Mozart retentit dans la voiture. Plutôt amateur de rock, en général, il trouva néanmoins que cette musique convenait bien au crépuscule.

Il obliqua vers le sud et découvrit un petit restaurant au bord de l'eau, loin des foules entassées sur les plages de Myrtle Beach. Le temps était assez doux pour qu'ils puissent s'asseoir dehors à une petite table sur laquelle une courte bougie blanche grésillait sous un globe de verre. Autour d'eux, les conversations étaient assourdies par le va-et-vient incessant du ressac.

Sur la plage, des enfants poursuivaient dans leurs trous des crabes aux yeux exorbités ou jetaient en l'air des morceaux de pain que les mouettes attrapaient en criant. Un groupe de jeunes surfeurs s'agitait dans les vagues en poussant des cris aigus.

Dans le ciel bleu sombre où flottait une dernière trace de jour, une étoile s'alluma et brilla comme un diamant.

La tension et les humeurs du jour s'apaisèrent dans leur esprit.

Tory n'avait pas vraiment faim, et elle picora sa salade pendant qu'il se mettait à lui parler de son travail.

— Quand vous sentirez vos yeux se fermer, prévenez-moi.

148

— Je ne m'ennuie pas si facilement, et d'ailleurs je sais deux ou trois choses sur le coton biologique. La boutique de cadeaux dans laquelle je travaillais à Charleston vendait des chemises taillées dans ce matériau. Nous les faisions venir de Californie. Leur prix était élevé, mais elles se vendaient bien.

— Vous me donnerez le nom de cette boutique. Lavelle Cotton fabrique depuis l'an dernier du tissu de coton biologique. Je suis certain que nos prix seront meilleurs que ceux de Californie. C'est un secteur dans lequel je n'ai pas encore atteint tous les objectifs que je me suis fixés. Une fois établi dans le domaine biologique, on se trouve en compétition avec les méthodes chimiques. Et nos produits restent chers sur le marché.

— Ce qui signifie également de plus grands profits.

— Exactement. (Il beurra un petit pain et le lui tendit.) Les gens sont plus sensibles au profit qu'à l'environnement. Je pourrais vous parler des conséquences des pesticides sur la vie sauvage, sur les espèces menacées...

— Des espèces menacées ? Ici, en Caroline ?

— Les cailles et autres oiseaux nichant dans l'herbe le long des champs. Les chasseurs tirent les cailles, les mangent et avalent en même temps les pesticides. Certes, ceux-ci détruisent les espèces nuisibles, mais ils tuent également les insectes utiles, infectent les oiseaux, réduisent la chaîne alimentaire. Quand un poulet avale un insecte mort ou mourant qui a reçu une pulvérisation, il est infecté. C'est un cycle impossible à briser tant qu'on n'essaie pas une autre méthode.

Curieux, songea-t-elle, de réaliser qu'elle portait toujours en elle les idées de son père, qui considérait la nature comme un ennemi contre lequel il fallait lutter chaque jour – le gouvernement venant juste après.

— Vous vous intéressez vraiment à l'agriculture ? demanda-t-elle tout à coup.

— Oui. Pourquoi ?

— Des quantités de gens gagnent leur vie en faisant des choses qu'ils n'aiment pas et pour lesquelles ils n'ont pas spécialement de talent, répondit-elle en hochant la tête. J'étais censée travailler à l'usine après le lycée, mais j'ai pris des cours de commerce en cachette plutôt que de m'opposer à la volonté de mon père. Je crois donc être en mesure de comprendre l'idée d'avancer à contre-courant pour faire ce dont on a envie.

— Comment avez-vous découvert ce que vous aviez envie de faire ?

— J'avais seulement envie de m'en sortir.

149

« Et de m'échapper de la maison », pensa-t-elle en son for intérieur, mais elle orienta la conversation de nouveau sur lui.

— L'agriculture biologique est intéressante et certainement tournée vers l'avenir. Mais si vous ne pulvérisez pas de produits chimiques, vous avez des mauvaises herbes, des maladies, des insectes nuisibles. Votre récolte est malade.

— Voilà quatre mille ans qu'on cultive le coton. Que croyez-vous que faisaient les gens il y a encore seulement soixante ou soixante-dix ans – avant que nous ne nous mettions à utiliser des pesticides comme l'aldacarb ou la trifuraline ?

Cela l'intriguait, et, à vrai dire, la fascinait de le voir ainsi s'échauffer, de sentir vibrer en lui cette passion pour son travail.

— Ils avaient des esclaves, finit-elle par répondre. (Elle mordit dans son petit pain.) Une main-d'œuvre qu'ils pouvaient faire trimer dans les champs pour un salaire de misère. C'est d'ailleurs une des raisons, au cas où vous l'auriez oublié, pour lesquelles le Sud a perdu la guerre de Sécession.

— Nous pourrons parler d'histoire une autre fois. (Il se pencha en avant pour donner plus de poids à ses paroles.) La culture du coton biologique exige davantage de main-d'œuvre, mais utilise aussi les ressources naturelles telles que le fumier, le compost, au lieu de fertilisants chimiques qui polluent la nappe phréatique. Sans oublier des cultures de couverture pour faciliter le contrôle de la germination et des insectes, et apporter un revenu complémentaire. La rotation des cultures permet la conservation du sol, et les insectes utiles – coccinelles, mantes et autres – débarrassent les champs des bestioles qui s'attaquent au coton. Et tout cela sans exposer les ouvriers agricoles, les voisins, les enfants, aux dépôts de pesticides. Nous laissons les plantes mourir naturellement au lieu d'utiliser des défoliants.

Il se recula sur sa chaise pendant qu'on servait le plat et versa du vin dans leurs verres. Comme il était lancé, il reprit :

— Nous complétons le processus par l'égrenage, ainsi que l'exige la loi fédérale. Aussi, quand nous mettons le coton en vente, il est absolument pur, sans le moindre produit chimique. Pour la plupart des gens, c'est beaucoup d'histoire pour une chemise ou un caleçon. Mais le coton n'est pas seulement une fibre, c'est aussi une graine, et celle-ci entre dans la préparation de nombreux aliments. Savez-vous quelle quantité de pesticide vous avalez en croquant un sachet de chips ?

— J'aime autant ne pas le savoir.

Elle se souvint de son père maudissant la campagne quand il rentrait à la maison. Elle se revit observant la poussière des champs voleter dans la lumière du soleil et venir tout recouvrir dans la maison. Elle se souvenait de son odeur nauséabonde. Et de la brûlure de l'air.

— Qu'est-ce qui vous a conduit à vous intéresser à la culture biologique ?

— Ma première année d'études supérieures. J'ai commencé à lire sur le sujet et... bon, je vous dois la vérité. En fait, il y avait une fille...

— Ah ! (Amusée, Tory s'attaqua à sa truite.) Nous y sommes.

— Elle s'appelait Lorilinda Dorset et elle était de Mill Valley, en Californie. La première fois que je l'ai vue, j'ai bien cru que mes yeux allaient jaillir hors de ma tête. Une vraie beauté. Brune, longue et mince, moulée dans des jeans étroits.

Il soupira à ce souvenir, doux à distance.

— Et membre de toutes sortes d'associations écologiques : la PETA, GreenPeace, The Nature Conservancy et Dieu sait quoi encore. Bien entendu, pour l'impressionner, j'ai étudié les droits des animaux, les méthodes de culture naturelle et tout le toutim. J'ai cessé de manger de la viande pendant deux mois.

Elle jeta un coup d'œil interrogateur au steak dans son assiette.

— Voilà ce qu'on appelle de l'amour.

— Pendant quelques courtes et lumineuses semaines, oui. Je me suis laissé entraîner par elle à un séminaire sur l'agriculture biologique et, pour me récompenser, elle m'a permis de lui ôter ses jeans étroits. (Il eut un petit sourire malicieux.) Naturellement, mon envie désespérée de hamburger finit par l'emporter sur ma dévotion, et Lorilinda se détourna avec dégoût du carnivore que j'étais redevenu.

— Que pouvait-elle faire d'autre ?

— Exactement. Mais j'ai gardé en mémoire ce que j'avais entendu pendant ce séminaire et ce que j'avais lu dans ces livres. Tout cela finit par prendre à mes yeux de plus en plus de sens. Je voyais comment m'y prendre, et à quelle fin. Aussi, quand *Beaux Rêves* m'est revenu en héritage, ai-je entamé ce long processus de reconversion – non sans rencontrer pas mal d'opposition.

— Lorilinda serait fière de vous.

— Non. Elle ne me pardonnait pas le cheeseburger. C'était une sérieuse entorse à son idéal.

— Les hommes sont vraiment tous des salauds.

— Il paraît, oui.

Cade s'aperçut que Tory pouvait finalement avaler un repas complet s'il parvenait à occuper son esprit.

— Bon, oublions cette faille génétique. Que penseriez-vous d'avoir à Progress l'exclusivité des produits de la Lavelle's Green Cotton ?

Elle haussa les sourcils, interdite.

151

— Vous voudriez que je vende vos chemises dans ma boutique ?

— Pas nécessairement des chemises, si cela ne cadre pas avec votre style. Mais du linge, des nappes, des serviettes, ce genre de choses...

Pourquoi pas au fond ? D'abord surprise, elle prit le temps de réfléchir.

— Il faudra que je voie quelques échantillons, bien entendu. Mais les articles étant fabriqués dans cet État, ils pourraient très bien s'inscrire dans mon catalogue. Nous verrons pour les prix, la livraison, également la qualité et le style. Je ne propose rien en série, juste des articles exclusifs, représentatifs de l'extrême variété de l'artisanat en Caroline du Sud.

Elle marqua une pause pour boire une gorgée de vin et réfléchir.

— Du linge en coton biologique, murmura-t-elle. Directement du champ dans la vitrine et sur la table, le tout dans le cadre du comté de Georgetown. Oui, cela peut être tentant.

— Bon. (Il leva son verre et trinqua contre celui de Tory.) Nous allons faire en sorte que cela marche pour tous les deux. Et pour tout le monde, ajouta-t-il avec un sourire.

La soirée se terminait sans aucun doute sur une note plus plaisante qu'elle n'avait commencé. Avec la pleine lune au-dessus de leur tête et le cerveau légèrement embrumé par le vin. Elle n'avait pas eu l'intention de boire. Elle le faisait rarement. Mais c'était si agréable d'être assise là, au bord de l'eau, un verre à la main.

Tellement agréable, même, qu'elle avait avalé deux verres au lieu d'un seul et se sentait délicieusement engourdie. La voiture glissait à présent sans heurt à vive allure, et l'air qui balayait son visage avait déjà de lointains parfums d'été.

Il évoquait pour elle les douces senteurs du chèvrefeuille et des roses épanouies, l'odeur du goudron fondant sous le soleil et le bourdonnement nonchalant des abeilles courtisant les fleurs de magnolia dans le marais.

Seigneur, ce serait vraiment bien s'il faisait un peu plus frais, maintenant que le soleil avait disparu ! Si une voiture ne s'arrêtait pas bientôt, elle serait bonne pour faire le reste du chemin à pied jusqu'à cette foutue plage. Naturellement, tout ça, c'était de la faute de cette garce de Marcie, qui l'avait laissée tomber pour en venir à ses fins avec ce trou-du-cul de Tim. Bon. Au diable, Marcie ! Elle ferait du stop jusqu'à Myrtle Beach et se paierait du bon temps. Tout ce qu'elle voulait, c'était qu'une de ces foutues voitures consente enfin à la prendre. Allez, mes chéris, un peu de charité ! Ah ! enfin ! En voilà un qui s'arrête. Bon sang, qu'est-ce qu'il fait chaud !

Tory sursauta sur son siège, les yeux écarquillés, cherchant l'air comme un plongeur qui refait surface après être resté longtemps au fond.

— Elle est montée dans la voiture. Elle a jeté son sac sur le siège arrière et elle s'est installée dans la voiture.

— Tory ?

Cade s'arrêta sur le bas-côté de la route et se tourna pour la prendre par les épaules.

— Tout va bien. Vous vous êtes endormie juste une minute et vous avez fait un cauchemar.

— Non !

Malade, désespérée, elle le repoussa et tira sur sa ceinture de sécurité. Des mains glacées lui étreignaient le cœur, qui battait à grands coups affolés.

— Non !

Elle ouvrit brusquement la portière, bondit au-dehors et se mit à courir en trébuchant sur la bande d'arrêt d'urgence.

— Elle faisait du stop pour aller à la plage. Il l'a ramassée et l'a entraînée quelque part par là... par là !

— Tory, attendez ! Arrêtez-vous !

Il la prit par les épaules pour l'obliger à se retourner.

— Mais vous tremblez...

— Je vous dis qu'il l'a embarquée...

Des images, des formes, des sons, des odeurs se glissaient dans sa tête. Sa gorge la brûlait comme lorsqu'on a fumé trop de cigarettes.

— Il l'a embarquée, il a quitté la route pour l'emmener dans les bois et il l'a frappée avec quelque chose. Elle ne peut pas voir ce que c'est, elle souffre terriblement et elle est tout étourdie. Mais... qu'est-ce qui se passe ? Que font-ils ? Elle le repousse, et lui la tire hors de la voiture.

— Qui ?

Elle se débattait dans la confusion, dans la douleur. La terreur.

— Là, c'est par là !

— Très bien. (Ses yeux étaient dilatés et il sentit que sa peau était toute moite.) Vous voulez que nous fassions quelques pas dans cette direction ?

— Il le faut. Laissez-moi seule.

153

— Non. (Il saisit fermement son bras.) Il n'en est pas question. Nous allons y aller. Je suis là. Auprès de vous.

— Je ne veux pas, je ne veux pas !

Puis elle se mit à marcher. Et s'ouvrit tout entière, surmontant son instinct de conservation. Elle laissa sans lutter les images pénétrer en elle, se préciser.

Les étoiles tournaient au-dessus de sa tête, jetant un éclat aveuglant. La chaleur l'écrasait comme un poing serré autour de son corps.

— Je voulais aller à la plage. Mais je ne trouvais pas de voiture. J'étais fâchée contre Marcie. Mon amie Marcie. On devait y aller ensemble en voiture pour y passer le week-end. Maintenant, me voilà obligée de faire du stop parce que, bon sang, je ne vais tout de même pas laisser cette dinde démolir l'excursion prévue. Il ralentit, je suis contente. Je suis fatiguée et j'ai soif. Il me dit qu'il peut m'emmener jusqu'à Myrtle. Il y en a pour moins d'une heure en voiture.

Tory cessa de parler, leva une main et laissa aller sa tête en arrière, les yeux grands ouverts. Tout grands.

— Il me tend une bouteille. Quelque chose est écrit dessus. Jack Black. *Blackjack*. Je bois une gorgée. Une longue gorgée. Pour calmer ma soif et parce que c'est cool d'avoir enfin trouvé une voiture et de boire du whisky.

Elle fit une pause, son regard fixant toujours le vide.

— C'est avec la bouteille qu'il a dû la frapper. Elle la lui a passée en riant après avoir bu et alors quelque chose a craqué sur le côté de sa tête. Seigneur ! Comme ça fait mal !

Elle tituba et porta les mains à ses joues. Elle avait dans la bouche un goût de sang.

— Non !

Cade l'attira à lui, surpris qu'elle ne cherche pas à échapper à son étreinte.

— Je ne peux pas voir. Je ne peux pas. Il n'y a rien en lui. Il n'est qu'un morceau de vide. Attendez. Attendez !

Les mains crispées, le souffle rauque, elle lutta contre la nausée.

Et soudain elle vit.

— Il l'a emmenée... (Elle se mit à se balancer d'avant en arrière, comme une poupée à ressort.) Je ne peux pas. Je ne peux vraiment pas.

— Tout va bien à présent. Retournons à la voiture.

— Il l'a emmenée par là.

La pitié, le chagrin l'accablèrent, effaçant tout autre sentiment.

154

— Il la viole. Maintenant elle ferme les yeux, elle le laisse faire. Ça brûle. Pendant quelques instants, elle tente de lutter. Ça fait mal et elle a si peur. Il la frappe de nouveau, deux fois, rudement au visage. Ça fait mal, ça fait mal, ça fait mal ! Elle voudrait être loin d'ici, près de sa mère. Elle pleure pendant qu'il grogne, halète et termine son abominable travail. Elle sent l'odeur de sa sueur, de son sexe et celle de son propre sang. Elle n'a plus de forces pour lutter.

Tory leva une main et tâta son visage. Elle avait besoin de sentir les lignes, les volumes de ses joues, de son nez, de sa bouche. Elle avait besoin de se souvenir de qui elle était.

— Lui, je n'arrive pas à le voir. Il fait sombre et il n'est qu'une... chose. Rien en lui ne me semble réel. Elle non plus, elle ne le voit pas, pas vraiment. Même quand il l'étrangle de ses mains. Il ne lui faut pas longtemps car elle est à peine consciente et n'a plus de forces pour se débattre. Il y a à peine une demi-heure qu'elle l'a rencontré et elle est déjà morte. Elle gît, nue, dans l'ombre des arbres. C'est là qu'il l'a laissée. Il sifflote en regagnant sa voiture.

Elle s'écarta de Cade de cette manière délibérée qui lui appartenait. Il distinguait juste son visage, pâle comme la lune, percé de grands yeux paraissant tournés vers l'intérieur.

— Elle n'avait que seize ans. Une jolie fille avec de longs cheveux blonds et de fines jambes. Son nom était Alice, mais elle n'aimait pas qu'on l'appelle ainsi ; tout le monde la surnommait Ally.

La tension, le chagrin s'abattirent sur elle et l'engloutirent.

Cade la retint et la souleva dans ses bras. Elle était toute molle, comme morte. Cette immobilité totale l'impressionnait plus encore que ce récit incroyable, et il la porta aussi vite qu'il put à la voiture. Il pensait – il espérait – qu'en l'éloignant de cet endroit elle irait mieux.

Quand il se pencha pour l'étendre dans la voiture, elle s'agita. Lorsqu'elle souleva enfin les paupières, ses yeux étaient sombres et vitreux.

— Tout va bien. Je vais vous ramener chez vous.

— Attendez encore un peu...

Elle se sentait malade et glacée, mais cela passerait. Il lui faudrait plus longtemps pour effacer l'horreur.

— Je suis désolée.

Elle haussa les épaules en signe d'impuissance et répéta :

— Je suis désolée, Cade.

— De quoi ?

Il contourna la voiture et vint s'asseoir au volant.

— Je ne sais pas quoi faire pour vous. Je devrais pourtant pouvoir faire quelque chose. Écoutez... je vais vous reconduire puis je reviendrai ici et... je la trouverai.

Tory le regarda, l'esprit encore confus.

— Elle n'est plus là. Cela s'est passé il y a longtemps, des années.

Il allait parler, mais se retint. Elle avait cité le nom d'Alice. Une jeune fille blonde nommée Alice. Un vague souvenir remua au fond de sa mémoire, et une soudaine nausée lui tordit les entrailles.

— Est-ce que cela se manifeste toujours comme ça ? Sans crier gare ?

— Parfois.

— Cela vous fait du mal.

— Non, je suis épuisée, j'ai la nausée, mais ça ne me fait pas mal.

— Cela vous fait du mal, répéta-t-il en tournant la clé de contact.

— Cade... (D'un geste hésitant, elle lui effleura la main.) C'était. . Je suis désolée, mais il faut que vous sachiez. C'était comme pour Hope. Voilà pourquoi je l'ai ressenti si intensément.

Elle insista d'une voix sourde :

— C'était comme pour Hope.

— Je sais.

— Non. Vous ne pouvez pas comprendre. L'homme qui a tué cette pauvre fille et l'a abandonnée là-bas sous les arbres, c'est cet homme-là qui a tué Hope.

Progrès

S'agit-il de révolution ? Appelez-la Progrès. S'agit-il de progrès ? Appelez-le Demain.

Victor Hugo

11

Je ne pouvais pas la croire. Il y avait – il y a – des douzaines de raisons, logiques, rationnelles, prouvant que Tory se trompe. Ces points, les uns de détail, d'autres plus importants, rendent impossible ce qu'elle prétend à propos de l'adolescente tuée le long de la route. Cette fille ne peut pas avoir été tuée par le même monstre qui a assassiné ma sœur.

La petite Hope avec ses cheveux volant au vent et ses yeux pleins de gaieté, de secrets.

Je peux dresser tout de suite et sans hésitation la liste de ces raisons, ce que je n'ai pas pu faire hier soir avec Tory. Je l'ai déçue, je le sais. Je l'ai compris à la manière dont elle m'a regardé, à la manière dont elle s'est barricadée derrière un mur de silence. Je l'ai blessée en refusant de la croire, en suggérant – non, en insistant pour – qu'elle abandonne cette idée.

Mais ce qu'elle m'a dit, ce qu'elle m'a fait voir à travers ses yeux, l'horreur qu'elle a revécue là, juste devant moi, et dont elle a parlé ensuite si calmement, si sobrement, tout cela m'a ramené en arrière. À cet été lointain où tout a changé dans le monde.

Il serait peut-être plus utile d'écrire au sujet de Hope que de cette pauvre jeune fille inconnue.

Assis ici au bureau de mon père – ce sera toujours le bureau de mon père pour tout le monde, y compris pour moi-même –, je peux remonter le cours des jours, des mois, des années et me revoir à douze ans, encore assez innocent pour me montrer négligent avec ceux que j'aime, pour préférer mes amis à ma famille, pour rêver au jour où j'aurai l'âge de conduire une voiture, de boire de l'alcool, de faire toutes ces choses magiques réservées au monde des adultes.

Ce matin-là, j'ai accompli mes tâches, comme d'habitude. Mon père a toujours été à cheval sur les responsabilités, et il savait me faire entrer dans la tête ce qu'on attendait de moi. Du moins, avant la mort de Hope. Dans le courant de la matinée, j'étais allé avec lui inspecter les champs. Je me souviens d'être resté debout à observer cet océan de coton. Mon père demeurait fidèle au seul coton, alors que de nombreuses plantations du voisinage l'abandonnaient pour la culture du soja, des tomates ou du tabac. À Beaux Rêves, on faisait du coton et on ne me permettait pas de l'oublier.

Ce que je n'ai jamais fait.

Et ce jour-là, il était si simple de comprendre pourquoi, de contempler ces immenses étendues, de voir les capsules éclater magiquement sous la pression de la peluche. De voir les tiges se ployer sous le poids des capsules – certaines en portant peut-être une centaine, toutes s'ouvrant soudain comme des œufs. L'année était déjà avancée, la moisson abondait dans les champs, l'air sentait le coton. La chaude odeur de l'été finissant.

La récolte allait être bonne. Le coton serait cueilli, mis en sac et transformé. Et Beaux Rêves continuerait de vivre, même si ceux qui y habitent aujourd'hui ne sont plus guère que des fantômes.

Je fus libéré peu après midi. Mon père tenait à ce que je travaille, apprenne, transpire, mais il voulait aussi que je vive comme un garçon de mon âge. C'était un homme bien, un bon père, et pendant les douze premières années de ma vie il a représenté pour moi ce qu'il y avait de plus solide, de plus chaleureux, de meilleur.

Il m'a manqué, bien avant sa mort.

Ce jour-là, quand il me donna quartier libre, je pris ma bicyclette, un splendide vélo caréné à douze vitesses que j'avais reçu à Noël, et je filai jusque chez Wade dans l'air épais et chaud. Nous avions construit une maison dans un arbre, dans la cour arrière de Wade, tout en haut d'un vieux sycomore. Dwight et Wade y étaient déjà installés et buvaient de la limonade en lisant des bandes dessinées. Il faisait beaucoup trop chaud pour faire autre chose, même à douze ans.

Mais la mère de Wade ne nous laissait jamais tranquilles. Elle ne cessait de tourner autour de nous, à l'affût du moindre de nos désirs – un soda bien frais, un sandwich au thon... Mme Boots a toujours eu un grand cœur, mais nous finissions vraiment par en avoir plein le dos de sa présence. Nous devenions des hommes – du moins nous considérions-nous comme tels – et il était plus que mortifiant de s'entendre offrir du thon et du Pepsi-Cola par une mère en tablier amidonné qui nous ramenait systématiquement à notre enfance.

Nous filâmes en direction du fleuve pour nous baigner. Je crois, honnêtement, que nous avons dû proférer quelques grossières moqueries – à nos yeux d'une intelligence brillante – à propos du gros derrière tout blanc de Dwight. De son côté, il riposta en comparant nos organes virils à diverses sortes de légumes plus vilains les uns que les autres. Bien entendu, de telles activités nous occupèrent follement pendant une heure.

Il était très facile d'avoir douze ans.

Nous nous étendîmes ensuite sur l'herbe. Dwight avait pris des coups de soleil et sa peau pâle était toute marbrée de rouge, comme chaque été. Sa mère le baignerait dans du vinaigre, qui suinterait pendant des jours des pores de sa peau en nuages presque visibles. Wade était déjà tout bronzé et moi aussi.

Nous discutions de sujets importants : est-ce que l'Alliance rebelle allait revenir vaincre Darth Vador et l'Empire du Mal ? Qui était le plus super des champions ? Superman ou Batman ? Comment pourrions-nous décider l'un de nos parents à nous emmener au cinéma ? Tels étaient les problèmes vitaux qui occupaient nos vies à cette époque.

Il devait être un peu plus de quatre heures, il me semble, et nous nous étions rendus à moitié malades en mangeant des pêches dont les guêpes s'étaient déjà délectées, ainsi que des poires encore vertes, quand Dwight déclara qu'il devait rentrer chez lui. Sa tante Charlotte venait de Lexington leur rendre visite et il devait être propre et à l'heure pour dîner. Les parents de Dwight étaient très stricts, il avait intérêt à ne pas être en retard.

Pour la circonstance, il serait obligé de porter un short bien repassé et un nœud papillon. Avec une amicale générosité, nous attendîmes qu'il soit hors de portée de voix pour ricaner à ce sujet.

Nous nous quittâmes un peu plus tard, Wade et moi, lui pour rentrer en ville, moi pour regagner Beaux Rêves.

Je croisai Tory en chemin. Elle n'avait pas de bicyclette et rentrait de notre maison chez elle à pied. Je suppose qu'elle était allée jouer avec Hope. Elle avait les pieds nus, poussiéreux, et son chemisier était trop petit. Je n'avais pas vraiment remarqué cela à l'époque, mais j'ai gardé en mémoire une image très nette d'elle avec ces lourds cheveux bruns rejetés en arrière, ces grands yeux gris qui plongèrent droit dans les miens quand je passai à toute allure près d'elle sans dire un mot. Il n'était pas question alors que je m'arrête pour parler

161

à une fille, car cela aurait nui à ma dignité masculine. Mais je me souviens de m'être retourné pour la regarder s'éloigner sur ses solides jambes brunies par l'été.

Lorsque je revis ses jambes la fois suivante, elles portaient des traces de coups toutes fraîches.

Quand j'arrivai, Hope était dans la véranda en train de jouer aux boules. Je me demande si les petites filles y jouent encore. Hope était championne à ce jeu et battait quiconque se risquait à la défier. Elle voulut me convaincre de jouer avec elle, allant même jusqu'à m'offrir un handicap. Ce que je considérai naturellement comme une insulte insupportable. Je crois lui avoir dit que ce genre d'amusement était bon pour les enfants et que j'avais des choses plus importantes à faire. Son rire et le son de la boule qui rebondit me suivirent jusqu'à l'intérieur de la maison.

Je donnerais une année de ma vie pour remonter le temps et me retrouver à cet instant précis, assis dans la véranda à me faire battre aux boules par Hope.

La soirée s'écoula, semblable à toutes les autres. Lilah m'envoya en haut prendre un bain en déclarant que je sentais le sconse de rivière.

Maman était dans le salon de devant. Je le savais parce que j'entendais venir de là sa musique préférée. Je n'y allai pas : je savais par expérience que les garçons malodorants et en sueur n'étaient pas les bienvenus dans cette pièce.

Quand j'y repense, c'est drôle, je me rends compte à quel point des garçons comme Dwight, Wade et moi étions gouvernés par nos mères. Celle de Wade avec ses mains papillonnantes et ses yeux chaleureux, celle de Dwight avec ses sacs de gâteaux et de bonbons auxquels il devait d'être gros comme une loutre de mer et la mienne avec ses principes rigides sur ce qui se faisait et ne se faisait pas.

Je ne l'avais jamais réalisé jusqu'alors, ni supposé que cela pouvait compter à ce point. Si nous l'avions compris à l'époque, cela aurait pu être important.

Ce soir-là, ce qui importait à mes yeux, c'était d'éviter les reproches de ma mère, aussi montai-je directement à l'étage. Faith était dans sa chambre en train de revêtir une de ses nombreuses poupées Barbie d'une robe de panoplie. Je le sais car je m'arrêtai un bref instant devant sa porte pour ricaner.

Je pris une douche ; j'avais décidé depuis peu que les bains étaient bons pour les filles ou les hommes vieux et ridés. Je n'ai sûrement pas manqué de déposer mon linge sale dans le panier, sinon, Lilah m'aurait tordu l'oreille d'un petit coup sec et douloureux. Je revêtis des vêtements propres, me peignai et consacrai probablement quelques instants à gonfler mes biceps et à étudier le résultat dans la glace avant de descendre.

Au dîner, nous eûmes du poulet avec de la purée de pommes de terre au jus et des petits pois tout frais cueillis dans le jardin. Faith n'aimait pas les petits pois, ce qui aurait pu être admis à la rigueur, mais elle en fit toute une histoire, selon son habitude, et finit par répondre à Maman, qui lui ordonna de quitter la table et d'aller dans sa chambre.

Je crois bien qu'on a donné ce qui restait dans son assiette à Chauncy, le vieux chien de chasse de Papa qui est mort l'hiver suivant.

Après dîner, je sortis faire un tour, tentant d'imaginer comment je pourrais m'y prendre pour convaincre Papa de me laisser construire un fort. Jusque-là mes efforts dans ce domaine avaient été tristement voués à l'échec, mais je me disais que si je trouvais l'endroit vraiment approprié, là où la structure serait dissimulée aux regards, j'aurais mes chances car Papa ne pourrait plus alors prétendre que ce serait une offense à la vue.

C'est au cours de cette reconnaissance que je découvris la bicyclette de Hope, qu'elle avait dissimulée derrière les buissons de camélias.

Il ne m'est pas venu à l'idée de cafarder. Nous ne pratiquions pas ce genre de petite guerre entre frères et sœurs, sauf sur un coup de colère ou quand notre intérêt personnel l'emportait sur la loyauté que nous nous devions. Cela ne me regardait pas et je me dis seulement qu'elle projetait de rencontrer Tory quelque part dans la soirée ; elles étaient inséparables cet été-là. Je savais qu'elle l'avait déjà fait auparavant. Et il n'y avait pas lieu de le lui reprocher. Maman était beaucoup plus stricte avec ses filles qu'avec son fils. Je ne parlai donc pas de la bicyclette et continuai à me concentrer sur le fort.

Un seul mot de moi, et ses projets auraient été anéantis. Elle m'aurait jeté un de ses coups d'œil furieux, incendiaires, et aurait refusé de me parler pendant un jour, deux tout au plus si elle y parvenait.

Mais elle serait encore en vie.

Au lieu de cela, je rentrai à la maison au crépuscule et me plantai devant la télévision, comme j'en avais le droit pendant les longues nuits d'été. J'avais douze ans et un formidable appétit, aussi je sortis à la recherche de quelque chose à manger. Tout en croquant des chips, je regardai Hill Street Blues en me demandant quel effet ça faisait d'être un policier.

Quand j'allai me coucher, le ventre plein et les yeux fatigués, ma sœur était déjà morte.

163

Il avait pensé écrire davantage, mais n'y parvint pas. Il avait voulu mettre sur le papier ce qu'il savait du meurtre de sa sœur et de cette jeune fille nommée Alice, mais, en cours de route, ses pensées avaient dévié de la simple narration des faits pour s'égarer dans les souvenirs et le chagrin.

Il n'avait pas réalisé à quel point le fait d'écrire sur elle la rendait vivante. Ni que les images de cette soirée et de la matinée suivante, si terribles, se dérouleraient à nouveau devant ses yeux comme au cinéma.

Était-ce la même chose pour Tory ? se demanda-t-il. Comme un film qui tourne dans la tête sans qu'on puisse l'arrêter ?

Non, pour elle, les sensations étaient plus fortes encore. S'attendait-elle à ce qui lui était arrivé lorsqu'elle avait été saisie par cette vision, la nuit précédente, et que cette fille, Alice, avait peut-être parlé par sa bouche ?

Quelle force lui fallait-il pour regarder cela en face, pour y survivre et se construire une vie ?

Il ramassa son récit et s'apprêta à le ranger dans un des tiroirs du vieux bureau. Mais, se ravisant, il préféra plier les feuilles et les glisser dans une enveloppe, qu'il cacheta.

Il devait revoir Tory. Lui parler de nouveau. Il avait eu raison quand il lui avait déclaré le premier jour que le fantôme de sa sœur se tenait juste entre eux.

Ils ne pourraient ni avancer ni reculer tant qu'ils n'auraient pas fait enfin le deuil de celle qu'ils avaient perdue.

Il entendit la pendule ancienne du grand-père sonner l'heure de ses coups sonores réveillant des échos à travers la maison. Deux coups. Dans quatre heures, il serait de nouveau debout en train de s'habiller dans la lumière naissante avant d'aller prendre le petit déjeuner que Lilah insistait pour lui préparer. Il ferait un tour en voiture dans les champs, pour examiner l'évolution des cultures avec la foi et le fatalisme qui sont le propre de tout planteur, pour contrôler la présence d'insectes, pour étudier le ciel.

Malgré, ou peut-être à cause de toute la science qu'il avait acquise et mise en application, *Beaux Rêves* était devenue sous sa direction plus une plantation que la seule exploitation agricole léguée par son père. Il employait davantage de personnel, misait plus sur le travail manuel que la génération précédente. Il consacrait de plus grands efforts – et davantage d'argent – à l'égrenage, au tassement, au stockage et à la transformation que ne l'avaient fait son père et, avant lui, son grand-père. *Beaux Rêves* avait ainsi acquis une plus grande autonomie, comme avant la guerre de Sécession, mais elle était devenue aussi une exploitation industrielle active, diversifiée.

Malgré cela, malgré ses cartes et sa science, ses projets industriels soigneusement élaborés, il continuait d'étudier le ciel avec l'espoir que la nature voudrait bien coopérer.

Finalement, songea-t-il en ramassant l'enveloppe, seul le destin a le dernier mot.

Il éteignit la lampe de bureau et, se dirigeant à la lueur de la lune filtrant à travers les fenêtres, descendit l'escalier à vis et quitta la tour. Les quatre heures de sommeil qui lui restaient étaient nécessaires car, après le travail de la matinée, il avait des réunions prévues à l'usine. Il ne devait pas oublier de prendre quelques échantillons pour Tory et de préparer une proposition.

S'il venait à bout de tout ça, il irait la voir dans la soirée. Comme il pénétrait dans sa chambre, il soupesa l'enveloppe dans sa main, alluma la lumière et la glissa dans le porte-documents posé à côté des bottes qu'il mettait pour aller aux champs.

Il était en train de déboutonner sa chemise quand une légère brise lui apporta une odeur de fumée qui attira son regard vers les portes-fenêtres ouvrant sur sa terrasse. Il s'avança, nota qu'elles n'étaient pas complètement fermées et aperçut à travers les vitres la lueur d'une cigarette.

— Je me demandais à quelle heure tu allais rentrer.

Faith se retourna. Elle portait la robe qui, en ce moment, avait ses faveurs et, les coudes appuyés sur la pierre, prit la pose.

— Pourquoi ne vas-tu pas fumer à ta propre fenêtre ?

— Je n'ai pas une aussi belle terrasse que le maître de la maison.

C'était un autre sujet de dispute entre eux. Pourtant, Cade eût accepté sans difficulté que sa sœur profitât de cette pièce davantage que lui. Mais tout changement eût déclenché une guerre ouverte contre sa mère, qui tenait beaucoup à le voir occuper l'ancienne chambre de son père.

Elle leva sa cigarette et en tira lentement une bouffée.

— Tu es toujours fâché contre moi, n'est-ce pas ? Je ne t'en veux pas. Ce que j'ai fait, c'était moche. Quand je suis en colère, je ne réfléchis plus.

— Si c'est une excuse, bon. Maintenant, va-t'en et laisse-moi me coucher.

— Je couche avec Wade.

— Seigneur ! (Cade pressa si fort ses yeux de ses doigts qu'il s'étonna de ne pas les voir lui transpercer le crâne.) Tu t'imagines que j'ai besoin de savoir ça ?

— J'ai découvert un de tes secrets, alors je te révèle un des miens. Comme ça, nous sommes quittes.

— Rappelle-moi de faire publier cette nouvelle dans le journal demain. Wade ! (Il se laissa tomber sur une des chaises métalliques de la terrasse.) Bon sang, Faith !

— Oh ! ne fais pas cette tête-là. Ça marche très bien entre nous.

— Jusqu'à ce que tu lui aies absorbé toute sa substance et que tu le recraches comme un vieux chewing-gum.

— Ce n'est pas dans mes projets. (Elle eut un petit rire dépourvu d'humour.) Je ne fais d'ailleurs jamais de projets. Les choses arrivent, tout simplement.

Elle jeta son mégot par-dessus la balustrade, sans penser que sa mère le trouverait sûrement et en serait irritée.

— Auprès de lui, reprit-elle, je me sens bien. Quel mal à ça ?

— Aucun. Ce sont tes affaires.

— Comme toi et Tory, ce sont les tiennes.

Elle fit un pas en avant.

— Je suis désolée, Cade. C'était stupide et méchant. Je voudrais pouvoir revenir en arrière et ne l'avoir jamais dit.

— Tu répètes toujours ça, mais, en attendant, le mal est fait.

— Non. La moitié du temps, je ne le pense pas. Cette fois, si.

Elle lut dans ses yeux plus de fatigue que de colère et tendit la main pour faire courir ses doigts dans les cheveux de son frère. Elle avait toujours envié le poids et les boucles de sa chevelure.

— Écoute, ne fais pas attention à ce que dit Maman. Elle n'a pas à te commander ce que tu dois faire. Même si elle a probablement raison.

— Non, elle n'a pas raison.

— Bon. Je suis bien la dernière à pouvoir donner des conseils en matière de complications sentimentales.

— Exactement.

— Aïe ! (Elle leva un sourcil.) Voilà une flèche bien rapide. Je voulais juste dire ceci avant de me mettre à saigner : cette famille est déjà bien assez tordue par elle-même sans y ajouter encore un élément bizarre comme Tory Bodeen.

— Elle a fait partie du drame de cette nuit-là.

— Cade, tout était déjà compliqué avant la mort de Hope.

Il eut l'air si heurté par cette constatation et si fatigué qu'elle faillit faire marche arrière et tourner la chose en plaisanterie. Mais, depuis l'arrivée de Tory en ville, elle avait tourné et retourné cela dans sa tête et le moment était venu de révéler ses pensées.

166

— Tu devrais y réfléchir. (La colère contre lui et, plus encore, un certain dégoût d'elle-même donnaient à sa voix un éclat métallique acéré.) Au moment même de notre naissance, à tous trois, les dés étaient jetés. De même pour Papa et Maman avant nous. Tu ne t'imagines tout de même pas que leur mariage était une histoire d'amour ? Tu peux préférer voir les choses en rose, mais tu sais parfaitement ce qu'il en est.

— Ils ont formé un bon couple, Faith, jusqu'à...

— Un bon couple ?

Elle tira son paquet de cigarettes de la poche de sa robe et ajouta, avec une pointe de dégoût :

— Qu'est-ce que ça veut dire, bon sang ? Un bon couple ? Parce qu'ils étaient parfaitement assortis ? Parce qu'il était bien vu que l'héritier de la plus grande et de la plus riche plantation épouse une fille de bonne famille ? Alors, oui, c'était un bon couple. Il est même possible qu'ils aient éprouvé un certain penchant l'un pour l'autre, du moins pendant quelque temps. Ils ont fait leur devoir, conclut-elle amèrement en allumant son briquet. Ils nous ont faits, nous.

— Ils ont fait de leur mieux, rectifia Cade d'un air las. Tu n'as jamais voulu t'en rendre compte.

— Ce « mieux » n'était peut-être pas suffisant, pour moi, en tout cas. Et je ne vois pas pourquoi il le serait pour toi. Quel choix t'ont-ils jamais laissé, Cade ? Toute ta vie, on a attendu de toi que tu deviennes le maître de *Beaux Rêves*, on t'a dressé pour ça. Et si tu avais voulu devenir plombier ?

— C'était mon ambition secrète. J'ai souvent réparé des robinets qui coulaient juste pour me donner le frisson de l'aventure...

Elle éclata de rire et sa colère s'émoussa.

— Tu sais très bien ce que je voulais dire. Tu aurais pu vouloir devenir ingénieur, ou écrivain, ou encore médecin, n'importe quoi d'autre, mais on ne t'a jamais donné le choix. Tu étais l'aîné, l'unique fils, ton destin était tout tracé.

— C'est juste. Et je ne sais pas ce qui se serait passé si j'avais souhaité suivre une autre voie. La vérité, Faith, c'est que je n'en ai jamais eu envie.

— Eh bien, je ne comprends pas comment tu as pu grandir en entendant sans cesse nos parents seriner : « Quand Cade dirigera *Beaux Rêves*... » « Quand Cade tiendra les rênes... » Tu n'as jamais eu le goût de faire autre chose, jamais déclaré que tu allais jouer de la guitare dans un groupe de rock.

Ce fut à son tour de rire. Il poussa un soupir et s'adossa à la balustrade. C'était pour cela qu'elle venait si souvent le retrouver dans sa

167

chambre, qu'elle recherchait sa compagnie. Avec Cade, elle pouvait s'épancher tout son soûl. Il la laissait parler. Il l'écoutait.

— Cade, ils ont fait de nous ce que nous sommes, ne le vois-tu pas ? C'est possible qu'en fin de compte tu aies eu ce que tu désirais. J'en suis heureuse pour toi, c'est vrai, je te l'assure.

— Je le sais.

— Mais ils n'ont pas bien agi pour autant. On attendait de toi que tu sois intelligent, que tu saches ceci, que tu penses cela... Et pendant que tu étais en train d'apprendre à vivre, on se contentait de me dire, à moi, d'être sage, de ne pas parler trop fort, de ne pas courir dans la maison.

— Tu peux te rassurer en te disant que tu n'as pas souvent obéi.

— J'aurais pu le faire, murmura-t-elle. J'aurais pu le faire si je n'avais pas déjà compris que cette maison n'était rien d'autre qu'un terrain d'entraînement pour devenir une bonne épouse, faire un bon mariage, exactement comme a fait Maman avant moi. Personne ne m'a demandé si je ne désirais pas quelque chose de plus, quelque chose d'*autre*, et quand c'était moi qui posais des questions, on me faisait taire. Laisse ton père s'occuper de ça, ou ton frère. Fais tes exercices au piano, Faith. Lis un bon livre pour avoir des sujets de conversation intelligents. Mais pas trop non plus. Il ne faudrait pas qu'un homme puisse te croire plus intelligente que lui. Quand tu te marieras, ta tâche sera de rendre ta maison agréable.

Elle contempla le bout de sa cigarette.

— Selon les règles des Lavelle, ce simple programme devait être le point culminant de mes ambitions. Alors, bien entendu, étant telle que je suis, j'étais absolument décidée à faire tout le contraire. Je n'allais pas me retrouver à la trentaine dans la peau d'une femme desséchée et frustrée, certainement pas ! Pour éviter cela, je me suis enfuie avec le premier beau garçon qui me l'a demandé, car il représentait l'opposé de ce que j'étais censée désirer. Un mariage, un divorce, avant même d'avoir vingt ans...

— Comme ça, tu leur as fait voir qui tu étais, n'est-ce pas ? fit Cade à voix basse.

— Parfaitement. Et j'ai récidivé. Autre mariage, autre divorce. Après tout, j'avais été formée exclusivement en prévision de ce genre de mariage. J'ai voulu éviter ce qu'avait fait Maman et je me suis coincée moi-même. Me voilà maintenant à vingt-six ans, avec deux échecs derrière moi. Et pas d'endroit où aller, en dehors d'ici.

— Te voilà ici, précisa Cade, à vingt-six ans, jolie, intelligente et avec assez d'expérience pour ne pas répéter tes premières erreurs. Tu

168

n'as jamais demandé à participer aux travaux de la plantation, ou de l'usine. Si tu veux apprendre, travailler...

Le regard qu'elle lui lança stoppa net les mots dans sa gorge. Il retint un sourire. Cade était toujours si calmement indulgent, pensa Faith.

— Décidément, tu es si généreux par rapport au reste de la famille. Dieu seul sait comment tu peux y arriver. Mais c'est trop tard pour moi, Cade. Je suis le produit de mon éducation et de ma rébellion contre elle. Je suis paresseuse et cela me plaît. Un de ces jours, je me trouverai un vieil homme riche et un peu gâteux, puis je le persuaderai de m'épouser. Je prendrai soin de lui, naturellement, et son argent me filera entre les doigts comme de l'eau. Je pourrai même être fidèle, par-dessus le marché. Je l'ai été avec les autres, pour tout le bien que ça m'a rapporté. Ensuite, avec de la chance et un peu de temps, je serai une riche veuve et je pense que cela me conviendra parfaitement.

« Comme cela convient à Maman », songea-t-elle amèrement.

— Tu vaux mieux que ce que tu crois, Faith. Cent fois mieux.

— Non, mon chou. Bien moins. Les choses auraient peut-être tourné autrement, vois-tu, un tout petit peu, si Hope avait vécu. Mais elle n'a même pas eu cette chance.

— C'est exclusivement la faute de ce salopard qui l'a tuée.

— Tu le crois vraiment ?

Faith parlait d'une voix très calme.

— Serait-elle sortie ce soir-là, aurait-elle recherché toutes ces aventures avec Tory si elle ne s'était pas sentie emprisonnée ici comme je le ressentais moi-même ? Je me le demande. Se serait-elle échappée par sa fenêtre si elle avait su qu'elle pouvait faire ce qui lui plaisait et avec qui elle voulait le lendemain matin ? Je la connaissais mieux que quiconque dans cette maison. C'est toujours le cas pour des jumelles. Elle serait devenue quelqu'un, Cade, parce qu'elle cherchait tranquillement à prendre la direction des opérations. Mais cette chance ne lui a pas été donnée. Et quand elle est morte, l'illusion d'un équilibre dans cette famille a disparu avec elle. C'était leur préférée, tu sais.

Faith serra les lèvres et jeta sa cigarette.

— Ils la préféraient à toi, à moi. Après cela, je peux compter les fois où ils ont jeté les yeux sur moi, sur moi qui lui ressemblais tant, et je pouvais lire dans leur regard : « Pourquoi n'était-ce pas moi qui m'étais trouvée dans le marais à la place de Hope ? »

— Non. Ce n'est pas vrai. Personne n'a jamais pensé cela.

— Moi, je l'ai pensé. Et j'ai senti qu'ils le faisaient. Ma présence leur rappelait sans cesse sa mort. Ils ne pouvaient me le pardonner. Mais je ne pouvais pas être elle, Cade.

— Je sais.

En effleurant son visage, il vit la femme que sa sœur morte aurait pu devenir, l'enfant qu'elle avait été. Il vit ses yeux brillants de larmes refléter la pâle lumière. Comme Hope paraissait vivante, là, en cet instant ! songea-t-il. Elle représentait quelque chose qu'ils partageaient et ils ne pourraient jamais rien partager d'autre, ni personne, de cette façon.

— Alors, Papa s'est refermé comme une huître. Il n'a plus vécu que pour idolâtrer son souvenir en cherchant à se consoler dans le lit d'autres femmes. Et Maman est devenue plus froide, plus dure. Toi et moi avons continué sur notre chemin si bien tracé. Et nous voilà tous les deux au milieu de la nuit, sans personne d'autre à appeler à l'aide. Nous sommes seuls à pouvoir nous donner de l'amour l'un à l'autre.

C'était douloureux de l'entendre, mais c'était vrai, il le savait.

— Nous ne sommes pas obligés de rester dans cet état.

— Cade, nous *sommes* ainsi.

Elle s'approcha de lui et posa sa tête contre son épaule quand il l'entoura de ses bras.

— Aucun de nous deux n'a jamais aimé qui que ce soit, jamais assez pour retrouver cet équilibre perdu. Mais nous aimions Hope, nous savions peut-être déjà à l'époque que les choses tenaient debout grâce à elle.

— Il est impossible de modifier le passé, tu le sais bien. Tout ce que nous pouvons faire, c'est essayer au moins de bien vivre le présent. Et nous comporter en conséquence.

— Peut-être, mais il se trouve que je n'ai pas envie de faire cela. Je déteste Tory Bodeen parce que, en revenant ici, elle fait remonter les souvenirs que j'avais enfouis au fond de ma mémoire. À cause d'elle, je me rappelle combien ma sœur me manque, combien j'ai du chagrin chaque fois que je pense à elle.

— Elle n'a rien à se reprocher, Faith.

— Peut-être. (Elle ferma les yeux.) Mais, moi, j'ai besoin d'accuser quelqu'un.

12

L'affaire devait être traitée le plus rapidement et efficacement possible. Margaret savait que les individus d'une certaine classe sociale sont sensibles à l'argent. Avec lui on pouvait acheter leur silence, leur loyauté et ce qui passait pour leur honneur.

Elle s'habilla avec soin – mais elle ne manquait jamais de le faire – pour la rencontre. Elle portait un élégant ensemble bleu marine au style impeccable avec, autour du cou, le rang de perles qui lui venait de sa grand-mère. Comme chaque matin, elle s'assit devant sa coiffeuse, pas tellement pour dissimuler les traces de son âge – car elle le considérait en l'occurrence comme un avantage –, mais pour s'en servir afin de mettre en valeur sa personnalité et son rang.

Personnalité et rang lui tenaient lieu à la fois d'épée et de bouclier.

Elle quitta la maison à huit heures cinquante précises, après avoir informé Lilah qu'elle avait un rendez-vous de bonne heure et qu'elle déjeunerait à Charleston. Elle serait de retour vers quinze heures trente.

Bien entendu, elle respecterait ponctuellement ce programme.

Selon ses calculs, l'affaire que Margaret devait régler avant de poursuivre sa route vers le sud ne lui prendrait pas plus d'une demi-heure, mais elle avait prévu une marge de trois quarts d'heure qui lui laissait largement le temps de faire les quelques courses figurant sur sa liste avant le déjeuner.

Elle aurait pu prendre une voiture avec chauffeur et même avoir un chauffeur attitré dans son personnel. Elle aurait pu faire faire les

171

courses par un domestique. Mais elle ne s'autorisait pas ce qu'elle considérait comme des faiblesses.

Selon elle, la maîtresse de *Beaux Rêves* devait se faire voir en ville, patronner certains magasins et entretenir des relations avec les commerçants de bon aloi et les fonctionnaires.

Il n'était pas question de négliger cette responsabilité sociale pour des raisons de convenance personnelle.

Margaret faisait d'ailleurs plus que signer des chèques généreux au profit d'associations charitables sélectionnées. Elle était également membre d'un certain nombre de comités. Ses inclinations personnelles pouvaient certes expliquer sa participation à l'association artistique et à la société d'histoire de Progress, mais certainement pas l'énergie et les fonds qu'elle leur consacrait.

En plus de trente-deux ans de règne sur *Beaux Rêves*, jamais elle n'avait failli à ses obligations. Et elle n'avait pas l'intention de le faire aujourd'hui.

Elle ne tressaillit pas quand elle longea la rangée d'arbres moussus couvrant l'entrée du marais, pas plus qu'elle ne ralentit. Elle ne remarqua pas qu'on avait remplacé les planches du petit pont, ni que le sumac avait été coupé.

Elle poursuivit fermement sa route, dépassant les lieux où sa fille avait trouvé la mort. Si elle éprouva un pincement au cœur, son visage ne refléta rien.

Il n'avait rien reflété non plus le jour où l'on avait enterré Hope, son enfant bien-aimée, alors que son cœur déchiré, son cœur de mère, saignait.

Son visage était toujours aussi net et impassible lorsqu'elle s'engagea dans l'étroit chemin menant à la maison du marais. Elle se gara derrière le break de Tory et ramassa son sac sans même se regarder au passage dans le rétroviseur, coup d'œil inutile et autre signe de faiblesse.

Elle descendit de voiture, referma la portière et la verrouilla.

Elle n'était pas revenue à la maison du marais depuis seize ans. Elle savait qu'on y avait fait des travaux, ordonnés et payés par Cade malgré le silence désapprobateur que Margaret avait opposé à cette initiative. Une couche de peinture fraîche et quelques buissons fleuris ne pourraient rien changer au passé.

Une bicoque. Un taudis. Voilà ce que c'était et ce que ça serait toujours. Rien n'aurait pu la contraindre à y vivre. Il y avait même eu un temps, au cœur de son chagrin, où elle aurait voulu brûler la maison, mettre le feu au marais, pour que tout se consume en enfer.

Insensé, naturellement. Et elle n'avait rien d'insensé.

La maison appartenait aux Lavelle, elle devait donc être entretenue et transmise à la génération suivante.

Elle gravit les marches, ignorant les parfums de la charmille croulant sous les fleurs et la vigne vierge, et frappa sèchement contre le cadre de bois de la porte grillagée.

À l'intérieur, Tory, qui tendait la main pour prendre sa tasse, laissa son geste en suspens. Elle était en retard, mais s'en fichait éperdument. Morte de fatigue, elle avait dormi tard et n'était pas encore habillée. Elle essayait de se mettre en train en se rappelant ses responsabilités et en se reprochant une complaisance excessive à son égard. Une bonne tasse de café relancerait la machine et lui donnerait assez d'énergie pour aller à la boutique et achever ses préparatifs en vue de l'ouverture.

L'interruption n'était pas seulement malvenue, mais à proprement parler intolérable. Il n'y avait pas une seule personne qu'elle eût envie de voir, pas une seule parole qu'elle désirât échanger. Elle aurait souhaité plus que tout retourner au lit et trouver enfin le sommeil sans rêves qui l'avait fuie tout au long de la nuit.

Elle répondit cependant aux coups à la porte, car ne pas le faire eût été impoli. Cela, du moins, Margaret aurait pu le comprendre.

En se trouvant face à la mère de Hope, elle ressentit aussitôt un sentiment de culpabilité, de trouble, d'embarras.

— Madame Lavelle !

— Victoria.

Le regard de Margaret glissa sur les pieds nus de Tory, sa tenue chiffonnée, ses cheveux emmêlés. Elle songea avec satisfaction que c'était bien le genre d'une Bodeen.

— Je vous demande pardon. Je pensais que vous seriez levée, à neuf heures, et prête pour la journée.

— Oui, oui. Je devrais l'être.

Affreusement gênée, Tory tira sur la ceinture de sa robe de chambre.

— J'étais... je crains de ne pas m'être réveillée.

— J'aurais besoin de vous parler quelques instants. Puis-je entrer ?

— Oui. Bien sûr.

Avec tout son sens des convenances soigneusement acquis au long des années, Tory tâtonna maladroitement pour déverrouiller la porte grillagée de la moustiquaire.

— Je crains que la maison ne soit pas plus présentable que moi.

Elle avait déniché un adorable fauteuil, un grand siège à oreilles bien rembourré d'un bleu passé. Avec la petite table de marqueterie qu'elle se proposait de restaurer, c'était le seul ameublement de son salon.

173

Il n'y avait ni tapis, ni rideaux, ni lampes. Pas non plus le moindre grain de poussière, cependant Tory eut l'impression d'introduire une reine dans un taudis.

Sa voix résonna de façon désagréable dans la pièce à peu près vide tandis que Margaret, debout, en faisait silencieusement l'inventaire accablant.

— J'ai concentré tous mes efforts sur l'installation du magasin et je n'ai pas...

Réalisant que ses poings étaient crispés, Tory se contraignit à les dénouer. Bon sang, elle n'avait plus huit ans, elle n'était plus une enfant humiliée et effrayée par le regard désapprobateur de cette femme hautaine.

— Je viens de faire du café, dit-elle avec une politesse appliquée. Voulez-vous en prendre une tasse ?

— Y a-t-il un siège ?

— Oui. Pour l'instant et jusqu'à ce que mon affaire soit lancée et tourne sans heurt, je vis principalement à la cuisine et dans ma chambre.

« Bavardage, pensa-t-elle en indiquant le chemin. Cesse de bavarder. Il n'y a rien dont tu doives t'excuser. »

Et pourtant il y a tout.

— Asseyez-vous, je vous en prie.

Là au moins elle avait acheté une bonne et solide table et des chaises. La cuisine était impeccable, presque gaie avec ses pots de fines herbes sur le rebord de la fenêtre et, sur la table, une coupe vernissée noire provenant de son stock.

Elle servit le café, avança le sucrier, mais se retrouva de nouveau mortifiée et rougit légèrement après avoir ouvert le réfrigérateur.

— Je crains de n'avoir pas de crème. Pas de lait non plus.

— C'est bien ainsi.

Margaret repoussa sa tasse de quelques centimètres, un affront subtil et délibéré.

— Voudriez-vous vous asseoir ? proposa-t-elle.

Elle garda un instant le silence. Elle connaissait la valeur des silences, et du temps qui passe.

Quand Tory se fut assise, elle joignit les mains et déclara d'un ton uni :

— J'ai appris que vous fréquentiez mon fils. (Pendant un autre bref silence, elle vit la surprise s'inscrire sur le visage de Tory.) Vous n'êtes pas sans savoir que, dans les petites villes, les commérages sont aussi déplaisants qu'inévitables.

— Madame Lavelle...

Margaret lui coupa la parole en levant un doigt.

— Je vous en prie. Vous avez été absente pendant plusieurs années. Et même s'il vous reste de la famille à Progress, vous êtes pratiquement une nouvelle venue. Une étrangère. Pratiquement, répéta-t-elle, mais pas totalement. Car pour je ne sais quelle raison vous avez décidé de revenir et d'ouvrir un magasin dans cette ville.

— Êtes-vous venue me demander mes raisons, madame Lavelle ?

— Elles ne m'intéressent pas. Je serai franche avec vous et vous dirai que je n'approuve pas mon fils de vous avoir loué la boutique et cette maison. Mais Cade est le chef de famille et, en tant que tel, seul à décider. Cependant, si ces décisions et leurs conséquences affectent notre situation familiale, cela devient une autre affaire.

Au fur et à mesure que Margaret parlait de sa voix douce, implacable, Tory recouvrait ses esprits. Elle avait encore l'estomac noué mais, quand elle prit la parole à son tour, sa voix était tout aussi douce et implacable.

— Puis-je savoir en quoi mon affaire et le choix de ma résidence affectent votre situation familiale, madame Lavelle ?

— Le seul fait est déjà en soi difficilement acceptable. Les circonstances sont gênantes, comme vous ne pouvez manquer de le savoir. Quant à cette implication personnelle, elle est absolument intolérable.

— Donc vous pouvez à la rigueur accepter mes liens avec votre famille au plan des affaires, mais vous me demandez de ne pas voir Cade personnellement ? C'est bien cela ?

— Oui.

« Qui est donc cette femme impassible au regard froid ? se demandait Margaret. Où est passée l'enfant maigrelette qui s'éclipsait ou se tenait dans l'ombre pour vous regarder ? »

— Cela pose un problème, car il est propriétaire à la fois de mon magasin et de ma maison et semble prendre ses responsabilités très au sérieux, fit remarquer Tory.

— Je suis prête à compenser le temps et les efforts que vous coûtera une nouvelle installation. Peut-être à Charleston, ou encore à Florence, où vous avez également de la famille.

— Compenser ? Ah ! je vois. (Toujours aussi parfaitement calme, Tory saisit sa tasse de café.) Serait-ce déplacé de ma part de vous demander quel genre de compensation vous envisagez ? Après tout, je suis une femme d'affaires.

Elle eut un petit sourire en voyant la mâchoire de Margaret se contracter comme un arc que l'on tend.

— Toute cette histoire est déplacée, et déplorable, à mon sens. Je n'ai pas d'autre choix que de m'abaisser à votre niveau pour protéger ma famille et sa réputation. (Margaret ouvrit son sac posé sur ses genoux.) Je suis disposée à vous verser cinquante mille dollars en échange de votre engagement de couper tout lien, avec Cade et avec Progress. Je vous remettrai la moitié de ce montant aujourd'hui et le reste après votre déménagement. Vous avez deux semaines pour partir.

Tory ne répondit rien. Elle connaissait, elle aussi, le prix du silence.

— Cette somme vous permettra de vivre plutôt confortablement pendant la période de transition, poursuivit Margaret d'un ton tranchant.

— Sans aucun doute !

Tory but une gorgée de café et reposa sa tasse bien au centre de la soucoupe.

— Cependant, je dois vous demander, madame Lavelle, ce qui vous fait croire que je pourrais être disposée à me laisser acheter ?

— Ne vous montrez pas plus susceptible que vous ne l'êtes. Je vous connais, dit Margaret en se penchant en avant. Je sais d'où et de qui vous venez. Vous pouvez vous dissimuler derrière vos manières calmes, derrière le masque d'une fausse respectabilité. Seulement, moi, je vous *connais*.

— C'est ce que vous croyez. Pourtant, je ne me sens ni calme ni respectable pour l'instant, je peux vous l'assurer.

Ce fut au tour de Margaret de sentir sa façade se fêler et d'avoir à la recomposer comme on rembobine du fil.

— Vos parents n'étaient que de la racaille. Ils vous laissaient courir tel un chat sauvage, arpenter la route jusqu'à ma fille pour l'attirer loin de sa famille et, finalement, la conduire à sa mort. Vous m'avez coûté un enfant, vous ne m'en coûterez pas un autre. Vous allez prendre mon argent, Victoria, exactement comme votre père l'a fait.

Cette fois, Tory se sentit frappée au cœur, mais elle résista.

— Que voulez-vous dire ?

— Pour lui, il n'a fallu que cinq mille dollars. Cinq mille pour vous éloigner de ma vue. Mon mari ne voulait pas vous chasser, bien que je l'en aie prié.

Ses lèvres se mirent à trembler puis se raffermirent. Pour la première – et la dernière – fois, elle lui avait demandé quelque chose. Elle ne demandait jamais rien à personne.

— Finalement, j'ai dû m'en occuper moi-même. Exactement comme maintenant. Vous allez partir. Mener ailleurs cette vie que vous auriez dû perdre cette nuit-là, à la place de ma fille. Et vous ne vous approcherez pas de mon fils.

— Vous l'avez payé afin qu'il s'en aille. Cinq mille dollars... murmura Tory, songeuse. Cela représentait pas mal d'argent pour nous. Je

176

me demande pourquoi nous n'en avons jamais vu la couleur. Je me demande ce qu'il en a fait. Enfin, peu importe. Je suis désolée de vous décevoir, madame Lavelle, mais je ne suis pas mon père. Je ne lui ressemble en aucun point, et votre argent n'y changera rien. Je resterai parce que j'ai besoin de rester. Il serait, certes, plus facile de partir. Vous ne pouvez pas comprendre cela, c'est pourtant la vérité. Et c'est la même chose pour Cade...

Elle se souvint combien il s'était montré distant, lointain, après l'incident de la nuit précédente.

— Il n'y a pas autant de choses entre Cade et moi que vous semblez le croire. Il s'est montré courtois envers moi pour la simple raison que c'est un homme d'une nature aimable. Rien de plus. Il n'est pas dans mes intentions de l'en remercier en brisant une amitié ou en lui rapportant cette conversation.

— Si vous vous opposez à mon souhait, je vous ruinerai. Vous perdrez tout, comme précédemment. Quand vous avez tué cet enfant à New York.

Tory blêmit et, pour la première fois, ses mains tremblèrent.

— Je n'ai pas tué Jonah Mansfield ! (Elle aspira une longue bouffée d'air, puis l'exhala en un soupir.) Simplement, je n'ai pas pu le sauver.

C'était là la faille, et Margaret s'empressa de l'agrandir.

— La famille vous a tenue pour responsable et la police aussi. Ainsi que la presse. Un second enfant est mort à cause de vous. Si vous restez ici, on en parlera. Tout le monde saura le rôle que vous avez joué. Croyez-moi, de vilaines rumeurs courront dans la ville.

Quelle folie, songeait Tory, d'avoir pu croire que personne ne ferait le lien entre elle et la femme qu'elle avait été à New York. La vie qu'elle s'y était construite s'était achevée par un nouveau naufrage.

Personne ne pouvait y changer quoi que ce soit. On ne pouvait rien y faire, seulement affronter le présent.

— Madame Lavelle, toute ma vie j'ai dû vivre au milieu de vilaines rumeurs, comme vous dites. Mais j'ai appris à ne pas les tolérer dans ma propre demeure. (Elle se leva.) À présent, je vous prie de vous en aller.

— Je ne renouvellerai pas mon offre.

— Non. Je ne le pense pas non plus. La porte est par ici.

Lèvres serrées, Margaret se leva à son tour et ramassa son sac.

— Je connais le chemin.

Tory attendit qu'elle se fût éloignée.

— Madame Lavelle, dit-elle alors calmement, Cade vaut beaucoup plus que vous ne le pensez. C'était également le cas de Hope.

Raidie par la douleur et la colère, Margaret crispa la main sur la poignée de la porte.

— Vous osez me parler de mes enfants ?

La moustiquaire se referma avec un bruit sec, la laissant seule.

— Oui, murmura Tory. J'ose.

Elle verrouilla la porte, et le bruit de la clé dans la serrure lui parut symbolique. Personne n'entrerait plus jamais ici sans sa permission. Et rien de ce qui était déjà à l'intérieur ne la blesserait plus, désormais. Elle se dirigea vers la salle de bains et se déshabilla, arrachant ses vêtements de nuit d'un geste brusque. Elle fit couler la douche très chaude, à la limite du supportable, et pénétra dans la vapeur brûlante.

Là, elle se laissa aller à pleurer. Non par compassion à son égard, mais parce que l'eau ruisselant sur sa peau, en même temps qu'elle lui donnait un sentiment de purification, emportait avec elle une familière pellicule d'amertume.

Le souvenir d'un autre enfant mort et de sa propre impuissance.

Elle pleura jusqu'à ce qu'elle se sentît vide et que l'eau fût devenue froide. Alors, elle leva le visage vers la douche glaciale et s'apaisa.

Quand elle fut sèche, elle se servit de la serviette de bain pour essuyer la buée sur le miroir et étudia ses traits. Sans complaisance ni excuse. Peur, refus, dérobade. Elle dut admettre que tout y était. Y avait toujours été. Elle était revenue, certes, mais pour s'enterrer, pour se dissimuler derrière le travail, la routine, les détails.

Pas une seule fois elle ne s'était ouverte au souvenir de Hope. Pas une seule fois elle n'était allée sous les arbres pour voir l'endroit qu'ils avaient aménagé. Pas une seule fois elle ne s'était rendue sur la tombe de sa seule véritable amie.

Pas une seule fois elle n'avait voulu affronter la véritable raison de son retour.

Cette attitude était-elle vraiment différente de la fuite ? Elle se posa la question. Était-ce si différent que d'accepter l'argent de Margaret et de disparaître dans n'importe quel autre lieu ?

Cade lui avait dit qu'elle manquait de courage et il avait eu raison.

Elle renfila sa robe de chambre, retourna à la cuisine, chercha un numéro dans l'annuaire, le composa et attendit.

— Bonjour, cabinet Biddle, Lawrence and Wheeler.

— Victoria Bodeen à l'appareil. Puis-je parler à Mᵉ Lawrence ?

— Un instant, je vous prie.

Elle n'attendit que le temps pour Abigail de prendre la communication.

— Tory, comme je suis contente de vous entendre ! Comment allez-vous ? Votre installation se passe-t-elle bien ?

— Oui, merci. J'ouvre le magasin samedi prochain.

— Déjà ? Vous avez dû travailler jour et nuit. Eh bien, il faudra que j'aille vous rendre visite prochainement.

— Je l'espère bien. Abigail, j'ai un service à vous demander.

— N'hésitez pas. Je vous dois beaucoup pour la bague de ma mère.

— Quoi ? Oh ! j'avais oublié !

— Je ne l'aurais sans doute pas retrouvée avant des années, et encore. J'explore rarement ces anciens dossiers. Que puis-je faire pour vous, Tory ?

— Vous devez avoir des contacts avec la police, j'imagine, du moins avec quelqu'un qui pourrait vous communiquer des informations sur une affaire déjà ancienne. Personnellement, je n'en ai pas. Sans doute pouvez-vous comprendre que je ne désire d'ailleurs pas en avoir.

— Je connais certaines personnes. Je vais voir ce que je peux faire.

— Il s'agit d'un homicide avec viol. (Inconsciemment, Tory commença à se frotter la tempe droite.) Une jeune fille de seize ans. Elle s'appelait Alice. Son nom de famille (elle frotta son front de plus en plus fort) était Lowell ou Powell, quelque chose d'approchant. Je ne suis pas absolument certaine. Elle faisait de l'auto-stop sur la départementale 513 en direction de l'est pour se rendre à Myrtle Beach. Elle a été entraînée sous les arbres à l'écart de la route, violée et étranglée.

Elle émit un profond soupir pour soulager la pression serrant sa poitrine.

— Je n'ai pas entendu parler de cette affaire aux informations, s'étonna Abigail.

— Non. Ce n'est pas récent. Je ne sais pas exactement à quand cela remonte. Je suis désolée. Peut-être dix ans. Ou moins. Peut-être plus. C'était en été. Il faisait très chaud. La nuit elle-même était brûlante. Je ne vous donne pas beaucoup d'indications.

— Non, en effet. Et ça fait un certain temps. Je vais voir ce que je peux trouver.

— Merci. Merci beaucoup. Je ne reste plus très longtemps chez moi. Je vous donne le numéro de téléphone de la maison et du magasin. Tout ce que vous pourrez me dire, quoi que ce soit, m'aidera.

Elle s'activa sans interruption pendant près de cinq heures et Abigail n'avait toujours pas rappelé.

Dans la rue, les passants s'arrêtaient pour regarder dans la vitrine le décor qu'elle avait créé à l'aide de boîtes anciennes et d'étoffes

179

tissées à la main pour présenter quelques échantillons soigneusement choisis de poteries, de verres soufflés et d'articles de ferronnerie. Elle garnit ses étagères et ses placards, accrocha des carillons éoliens et des aquarelles.

Elle disposa sur le comptoir divers articles à vendre, puis changea d'avis et en sélectionna d'autres. Tout en attendant la sonnerie du téléphone, elle organisa le coin des boîtes et sacs d'emballage.

Elle fut presque soulagée quand quelqu'un frappa. Jusqu'à ce qu'elle reconnût Faith à travers la vitre. Les Lavelle ne pouvaient donc pas la laisser tranquille un seul jour ?

— J'ai besoin d'un cadeau, déclara Faith au moment où Tory entrouvrait la porte.

Elle serait entrée si Tory ne l'avait pas fermement maintenue.

— Ce n'est pas ouvert.

— Oh ! zut. Hier non plus, ce n'était pas ouvert, non ? Je n'ai besoin que d'une seule chose, ce sera vite réglé. J'ai oublié l'anniversaire de tante Rosie et elle vient juste de téléphoner pour nous annoncer sa visite. Je ne veux pas la vexer, tu comprends.

Faith risqua un sourire implorant.

— Elle est déjà à moitié folle, ça pourrait la faire basculer définitivement.

— Tu lui achèteras quelque chose samedi.

— Mais elle sera là demain. Et si mon cadeau lui plaît, elle viendra elle-même samedi. Tante Rosie est richissime. Je vais lui prendre un objet très cher.

À regret, Tory céda.

— Dans ce cas, tiens parole, hein ?

— Très bien. Aide-moi à choisir.

Faith se mit à virevolter à travers la boutique.

— Qu'est-ce qu'elle aime ?

— Elle aime tout. Dis donc, tu as plus de choix que je ne l'avais imaginé !

Faith leva la main et fit tourner et tinter un carillon métallique.

— Ne cherche pas des trucs utiles. Je n'ai aucune intention de lui offrir des bols à salade ou ce genre de choses.

— J'ai plusieurs jolies boîtes à bijoux.

— Oh ? Ça devrait lui plaire.

Dans l'espoir d'être libérée plus rapidement, Tory alla chercher une grande boîte en verre biseautée dont les panneaux taillés en diamants étaient décorés de minuscules violettes et de roses peintes à la main.

— Est-ce que ça fait aussi de la musique ?

— Non.

180

— Ça ne fait rien. Elle l'aurait fait jouer toute la journée et la moitié de la nuit et nous aurait tous rendus fous. Elle la remplira sans doute de vieux boutons ou de vis rouillées, mais ça lui plaira.

Faith retourna l'étiquette et laissa échapper un petit sifflement.

— Eh bien ! Ce n'est pas donné... Tu vois que je tiens parole.

— Les panneaux sont taillés et peints à la main. Il n'existe pas de modèle semblable. (Satisfaite, Tory posa la boîte sur le comptoir.) Je vais l'emballer dans une boîte avec papier cadeau et rubans.

— Très généreux de ta part. (Faith sortit son carnet de chèques.) J'ai l'impression que tout est prêt, ici. Pourquoi attendre samedi pour ouvrir ?

— J'ai encore deux ou trois détails à régler. Et samedi est après-demain.

— Comme le temps file !

Elle jeta un coup d'œil à la somme que Tory venait de totaliser et rédigea rapidement son chèque pendant que la boîte était emballée.

— Prends une étiquette cadeau sur le présentoir et écris dessus ce que tu veux. Je l'attacherai avec le ruban.

— Hmm.

Faith en choisit une avec une petite rose en son centre, griffonna ses souhaits de bon anniversaire et fit suivre son nom d'une série de « X », pour « baisers ».

— Parfait. Avec ça, je vais être dans ses petits papiers pendant des mois.

Elle regarda Tory fermer la boîte avec un joli ruban blanc, fixer l'étiquette, puis terminer le tout par un nœud élégant.

— J'espère qu'elle lui plaira.

Elle tendit la boîte juste au moment où le téléphone se mit à sonner.

— Excuse-moi.

— Bien sûr. (Un éclat dans les yeux de Tory incita Faith à s'attarder.) Juste le temps de remplir le talon de mon chèque.

Le téléphone sonna une seconde fois.

— Va répondre. Je file dans une seconde.

Piégée, Tory décrocha.

— Boutique *Southern Comfort*, bonjour.

La voix d'Abigail résonna dans l'écouteur.

— Tory, je suis désolée, mais cela m'a pris pas mal de temps.

— Non, ce n'est rien. Je vous remercie. Avez-vous pu obtenir l'information ?

— Oui, je pense avoir trouvé ce que vous cherchez.

— Pouvez-vous patienter un instant ? Faith, je te tiens la porte.

181

Avec un léger haussement d'épaules, Faith prit son paquet. En sortant, elle se demanda qui pouvait bien être au bout du fil et pourquoi cet appel avait fait trembler les mains intelligentes et agiles de Tory.

— Pardonnez-moi. Il y avait quelqu'un dans le magasin.

— Pas de problème. La victime s'appelait Alice Barbara Powell, de race blanche. Seize ans. Son corps a été découvert cinq jours après le meurtre. Ses parents la croyaient à la plage avec des amis et n'ont signalé sa disparition que trois jours plus tard. Le corps... bon, Tory, les animaux sauvages étaient passés par là. On m'a dit que ce n'était pas beau à voir.

— Ont-ils attrapé le meurtrier ?

Elle connaissait déjà la réponse, mais elle voulait l'entendre.

— Non. L'affaire n'a jamais été élucidée. Cela s'est passé il y a dix ans.

— Connaissez-vous la date ? La date exacte du meurtre ?

— Je dois l'avoir ici. Un instant. C'était le 23 août 1990.

— Seigneur !

Un froid glacial se répandit au plus profond de ses os.

— Tory ? Que se passe-t-il ? Que puis-je faire ?

— Je ne peux pas vous expliquer. Pas maintenant. Abigail, croyez-vous pouvoir faire de nouveau appel à votre contact ? Y aurait-il moyen de savoir si des crimes semblables ont été commis dans les six années précédant cette date et dans les dix qui la suivent ? D'autres victimes à la même date, ou dans le courant du mois d'août.

— Très bien, Tory. Je vais lui demander. Mais quand j'aurai trouvé, d'une manière ou d'une autre vous devrez me dire pourquoi.

— Je suis désolée, Abigail. Il me faut la réponse d'abord. Je dois vous quitter maintenant. Pardonnez-moi.

Elle raccrocha vivement et se laissa tomber assise sur le sol.

Le 23 août 1990. Exactement huit ans après l'assassinat de Hope. Elle aurait eu seize ans cet été-là.

13

Les vivants apportent des fleurs pour les morts, des lis élégants ou de simples marguerites. Mais les fleurs déposées sur le sol meurent rapidement. Tory n'avait jamais compris à quelle symbolique correspondait le fait d'orner la tombe d'un être aimé de choses appelées à se faner et à flétrir. Sans doute pour réconforter ceux qui restaient, supposait-elle.

Voilà pourquoi elle choisit pour Hope non des fleurs, mais l'un de ces rares souvenirs qu'elle s'autorisait à elle-même : un cheval ailé dans un globe de verre. Quand on le secouait, des étoiles d'argent scintillaient.

Elle l'avait reçu en cadeau, le dernier cadeau d'anniversaire d'une amie disparue.

Elle parcourut le long terrain en pente où des générations de Lavelle et d'habitants de Progress connaissaient leur dernier repos. L'emplacement des tombes se signalait parfois par une simple pierre levée, parfois par des monuments plus élaborés, tel ce cheval cabré avec son cavalier coulés dans le bronze.

Hope l'appelait oncle Clyde, et il était effectivement l'un de ses ancêtres, un officier de cavalerie mort pendant la guerre de Sécession.

Une fois, Hope avait défié son amie de grimper derrière oncle Clyde sur le grand destrier. Tory se voyait encore escalader la statue et glisser sur le métal chauffé à blanc par le soleil qui laissait des traces rouges sur sa peau. Elle se demanda si Dieu n'allait pas la frapper à mort d'un éclair pour avoir osé un pareil blasphème.

Mais il ne l'avait pas fait et, pendant un instant, du haut de son monument de bronze, tandis que les rayons du soleil frappaient sa tête comme un lourd marteau, elle s'était sentie invincible en contemplant au-dessous d'elle le monde piqueté de vert et de brun. Les tours de *Beaux Rêves* lui avaient alors semblé plus proches, plus accessibles. Elle avait crié à Hope, restée en bas, que son cheval allait l'emporter jusque-là et qu'ils atterriraient au sommet de la tour.

Elle avait failli se rompre le cou en descendant et par chance était tombée sur le derrière et non sur la tête. Mais un coccyx endolori n'était rien comparé à cet instant d'extase passé là-haut sur le cheval cabré.

Pour son anniversaire suivant, celui de ses huit ans, Hope lui avait donné le globe. C'était le seul objet que Tory avait conservé de cette période de sa vie.

Maintenant, comme autrefois, des chênes verts et des magnolias odorants montaient la garde sur les pierres et les ossements, offrant leur ombrage tacheté de lumière. Ils formaient un écran protecteur entre ces lieux témoins de la précarité humaine et la royale demeure qui, là-bas, survivait à ses générations d'occupants.

Du cimetière à la maison de famille, le chemin était agréable. Tory l'avait parcouru un nombre incalculable de fois en compagnie de Hope, au cœur des étés brûlants comme par les froids hivers pluvieux. Hope aimait déchiffrer à haute voix les noms gravés dans la pierre. Elle disait que cela portait bonheur.

Tory se dirigea vers la tombe sur laquelle un ange jouait sur sa harpe une éternelle et muette sérénade. À haute voix, comme son amie jadis, elle prononça le nom creusé dans la stèle : « Hope Angelica Lavelle. »

— Bonjour, Hope !

Elle s'agenouilla sur l'herbe tendre, puis s'assit sur ses talons. Une brise douce et chaude apportait jusqu'à elle le parfum sucré des buissons de roses miniatures plantés de chaque côté de l'ange.

— Pardonne-moi de n'être pas venue plus tôt. Pourtant, j'ai si souvent pensé à toi durant toutes ces années. Je n'ai jamais eu une amie comme toi, une personne à qui je puisse tout dire, tout confier. J'ai eu tellement de chance de te connaître.

Tandis qu'elle fermait les yeux et ouvrait la porte à ses souvenirs, quelqu'un l'observait depuis le couvert des arbres. Quelqu'un dont les poings étaient si crispés que les jointures en étaient devenues toutes blanches. Quelqu'un qui savait ce que signifiait désirer follement l'innommable, vivre année après année avec ce désir tapi au fond d'un cœur éternellement affamé qui recommençait à sentir l'urgence de l'assouvissement.

Seize ans, et elle était revenue. Il avait attendu. Il avait guetté, sachant qu'il avait une chance de la voir réapparaître un jour et se retrouver au lieu même où tout avait commencé.

Quelle jolie image elles formaient toutes deux, Hope et Tory. La lumineuse et la sombre, l'enfant choyée et l'autre battue. Rien de ce qu'il avait fait avant cette nuit du mois d'août et rien de ce qu'il avait fait après ne lui avait procuré une jouissance semblable. Il avait essayé de la retrouver quand sa tension intérieure devenait trop ardente, trop impérieuse. Il avait tenté de reconstruire cette nuit et sa gloire indicible.

Mais rien ne l'avait égalée.

À présent, Tory constituait à son tour une menace. Bien sûr, il pouvait régler le problème rapidement, facilement. Mais alors il perdrait cette excitation toute neuve procurée par le sentiment de vivre chaque instant sur le fil du rasoir. Peut-être était-ce justement ce qu'il attendait depuis si longtemps. La retrouver ici, elle, et l'avoir à sa merci.

Il lui faudrait patienter jusqu'au mois d'août, s'il le pouvait. Une de ces nuits brûlantes d'été quand tout serait de nouveau comme avant. Comme il y avait dix-huit ans.

Il aurait pu s'occuper d'elle à n'importe quel moment pendant ces années. En terminer avec elle. Mais il était de ces hommes qui croyaient aux symboles, aux belles images. Cela devrait se passer ici, où tout avait commencé. Sans la quitter des yeux, il s'imagina la scène et sentit son excitation atteindre son paroxysme, à l'instar des autres fois quand il épiait Tory en cachette.

Hope et Tory. Tory et Hope.

Là où tout avait commencé, tout devait se finir.

Elle fut secouée d'un long frisson, comme si un doigt glacial l'avait parcourue de la nuque jusqu'aux reins. Elle jeta un coup d'œil inquiet derrière elle et attribua sa nervosité à l'atmosphère ambiante et à ses pensées.

Après tout, elle n'était pas à sa place ici, intruse parmi les morts et ceux qui avaient été aimés. Le jour baissait, de gros nuages gris venus de l'est obscurcissaient le soleil. Il pleuvrait cette nuit, à la grande satisfaction des paysans.

Elle n'allait pas s'attarder plus longtemps.

— Si tu savais combien je regrette de n'être pas venue cette nuit-là. J'aurais dû le faire, même après avoir été battue par mon père. Jamais il n'aurait imaginé que je pourrais le défier et quitter la maison.

185

Personne ne serait venu vérifier. Mais comment réussirai-je à t'expliquer ce que je ressentais quand il prenait sa ceinture pour me frapper ? Chaque coup m'arrachait un pan de courage, détruisait un morceau de moi-même, jusqu'à ce qu'il ne reste plus que la peur et l'humiliation. Si j'avais puisé au fond de moi assez de cran pour m'enfuir par la fenêtre, je nous aurais peut-être sauvées toutes les deux. Je ne le saurai jamais !

Les oiseaux se mirent à chanter, par trilles et en chœur, un son éclatant, insistant, que l'on aurait pu croire déplacé en ces lieux de silence, mais qui, au contraire, était parfait. Les oiseaux, le bourdonnement des abeilles butinant les roses et l'odeur des roses elles-mêmes, puissante, vivante. Oui, parfait.

Le ciel devenait menaçant, gonflé de nuées d'orage chassées par le vent très haut, trop haut pour rafraîchir les lourdes moiteurs montant de la terre.

Quand Tory respira, ce fut comme si elle se trouvait sous l'eau, comme si elle se noyait.

Elle secoua encore le globe et fit scintiller les étoiles.

— Mais je suis de retour, Hope. Quoi qu'il arrive, désormais, je suis là et je ferai tout mon possible pour me faire pardonner. Je ne t'ai jamais dit à quel point je t'aimais, ni combien le seul fait de t'avoir pour amie avait ouvert en moi une porte qui s'est refermée à ton départ. Je vais tenter de la rouvrir pour redevenir ce que j'étais quand tu te trouvais encore parmi nous.

Elle jeta un coup d'œil derrière elle vers la rangée d'arbres et les tours de *Beaux Rêves* pointant au-dessus des cimes. Pouvait-on l'apercevoir, ici en bas, du haut de la grande tour ? Y avait-il quelqu'un, derrière les vitres, en train de la regarder ?

Tory se sentait prête à le croire. Il lui semblait que là-bas, à l'abri des fenêtres, des yeux, un esprit, un cœur l'observaient. Attendaient.

Qu'ils observent donc, pensa-t-elle. Qu'ils attendent.

Elle se tourna de nouveau vers l'ange et la pierre tombale.

— Ils n'ont jamais retrouvé l'homme qui t'a fait ça. Moi, si je le peux, je le ferai.

Elle déposa le globe au-dessous de l'ange de manière que le petit cheval puisse s'envoler et les étoiles scintiller. Puis elle l'abandonna et s'éloigna.

Il tombait une pluie drue et fraîche quand Cade quitta la ville et s'engagea sur la route qui le ramenait chez lui. C'était une bonne pluie, elle mouillait bien, mais sans abîmer les jeunes pousses. Avec un peu de chance, elle durerait une bonne partie de la nuit et laisserait les champs gorgés d'eau et satisfaits.

Il voulait prélever des échantillons de terre pour comparer les résultats de ses plantations. L'année dernière, il avait cultivé des fèves car elles enrichissaient les sols en azote, dont son coton était si gourmand.

Il ferait les tests le lendemain, après la pluie, et pourrait ainsi confronter les bilans des quatre dernières années. Les fèves avaient produit une récolte convenable, mais moyennement rentable. Après ce dernier essai, il serait alors en mesure de savoir si cette culture se justifiait ou non.

Au moins pour lui-même, se dit-il. Car personne ne s'intéressait à ses calculs et à ses graphiques. Même Piney, qui, d'habitude, lui prêtait attention – du moins le prétendait-il –, n'y avait jeté qu'un coup d'œil distrait.

Peu importe, songea Cade. L'essentiel, c'était que lui les comprenne. Pour être vraiment sincère, il devait admettre qu'il ne leur accordait pas assez d'intérêt, en tout cas pour l'instant. Mais y penser lui était utile pour détourner son esprit de Tory et de ce qui s'était passé le soir précédent. Mieux valait en parler avec elle et tenter d'éclaircir la situation avant de rentrer chez lui se rafraîchir après sa journée de travail.

Tandis qu'il roulait en direction de la maison de la jeune femme, Cade fronça les sourcils en voyant une Mustang rouge décapotable tourner dans le chemin. Il s'y engagea derrière elle et fut encore plus surpris de voir J.R. en sortir.

— Salut, Cade ! Alors, que pensez-vous de mon nouveau petit joujou ?

Souriant d'une oreille à l'autre, J.R. tapotait l'aile étincelante de son cabriolet. Cade se dirigea vers lui.

— Elle est à vous ?

— Depuis ce matin. Boots dit que c'est une crise d'andropause. Les femmes regardent trop d'émissions de télé, si vous voulez mon avis. Moi je prétends que si on en a envie, et si on peut se le permettre, où est le mal ?

— Elle est magnifique, c'est vrai.

J.R. souleva le capot et, les mains dans les poches, les deux hommes contemplèrent le moteur.

— Il a l'air superpuissant, déclara Cade avec admiration. Qu'est-ce qu'il donne ?

— De vous à moi, j'ai poussé la voiture jusqu'à cent soixante et elle glisse sans le moindre effort. Il faut voir comment elle amorce les virages ! Hier, je suis allé chez Broderick, car il était temps que je change de voiture. Je voulais prendre le même genre de modèle que la mienne, mais, quand j'ai vu cette beauté me tendre les bras... (J.R. sourit et caressa son épaisse moustache argentée)... j'en suis tombé amoureux aussitôt.

Cade en fit le tour pour regarder à l'intérieur.

— Vous n'avez pas l'embrayage automatique ? s'étonna-t-il.

— Pas question. Quel plaisir de pousser les intermédiaires ! Je n'avais pas connu ça depuis – Dieu du ciel – depuis que j'étais encore plus jeune que vous. Je ne m'étais pas rendu compte à quel point cela m'avait manqué jusqu'à ce que j'enclenche le levier de vitesses. J'étais furieux d'avoir à remettre la capote quand il s'est mis à pleuvoir.

— À cent soixante à l'heure, vous risquez de vous ramasser un bon paquet de PV, dit Cade en souriant.

— Ça vaut le coup, non ?

J.R. administra encore une petite tape affectueuse à la voiture, puis jeta un coup d'œil vers la maison.

— Vous êtes venu voir Tory ?

— Juste en passant.

— Tant mieux. Je lui apporte des nouvelles qu'elle pourrait prendre plutôt mal. Autant qu'elle ait un ami près d'elle à ce moment-là.

— Qu'est-ce qui ne va pas ? Que s'est-il passé ?

— Rien de grave, Cade, mais elle en sera perturbée. Allons lui dire tout ça maintenant. (Il grimpa les marches et frappa.) Ça me paraît drôle de frapper à cette porte, pourtant j'en avais pris l'habitude quand je venais voir ma sœur. Elle n'ouvrait pas volontiers aux visiteurs. Ah ! te voilà, ma fille ! s'exclama-t-il d'une voix chaleureuse lorsque Tory apparut sur le seuil.

— Oncle Jimmy ! Cade !

En les voyant tous les deux sur le porche, son estomac se noua. Elle ouvrit la porte.

— Entrez ! Venez vous mettre à l'abri de la pluie.

— Je suis tombé sur Cade. Nous avons eu tous les deux la même idée, on dirait. Au fait, tu as vu ma nouvelle voiture ?

Gentiment, Tory regarda au-dehors.

— Oh ! là ! Voilà un joli...

Elle allait dire « joujou » mais se reprit à temps, de crainte de le vexer.

— ... une sacrée belle machine !

— Elle ronronne comme un bon gros chat. Je t'emmènerai faire un tour au premier beau jour.

— J'en serai enchantée.

188

Dans l'immédiat, elle avait deux grands hommes trempés dans son salon, une seule chaise et un mal de tête lancinant.

— Pourquoi ne viendriez-vous pas à la cuisine ? Il y a de quoi s'asseoir et je viens juste de préparer un thé bien chaud qui chassera l'humidité.

— C'est une bonne idée, seulement je ne voudrais pas laisser de traces dans toute la maison.

— Ne t'inquiète pas pour ça.

Elle leur montra le chemin en espérant que l'aspirine qu'elle venait de prendre ferait rapidement son effet. Elle avait prévu de faire un petit somme de dix minutes pour laisser le médicament agir. La maison sentait la pluie, et cette forte odeur d'humidité qui évoquait le marais. En tout autre temps, elle l'aurait appréciée ; pour l'instant, elle lui donnait une impression d'enfermement.

— Voici quelques biscuits. Ils viennent du magasin, mais sont sûrement meilleurs que ceux que j'aurais pu faire.

— Ne te dérange donc pas, ma chérie, il va falloir que je rentre tout de suite.

J.R. tendit néanmoins la main vers l'assiette sur laquelle elle venait de déposer les petits gâteaux.

— Boots refuse d'en acheter en ce moment. Elle suit un régime, ce qui signifie que je dois en suivre un moi aussi.

— Tante Boots a l'air en pleine forme, fit observer Tory en sortant des tasses. Toi aussi d'ailleurs.

— C'est bien ce que je lui dis. Mais elle se pèse tous les matins et en fait toute une histoire. Comme si prendre une livre par-ci par-là empêchait le monde de tourner. Tant qu'elle ne sera pas satisfaite, je resterai à la portion congrue, ajouta-t-il en croquant un autre biscuit.

Il attendit qu'elle ait versé le thé et se soit assise.

— J'ai entendu dire que l'installation de ton magasin était en bonne voie. À vrai dire, je n'ai pas encore eu le temps d'aller le voir.

— Tu pourras venir pour l'inauguration de samedi, j'espère.

— Je ne voudrais pas manquer ça !

Il but une gorgée de thé, s'agita sur sa chaise, poussa un soupir.

— Tory, je déteste avoir à te dire certaines choses désagréables, mais il me semble que tu dois être au courant.

— Alors mieux vaut parler franchement.

— Voilà. Récemment, alors que nous finissions de dîner, Boots et moi, j'ai reçu un coup de fil de ta mère. Elle a un problème, sinon elle ne m'aurait pas appelé. Nous ne nous téléphonons pas régulièrement.

— Est-elle malade ?

— Non. Pas malade comme tu l'entends. (Il poussa un long soupir.) C'est à propos de ton père. Il semble s'être mis dans de sales draps il y a quelque temps.

J.R. reposa sa tasse dans la soucoupe et regarda Tory en face.

— Bon sang, Tory, c'est une sacrée histoire ! Il aurait agressé une femme...

Tory crut entendre le sifflement de la ceinture de cuir, semblable à celui d'un serpent, et les trois coups secs claquer sur sa peau. Ses doigts se crispèrent, mais elle se contraignit à les détendre.

— « Agressé » ?

— Selon ta mère, il s'agit d'une erreur et j'ai eu bien du mal à lui extraire quelques explications. Elle m'a dit qu'une femme prétendait que ton père, euh... l'avait brutalisée. Qu'il avait essayé de... la molester.

— Il a essayé de violer une femme ?

J.R., malheureux, s'agita sur sa chaise.

— Eh bien, elle ne s'est pas exprimée très clairement sur les détails. Quoi qu'il en soit, Han a été arrêté. Il s'est mis de nouveau à boire, Tory. Sarabeth ne voulait pas me le dire, mais j'ai fini par le lui faire cracher. On l'a laissé en liberté surveillée, à condition qu'il suive une cure et autres contraintes de ce genre. J'imagine qu'il n'a pas pris ça très bien, pourtant il n'avait pas le choix.

Il avala une gorgée pour humecter sa gorge sèche.

— Seulement, il y a environ deux semaines, il a disparu.

— Disparu ?

— Il n'est pas rentré à la maison. Sarabeth ne l'a pas revu depuis, et il ne s'est pas présenté à son contrôle judiciaire. Quand ils le reprendront... eh bien... cette fois, il ira en prison.

— Oui, je le suppose, dit Tory d'une voix neutre.

Elle avait toujours été surprise, mais sans s'en préoccuper vraiment, que son père ne se soit pas encore retrouvé du mauvais côté de la barrière. Dieu y avait sans doute veillé, pensa-t-elle.

J.R. trempa distraitement un biscuit dans son thé, habitude qui avait le don d'ulcérer sa femme.

— Sarabeth est hors d'elle, bien sûr. Elle n'a pratiquement plus d'argent et se rend malade d'inquiétude. Je vais aller jusque chez elle demain et voir si je peux me faire une idée plus nette de la situation.

— Crois-tu que je devrais venir avec toi ?

— Écoute, mon cœur, c'est à toi de décider. Je peux très bien régler cela moi-même.

— Mais il n'y a pas de raison que tu le fasses. J'irai avec toi.

190

— Si telle est ta décision, sache que j'apprécierai ta compagnie. Je voudrais partir de bonne heure. Pourrais-tu être prête à sept heures ?

— Oui.

— Bon, alors entendu.

Soudain gêné, J.R. se leva.

— Nous allons résoudre le problème, tu verras. Je viendrai te prendre demain matin. Ne bouge pas. Reste tranquillement assise et bois ton thé. (Il lui tapota la tête avant qu'elle ait pu se lever.) Je connais le chemin.

— Il est mal à l'aise, murmura Tory en entendant la porte de devant s'ouvrir. Pour lui, pour moi, pour ma mère. Il m'a parlé devant vous parce qu'il a entendu les ragots que Lissy Frazier sème à la ronde, et il a jugé préférable que je ne sois pas seule pour apprendre la nouvelle.

Cade avait les yeux fixés sur elle. Elle n'avait eu aucune réaction et, même si cela le frustrait, il admirait la manière dont elle se contrôlait.

— A-t-il raison de se faire du souci pour vous ?

— Je ne sais pas. J'ai tellement l'habitude d'être seule. Êtes-vous surpris de me voir si peu concernée par ce qui arrive à mon père et à ma mère ?

— Non. Je me demande simplement ce qui s'est passé entre vous pour que vous éprouviez le besoin de vous tenir tellement à distance. Mais peut-être est-ce juste une façade.

— Pourquoi serais-je bouleversée ? Les faits sont là. Ma mère a choisi de croire mon père innocent du délit ayant motivé son arresta-tion. Moi, je sais qu'il est coupable. S'il avait bu, il n'a peut-être pas pu juguler sa violence.

— Maltraitait-il votre mère ?

Un coin de la bouche de Tory se souleva comme pour un sourire.

— Pas tant que j'ai été là. Ce n'était pas nécessaire.

Cade hocha la tête. Il avait su. Une partie de lui-même avait su depuis le matin où elle était apparue à la porte pour leur annoncer la mort de Hope.

— Parce que vous étiez une cible plus facile.

— Voilà pas mal de temps qu'il ne m'a pas trouvée en face de lui. J'ai fait en sorte de ne pas le croiser.

— Pourquoi vous le reprocher ?

— Je ne me le reproche pas. (Elle ferma les yeux sous son regard direct.) C'est l'habitude. Après mon départ, il l'a frappée, je le sais. Je n'ai jamais rien fait contre ça. Ni l'un ni l'autre ne me l'auraient d'ailleurs permis, mais je n'ai même pas essayé. Depuis mes dix-huit ans, je ne l'ai revu qu'à deux reprises. Une fois quand je vivais à New York, quand j'étais heureuse. Il me semblait alors qu'on pouvait recoller les morceaux brisés, du moins certains d'entre eux. Ils vivaient dans une caravane, non loin de la Géorgie. Vous savez, ils ont pas mal bougé après avoir quitté Progress.

Elle resta assise immobile, calme et les yeux clos. La pluie tambourinait sur le toit.

— Papa était incapable de garder un emploi longtemps. Parfois, il nous disait que c'était parce que quelqu'un lui en voulait. D'autres fois, il prétendait qu'un meilleur emploi l'attendait ailleurs. J'ai perdu la trace de tous ces lieux où nous avons vécu – chaque fois de nouvelles écoles, de nouvelles salles, de nouveaux visages. Je n'ai jamais pu me faire réellement d'amis, et à la longue cela n'avait plus tellement d'importance. J'attendais seulement le moment de pouvoir partir. J'économisais un peu d'argent en cachette en attendant l'âge légal de les quitter. Si je l'avais fait plus tôt, il m'aurait rattrapée et me l'aurait fait payer très cher.

— Ne pouviez-vous demander de l'aide ? À votre grand-mère, par exemple ?

— Il l'aurait frappée. (Tory ouvrit les yeux et les plongea dans ceux de Cade.) Il avait peur de Gran comme il avait peur de moi, et il s'en serait pris à elle. Ma mère aurait pris le parti de mon père, elle le faisait toujours. Voilà pourquoi je ne suis pas allée chez elle. S'il l'avait découvert, je me serais sentie responsable de sa violence contre Gran. Comment expliquer ce qu'on ressent quand la peur est tapie tout au fond de soi, quand elle commande vos pensées, vos actes, vos paroles et aussi celles qu'on n'ose pas prononcer ?

— Vous venez pourtant de le faire.

Elle ouvrit la bouche, la referma avant d'avoir laissé échapper une parole incontrôlée.

— Voulez-vous encore du thé ?

— Restez assise. Je m'en occupe.

Il se leva avant qu'elle ait pu faire un mouvement et mit la bouilloire à chauffer.

— Racontez-moi. Racontez-moi le reste.

— Je ne les ai pas prévenus de mon départ, mais j'avais préparé chacune de mes étapes, quoi faire, où aller. J'ai emballé mes affaires et quitté la maison au milieu de la nuit. J'ai marché jusqu'à la ville, jusqu'à la station des cars. Là, j'ai pris un billet pour New York. Quand le soleil s'est levé, j'étais déjà à des kilomètres avec l'intention de ne jamais revenir. Pourtant...

Elle leva les mains puis les croisa de nouveau comme pour une prière.

192

— ... je suis revenue, dit-elle lentement. Je venais d'avoir vingt ans et j'étais partie depuis deux ans. J'avais un emploi. Je travaillais dans un magasin, au centre-ville. Une boutique élégante qui vendait de jolies choses. J'étais bien payée et j'avais mon chez-moi. Oh ! guère plus grand qu'un placard, mais c'était à moi. Pendant de courtes vacances, j'ai pris le car jusqu'à la limite de la Géorgie pour aller les voir, peut-être aussi pour leur montrer ce que j'étais devenue. J'étais partie depuis deux ans mais, en deux minutes, ce fut comme avant.

Il approuva de la tête. Pendant ses quatre années d'université, il était devenu un homme. Lui aussi avait retrouvé à son retour la maison vivant au même rythme qu'autrefois. Ce rythme cependant lui plaisait. Il avait souffert d'en être éloigné.

— Aux yeux de mon père, aucun de mes actes n'était bien, poursuivit-elle. Il prétendait savoir quel genre de vie je menais dans le Nord, comme si je m'étais prostituée. Selon lui, j'étais revenue enceinte d'un de ces hommes que je laissais s'approcher de moi pour commettre des actes coupables. Pour lui, j'étais juste une putain, alors que j'étais toujours vierge. Mais je m'étais endurcie au cours de ces deux années et, pour la première fois, j'ai osé lui faire front. Mes derniers jours de vacances ont tout juste suffi à atténuer suffisamment les marques de ses coups sur mon visage pour que je puisse les dissimuler sous mon maquillage et reprendre mon travail.

— Seigneur ! Tory...

— Il ne m'avait frappée qu'une seule fois, mais, Seigneur ! il avait de grandes mains, si dures. (Elle leva distraitement une main et la fit courir sur l'arête de son nez.) Il m'a frappée si fort que je me suis envolée pour atterrir sur le comptoir de leur crasseuse petite cuisine. Sur le moment, je n'ai pas réalisé qu'il m'avait cassé le nez. Vous voyez, j'avais l'habitude de la douleur.

Cade serra les poings sous la table, mais c'était inutile, trop tard.

— Quand il est revenu vers moi, reprit-elle d'une voix calme et songeuse, j'ai saisi un couteau dans l'évier sans même y penser. Un grand couteau de cuisine au manche noir. Soudain, il s'est trouvé dans ma main. Il a dû voir à mon visage que j'étais prête à m'en servir. Que je *souhaitais* m'en servir. Il est sorti brusquement de la caravane et ma mère a couru après lui en le suppliant de ne pas s'en aller. Il l'a envoyée promener dans la poussière comme un moucheron, mais elle continuait encore à l'appeler. Elle rampait derrière lui, à genoux. Je n'oublierai jamais cela. Jamais.

Cade se leva pour écarter de la plaque de cuisson la bouilloire crachotante, laissant ainsi à Tory le temps de se reprendre, paupières baissées. Il dosa le thé en silence et versa l'eau bouillante. Puis il regagna sa place et s'assit.

— Vous avez le don d'écouter les autres.

— Terminez votre récit. Pour vous en débarrasser.

— Très bien.

Calme à présent, Tory ouvrit les yeux et croisa le regard de Cade. Si elle y avait lu de la pitié, elle n'aurait sans doute pas pu trouver les mots. Mais elle y vit de la patience.

— J'étais désolée pour elle et, dans le même temps, écœurée. En fait, je crois bien que je la haïssais. À cet instant, peut-être plus encore que lui, je pense. J'ai reposé le couteau et saisi mon sac de voyage. Je n'avais même pas déballé mes affaires. Il n'y avait pas une heure que j'étais là. Quand je suis sortie, elle était toujours assise dans la poussière et pleurait. Elle leva vers moi des yeux remplis de colère. « Pourquoi es-tu partie ? me lança-t-elle. Tu l'as rendu fou. Tu n'as jamais rien fait d'autre que semer le trouble. » Elle restait là, par terre, sa lèvre en sang, peut-être du coup qu'il lui avait donné, ou parce qu'elle s'était mordue en tombant. J'ai poursuivi mon chemin, sans un mot pour elle. Depuis, je ne lui ai plus jamais parlé. Ma propre mère. Je n'ai pas échangé un seul mot avec elle depuis l'âge de vingt ans.

— Ce n'est pas votre faute.

— Non. Ce n'est pas ma faute. J'ai dû suivre une thérapie pendant des années pour m'en convaincre. Rien n'était ma faute. Mais j'ai toujours été la cause de tous les problèmes. Mon père voulait me punir d'être née, je crois. D'être telle que j'étais. Il m'a laissée relativement tranquille jusqu'à ce qu'il remarque que j'étais... différente. C'était à ma mère de s'occuper de moi, il se contentait tout au plus de m'administrer distraitement une ou deux gifles en passant. Mais, ensuite, je crois qu'il n'y eut pas une seule semaine sans qu'il n'abuse de moi.

« Pas sexuellement, précisa-t-elle en voyant le visage de Cade changer de couleur. Jamais il ne m'a touchée de cette façon. Il l'aurait voulu, Seigneur, il l'aurait bien voulu et cela l'effrayait, alors il me battait plus sauvagement encore. Et il en tirait du plaisir. Sexe et violence étaient étroitement mêlés chez lui. Voilà pourquoi je suis certaine qu'il a agressé cette femme. Il ne l'a peut-être pas violée, du moins ce n'est pas prouvé, sinon ils ne l'auraient pas laissé si facilement en liberté surveillée. Mais le viol n'est qu'une des façons que peut trouver un homme pour blesser et humilier une femme.

— Je sais.

Il se leva, saisit le pot et versa le thé.

— Vous disiez les avoir revus deux fois ?

194

— Pas tous les deux. Lui seulement. Il y a trois ans, il est venu à Charleston. Chez moi. Il m'avait suivie de mon travail jusqu'à mon domicile et rattrapée au moment où je descendais de voiture. J'étais terrorisée. Il ne restait pas grand-chose de cette armure que je m'étais fabriquée à New York. Il a prétendu que ma mère était malade et qu'il avait besoin d'argent. Je ne l'ai pas cru. Il avait bu et empestait l'alcool.

Elle pouvait encore sentir son odeur aujourd'hui, une odeur rance, chaude, insoutenable. Elle souleva sa tasse et respira les effluves de thé pour la dissiper.

— Il me tenait par le bras, poursuivit-elle, et j'ai compris qu'il avait envie de me le tordre. Cette idée l'excitait. Je lui ai fait un chèque de cinq cents dollars. Là, dehors. Je ne l'ai pas laissé pénétrer chez moi. Je l'ai prévenu que s'il tentait d'entrer ou s'il venait à mon travail, je ferais opposition à ce chèque et il n'aurait plus jamais un sou de moi. Il a pris l'argent et il est parti. Il n'est plus jamais revenu. Je lui envoyais cent dollars chaque mois.

Elle eut un petit rire.

— Il fut tellement surpris qu'il me laissa tranquille. Il a toujours aimé l'argent. En posséder. Il aime cracher sur les riches et les avares, mais, en réalité, il adore l'argent. Je suis rentrée chez moi, j'ai verrouillé la porte et je suis restée éveillée toute la nuit, une main crispée sur le téléphone, l'autre sur le pique-feu de la cheminée. Mais il n'a même pas essayé de me revoir. Plus jamais. Pour cent dollars par mois, j'ai obtenu une sorte de paix de l'esprit. Ce n'est pas trop cher payé.

Elle but une longue gorgée de thé ; elle le trouva trop chaud et trop fort, mais, néanmoins, il la réconforta. Incapable de rester plus longtemps en place, elle se leva pour aller regarder la pluie par la fenêtre.

— Voilà l'histoire, conclut-elle. Voilà les vilains secrets de la famille Bodeen.

— Les Lavelle en ont quelques-uns eux aussi.

Il se leva pour la rejoindre et fit courir sa main sur la longue natte qu'elle laissait pendre dans son dos.

— Votre armure est toujours là, Tory. Il n'a pas pu la briser. Même pas la plier.

Il posa légèrement ses lèvres sur le sommet de sa tête, heureux qu'elle ne s'écarte pas aussitôt comme elle le faisait d'habitude.

— Avez-vous mangé ?

— Quoi ?

— Sans doute pas. Asseyez-vous. Je vais préparer des œufs brouillés.

— De quoi parlez-vous ?

— J'ai faim et, même si ce n'est pas votre cas, laissez-vous faire. Il est grand-temps d'avaler un bon repas.

Elle se retourna et sursauta quand il glissa son bras autour d'elle. Des larmes inondèrent ses yeux, brûlant ses paupières. Elle cligna plusieurs fois pour tenter de s'en débarrasser.

— Cade. Cela ne peut nous mener nulle part. Vous et moi, je veux dire.

— Tory...

Il la saisit par la nuque pour l'attirer au creux de son épaule.

— ... nous sommes déjà quelque part. Pourquoi ne pas y rester un peu, le temps de voir si cela nous plaît ?

C'était si bon, si rassurant d'être là contre lui de cette manière aisée, familière.

— Je n'ai pas d'œufs, dit-elle. (Elle pencha la tête en arrière pour le regarder.) Je vais faire de la soupe.

La nourriture n'est qu'un support, mais elle a aussi son rôle psychologique. Ils en avaient besoin tous les deux. Tandis que Tory faisait réchauffer une soupe en boîte sur la cuisinière, Cade préparait des toasts au fromage. Un agréable et réconfortant repas pour une soirée pluvieuse. Exactement le genre de moment qu'un couple aime partager en l'agrémentant de propos légers et, pourquoi pas, d'une bonne bouteille de vin.

En d'autres circonstances, il aurait aimé une telle soirée ; cependant, pour l'instant, il se contentait d'étaler du beurre sur le pain tout en cherchant un moyen de traverser le bouclier hérissé de piquants dont Tory se protégeait.

— Si vous retourniez dîner à *Beaux Rêves*, fit-elle d'une voix neutre, vous pourriez sûrement avoir quelque chose de mieux que de la soupe et des sandwichs.

— C'est vrai. (Il posa la poêle sur la cuisinière et resta debout près de Tory, en évitant de la toucher.) Seulement j'aime votre compagnie.

— Alors, il y a quelque chose qui ne tourne pas rond chez vous.

Elle prononça ces mots si sèchement qu'il fallut à Cade une minute pour se ressaisir. Il se mit alors à rire en déposant les sandwichs dans la poêle maintenant chaude.

— Vous devez avoir raison. Après tout, je suis véritablement un bon parti, vous savez. Bien portant, pas trop regardant, une grande maison, des terres et assez d'argent pour que le loup ne franchisse pas la porte. En plus de ça et de mon charme subtil, je sais préparer de fantastiques sandwichs au fromage.

— Comment se fait-il alors qu'une femme n'aie pas encore réussi à vous mettre le grappin dessus ?

— Des milliers ont essayé.

— Vous êtes trop difficile ?

— Agile seulement. (Il retourna les sandwichs d'un geste précis.) Je préfère voir les choses ainsi. D'ailleurs, j'ai été fiancé une fois.

— Vraiment ?

Elle s'était exprimée d'un ton négligent en ouvrant le placard pour y prendre des bols. Mais son attention s'était aiguisée.

— Hum hum...

Cade connaissait suffisamment la nature humaine pour être certain qu'une réponse aussi vague piquerait la curiosité de Tory. Il demeura silencieux et la sentit lutter contre le désir d'en savoir plus.

Elle résista pendant qu'ils disposaient les assiettes et les bols sur la table et s'asseyaient. Enfin, comme il s'y attendait, Tory perdit la partie.

— Vous vous croyez intelligent, hein ?

— Très chère, un homme dans ma position se doit de l'être. Il fait bon ici, n'est-ce pas, avec cette pluie dehors ?

— Que s'est-il passé ?

— À quel propos ? (Il vit avec satisfaction les yeux de Tory se rétrécir.) Oh ! vous parlez de Deborah ? La femme à laquelle j'étais sur le point de jurer amour et fidélité jusqu'à la mort ? C'est la fille du juge Purcell. Vous souvenez-vous de lui ? Il ne devait pas encore être juge quand vous êtes partie.

— Non. Je n'en garde aucun souvenir. Je doute que les Bodeen aient évolué dans la même sphère sociale.

— Quoi qu'il en soit, il avait une charmante fille, elle a été amoureuse de moi pendant quelque temps, jusqu'à ce qu'elle décide qu'en fin de compte elle ne voulait pas épouser un homme de la campagne.

— Je suis désolée.

— Ce ne fut pas une tragédie. Je n'étais pas amoureux d'elle. Je l'aimais beaucoup, voilà tout. (Cade s'attarda à goûter la soupe.) Deborah était agréable à regarder, elle avait une conversation intéressante et... disons que nous étions bien assortis dans un certain nombre de domaines essentiels. À l'exception d'un seul : nous ne poursuivions pas le même idéal. Nous nous en sommes rendu compte quelques mois après nos fiançailles, à notre mutuel embarras, et nous avons rompu à

197

l'amiable. Cette décision nous a soulagés l'un et l'autre et Deborah est partie vivre plusieurs mois à Londres.

— Comment avez-vous pu...

Elle s'interrompit, la bouche pleine.

— Continuez. Vous pouvez me questionner.

— Comment avez-vous pu demander en mariage une personne que vous avez quittée ensuite sans tourments ?

Il réfléchit un instant, mastiquant son sandwich comme s'il ruminait ses pensées.

— En réalité, les choses ne se sont pas passées aussi... facilement. Nous étions encore très jeunes – je n'avais que vingt-cinq ans – et nos deux familles ont exercé sur nous une certaine pression. Ma mère et le juge sont de bons amis et Purcell était également lié avec mon père. Ils pensaient que le moment était venu pour moi de m'établir et de leur donner un ou deux héritiers.

— Voilà un raisonnement plutôt terre à terre.

— Pas totalement. Deborah me plaisait et nos familles partageaient beaucoup d'habitudes et de relations. Depuis des années, Purcell était le conseiller juridique de mon père. L'accord était facile et susceptible de satisfaire les deux parties.

« Mais, au fur et à mesure que les choses se concrétisaient, j'ai commencé à me sentir de plus en plus prisonnier. Comme si je manquais d'air. Un beau jour, je me suis demandé ce que serait ma vie sans Deborah. Et ce qu'elle serait avec elle dans cinq ou six ans...

Il avala un autre morceau de sandwich et haussa les épaules.

— J'ai compris alors que je répondais plus facilement à la première question qu'à la seconde. Par chance, Deborah en était arrivée aux mêmes constatations. Les seuls à être véritablement bouleversés par notre décision furent nos parents respectifs. (Il marqua une pause et la regarda manger.) Mais nous ne pouvons pas fonder notre vie sur les désirs de nos parents, ni sur leurs attentes, n'est-ce pas, Tory ?

— Non. Et pourtant nous vivons en supportant le poids du carcan familial. Mes parents ne m'ont jamais acceptée telle que j'étais et, pendant longtemps, je me suis efforcée de devenir quelqu'un d'autre.

Elle leva les yeux vers lui.

— Mais je n'ai pas pu.

— Vous me plaisez telle que vous êtes.

— Hie soir, cela vous a dérangé.

— Un peu, admit-il. J'étais inquiet pour vous.

Il posa doucement une main sur la sienne avant qu'elle n'ait eu le temps de la retirer.

— Vous étiez hors de vous. Et si fragile. Je me sentais maladroit. Je ne savais que faire. Pourtant, d'habitude, je me flatte de savoir réagir en toute circonstance.

— Vous ne m'avez pas crue.

— Je n'ai pas douté de ce que vous pouviez voir ou sentir. Mais j'ai pensé que votre... crise pouvait avoir été provoquée en partie par votre retour ici, par le souvenir de la mort de Hope.

Elle songea à l'appel d'Abigail. À la concordance de dates des deux meurtres. Toutefois, elle ne dit rien. En d'autres temps, elle avait eu confiance en autrui, elle avait partagé. Et tout perdu.

— C'est vrai, beaucoup de souvenirs m'ont assaillie à mon retour, concéda-t-elle. C'est la même chose pour vous, non ? Si ce n'était à cause de Hope, vous ne seriez pas assis ici, maintenant, dans ma cuisine.

Cade ne répondit pas tout de suite et prit le temps de terminer son toast. Puis il repoussa sa chaise.

— Eh bien, moi, si je vous avais vue pour la première fois il y a seulement quatre ou cinq semaines, si nous ne nous étions jamais rencontrés auparavant et s'il n'y avait rien eu entre nous jusqu'alors, je me serais parfaitement imaginé être assis ici avec vous comme en cet instant précis. De fait, si notre rencontre ne datait que de quelques jours et non de nombreuses années, je crois que je vous aurais déjà emportée sur ce lit si imposant que je vous ai aidée à monter...

Il sourit, d'un sourire franc et lumineux, tandis qu'elle replongeait brusquement sa cuillère dans sa soupe en faisant tinter le manche contre le bol.

— Si je vous dis cela, Tory, c'est qu'il est temps selon moi d'en parler afin que vous commenciez à y réfléchir.

14

Le parcours en voiture fut agréable et lui rappela tout ce qu'elle avait manqué en vivant loin de J.R. Il y avait en lui une extraordinaire dimension – dans sa voix, son rire, ses gestes. À deux reprises, elle avait dû esquiver son bras, qu'il brandissait pour lui montrer tel ou tel détail du paysage le long de l'autoroute.

J.R. était de ces gens prêts à vous engloutir par leur seule joie de vivre.

Assis dans sa petite voiture, les genoux sous le menton, il jouait de son levier de vitesse comme les enfants de leur *joystick*. Pour le plaisir et pour la compétition.

Ils roulaient joyeusement dans la lumière du matin tels deux amis se rendant à une course de chevaux ou à un pique-nique, et non à l'appel d'un pénible devoir familial.

J.R. avait toujours su vivre dans le présent, songea Tory. Une aptitude qu'elle s'était efforcée toute sa vie d'acquérir.

Tout excité par sa nouvelle voiture, J.R. accélérait et faisait rugir le moteur sur l'autoroute en écoutant un disque de Clint Clack et Garth Brooks, une chic casquette écossaise perchée sur le matelas laineux de ses cheveux roux.

Un soudain coup de vent fit s'envoler la casquette à la sortie de Sumter et l'envoya valser de l'autre côté de la glissière de sécurité sous les roues d'un minivan Dodge. J.R. ne ralentit même pas ; il hurla de rire.

Avec la musique à pleine puissance, il fallait crier pour s'entendre, mais J.R. s'arrangea pour mener malgré tout avec entrain la conversation, abordant les sujets qui l'intéressaient et passant de l'un à l'autre comme un ballon de caoutchouc qui rebondit. Il parla du magasin de Tory, de politique, de son régime et des glaces basses calories ou, encore, de la Bourse.

En approchant de la sortie de Florence, il prétexta qu'ils n'avaient pas le temps de rendre une petite visite à sa mère. Il faisait allusion à la famille pour la première fois depuis qu'il était venu prendre Tory chez elle.

Tory aurait aimé s'arrêter pour voir sa grand-mère, mais elle pensa soudain à Cecil et se demanda si J.R. était au courant des nouveaux arrangements amoureux de sa mère. Cette idée l'occupa jusqu'à ce qu'ils aient dépassé la bretelle et poursuivi leur chemin en direction du nord-est.

N'étant pas encore allée chez ses parents depuis leur installation dans les environs de Hartsville, elle n'avait aucune idée du genre de vie qu'ils menaient, ni s'ils vivaient toujours ensemble ou séparément. Elle n'avait jamais posé la question à sa grand-mère, qui, de son côté, n'y avait pas fait allusion.

— Nous sommes presque arrivés.

J.R. remua sur son siège, et Tory sentit que son humeur se modifiait.

— La dernière fois que j'ai vu Han, il travaillait dans une usine. Tes parents avaient loué un bout de terrain et élevaient aussi des poulets.

— Je vois.

J.R. se gratta la gorge comme s'il voulait ajouter quelque chose ; il garda finalement le silence jusqu'à ce qu'ils quittent la grand-route pour emprunter une voie tortueuse sans accotements et au revêtement en mauvais état.

— Je ne suis encore jamais venu chez eux, reprit-il. Sarabeth m'a donné les indications nécessaires quand je lui ai dit que j'allais passer la voir.

— Tout va bien, oncle Jimmy. Ne t'inquiète pas pour moi. Nous savons l'un et l'autre à quoi nous devons nous attendre.

On apercevait de part et d'autre quelques pauvres petites maisons, jetées tels des os jaunis sur des cours envahies de mauvaises herbes ou des terrains de jeux poussiéreux. Un pick-up rouillé au pare-brise étoilé était perché sur un bloc de parpaings. Un misérable chien noir tirait sur sa chaîne en aboyant furieusement, tandis qu'à quelques pas de là une enfant aux cheveux sombres tout emmêlés, vêtue seulement de sous-vêtements grisâtres, était assise sur une vieille machine à laver abandonnée dans une cour broussailleuse. Tout en suçant son pouce, elle regarda d'un œil vague passer la belle décapotable.

Oui, songea Tory, ils savaient à quoi ils devaient s'attendre.

La route tourna, monta un peu et les mena à un embranchement. J.R. éteignit la musique et ralentit pour rouler au pas sur un chemin sale et caillouteux.

— Voilà à quoi servent les impôts versés au comté, dit-il sur le ton de la plaisanterie.

Puis il soupira et engagea la voiture dans une allée de terre qui conduisait à la maison.

Non, pas une maison, pensa Tory. Plutôt une cabane. On ne pouvait pas appeler ça une maison, encore moins un foyer. Le toit penchait et, semblable au sourire d'un vieil homme, montrait des trous là où des bardeaux étaient tombés ou avaient été arrachés. L'ancienne toile goudronnée pendait, en lambeaux. Une des fenêtres était bouchée par un morceau de carton. Des mauvaises herbes envahissaient la cour. Pissenlits sauvages et chardons s'y multipliaient. Un vieil évier en fonte couché sur le côté exhibait dans le fond un trou gros comme le poing.

Sur le côté et derrière la bicoque, on apercevait un hangar métallique gris sale et taché de rouille. Devant, dans un enclos de barbelés, une douzaine de poulets étiques picoraient la poussière en piaillant. Leur odeur empuantissait l'air.

— Seigneur... ! murmura J.R. Je ne pensais pas que ce serait si affreux. Comment ont-ils pu en arriver là ?

— Elle sait que nous sommes ici, dit Tory d'une voix terne en ouvrant la portière. Elle nous attend.

J.R. sortit brusquement de son côté et posa sa main sur l'épaule de Tory en se dirigeant avec elle vers la maison. Elle se demanda si c'était pour la soutenir ou pour s'appuyer sur elle.

La femme qui apparut sur le seuil avait des cheveux gris. Gris comme de la pierre et sévèrement tirés en arrière, de sorte que les os du visage saillaient, formant des creux et des bosses. Les lignes de la bouche auraient pu être taillées à la serpe, et les plis profonds qui les encadraient tiraient les lèvres vers le bas en une expression pitoyable.

Elle portait une robe de cotonnade froissée trop grande pour elle et une petite croix d'argent pendait entre ses seins plats.

Ses yeux cerclés de rouge se fixèrent d'abord sur Tory, puis se détournèrent aussitôt comme s'ils craignaient de se brûler.

— Tu ne m'avais pas dit que tu l'amènerais.

— Bonjour, Maman.

— Tu ne m'avais pas dit que tu l'amènerais, répéta Sarabeth en ouvrant la porte grillagée. Comme si je n'avais pas assez de soucis comme ça !

J.R. étreignit l'épaule de Tory.

— Que pouvons-nous faire pour t'aider, Sari ? demanda-t-il en la suivant à l'intérieur de la maison.

L'air sentait le chou aigre, la sueur froide. Le désespoir.

— Je ne sais pas, sinon obtenir de cette salope de Hartsville qu'elle dise la vérité. (Elle sortit de sa poche un mouchoir tout fripé et se moucha bruyamment.) Je ne sais plus quoi entreprendre, J.R. Je pense qu'il est arrivé quelque chose d'affreux à mon Han. Il n'est jamais resté si longtemps absent.

— Et si nous nous asseyions d'abord ?

Il transféra sa main de l'épaule de Tory à celle de sa sœur et jeta un coup d'œil autour de lui.

Son cœur se serra.

Un divan affaissé était recouvert d'une housse d'un jaune défraîchi ; une chaise longue verdâtre avait été renforcée par des rubans de papier collant. Sur la table encombrée d'assiettes en carton et de tasses en plastique traînaient ce qu'il supposa être les restes du dîner de la veille. Dans un coin, un poêle à bois taché de suie reposait sur trois pieds, le quatrième remplacé par une bûche.

Une image accrochée au mur dans un cadre métallique bon marché montrait un Christ attristé dévoilant le Sacré-Cœur.

J.R. conduisit sa sœur, le visage toujours enfoui dans son mouchoir, vers le divan en jetant à Tory un regard éploré.

— Pourquoi ne pas nous préparer un peu de café ?

Sarabeth leva la tête mais dirigea son regard vers le mur pour éviter sa fille.

— Il doit me rester un peu de café instantané. Je n'ai pas voulu aller au magasin pour ne pas m'éloigner de la maison au cas où Han...

Tory se détourna sans un mot. Comme dans toutes les maisons de ce type, la cuisine se trouvait à l'arrière. Des assiettes sales étaient empilées dans l'évier et les plaques de la cuisinière étaient tout encroûtées. Elle sentit que ses chaussures collaient au linoléum déchiré qui recouvrait le sol.

Quand Tory était enfant, Sarabeth était une véritable tornade blanche, chassant le moindre grain de poussière, la moindre saleté, comme elle l'aurait fait d'un péché menaçant l'âme. En remplissant la bouilloire, Tory se demanda depuis quand sa mère avait abandonné cette habitude fanatique, depuis quand la misère et le manque d'intérêt l'avaient emporté sur son obsession de la propreté. Sarabeth avait toujours cru que Dieu ne visitait que les foyers dont le plancher était impeccablement balayé.

Mais elle cessa de se poser des questions sans réponses pour se concentrer sur les tâches immédiates : chauffer de l'eau et extraire d'un pot en verre une cuillerée de poudre sombre que l'humidité avait agglutinée au fond.

Le lait était tourné et elle ne trouva pas de sucre. Elle porta dans la salle deux pichets d'un liquide brunâtre peu engageant. Elle ne pouvait même pas envisager l'idée d'en avaler une gorgée.

— Cette femme, commença Sarabeth, a cherché à séduire mon Han. Elle a joué de ses points faibles, elle l'a tenté. Mais il a résisté. Il m'a tout raconté. Je ne sais pas où elle s'est fait rosser, probablement par quelque obsédé auquel elle s'était vendue, mais elle a raconté que c'était mon Han, pour se venger de lui parce qu'il n'avait pas voulu d'elle. Voilà ce qui est arrivé.

J.R. s'assit sur le divan à côté d'elle et lui tapota la main.

— Écoute, Sari, ne nous soucions pas de cela maintenant, d'accord ? As-tu une idée de l'endroit où Han aurait pu aller ?

Elle s'écarta brusquement de lui et manqua de renverser le café que Tory avait posé sur la table.

— Non ! s'écria-t-elle. Crois-tu que je ne m'y serais pas déjà précipitée si j'en avais la moindre idée ? Une femme doit fidélité à son mari. C'est ce que j'ai dit à la police. Je leur ai raconté exactement la même chose qu'à toi. Je ne m'attends pas à être crue par une bande de flics mécréants et corrompus, mais je pensais que ceux de mon propre sang me croiraient.

— Voyons, Sari, je te crois. Bien sûr que je te crois. (J.R. saisit un pichet de café et le lui mit doucement dans les mains.) Je me disais juste que tu pourrais te souvenir de certains endroits où Han était déjà allé avant quand il s'enfuyait.

— Il ne s'enfuit pas. Enfin, pas vraiment.

Les lèvres tremblantes, Sarabeth but une gorgée de café.

— ... Simplement, il éprouve parfois le besoin de s'éloigner pour penser. C'est tout. Les hommes sont soumis à des tas de pressions. Parfois, mon Han a besoin de se retrouver seul, pour réfléchir, pour prier. Mais, cette fois, son absence est trop longue. Voilà pourquoi je m'inquiète. Il est peut-être blessé...

Des larmes jaillirent de ses yeux.

— Cette femme qui tourne autour de lui, qui est à l'origine de ses problèmes, tout cela doit peser sur lui. Et maintenant la police le traite comme un fugitif. Ils ne comprennent rien.

— Est-ce qu'il suivait une cure de désintoxication alcoolique ?

— Je crois, oui. (Elle renifla.) Mais Han n'en avait pas besoin. Il n'est pas alcoolique. Il boit seulement un peu de temps en temps pour se détendre. Jésus buvait bien du vin, non ?

« Jésus n'avait pas pour habitude d'avaler les trois quarts d'une bouteille de Wild Turkey et de chasser le diable des femmes en les frappant à coups de pied », songea Tory. Mais Sarabeth ne voyait pas la différence.

— Au travail, ils sont toujours sur son dos, tu sais, ils en ont après lui parce qu'il est plus intelligent qu'eux. Et les poulets coûtent cher à élever, plus que nous le pensions. Ce salaud de grainetier a augmenté ses prix pour mieux vendre les poulets qu'il élève lui-même. Han me l'a raconté.

— Écoute, mon chou, tu dois te rendre compte qu'en disparaissant ainsi Han s'est mis dans son tort puisqu'il est en liberté surveillée. Il a contrevenu à la loi.

— Eh bien, c'est la loi qui a tort. Que vais-je faire, J.R. ? Je me sens si angoissée ! Tout le monde me réclame de l'argent et il ne me rentre pas un sou, à l'exception de la vente des œufs. Je suis allée à la banque, mais ce sont des voleurs et, avec leurs bouches pincées, ils m'ont raconté que mon Han avait retiré les fonds.

— Je m'occupe des factures. Ne t'inquiète pas pour ça, dit J.R., qui avait déjà agi ainsi dans le passé. Tu devrais mettre quelques affaires dans un sac et venir à la maison avec moi. Tu peux rester chez nous jusqu'à ce que les choses se soient arrangées.

— Je ne peux pas partir. Han pourrait revenir d'un instant à l'autre.

— Tu n'as qu'à lui laisser un mot.

— Cela le rendrait furieux.

Les yeux de Sarabeth s'assombrirent et firent le tour de la pièce. Elle ressemblait à un oiseau égaré qui cherche à se mettre à l'abri – à l'abri de la vertueuse colère de son époux.

— Un homme doit trouver sa femme à la maison quand il rentre. Elle doit l'attendre sous le toit qu'il a mis sur sa tête.

— Ton toit a des trous, Maman, lâcha Tory tranquillement, s'attirant ainsi un regard d'une noirceur fulgurante.

— Rien n'a jamais été assez bon pour toi, hein ? Tu ne t'es jamais préoccupée de ce que ton père travaillait durement. Ce n'était pas assez, tu voulais toujours plus.

— Je n'ai jamais demandé plus.

— Tu étais assez intelligente pour ne pas le dire. Mais je le voyais bien, je le voyais dans tes yeux. Sournoise, oui, voilà ce que tu étais. Sournoise et rusée. (La bouche de Sarabeth se tordit.) Et tu t'es enfuie à la première occasion sans jamais regarder en arrière, sans honorer ton père et ta mère. Tu aurais dû nous payer de retour pour tout ce que nous avions sacrifié pour toi, mais tu étais trop égoïste. Nous avions une vie décente à Progress, il a fallu que tu la ruines !

205

— Sarabeth !

Impuissant, J.R. lui tapota vivement la main.

— Ce n'est pas bien de parler ainsi, et puis ce n'est pas vrai.

— Elle a apporté la honte sur nous. Au moment même où elle est née. Nous étions heureux avant.

Sarabeth se mit à pleurer de plus en plus fort, secouée de sanglots. À bout de ressources, J.R. l'entoura de son bras en murmurant quelques mots rassurants.

Blême, l'esprit vide, Tory commença à débarrasser la table du désordre qui l'encombrait.

Sarabeth se leva d'un bond.

— Qu'est-ce que tu fais ?

— Tu vois bien. Puisque tu es décidée à rester dans cette maison, je mets un peu d'ordre.

— Je n'ai pas besoin de ton aide !

D'un geste, elle envoya valser à terre les assiettes en carton.

— Je n'ai pas besoin que tu viennes ici avec tes airs supérieurs et tes vêtements de fantaisie pour me faire paraître vilaine et incapable. Tu m'as tourné le dos il y a des années et, en ce qui me concerne, tu peux continuer.

— Tu m'as tourné le tien dès le moment où tu es restée assise tranquillement pendant qu'il me battait jusqu'au sang.

— Dieu a voulu que l'homme soit maître chez lui. Tu méritais chacune de ces rossées.

Des rossées, songea Tory. Un mot bien trop doux pour tant d'horreur.

— Comme ça, tu dors mieux la nuit, fit observer Tory.

— Ne me réponds pas ! Ne manque pas de respect à ton père. Tu ferais mieux de me dire où il est, bon sang ! Tu sais bien que tu peux voir. Dis-moi où il est pour que je puisse aller prendre soin de lui.

— Je ne chercherai pas à voir pour lui. Si je le trouvais blessé dans un fossé, je l'y laisserais.

Sa tête bascula en arrière sous la gifle que lui administra Sarabeth. Sa joue se marbra presque aussitôt de taches rouges, mais elle fléchit à peine.

— Sarabeth ! Dieu tout-puissant !

J.R. saisit sa sœur, lui bloqua les bras, tandis qu'elle se débattait en sanglotant et en criant.

— Je m'apprêtais à dire que j'espérais bien qu'il était mort, reprit tranquillement Tory, mais, finalement, j'ai changé d'avis. J'espère qu'il reviendra vers toi, Maman. J'espère vivement qu'il reviendra et te fera de nouveau mener la vie à laquelle tu sembles tant aspirer.

Elle ouvrit son sac et sortit le billet de cent dollars qu'elle y avait placé le matin.

— S'il revient, tu peux lui dire ceci : cet argent représente le dernier versement qu'il me soutirera. Dis-lui aussi que je suis de retour à Progress pour y reconstruire une vie. *Ma* vie. S'il vient et lève encore la main sur moi, ce sera pour la dernière fois, et il a intérêt à me battre à mort. Sinon, c'est moi qui le tuerai.

Elle referma son sac.

— Je t'attends dans la voiture, lança-t-elle à J.R. en sortant.

Ses jambes ne se mirent à trembler que lorsqu'elle fut assise et eut refermé la portière. Le tremblement gagna peu à peu toutes les parties de son corps. Les yeux fermés, elle croisa les bras et les serra fermement contre sa poitrine en attendant de reprendre le contrôle d'elle-même.

Elle entendait les gémissements de Sarabeth s'écouler hors de la maison comme la lave d'un volcan, et le cri rauque, monotone, des poulets à la recherche de nourriture. Quelque part dans le voisinage, non loin de là, un chien aboyait d'une voix profonde, coléreuse.

Toutefois, par-dessus ce vacarme déprimant, elle pouvait encore percevoir le chant joyeux des oiseaux. Concentrant ses pensées sur ce chant, elle ouvrit son esprit. Curieusement, elle se retrouva dans sa cuisine, la tête sur l'épaule de Cade, tandis qu'il effleurait ses cheveux de ses lèvres.

Elle parvint enfin à se relaxer et ne s'aperçut du retour de son oncle que lorsqu'il s'installa sur le siège à côté d'elle et claqua sa portière.

Sans un mot, il mit le contact et engagea le cabriolet sur le chemin regagnant la grand-route. Il s'arrêta quelques centaines de mètres plus loin sur le bas-côté et demeura immobile, les mains posées sur le volant, les yeux fixés droit devant lui dans le vide.

— Je n'aurais pas dû te laisser venir, dit-il enfin. Je pensais... à vrai dire, je ne sais trop quoi. Mais j'avais dans l'idée qu'elle serait contente de te revoir, que vous auriez pu vous retrouver toutes les deux, puisque Han n'était plus là.

— Je n'existe pas pour elle, sauf quand il s'agit de me faire des reproches. C'est lui sa vie.

— Pourquoi ? Pour l'amour de Dieu, Tory, comment peut-elle désirer vivre avec un homme qui ne lui a jamais apporté aucune joie ?

— Elle l'aime.

— Ce n'est pas de l'amour !

Il jeta le mot avec colère, avec dégoût.

— C'est une maladie. Tu as entendu comme elle l'excuse, comme elle rejette la faute sur tout le monde sauf lui. La femme qu'il a attaquée, la police et même sa foutue banque.

— Elle veut le croire. Elle a besoin de le croire.

Voyant à quel point il était bouleversé, Tory posa une main sur son bras.

— Oncle Jimmy, cesse de t'inquiéter. Tu as fait tout ce que tu as pu.

— Oui, tout ce que j'ai pu, comme tu dis. C'est-à-dire lui donner de l'argent et la laisser là, dans ce taudis. Pour dire la vérité, Tory, je remercie maintenant le ciel qu'elle n'ait pas accepté de venir avec moi à la maison, de m'avoir évité d'introduire cette malade sous mon toit. J'ai honte.

Sa voix se brisa ; il laissa tomber son front sur le volant.

Parce qu'il en avait besoin, Tory défit sa ceinture de sécurité et se blottit contre lui, posant la tête sur son bras et tapotant son large dos.

— Il ne faut pas avoir honte, oncle Jimmy. Il n'y a pas de honte à vouloir protéger sa maison et sa femme, à vouloir rester à l'écart de tout ça. Moi aussi, j'aurais pu faire ce qu'elle me demandait. Mais je ne l'ai pas fait et je n'en ai pas honte.

Il approuva d'un signe de tête et se redressa sur son siège en s'efforçant de reprendre ses esprits.

— Sacrée famille que nous formons là, hein, mon cœur ?

Doucement, délicatement, il toucha du bout du doigt la marque qu'elle portait encore sur la joue. Puis il passa la première et accéléra.

— Tory, si tu es d'accord, je n'ai pas le courage d'aller voir ta grand-mère maintenant.

— Moi non plus. Rentrons à la maison.

Quand son oncle l'eut déposée devant sa porte, Tory monta aussitôt dans sa voiture pour se rendre à la boutique. Elle avait des heures de travail devant elle et s'en félicitait car, ainsi, elle ne penserait pas à l'expédition de la matinée.

Elle téléphona d'abord au fleuriste pour lui demander de livrer le ficus et l'arrangement floral commandés la semaine précédente. Puis elle appela la pâtisserie afin de s'assurer que les gâteaux et les petits-fours seraient prêts le lendemain matin lorsqu'elle passerait les prendre à la première heure.

La journée était déjà bien avancée quand elle jugea enfin la décoration à son goût. Tout était prêt pour l'inauguration du lendemain. Pour donner une ultime touche de fête, elle suspendit une guirlande lumineuse sur les branches délicates du ficus qui venait d'être livré.

La sonnerie de la porte d'entrée retentit, lui rappelant soudain qu'elle avait oublié de la verrouiller après la dernière livraison.

— J'ai vu en passant que vous étiez là. (Dwight entra, jeta un coup d'œil autour de lui et émit un sifflement.) Je voulais savoir si tout allait bien et si vous aviez besoin d'un coup de main de dernière minute. Mais tout est prêt, on dirait.

— Je l'espère, oui.

Elle se dressa pour accrocher la dernière extrémité de la guirlande.

— Vos ouvriers ont fait du bon boulot, Dwight. J'en suis tout à fait satisfaite.

— Alors, n'oubliez pas de mentionner la firme Frazier si quelqu'un vous fait compliment de la menuiserie.

— Vous pouvez y compter.

— Comme c'est joli...

Il s'approcha d'une planche à découper faite d'étroites bandes de bois de diverses couleurs et lisse comme du verre.

— Très beau travail, vraiment. Il m'arrive parfois de réaliser quelques pièces dans mon atelier, pour le plaisir, mais rien d'aussi réussi. C'est presque trop beau pour que l'on s'en serve.

— Style et fonctionnalité, c'est le mot d'ordre de la maison.

— Lissy raffole de la lampe qu'elle a achetée ici et ne manque pas une occasion de montrer le miroir à toutes ses amies. Je pourrais peut-être jeter un coup d'œil aux bijoux pour trouver quelque chose qui la dériderait un peu.

— Pourquoi ? Lissy ne se sent pas bien ?

Dwight éluda la question d'un geste de la main tout en continuant à examiner la boutique.

— Rien de grave, finit-il par répondre. Juste le *baby blues*. (Il enfonça les pouces dans ses poches en esquissant un petit sourire penaud.) Bon, puisque je suis ici, je ferais aussi bien de m'excuser.

Voyant qu'il s'incrustait, Tory poursuivit l'accrochage des lumières.

— Et pourquoi ?

— Pour avoir laissé Lissy supposer que vous et Cade étiez... eh bien... en excellents termes.

— La compagnie de Cade ne m'est nullement désagréable, Dwight, c'est un fait.

— Laissez-moi vous expliquer. Quand Lissy a une idée dans la tête, elle n'en démord pas. Un beau matin, elle a décidé qu'il était de son devoir de présenter à Cade des femmes susceptibles de lui plaire. Elle a d'ailleurs agi de la même manière avec Wade. Dieu seul sait pourquoi elle veut absolument marier mes amis. Aussi, pour échapper à ses ruses de marieuse, Cade m'a conseillé de lui dire que...

Il se mit à rougir pendant que Tory le regardait en silence.

209

— ... qu'il avait une liaison avec quelqu'un. J'ai pensé alors à mentionner votre nom. Comme vous veniez juste d'arriver et que vous êtes ravissante, Lissy croirait sans peine ce petit mensonge et laisserait Cade tranquille quelque temps.

— Hmm...

Ayant terminé, Tory brancha les guirlandes et se recula pour admirer l'effet.

— J'aurais dû me douter de la suite, poursuivit Dwight, insistant lourdement. Je ne suis pas sourd, donc je n'ignore pas la tendance de Lissy à bavarder. Cade est venu me passer un savon. Plus d'une demi-douzaines de personnes m'ont déjà raconté que vous étiez pratiquement fiancés et que vous songiez à avoir un enfant.

— Il aurait été plus simple de dire la vérité à votre femme : Cade n'a pas encore envie de se fixer.

— Ce n'est pas aussi simple. (Un sourire rapide, séducteur, découvrit l'éclat de ses dents très blanches.) Si je lui avais dit ça, elle m'aurait demandé pourquoi. Et si je lui explique que certains hommes ne sont pas mûrs pour le mariage, elle me rétorque que, puisque le mariage est assez bon pour moi, il l'est aussi pour les autres. À moins que, moi aussi, je préfère être libre de vagabonder comme mes deux meilleurs amis ? Naturellement, je lui réponds non, mais, en disant cela, je me retrouve coincé.

Il se gratta la tête d'un air qu'il voulait gêné.

— Je vous le dis, Tory. Quand on se marie, on s'engage sur une corde raide, et tout homme prétendant qu'il ne sacrifierait pas un ami pour éviter de tomber est un foutu menteur. Par ailleurs, j'ai entendu dire qu'on vous voyait pas mal, Cade et vous.

— Est-ce une constatation ou une question ?

— J'aurais dû savoir que traiter avec une femme comme vous revient à marcher sur la corde raide, répondit Dwight en hochant la tête. Je ferais mieux de regagner la terre ferme.

— Bonne idée.

— Lissy a organisé ce soir à la maison une réunion de vente à domicile. Je compte aller chez Wade pour voir s'il peut me trouver quelque chose à manger et me tenir compagnie jusqu'à ce que je puisse rentrer chez moi sans risquer de tomber en pleine basse-cour... Je veux dire au beau milieu de toutes ces femmes, s'empressa-t-il de corriger en voyant Tory froncer les sourcils. Au fait, je ferai un saut ici demain. Vous pourrez peut-être m'aider à choisir des boucles d'oreille pour Lissy ou quelque chose de ce genre.

— Bien volontiers.

Il se dirigea vers la porte mais s'arrêta soudain.

— C'est vraiment très élégant ici, Tory. Votre boutique a beaucoup de classe. C'est bon pour la ville.

Elle l'espérait bien, songea-t-elle en le suivant pour verrouiller la porte derrière lui. Mais ce qu'elle espérait par-dessus tout, c'était que la ville soit bonne pour elle.

Dwight fit quelques pas sur le trottoir pour aller traverser au feu. En tant que maire, il se devait de donner le bon exemple. Il évitait toute imprudence à pied, ne s'autorisait pas plus de deux bières le soir dans un bar et conduisait aux vitesses prescrites. De petits sacrifices, certes, mais il éprouvait néanmoins de temps à autre le besoin de secouer ces contraintes.

Sans doute parce qu'il avait été longtemps un adolescent timide et emprunté, pensa-t-il en faisant un signe de la main à Betsy Gluck, qui venait de le saluer d'un petit coup de klaxon. Il avait seulement commencé à s'affirmer aux alentours de ses quinze ans. Dès lors, il s'était montré si ébloui de voir les filles s'intéresser à lui qu'il avait usé et abusé des plaisirs de la banquette arrière de sa première voiture. Puis ce fut le tour de Lissy – la plus jolie fille de l'école, la plus populaire aussi – et, avant de se rendre compte de ce qui lui arrivait, il louait un habit pour son mariage.

Il ne l'avait pas regretté une seule minute. Lissy était exactement celle qu'il lui fallait. Toujours aussi jolie que lorsqu'ils étaient ensemble au lycée. Bien sûr, il lui arrivait parfois de faire trop d'histoires et de bouder, mais quelle femme ne le fait pas ?

Ils avaient une jolie maison, un bel enfant et un autre en route. Une sacré bonne vie, en somme. Et, avec ça, il était devenu maire de cette ville dans laquelle on s'était autrefois tellement moqué de lui.

Un homme doit savoir apprécier l'ironie de cette situation.

S'il lui arrivait parfois d'avoir des envies d'évasion, quoi de plus naturel ? Mais il n'en demeurait pas moins l'époux de Lissy et il n'aurait voulu vivre nulle part ailleurs qu'à Progress. Il ne désirait qu'une chose : continuer à vivre cette vie-là.

Il ouvrit la porte de la salle d'attente de Wade au moment précis ou un chien berger déchaîné tentait de s'échapper, le bousculant au passage.

— Désolée. Oh ! Mongo !

La blonde qui luttait pour maintenir la laisse était à la fois jolie et inconnue de lui. Elle adressa à Dwight un regard d'excuse de ses grands yeux verts et esquissa un sourire de ses lèvres bien ourlées, comme celles d'une poupée.

211

— Vous savez, il vient tout juste d'être vacciné et il a l'impression qu'on l'a maltraité.

— Il n'a pas vraiment tort.

Toute attitude de retrait pouvant compromettre sa virilité, Dwight risqua deux doigts et tapota l'épaisse toison grise et blanche du chien.

— Je ne me rappelle pas vous avoir vue par ici, vous et Mongo, dit-il aimablement.

— Nous sommes arrivés de Dillon il y a quelques semaines seulement. J'enseigne la littérature anglaise au lycée – enfin, pour la session d'été et peut-être ensuite à plein temps. Mongo, assis !

Repoussant ses cheveux, elle tendit la main.

— Je m'appelle Sherry Bellows. Oh ! pardon, vous avez maintenant des poils de chien sur votre pantalon !

— Dwight Frazier. Heureux de vous avoir rencontrée, mademoiselle Bellows. Je suis le maire de cette ville et c'est donc à moi, entre autres, que vous devrez vous adresser si vous avez à vous plaindre de quelque chose.

— Tout va bien pour l'instant. Mais je m'en souviendrai. (Elle tourna la tête vers la salle d'examen.) Tout le monde a été très gentil et serviable. En attendant, je ferais mieux d'enfermer Mongo dans la voiture avant qu'il casse sa laisse et que vous m'envoyiez une citation à comparaître.

— Avez-vous besoin d'aide ?

Elle se mit à rire en sortant, entraînée par son chien.

— Non. Je le tiens. Enfin, presque. Ravie de vous avoir rencontré, monsieur le maire. Au revoir, Maxine !

— Tout le plaisir est pour moi, murmura-t-il.

Il se tourna vers Maxine, qui se tenait dans la salle d'attente.

— Si j'avais eu un professeur d'anglais comme ça au lycée, j'aurais bien aimé redoubler...

— Ah ! vous, les hommes ! ricana Maxine en tirant son sac d'un tiroir. Vous êtes si prévisibles ! Je crois bien que Mongo était notre dernier client. Doc Wade est en train de se laver les mains dans la salle de derrière. Voulez-vous lui dire que je m'en vais ? Sinon, je vais être en retard à mon cours du soir.

— Partez tranquille. Bonne soirée.

Il se dirigea vers le bureau de Wade et le trouva en train de remettre de l'ordre dans le placard où il rangeait les produits toxiques.

— Alors, as-tu quelques bonnes drogues ?

— Si tu veux quelques stéroïdes pour te faire pousser des poils sur la poitrine... Tu n'en as jamais eu.

— C'est parce que tu les as tous sur les fesses, rétorqua Dwight tranquillement. Dis-moi, qui est cette blonde ?

— Hein ?

— Bon sang, Wade, tu rêves ? Ma parole, tu prends toi-même les tranquillisants de tes chiens ? Je parle de cette blonde avec le gros chien qui vient juste de quitter le cabinet. Cette prof d'anglais.

— Ah ! Mongo.

Avec un hochement de tête entendu, Dwight se hissa sur la table matelassée.

— Bon, il est trop tard pour toi, je le constate. Si tu oublies une jolie blonde qui remplit aussi agréablement son jean collant, et si le seul souvenir que tu en gardes est son gros chien mal peigné, c'est que tu es perdu, même pour une personne que Lissy pourrait te dénicher.

— Ta femme est une entremetteuse. Je n'irai plus jamais à ses rendez-vous arrangés. Et, oui, j'ai remarqué la blonde.

— Je pense qu'elle t'a remarqué aussi. Tu lui as fait du plat ?

— Enfin, Dwight ! C'est une cliente.

— C'est le chien, ton client. Tu as raté une belle occasion, mon vieux.

— Ne t'occupe pas de ma vie sexuelle.

— À quoi bon ? Tu n'en as pas. (Dwight s'appuya sur ses coudes en souriant.) Écoute, si j'étais célibataire et seulement la moitié moins laid que toi, c'est cette jolie blonde, et non son fichu cabot, que j'aurais examinée sur cette table !

— Qui te dit que je ne l'ai pas fait ?

— Dans tes rêves...

— Eh bien, mes rêves m'appartiennent, non ? Dis-moi, pourquoi n'es-tu pas en train de te laver les mains avant d'aller dîner chez toi comme un bon petit garçon ?

— Lissy a une réunion Tupperware avec tout un tas de bonnes femmes à la maison. J'ai dégagé.

— C'est pour du maquillage. (Wade referma la porte du placard.) Ma mère y va.

— Peu importe ce que c'est ! Comme si les femmes avaient besoin d'autres produits de beauté ou de je ne sais quels nouveaux bols en plastique. Non, Lissy s'ennuie quand elle est enceinte. Dis-moi, si nous allions boire une bière et manger quelque chose comme dans le bon vieux temps ?

— J'ai du travail ici, répondit Wade en songeant que Faith pourrait passer le voir.

— Allons, viens, insista Dwight. Il n'y en a pas pour longtemps.

Wade s'apprêtait à refuser une nouvelle fois, mais il se ravisa. Qu'est-ce qui se passait donc avec lui ? Était-ce vraiment cela qu'il voulait ? Rester enfermé dans son appartement en attendant que Faith l'appelle ? Il se mettait à ressembler à ces adolescentes enamourées d'une star de cinéma...

— D'accord.

Joyeux, Dwight sauta de la table.

— Génial. Donnons un coup de fil à Cade pour qu'il nous rejoigne. Nous lui demanderons de payer pour nous.

— Voilà une excellente idée...

15

Tory ne s'était pas attendue à se sentir aussi nerveuse. Pourtant, elle possédait déjà une solide expérience du métier et connaissait chaque pièce de son stock – presque aussi bien que l'artisan qui l'avait fabriquée. Elle avait contrôlé et recontrôlé chaque détail, vérifié jusqu'à la couleur et la solidité des ficelles prévues pour les boîtes d'emballage.

Tout au long des diverses étapes menant à la création de sa boutique, elle avait gardé son calme, l'œil avisé et la main ferme. Elle n'avait pas commis d'erreurs. N'avait rien oublié. Tout devait donc être parfait.

Le magasin lui-même était réussi, chaud, accueillant, bien éclairé. Elle-même avait un air très professionnel, compétent. Entre trois et quatre heures du matin, elle avait vécu des instants affreux à se demander quels vêtements choisir avant d'opter finalement pour un pantalon bleu marine et un chemisier blanc. Mais voilà que, maintenant, elle se demandait si cette tenue ne ressemblait pas trop à un uniforme.

Elle s'inquiétait de tout.

Moins d'une heure avant l'ouverture, tous les doutes, les irritations et les craintes refoulés pendant des mois s'abattaient sur elle telle une volée de pierres.

Assise à son bureau dans sa réserve, elle se tenait prostrée, la tête sur les genoux. Ce trac maladif lui faisait honte. N'avait-elle pas réussi, jusque-là, à se contrôler, même quand elle était au plus mal ? Elle était trop forte pour se laisser aller ainsi. Ce n'était pas le moment de flancher si près du but, après avoir travaillé si dur.

Ils viendraient, elle n'en doutait pas. Oui, les gens de Progress viendraient et lui jetteraient ces coups d'œil rapides et inquisiteurs auxquels elle commençait à s'habituer.

La fille Bodeen. Tu te souviens ? Cette gosse si étrange...

Mieux valait ne pas y attacher d'importance. Et pourtant, cela en avait, oh ! oui. C'était une folie d'être revenue ici, tout le monde la connaissait, il était impossible de garder un secret. Pourquoi ne pas être restée à Charleston, où elle avait mené une vie tranquille, à l'abri des indiscrétions ?

La peau moite et l'estomac noué, elle aurait voulu désespérément retrouver sa jolie maisonnette familiale, son minuscule jardin, la routine de son travail exigeant mais impersonnel dans un magasin qui ne lui appartenait pas. Elle aurait voulu retrouver l'anonymat sous lequel elle s'était dissimulée pendant tant d'années.

Jamais elle n'aurait dû revenir, exposer ainsi sa personne, ses économies, sa paix, son esprit. Qu'est-ce qui lui avait pris ?

C'était à cause de Hope, admit-elle en relevant lentement la tête. C'était pour Hope.

Une folie. Un acte insensé. Hope était morte et on ne pouvait rien y changer. Et voilà qu'à présent elle avait mis en jeu tout ce pour quoi elle travaillait. Il allait falloir, dorénavant, affronter les regards, les murmures et les mauvaises pensées.

Quand elle entendit frapper à la porte du magasin, elle fut tentée de se jeter sous le bureau et de se blottir dans la position du fœtus en se bouchant les oreilles. Elle faillit céder à son impulsion, mais le seul fait de se représenter ainsi la fit se lever d'un bond.

Il lui restait trente minutes avant l'heure d'ouverture, trente précieuses minutes pour se reprendre. Qui que ce soit, elle le ferait partir.

Elle redressa les épaules, passa une main dans ses cheveux pour les remettre en place et se prépara à dire au visiteur de revenir à dix heures.

Mais, quand elle aperçut sa grand-mère de l'autre côté de la vitre, Tory courut à la porte.

— Oh ! mamie !

Elle s'accrocha au cou d'Iris Mooney comme à un rocher au-dessus du vide.

— Je suis si heureuse de te voir ! Je ne pensais pas que tu viendrais.

— Pas venir, moi ? Pour ton inauguration ? Tu plaisantes ! Je mourais d'impatience. (Elle repoussa doucement Tory à l'intérieur du magasin.) J'ai rendu Cecil à moitié fou sur la route en lui demandant d'aller plus vite avec sa camionnette. Au fait, il est là, derrière la plante verte et, encore derrière lui, se cache Boots.

216

Tory renifla et réussit à rire en voyant Cecil pointer la tête au-dessus des grandes feuilles lancéolées.

— C'est merveilleux ! Vous êtes là vous aussi. Vous tous... Posez cette plante, voyons... (elle se retourna, calculant l'espace nécessaire)... là-bas, contre le mur, au bout de ce rayon. C'est juste ce qui manquait pour la boutique !

— Il ne semble pas manquer quoi que ce soit, déclara Iris en balayant les lieux d'un regard appréciateur. Tory, cet endroit est aussi parfait qu'une mariée du mois de juin. Toutes ces jolies choses ! (Elle posa affectueusement un bras sur l'épaule de sa petite-fille pendant que Cecil installait la plante.) Tu as toujours eu un goût excellent.

Fraîche comme un sou neuf dans sa robe d'été jaune, Boots frappait des mains comme une gamine.

— Je ne peux pas attendre plus longtemps pour acheter quelque chose ! Je tiens à être ta première cliente aujourd'hui. J'ai prévenu J.R. Sa carte de crédit risque de chauffer avant que j'en aie fini ici.

— J'ai un extincteur, répondit Tory en riant et en l'embrassant.

— Il y a des tas d'objet fragiles, observa Cecil, qui mit prudemment les mains dans les poches. Je me sens tout gauche.

— Ce que tu casses, tu le paies, déclara Iris avec un clin d'œil. Très bien, trésor, que pouvons-nous faire ?

— Seulement être là. (Tory aspira une longue bouffée d'air.) Il n'y a vraiment rien à faire. Je suis aussi prête qu'il est possible de l'être.

— Nerveuse ?

— Terrifiée. Je vais juste mettre le thé et les gâteaux en place pour m'occuper les mains pendant ces derniers instants. Et puis...

Elle se retourna en entendant le tintement de la porte.

— Livraison pour vous, mademoiselle Bodeen.

Le jeune fils de la fleuriste lui tendit une boîte blanche et brillante.

— Merci.

— Ma mère viendra un peu plus tard. Elle a dit qu'elle voulait voir comment c'était présenté, mais je crois plutôt qu'elle a envie d'acheter des trucs.

— Je serai très contente de sa visite.

— Pour sûr, vous avez de la marchandise. (Il se tordit le cou pour regarder tout autour de lui pendant que Tory sortait un dollar de son tiroir-caisse.) Je pense que les gens ne vont pas tarder à arriver. Tout le monde en parle.

— Je l'espère bien.

Il fourra dans sa poche le billet que Tory lui tendait.

— Merci. À plus tard.

Tory posa la boîte sur le comptoir et souleva le couvercle. Elle était remplie de marguerites aux fraîches couleurs et de tournesols épanouis.

— Comme elles sont jolies ! s'exclama Iris en se penchant pour mieux voir. Exactement ce qu'il fallait. Des roses n'auraient pas convenu avec tes poteries et tes articles en bois. Ce quelqu'un te connaît assez bien pour avoir fait un tel choix.

— Oui. (Tory était déjà en train de lire la carte de visite accompagnant le colis.) Ce quelqu'un semble toujours savoir exactement ce qu'il convient de faire...

Boots fit courir ses mains sur les fleurs.

— Elles sont ravissantes ! Tory, mon chou, je vais devenir folle si tu ne me dis pas qui te les envoie.

Elle lut la carte que Tory lui tendait : « Bonne chance pour ce premier jour. Cade. »

— Ohhhh !

Iris redressa la tête et plissa les lèvres.

— S'agirait-il de Kincade Lavelle ?

— Oui, c'est lui.

— Hmmmm !

— Il n'y a aucune raison de faire « Hmmmm ». Il est attentionné, c'est tout.

— Si un homme envoie des fleurs à une femme et, en plus, justement les fleurs qui conviennent, c'est qu'il pense à elle. N'est-ce pas, Cecil ?

— Oui, il me semble. Pour une attention, on envoie une plante. Des fleurs, c'est bien plus romantique.

— Voilà. Tu comprends pourquoi j'aime cet homme ?

Iris tira sur la chemise de Cecil pour qu'il se penche et reçoive un baiser, ce qui fit sourire Boots.

— Les marguerites et les tournesols sont des fleurs que l'on choisit pour manifester son amitié, rectifia Tory en retenant un soupir.

— Des fleurs sont des fleurs ! déclara fermement Boots, à qui l'idée que Cade Lavelle fasse la cour à sa nièce ne déplaisait pas. Un homme en envoie à une femme, donc il pense à elle, c'est évident. Mets-les donc dans l'eau pendant que je sors les gâteaux. J'aime que tout soit prêt pour une réception.

— Qu'en pensez-vous ? J'ai de jolies poteries *raku* dans la réserve. Ça conviendra très bien pour ce genre de fleurs, et ça fera une jolie note de couleur sur le comptoir.

Iris fit un geste de la main.

— Vas-y alors. Dis-nous ce qu'il faut faire. Nous allons t'aider à réussir cette inauguration.

Les premiers clients se présentèrent à dix heures et quart, Lissy en tête. En la voyant au milieu de toutes ses amies s'extasier sur la marchandise exposée, Tory décida d'annuler toutes les réserves qu'elle avait pu faire sur l'ex-reine de beauté de Progress.

À onze heures, une quinzaine de clients se promenaient et discutaient dans la boutique, et elle avait déjà enregistré quatre ventes.

Quand vint l'heure du déjeuner, elle était trop occupée pour être nerveuse. Des regards, des murmures étaient échangés. Elle en perçut plus d'un, mais son armure d'acier la protégea de toute atteinte et fit taire les curieux.

— Vous étiez l'amie de la petite Lavelle, n'est-ce pas ?

— En effet, répondit Tory tout en continuant d'emballer un bougeoir de fer forgé.

— C'est horrible, ce qui lui est arrivé.

La femme dont les yeux perçants ne quittaient pas le visage de Tory s'approcha d'elle.

— Ce n'était qu'une enfant. C'est bien vous qui l'avez trouvée, je crois ?

— C'est son père. Voulez-vous une boîte ou du papier comme emballage ?

— Une boîte. C'est pour ma nièce. Elle se marie le mois prochain. Je crois que vous étiez à l'école avec elle. Kelly Anne Frisk.

— Je n'ai pas beaucoup de souvenirs de cette époque, dit Tory avec un charmant sourire en déposant l'achat dans une boîte. C'est tellement loin. Voulez-vous aussi un papier d'emballage ?

— Je m'en charge, mon chou, déclara Iris en s'avançant. Des clients t'attendent. Alors, comme ça, Kelly Anne se marie ? Je crois me souvenir d'elle. C'est la fille aînée de Marsha, n'est-ce pas ? Seigneur, comme le temps passe !

— Kelly Anne a eu des cauchemars pendant un mois après l'histoire la petite Lavelle, poursuivit la femme d'un ton satisfait.

Sa voix parvint encore aux oreilles de Tory. Elle fut tentée de s'échapper quelques instants dans la réserve pour respirer et laisser à son cœur le temps d'apaiser ses battements affolés. Mais, au lieu de fuir, elle se tourna vers une femme brune qui hésitait devant des coupes de service.

— Puis-je vous aider ?

— Le choix est difficile. Il y a tellement de jolies choses. JoBeth Hardy n'est-elle pas la tante de Kelly Anne ? Une femme très désagréable, à mon avis. Naturellement, vous n'y êtes pour rien. Vous, toujours si soigneuse, si posée. Vous ne vous souvenez sans doute pas de moi ?

La jeune femme tendit la main.

— Non. Je regrette.

— J'étais beaucoup plus jeune à l'époque et vous n'étiez pas toujours au cours élémentaire de Progress, où j'enseigne toujours. Mon nom est Marietta Singleton.

— Oh ! mademoiselle Singleton. Je me souviens de vous, à présent. C'est un plaisir de vous revoir.

— J'attendais avec impatience l'ouverture de votre magasin. Je me demandais ce que vous étiez devenue après toutes ces années. Vous ignorez peut-être que j'étais autrefois une amie de votre mère. Bien avant votre naissance, naturellement. Le monde est petit.

— C'est bien vrai.

— Parfois trop petit pour qu'on s'y sente à l'aise.

Marietta jeta un coup d'œil en direction de la porte, car Faith venait d'entrer. Les deux femmes échangèrent un long regard chargé d'étincelles avant que Marietta ne se détourne pour reporter son attention sur les coupes.

— Mais ce monde est celui dans lequel nous devons vivre, reprit-elle. Je vais prendre ce bol-ci, avec ce charmant décor bleu sur fond blanc. Voulez-vous le mettre de côté pour moi pendant que je continue à regarder ?

— Bien entendu. Je vais vous en chercher un dans la réserve.

— Victoria ! (Marietta baissa la voix et tapota le dos de Tory.) Vous avez été très courageuse de revenir ici. Vous l'avez d'ailleurs toujours été.

Elle s'écarta tandis que Tory restait sur place, figée par la vague de chagrin que cette femme avait réveillée.

Elle pénétra dans la réserve pour reprendre ses esprits et chercher la coupe promise. Elle fut ennuyée de voir Faith entrer sur ses talons.

— Que voulait-elle donc ?

— Pardon ? Écoute, Faith, cette pièce est réservée au service.

— Qu'est-ce que Marietta te voulait ?

Tory saisit froidement la coupe sur une étagère.

— Ceci. La plupart des gens qui viennent ici cherchent un article à acheter. On appelle ça un magasin.

— Qu'est-ce qu'elle t'a dit ?

— En quoi est-ce que cela te regarde ?

Faith siffla entre ses dents et sortit un paquet de cigarettes.

— Interdiction de fumer ici.

— Ah ! oui, merde. (Elle remit le paquet en place et commença à aller et venir.) Cette femme n'a pas à venir rôder en ville.

— Elle m'a semblé parfaitement convenable. Et je n'ai pas de temps à perdre avec tes ragots et tes mouchardages.

Mais Tory devait cependant s'avouer que sa curiosité était piquée.

— Maintenant, poursuivit-elle, à moins que tu ne veuilles m'aider à ranger le stock ou à remplir le pichet de thé glacé, je te demanderai de sortir.

— Tu ne la trouverais pas si convenable si elle avait couché avec ton père.

Sur cette sortie rageuse, Faith se détourna en direction de la porte. Mais Tory la connaissait bien. Anticipant sa réaction, elle reposa la coupe et bloqua la porte de sa main avant qu'elle ne l'ouvre.

— Ne t'avise pas de faire une scène. Ne t'avise pas d'introduire chez moi tes problèmes de famille. Si tu cherches la bagarre, va ailleurs.

— Je ne ferai pas de scène, répliqua Faith, pourtant tendue comme un arc. Je n'ai pas l'intention de donner matière à ricaner à tous ces gens-là. Quant à toi, oublie ce que j'ai dit. J'aurais dû me taire. Nous avons eu assez de mal à faire taire les ragots à propos de la liaison de mon père avec cette femme. Si par hasard ils reprenaient, je saurais que ça vient de toi.

— Inutile de me menacer. Le jour où tu pouvais me faire marcher est passé depuis longtemps. Aussi, tu ferais mieux de rentrer tes griffes si tu ne veux pas que je me rebiffe.

Elle en serait restée là, mais elle vit les lèvres de Faith trembler. Malgré sa colère, un léger frisson la traversa car ce fut le visage de Hope qui lui apparut.

— Reste donc ici une minute, dit-elle, radoucie. Va t'asseoir et reprends tes esprits. Tu ne peux pas sortir avec cette tête-là, surtout si tu ne veux pas que les gens bavardent. Enfin, pour l'instant, ils sont assez occupés à bavarder à mon propos.

Elle ouvrit la porte et jeta un coup d'œil au-dehors.

— Interdiction de fumer, répéta-t-elle en refermant derrière elle.

Faith se laissa tomber sur une chaise et, les yeux fixés sur la porte, tira son paquet de cigarettes. Mais elle le remit dans sa poche d'un air coupable en voyant la porte s'ouvrir à nouveau.

Boots se glissa à l'intérieur de la pièce. Ce n'était pas parce qu'elle semblait occupée à papillonner dans le magasin que les subtilités lui échappaient. Elle n'avait pas été la dernière à remarquer la rage empourprer le visage de Faith.

— Nous voilà à l'abri ici, s'exclama-t-elle gaiement en agitant une main devant elle. J'avais besoin de m'échapper un instant de la foule.

« Voilà une excellente occasion de coincer la femme qui a jeté ses filets sur mon Wade », pensait-elle en même temps.

— Asseyez-vous donc, dit Faith en se levant aussitôt. J'allais justement sortir.

— Tenez-moi compagnie une minute, mon chou, voulez-vous ? Vous êtes bien jolie aujourd'hui, comme toujours d'ailleurs.

— Merci. Vous aussi.

À présent debout, Faith ne savait trop que faire de ses mains.

— Vous devez être très fière de Tory, aujourd'hui.

— J'ai toujours été fière d'elle, répondit Boots aimablement. Comment va votre maman ?

— Bien, merci.

— Il y a bien longtemps que je l'ai vue. Voulez-vous lui transmettre mon meilleur souvenir ?

Souriante, Boots se dirigea vers la boîte de gâteaux et en choisit un.

— Avez-vous vu Wade ? Je pensais qu'il viendrait.

— Non, pas encore.

Avec un soupir, Boots mordilla le gâteau.

— Ce garçon travaille trop. Je voudrais bien qu'il s'établisse, qu'il trouve une femme pour l'aider à se faire un intérieur.

— Ah !

Même en continuant à grignoter son gâteau, Boots avait les yeux assez vifs pour épingler un papillon, fût-il aussi malin que Faith.

— Oh ! il n'y a pas de raison de vous troubler, mon cœur. Mon fils est un adulte, désormais, et vous êtes une très belle femme. Pourquoi ne seriez-vous pas attirés l'un par l'autre ? Je sais bien que mon garçon a une vie sexuelle.

« Bon, pensa Faith. Elle l'aura voulu. »

— Cependant, vous préféreriez que ce ne soit pas avec moi ?

Boots choisit un autre gâteau et l'offrit à la jeune femme.

— Je ne crois pas avoir dit une chose pareille. Nous sommes entre nous ici, Faith, et nous sommes toutes deux des femmes. Nous savons comment amener un homme à agir selon nos désirs – du moins la plupart du temps. Vous avez une nature passionnée, mais cela ne me dérange pas. Peut-être aurais-je rêvé pour mon Wade d'un autre genre de femme, seulement c'est vous qu'il veut. Moi, je l'aime et ne peux donc vouloir pour lui que ce qu'il désire lui-même. Et il semble que ce soit vous.

— Les choses n'en sont pas là entre nous.

La formule amusa Boots, et elle en déduisit que Faith était intimidée.

— Vraiment ? Pourtant vous venez le voir souvent, n'est-ce pas ? Vous ne vous êtes jamais demandé pourquoi ? Non ? fit-elle en levant un doigt à l'ongle verni de rose. Vous devriez peut-être y réfléchir. Je veux simplement que vous sachiez que j'ai de l'affection pour vous, j'en ai toujours eu. Cela vous surprend ?

Faith la regarda. Autant dire que cela la stupéfiait.

— Oui, madame.

— Vous ne devriez pas. Vous êtes une jeune femme jolie et intelligente, et les choses n'ont pas toujours été aussi faciles pour vous que certains le pensent. Je vous aime bien, Faith. Mais si vous faites du mal à mon Wade, cette fois, je tordrai ce joli cou comme un brin d'herbe, c'est tout.

— Eh bien ! (Faith mordit dans son gâteau, les yeux plissés.) Voilà ce qui s'appelle mettre les choses au point.

Le visage de Boots avait repris son air paisible, ses yeux redevinrent aussi doux et rêveurs que d'habitude. Elle émit un léger rire cristallin et, à la grande confusion de Faith, l'enveloppa de ses bras en déposant un baiser sur sa joue.

Du bout du doigt, elle effaça l'empreinte de son rouge à lèvres sur la joue de la jeune fille.

— Je vous aime vraiment beaucoup. Maintenant, asseyez-vous et finissez votre gâteau en attendant de vous sentir tout à fait bien. Moi, je cours m'acheter quelque chose d'autre. Rien de tel qu'un peu de shopping, n'est-ce pas ?

Elle sortit en trombe de la pièce.

Sans un mot, Faith s'assit et mangea son gâteau.

Dix minutes plus tard, pendant la première accalmie de l'après-midi, Tory vit ressortir Faith de l'arrière-boutique au moment même où Cade entrait, suivi de sa tante Rosie.

Il était impossible de ne pas reconnaître Rosie Sikes LaRue Decater Smith. À soixante-quatre ans, elle faisait autant d'effet que lorsqu'elle avait choqué la bonne société à son bal de débutante en dansant pieds nus un jitterburg échevelé sur le court de tennis du club. À dix-sept ans, elle avait épousé Henry LaRue, de Savannah, mort en Corée avant le premier anniversaire de leur mariage.

Elle le pleura six mois, joua ensuite les veuves joyeuses, s'afficha avec un artiste inconnu soupçonné d'appartenir au parti communiste et finit par l'épouser à vingt ans sans raison particulière. Ils filèrent le parfait amour et organisèrent dans leur propriété de Jekyll Island ce que certains considérèrent comme de véritables orgies.

Elle enterra son deuxième mari après dix-neuf années de tumultueuse vie commune, quand il tomba d'une fenêtre du troisième étage après avoir passé la soirée en compagnie d'une bouteille de fine Napoléon et d'un jeune mannequin de vingt-trois ans. Le bruit courut qu'il s'agissait d'un crime, mais on ne put rien prouver.

À l'âge mûr de cinquante-huit ans, elle épousa un admirateur de longue date, plus par pitié que par amour. Il mourut deux ans plus tard, blessé et en partie dévoré par un lion solitaire durant le nouveau voyage de noces qu'ils avaient entrepris en Afrique pour le second anniversaire de leur mariage.

Trois maris enterrés et un nombre incalculable d'amants n'avaient pas affadi l'allure de Rosie. Elle portait une perruque – du moins Tory le supposa-t-elle – blond platine, une robe longue jusqu'aux chevilles rayée de rouge et de blanc comme un store, et assez de bijoux pour écraser une femme de moindre stature.

Tory distingua l'éclat des diamants parmi les rangs de fausses perles.

— Quelles jolies choses ! s'exclama Rosie d'une voix rauque en se frottant les mains. Arrière, mon garçon ! Je me sens d'humeur à faire des achats.

Elle alla droit vers l'étagère présentant des presse-papiers en verre soufflé et commença à en rassembler un certain nombre dans le creux de son bras.

Alarmée autant qu'amusée, Tory se précipita.

— Puis-je vous aider, madame Rosie ?

— Il m'en faut six. Les plus jolis.

— Bien sûr. C'est pour offrir ?

— Offrir ? Au diable les cadeaux ! C'est pour moi.

Les articles s'entrechoquaient entre ses mains distraites et Tory sentit son cœur s'arrêter.

— Permettez-moi de les poser sur le comptoir. Vous les verrez mieux.

— C'est ça. Ils sont pesants, d'ailleurs.

Les yeux de Rosie, alourdis de faux cils qui ressemblaient de manière troublante à des pattes d'araignée, se posèrent sur le visage de Tory.

— Vous êtes la fille avec qui Hope aimait jouer.

— Oui, madame.

— Ah ! oui, je me souviens de vous. Un jour, en Transylvanie, une gitane m'a lu les lignes de la main. Elle m'a prédit que j'aurais quatre maris. Dieu sait que je n'en veux pourtant pas d'autre.

Rosie tendit sa main chargée de bagues et de bracelets.

— Et vous, que voyez-vous ?

— Désolée, répondit Tory, qui, loin d'être gênée, s'amusait follement. Je ne suis pas chiromancienne.

— Vous savez peut-être lire dans les feuilles de thé, alors ? Ou quelque chose de ce genre ? Un de mes amoureux, un jeune garçon de Boston, prétendait qu'il avait été lord Byron dans une autre vie. Difficile à croire d'un Yankee, hein ? Cade, viens donc ici prendre tous ces objets en verre. À quoi bon traîner un homme avec soi si on ne peut pas s'en servir pour porter les paquets ? Ils sont tout juste utiles à faire les bêtes de trait, ajouta-t-elle à Tory avec un clin d'œil.

— Aimeriez-vous un peu de thé glacé, madame Rosie ? Un petit-four ?

Tout en examinant un objet de bois poli creusé en son centre, elle répliqua distraitement :

— Je n'ai pas faim. Qu'est-ce que c'est ?

— C'est pour décanter le vin. Le laisser reposer, si vous préférez.

— Ça, c'est le comble ! Qui peut bien avoir envie de laisser reposer une bonne bouteille de vin ? Ça me dépasse ! Donnez-m'en deux. Eh ! Lucy Talbott ! cria-t-elle à une cliente qui se tenait à l'autre extrémité du magasin. Qu'est-ce que vous êtes en train d'acheter ?

Telle une fusée dans un sillage de rouge et de blanc, elle traversa la pièce à la vitesse de l'éclair.

— On ne changera jamais tante Rosie, dit Cade avec un sourire. Comment s'est passée cette journée, Tory ?

— Très bien. Merci pour les fleurs. Elles sont ravissantes.

— Je suis heureux qu'elles vous plaisent. J'aimerais vous emmener dîner ce soir pour fêter l'événement.

— Je...

Elle avait déjà refusé de dîner chez son oncle, repoussant au dimanche la réunion de famille sous prétexte de fatigue. Pas envie de compagnie.

— ... j'en serais ravie, fit-elle.

— Très bien. Je passerai vous prendre vers sept heures et demie. Cela vous convient-il ?

— Parfait. Cade, votre tante désire-t-elle vraiment toutes ces choses ? Je ne sais pas ce qu'on peut bien faire de six presse-papiers.

— Ils lui ont plu. Mais elle oubliera bientôt où elle les a achetés et racontera qu'elle les a dénichés dans quelque boutique poussiéreuse

225

de Beyrouth. Ou alors elle prétendra les avoir subtilisés à l'un de ses amants – le comte Breton, par exemple – quand elle l'a quitté. À moins qu'elle n'en fasse cadeau au livreur de journaux ou au premier témoin de Jéhovah qui frappera à sa porte.

— Ah ? bon.

— Gardez un œil sur elle. Elle a tendance à glisser des objets dans ses poches. Sans penser à mal, ajouta-t-il en riant devant le regard incrédule de Tory. Contentez-vous de noter ce qu'elle prend et ajoutez-le à la facture à la fin.

— Mais...

À cet instant précis, elle vit Rosie glisser un porte-couteau dans la vaste poche de sa robe.

— Bon sang !

Elle se précipita, laissant Cade amusé.

— Rosie n'a vraiment pas changé, fit observer Iris.

— Non, pas d'un pouce, Dieu soit béni ! Comment allez-vous, madame Mooney ?

— Pas si mal. Les choses semblent bien marcher pour vous aussi, on dirait, Cade. Et votre famille ?

— Tout le monde va bien, merci.

— J'ai été désolée d'apprendre la mort de votre père. C'était un homme bon et un esprit intéressant. Il est rare de trouver ces deux qualités réunies.

— C'est probable. Il avait une très bonne opinion de vous.

— Il m'a offert une chance de gagner décemment ma vie et de nourrir mes enfants quand j'ai perdu mon mari. Je ne l'ai jamais oublié. Vous avez quelque chose de lui dans les yeux. Êtes-vous un homme bien comme il l'était lui-même, maintenant que vous êtes adulte, Kincade ?

— J'essaie.

À cet instant précis, Rosie secoua les carillons éoliens, qui se mirent à tinter. Cade croisa le regard exaspéré de Tory.

— Tory a l'air un peu surmenée, fit-il remarquer.

— Elle peut s'en sortir. Elle sait s'y prendre. Trop bien même, parfois.

— Quand on veut l'aider, elle tourne le dos.

— Elle le peut, admit Iris. Mais, à mon point de vue, je ne pense pas que la seule chose que vous désiriez de Tory soit de l'aider. Vous avez sûrement à l'esprit un soutien plus... fondamental, si je ne me trompe. Laissez-moi vous dire quelques mots qu'il est souvent bon d'entendre, même si vous n'en tenez pas compte.

Il redressa les paquets qu'il tenait toujours dans les bras.

— Un bon conseil, j'imagine ?

Elle se pencha vers lui.

— C'est un conseil, en effet. Ou plutôt une simple indication. Vous êtes un gentil garçon. Je l'ai toujours pensé. Ne traînez pas. Toutes les femmes rêvent de connaître une aventure torride, au moins une fois dans leur vie. Et maintenant, donnez-moi ces objets avant de les lâcher et de tout casser.

Cade lui tendit deux des presse-papiers et porta les quatre autres sur le comptoir.

— Tory ne me fait pas confiance. Elle a besoin d'encore un peu de temps.

— Elle vous l'a dit ?

— Plus ou moins.

Iris leva les yeux au ciel.

— Ah ! ces hommes ! Vous n'avez donc pas encore compris que lorsqu'une femme parle ainsi, il y a trois possibilités : soit elle n'est pas intéressée, soit elle fait des manières, soit elle a été blessée auparavant. Si elle n'était pas intéressée, Tory vous l'aurait déjà signifié. Elle n'est pas non plus du genre à faire des manières. Il ne reste donc que le troisième cas. Vous comprenez ?

Stupéfait, Cade jeta un coup d'œil en direction de Cecil, occupé à regarnir une assiette de petits fours de ses mains aussi grosses que des jambons.

— Oui, madame.

— Si vous faites souffrir mon bébé, j'envoie ce grand grizzly vous régler votre compte avec une clé à molette. Mais comme je ne crois pas que vous le ferez, je vous suggère plutôt de lui apporter la preuve qu'on peut encore faire confiance à certains hommes.

— Je m'y emploie.

— Peut-être devriez-vous agir un peu plus vite ; il me semble que ma petite-fille ne voit encore vos relations que sous l'angle amical.

« Réfléchis à ça », se dit Iris en s'éloignant pour tenter de convaincre une autre cliente de faire un achat.

— Elle a mis dans sa poche cinq anneaux de serviette.

Il était six heures dix, la porte d'entrée était verrouillée et Cecil faisait un petit somme dans l'arrière-boutique. Tory s'effondra sur la chaise placée devant le comptoir et leva les mains.

— Cinq ! À la rigueur, je pourrais comprendre qu'elle en ait pris quatre, ou six. Mais qui peut avoir besoin de cinq anneaux de serviette ?

227

— Elle n'a sans doute pas pensé à leur utilité.

— Et deux porte-couteaux, trois bouchons de carafe et deux couverts à salade. Elle les a mis dans sa poche alors que je me tenais juste devant elle en train de lui parler. Avec un sourire. Ensuite, elle a retiré ses perles roses en plastique et me les a données.

Toujours perplexe, Tory tâta le collier à son cou.

— C'est parce qu'elle t'aime bien. Rosie donne toujours quelque chose aux gens qui lui plaisent.

— Je ne me sens pas le droit de lui facturer toutes ces choses. Elle ne les désirait peut-être même pas. Tu te rends compte, mamie, elle a dépensé plus de mille dollars. Mille dollars ! répéta-t-elle en se pressant l'estomac d'une main. J'ai l'impression que je vais être malade.

— Non, il n'en est pas question. Et tu seras même très contente dès que tu te laisseras aller. Maintenant, je vais aller secouer Cecil et nous partirons pour te laisser un peu souffler. Sois chez J.R. demain à treize heures. Nous n'avons pas eu de réunion de famille depuis bien trop longtemps.

— J'y serai. Je ne sais comment te remercier d'être restée toute la journée. Tu dois être morte de fatigue.

— Mes pieds commencent à me faire mal et je serai heureuse de les reposer en acceptant le verre de vin que Boots compte m'offrir chez elle.

Elle se pencha pour déposer un baiser sur la joue de Tory.

— Tu vas fêter ça, hein ?

Fêter ? songea Tory après avoir fait ses comptes, rangé la boutique et verrouillé la porte. Elle pouvait à peine penser, encore moins se réjouir. Elle avait tenu bon la journée entière et se sentait tout étourdie en rentrant chez elle en voiture. Mais une première partie venait d'être remportée. Elle avait montré aux autres que, non contente d'être de retour à Progress, elle avait bien l'intention d'y rester.

Et pas seulement pour y survivre, comme autrefois, mais pour réussir. Certains continuaient peut-être à voir en elle la fillette aux yeux cernés de jadis, mais peu importe. Bientôt, ils allaient comprendre ce qu'elle était devenue et ce qu'elle avait fait de sa vie.

Elle ne se laisserait pas abattre, ne s'enfuirait pas. Cette fois, enfin, elle allait gagner.

Un sentiment d'incrédulité s'empara de Tory tandis qu'elle tournait dans son chemin. Elle revit la maison comme elle avait été autrefois, puis comme elle était maintenant. Et, soudain, elle se revit elle-même des années plus tôt et mesura, en un éclair, tout le chemin parcouru.

Incapable de contenir plus longtemps son émotion, elle posa la tête sur le volant et laissa ses larmes couler.

Assise par terre, elle s'efforçait de ne pas pleurer. Seuls les bébés pleurent, et elle n'était plus un bébé. Mais les larmes jaillissaient malgré elle.

Quand elle était tombée de bicyclette, elle s'était égratigné les genoux, les coudes et les mains. Le sang s'échappait de ses blessures ; la souffrance irradiait dans tout son corps. Elle aurait voulu aller voir Lilah pour être soignée et consolée. Lilah lui aurait donné un gâteau et elle se serait sentie mieux.

Elle s'en fichait d'apprendre à monter sur cette stupide bicyclette, de toute façon.

Elle enfouit sa tête au creux de ses bras en reniflant et, semblable à un soldat abattu, demeura immobile à côté du vélo renversé, dont une roue tournait encore comme un ultime signe de dérision.

Elle n'avait que six ans.

— Hope ! Que fais-tu là ?

Cade descendit le chemin en courant, faisant voler les graviers sous ses Nike. Son père venait de le déposer à l'entrée de *Beaux Rêves* en lui donnant quartier libre pour le reste de la matinée de ce samedi. Il ne pensait qu'à une chose : prendre sa bicyclette et filer au marais pour retrouver Wade et Dwight.

Et voilà qu'il découvrait sa chère vieille machine à trois vitesses par terre, sa petite sœur étalée à côté.

Il hésita entre houspiller Hope et s'occuper de son vélo bien-aimé.

— Regarde-moi ça ! Merde, tu as abîmé la peinture !

Il commençait à s'entraîner en secret à dire des gros mots, mais, tout de même un peu gêné, il prononça le juron à mi-voix.

— Pourquoi as-tu pris ma bicyclette ? Tu n'avais qu'à prendre la tienne.

Hope leva vers lui un visage barbouillé de larmes et de poussière.

— La mienne, c'est un vélo de bébé. Maman ne veut pas que Papa retire les petites roues de chaque côté.

— Eh bien, maintenant, tu comprends pourquoi.

D'un air excédé, il releva l'engin et jeta à sa sœur un coup d'œil plein de supériorité.

— Rentre à la maison et demande à Lilah de te nettoyer. Et retire tes doigts collants de ma bécane.

— Je voulais seulement apprendre. (Elle s'essuya le nez d'une main et lui jeta un regard de défi à travers ses larmes.) Je pourrais rouler aussi bien que toi si quelqu'un m'apprenait.

— Ouais.

Il jeta une jambe au-dessus du cadre.

— N'empêche... Tu n'es qu'une petite fille.

Elle sauta sur ses pieds, haletant sous l'insulte.

— Je grandirai ! s'écria-t-elle. Je grandirai et je roulerai plus vite que toi, plus vite que n'importe qui ! Et alors, tu le regretteras !

— J'en tremble déjà !

Il s'amusait maintenant, et ses yeux bleus étaient pleins de malice. Quand un garçon est affligé de deux sœurs, le moins qu'il puisse faire est de les taquiner.

— Je serai toujours plus grand et plus vieux que toi. Et je serai aussi toujours plus rapide que toi.

Il vit que la lèvre inférieure de Hope se mettait à trembler, signe annonciateur de nouvelles larmes. Avec un regard sarcastique, il haussa les épaules et se mit à pédaler pour remonter le chemin, roulant un instant sur la roue arrière pour lui prouver ses extraordinaires talents.

Quand il se retourna, tout souriant, pour voir si elle avait admiré sa prouesse, il constata qu'elle avait baissé la tête. Ses cheveux pendaient devant elle comme un rideau et une goutte de sang perlait sur sa jambe.

Il s'arrêta, leva les yeux au ciel et se secoua. Ses amis l'attendaient. Il avait un million de choses à faire. Une partie du samedi était déjà passée. Il n'avait pas de temps à perdre avec des gamines. Surtout ses sœurs.

Pourtant, avec un gros soupir, il fit marche arrière. Il espérait qu'elle en aurait vite assez. Comme lui.

— Allez, viens !

Elle renifla, se frotta les yeux et le regarda.

— Vraiment ?

— Ouais. Ouais, viens. J'ai pas tellement de temps.

Toute joyeuse, le cœur battant, elle se mit en selle. Elle gloussa de rire en saisissant les poignées caoutchoutées du guidon.

— Fais attention. C'est sérieux.

Il jeta un coup d'œil derrière lui en direction de la maison, souhaitant que sa mère n'ait pas l'idée de regarder dehors. Elle les aurait punis tous les deux.

— Maintenant, vas-y. Essaie de garder ton corps bien en équilibre au centre.

Il fut gêné de prononcer le mot « corps », sans savoir pourquoi.

— Et regarde devant toi.

Elle leva des yeux pleins de confiance vers lui ; son sourire était aussi brillant que l'éclat du soleil sur les jeunes feuilles.

Il cherchait à se souvenir de la manière dont son père lui avait appris et garda la main sur le siège en courant à côté pendant qu'elle se mettait à pédaler.

La bicyclette vacillait comiquement, mais ils réussirent malgré tout à parcourir quelques mètres avant qu'elle ne s'écroule sur un côté.

Cette fois, Hope ne pleura pas et se remit aussitôt en selle. Il lui attribua intérieurement un bon point pour ça. Ils se mirent de nouveau à pédaler et à courir en montant et en redescendant le chemin, longeant les grands chênes, les lumineuses jonquilles et les tulipes toutes fraîches. La matinée touchait à sa fin.

Hope était en nage et son cœur battait à grands coups. Elle tomba plusieurs fois et souvent durement, pourtant elle remontait aussitôt sur la bicyclette en se mordant la lèvre. Elle entendait son frère souffler à côté d'elle, devinait sa main tenant fermement la selle, et son cœur était rempli d'amour pour lui.

À présent, c'était surtout pour lui, plus encore que pour elle, qu'elle voulait réussir.

— Je peux le faire, je peux le faire, se disait-elle chaque fois que la bicyclette tanguait et qu'il la redressait.

Elle se concentra de toutes ses forces sur ce but comme savent si bien le faire les enfants. Ses jambes tremblaient. Les muscles de ses bras et de ses mollets étaient tendus comme une peau de tambour.

La bicyclette oscilla sous elle, mais ne tomba pas. Et soudain elle vit Cade courant à côté d'elle avec un grand sourire.

— Ça y est ! Ça y est. Tiens bon. Ça y est !

— Je sais faire de la bicyclette !

Ce n'était plus une bicyclette qu'elle chevauchait, c'était un majestueux coursier. Le visage levé, elle pédala aussi vite que le vent.

Tory reprit conscience par terre à côté de sa voiture, les muscles tremblants, le cœur battant, envahie par une joie qui la submergea.

16

Quand Tory repensa au dîner, il ne lui restait que quelques minutes pour se laver la figure et réparer les dégâts causés par ses larmes. Cade n'allait pas tarder à arriver. Elle n'avait plus le temps de penser à une excuse valable pour se décommander.

Comme il était difficile de revenir au présent ! Cette nouvelle crise avait laissé un grand vide dans son corps et dans sa tête. Comme toujours, chagrin et malaise succédaient à ces brusques plongées dans le passé de Hope.

Elle conservait encore le souvenir de sa course folle, de son excitation et son plaisir tandis qu'elle dévalait ce joli chemin tacheté d'ombre et de lumière, Cade courant à côté d'elle. Elle pouvait encore voir flotter devant elle ses yeux bleus lumineux et rieurs, plongés dans les siens. Et ressentir l'amour innocent d'une petite fille pour son grand frère, un amour où se mêlaient, à présent, ses propres émotions d'adulte, bien moins innocentes, celles-là. La combinaison des deux rendait Tory vulnérable, pour elle-même et à l'égard de Cade, et il aurait été plus sage de rester seule jusqu'à ce que ce sentiment se dissipe.

Elle lui dirait qu'elle était épuisée, trop fatiguée pour manger. Cela, au moins, c'était vrai.

C'était un homme raisonnable. Presque trop. Il comprendrait et la laisserait tranquille.

Quand elle ouvrit la porte, elle le découvrit sur le seuil, un plat à la main. Tory se rappela fugitivement cette coutume voulant que, lorsqu'on pleure un mort dans une maison, les voisins apportent à manger

232

à la famille en deuil. Elle était peut-être debout, mais elle se sentait vraiment morte. Cade, sans le savoir, avait eu une initiative plutôt inspirée.

Il fit un pas en avant et lui tendit le récipient.

— Lilah vous envoie ceci. Elle a dit que quelqu'un qui travaille aussi dur ne doit pas avoir à cuisiner par-dessus le marché. Elle vous recommande de le mettre au congélateur et de le sortir le jour où vous rentrerez chez vous trop épuisée pour penser à autre chose qu'à vous mettre les pieds en l'air.

Il examina son visage.

— Ce qui me semble le cas ce soir, acheva-t-il lentement.

« Oui, pensa-t-elle, Cade est réellement un homme raisonnable. Presque trop raisonnable. »

— Je n'avais pas réalisé à quel point les préparatifs pour cette inauguration m'avaient absorbée, bredouilla-t-elle. Maintenant que c'est passé, je suis sans ressort.

— Vous avez pleuré.

— Sans doute le choc en retour. Le soulagement, aussi. (Elle se dirigea vers la cuisine pour y déposer le plat en se demandant que faire.) Je suis désolée pour ce soir. C'était une bonne idée de sortir afin de fêter ça. D'ici un ou deux jours, nous pourrions peut-être...

Elle se retourna et se cogna contre lui, assez fort pour heurter de son dos le comptoir. Une brusque bouffée de désir la traversa et, presque aussitôt, elle sut que c'était pareil pour lui.

Il posa les mains sur le comptoir de chaque côté de la jeune femme, l'emprisonnant comme dans une cage. Il lut dans ses yeux qu'elle se tenait sur ses gardes.

— Vous avez eu beaucoup à faire aujourd'hui. Tous ces gens... et ces souvenirs.

— C'est vrai.

Elle tenta de bouger, sans succès. Elle se sentait brûlante, trop brûlante, au point d'en être gênée.

— Ces souvenirs me frappaient comme des cailloux lancés par une fronde.

— Tous douloureux aussi, n'est-ce pas ? dit-il doucement.

« Oh ! Seigneur, qu'il ne me touche pas », songea-t-elle. Mais il avait déjà les mains sur ses épaules, courant sur ses bras.

— J'ai été très contente de voir Lilah... et Will Hanson. Il ressemble maintenant tout à fait à son père. Quand j'étais petite, M. Hanson, le père, me faisait crédit s'il me manquait quelques pennies pour acheter un bonbon. Cela m'arrivait assez souvent. Cade...

Elle prononça son nom presque comme un appel. Elle tremblait. Il sentait sous ses paumes les vibrations de son corps, merveilleusement excitantes.

— J'ai beaucoup aimé la manière dont vous vous êtes présentée aujourd'hui. Nette et soignée. Calme et froide en apparence. Je suis toujours curieux de savoir ce qui se cache sous la surface.

— J'étais nerveuse.

— Cela ne se voyait pas. Pas comme maintenant. Abaissez vos défenses, Tory. Ouvrez-vous.

— Cade... Je n'ai rien à vous offrir.

— Alors, pourquoi tremblez-vous ? Pourquoi ne m'arrêtez-vous pas ?

Il retira le ruban de ses cheveux et nota qu'elle respirait plus fort. Gardant les yeux fixés dans les siens, dont l'iris s'assombrissait, il fit courir ses doigts dans ses cheveux et dénoua la natte impeccablement tressée.

— Cade..., commença Tory.

Étaient-ce ses genoux qui fléchissaient ? Elle avait oublié cette délicieuse sensation d'abandon. En amour, pensa-t-elle, la soumission n'était pas forcément de la faiblesse.

— Laissez-moi... laissez-moi reprendre mes esprits.

Il lui sourit, d'un sourire nonchalant, amusé.

— Continuez à penser, moi je vais m'occuper...

Il défit le premier bouton de son corsage, puis le second.

Cade avait appris à Hope à faire de la bicyclette, se rappela Tory. Il n'avait alors que dix ans, mais se comportait déjà en homme responsable. Aujourd'hui, il lui avait envoyé des fleurs. Et il avait su deviner celles qui lui plairaient.

Et voilà que, à présent, ses mains la caressaient comme elle avait oublié qu'on pût être caressée.

— Je... je n'ai plus l'habitude...

Il détacha le troisième bouton.

— Toujours en train de réfléchir ?

— Non. (Elle eut un petit rire.) La plupart du temps, pourtant, c'est un exercice auquel j'excelle.

— Alors, pense à ce qui se passe. (Il tira d'un coup sec le devant de sa blouse pour la dégager de son pantalon.) J'ai envie de toi. De sentir ta peau sous mes mains. Comme ça...

Il effleura ses flancs, vers le haut puis vers le bas. Elle se mit à trembler quand il dégrafa sa ceinture, puis ferma les yeux.

Il se pencha en avant et lui mordilla le menton. Un petit pincement qui éveilla au plus profond de son corps un écho sourd et excitant.

— Laisse-moi te guider, murmura-t-il. Et garde les yeux ouverts. Je veux que tu me regardes quand je te touche.

— Cade...

Il la souleva dans ses bras et se dirigea vers la chambre. Les rayons du soleil couchant inondaient la pièce.

— Laisse-moi te montrer tout ce que j'ai imaginé te faire dans ce lit...

Il la déposa délicatement dans la lumière qui enflammait les draps et s'étendit à ses côtés, nouant ses doigts à ceux de Tory.

Et, les yeux dans les yeux, sans jamais la quitter du regard, il emprisonna ses lèvres.

Jamais on ne l'avait prise de façon si passionnée, si totale. Jamais personne. Même pas l'homme qu'elle avait aimé. Tory se disait vaguement qu'elle devait s'en inquiéter, mais, dans l'immédiat, elle n'avait même pas la force de penser, encore moins de réfléchir.

Elle gisait sous lui tandis que dans la pièce le crépuscule tombait. Pour la première fois depuis longtemps, trop longtemps, elle se sentait le corps et l'esprit totalement détendus. Elle aimait sentir sa main enfouie dans les cheveux de Cade et n'avait nulle envie de la retirer.

Quand il tourna la tête, effleurant un sein de ses lèvres, elle sourit de plaisir.

— Nous avons malgré tout fêté l'événement, il me semble, chuchota-t-elle en se demandant ce qu'il penserait si elle se laissait aller maintenant au sommeil.

— Nous trouverons bien d'autres occasions à fêter, à présent. J'avais envie de te porter sur ce lit depuis le jour où je t'ai aidée à le sortir de la voiture.

— Je sais. Mais tu n'étais pas assez subtil pour comprendre que j'avais deviné.

Les yeux de Tory étaient à demi fermés, mais elle le sentit bouger de nouveau et la regarder.

— J'aurais aimé être plus subtil, c'est vrai, rétorqua-t-il amusé, en se rappelant qu'il avait imaginé cette première rencontre sur fond de musique et à la lueur vacillante de chandelles.

— Nous nous en sommes très bien passés, dit-elle d'une voix endormie.

— De quoi ?

— De musique et de...

Elle ouvrit brusquement les yeux, horrifiée, et croisa son regard fixé sur elle.

— Oh ! je suis désolée. Je suis désolée...

Elle tenta de se redresser, de s'écarter, mais le poids de son corps la retenait sur place.

— De quoi es-tu désolée ?

— Je n'ai pas voulu lire dans tes...

Les mains plaquées sur le lit, elle agrippa la couverture et se mit à trembler.

— Cela n'arrivera plus. Je suis désolée, je ne l'ai pas fait exprès.

— Lire dans mes pensées ? C'est ça ?

Il se déplaça pour pouvoir s'appuyer sur un coude et prendre le visage de la jeune femme entre ses mains.

— Arrête, Tory.

— Cade... Je suis désolée...

— Bon sang, tu ne comprends pas ! Cesse de prévoir mes réactions. Et, pour l'amour du ciel, arrête de te demander si je vais me fâcher contre toi.

Il contempla son visage désormais privé de cet éclat heureux qui l'illuminait quelques minutes plus tôt. Blême, elle le regardait de ses grands yeux effrayés et il détesta cela.

— Il ne t'est jamais venu à l'idée que, parfois, un homme peut se moquer pas mal qu'une femme lise dans ses pensées ?

— C'est une atteinte impardonnable à ton intimité.

Il roula sur lui-même en l'entraînant et, décontenancée, elle se retrouva couchée de tout son long sur sa poitrine.

— Il y a seulement quelques minutes, nous avons pénétré nos intimités réciproques plutôt concrètement, il me semble. Jette donc un coup d'œil dans mes pensées. Je te ferai savoir quand j'en aurai vraiment assez, d'accord ?

— Je... je ne te comprends pas.

— Le fait que je sois nu dans ton lit devrait pourtant te fournir un bon indice. Si ça ne te suffit pas, observe en moi pour voir ce que tu trouves.

Elle hésitait entre se sentir insultée ou effrayée.

— Ça ne se passe pas comme ça.

— Non ? Alors, dis-moi comment ça se passe. (Comme elle secouait la tête, il la saisit par la nuque.) Dis-le-moi, Tory !

— Je ne lis pas dans les esprits. Cela m'arrive très rarement. Mais nous étions si proches l'un de l'autre, physiquement...

— Je ne peux pas dire le contraire.

— Et j'étais à moitié endormie. Cela peut surgir tout à coup dans de telles conditions. Tu avais une image en tête. Très nette. Et elle m'est apparue. Des bougies, de la musique et nous deux dans le lit

— Vraiment ?... Et qu'est-ce que tu portais ?

Il vit sa tête se relever brusquement et ajouta en souriant :

— Peu importe. Je peux le voir par moi-même. Tu reçois des images, ces images reflètent les pensées des autres.

— Parfois.

Il avait l'air si détendu. Pourquoi n'était-il pas fâché ?

— Cade, je ne comprends vraiment rien à ta réaction.

— Bien. Comme ça, tu restes en alerte. Ça te fait toujours le même effet de lire dans le cerveau d'un homme ?

— Non, non. Par décence, je m'efforce de bloquer les images. C'est relativement facile car, de toute façon, je dois fournir un certain effort pour les lire, à moins qu'il n'existe une très forte émotion de part et d'autre. Ou encore que je sois très fatiguée.

— Donc, la prochaine fois que nous ferons l'amour, je devrai veiller à écarter de moi tous mes fantasmes à propos de Meg Ryan.

— Meg qui ?

Perplexe, Tory s'assit, les bras croisés sur sa poitrine.

— Une actrice vraiment très sexy. À vrai dire, elle est assez mon type.

Cade leva la tête pour regarder Tory.

— Il suffit que je m'imagine comment tu serais en blonde. Ça pourrait marcher.

— Je n'ai pas l'intention de participer à tes fantasmes lascifs à propos d'une de ces starlettes de Hollywood, rétorqua-t-elle, piquée au vif.

Elle tenta de descendre du lit mais se retrouva sur le dos, bloquée par le poids de son corps.

— Lâche-moi, espèce d'idiot.

— Impossible. Je suis victime de mes propres fantasmes.

Il couvrit son visage de baisers fous et doux comme les caresses d'un jeune chien.

— Cade ! Non...

Son rire s'éteignit tandis qu'il la pénétrait doucement, lentement. Elle s'arqua contre lui et plaqua ses mains sur ses hanches.

— Ne t'avise pas de m'appeler Meg, souffla-t-elle avant de ne plus penser à rien.

Ils mangèrent le plat préparé par Lilah et burent du vin. Puis ils regagnèrent leur lit avec l'ardeur et l'énergie qui animent les nouveaux amants. Ils firent longuement l'amour, leurs deux corps enlacés baignés par les rayons argentés de la lune, et dormirent toutes fenêtres ouvertes, laissant entrer des bouffées de brise fraîche et l'odeur de fruit mûr du marais.

— Le voilà qui revient.

Hope était assise, jambes croisées sous le porche de la maison du marais. Un porche qui n'existait pas quand elle était encore en vie. Elle saisit une boule argentée et joua à la lancer en l'air en la rattrapant au vol avec agilité.

— Il guette.

— Qui ? Qui guette ?

Tory avait de nouveau huit ans, le visage méfiant, les jambes écorchées.

— Il aime faire du mal aux filles.

Hope rassembla toutes les boules et, d'une main leste, entreprit de les lancer deux par deux.

— Cela lui donne l'impression d'être grand, important.

— Il a attaqué d'autres filles. Pas seulement toi.

— Pas seulement moi, admit Hope. Tu le sais déjà. Allez, par trois maintenant.

Elle jeta les boules, et l'une d'entre elles alla rebondir sur le plancher de bois du porche.

— Tu le sais déjà. C'est comme lorsque tu as vu l'image du petit garçon. Tu le sais.

Dans sa poitrine d'enfant, le cœur de Tory se mit à battre furieusement.

— Je ne veux plus le faire.

— Tu es venue, remarqua simplement Hope en s'essayant, cette fois, à jongler avec quatre boules. Fais attention à ne pas aller trop vite, pas trop lentement non plus. Sinon, tu perdrais ton tour.

Elle poursuivit son jeu et attrapa une balle au bond.

— Dis-moi qui il est, Hope. Dis-moi où je peux le trouver.

— Je ne peux pas.

Elle plaça une boule en équilibre sur son doigt et la fit tourner. Puis elle posa ses yeux clairs sur Tory.

— À toi de jouer. C'est ton tour.

Tory ouvrit brusquement les yeux. Son cœur battait à grands coups ; sa main était serrée si fort qu'elle crut en voir sortir une boule quand elle réussit enfin à entrouvrir ses doigts douloureusement crispés.

Il faisait sombre maintenant. La lune était couchée, laissant derrière elle un monde obscur, épais. La brise légère avait cessé, l'air était immobile. Pesant.

Tory entendit un hibou, et son cri perçant avait quelque chose d'inquiétant. À côté d'elle, Cade respirait calmement dans le noir. Elle réalisa alors qu'elle était pelotonnée tout au bord du lit, le plus loin possible de lui.

Pas de contact en dormant, se dit-elle. L'esprit était alors trop vulnérable et il n'était pas question d'une incursion fortuite.

Elle se glissa hors du lit, gagna la cuisine sur la pointe des pieds. Elle fit couler l'eau dans l'évier jusqu'à ce qu'elle soit assez fraîche puis remplit un verre. Le rêve lui avait donné une soif inextinguible. Il lui avait aussi rappelé pourquoi elle ne voulait pas de relations intimes avec Kincade Lavelle.

Sa sœur était morte et, bien qu'elle n'en soit pas responsable, elle le vivait encore comme un poids. Elle l'avait ressenti ainsi déjà auparavant, et cela continuait. Le chemin suivi jusqu'ici lui avait apporté des joies et des chagrins. Elle s'était donnée à un autre homme dans un élan d'amour insouciant et innocent.

Quand elle l'avait perdu, quand elle avait tout perdu, elle s'était promis de ne plus jamais commettre ce genre d'erreur.

Et voilà qu'elle s'exposait une seconde fois à toutes ces peines.

Cade était le genre d'homme qui séduisait toutes les femmes. Le genre dont on tombe amoureuse. Une fois engagé sur cette voie, tout s'en trouvait marqué, tout ce qu'on faisait, pensait, sentait. Les couleurs du bonheur. Suivies, inévitablement, du gris de la déception et du désespoir.

Il était donc exclu de prendre cette direction. Pas à nouveau.

C'était à elle d'avoir assez de bon sens pour accepter le plaisir physique, le savourer, mais en tenant ses émotions à l'écart, en les contrôlant. N'était-ce pas ce qu'elle avait fait toute sa vie ?

L'amour était une affaire risquée, dangereuse. Il y avait toujours quelque chose de tapi dans l'ombre, d'avide et de malveillant, prêt à vous arracher ce que vous aviez de plus cher.

Elle porta le verre à ses lèvres, et c'est alors qu'elle le vit. Au-delà de la fenêtre. Au-delà de l'obscurité. Parmi les ombres. En train de les observer. De guetter.

Le verre lui échappa des doigts pour se briser dans l'évier.

— Tory !

Cade sauta hors du lit, brusquement réveillé, et trébucha dans le noir. En jurant, il se précipita à la cuisine.

Il l'aperçut, figée sous la lumière crue, les deux mains sur la gorge comme si elle étouffait, les yeux fixés sur la fenêtre.

— Il y a quelqu'un dans le noir.

— Tory...

Apercevant sur le sol des éclats de verre tombés de l'évier, il saisit ses mains dans les siennes.

— Est-ce que tu t'es coupée ?

— Il y a quelqu'un dans le noir, répéta-t-elle d'une voix haut perchée, presque enfantine. Qui guette. Là, dans la nuit. Il est déjà venu avant. Et il reviendra.

Elle tourna les yeux vers Cade mais ne distingua que des ombres et des formes confuses. Elle avait froid, si froid.

— Il va me tuer. Ce n'est pas moi qu'il veut, mais il est obligé de le faire parce que je suis ici. C'est ma faute. Tout le monde le pense à Progress. Si je l'avais rejointe cette nuit-là, il se serait contenté de guetter comme il le faisait déjà avant. Oui, c'est ça. Il guettait et imaginait des choses jusqu'à ce que le bas de son corps devienne tout dur et qu'il se serve de sa main pour avoir la sensation d'être un homme.

Ses genoux se dérobèrent sous elle, mais elle protesta quand Cade la rattrapa.

— Je vais bien. J'ai simplement besoin de m'asseoir.

— De t'étendre, corrigea-t-il.

Quand il l'eut installée sur le lit, il se rhabilla à la hâte.

— Ne bouge pas de là...

— Où vas-tu ?

Soudain terrorisée à l'idée de rester seule, elle se redressa.

— Tu as dit qu'il y avait quelqu'un dehors. Je vais aller jeter un coup d'œil.

— Non !

Maintenant, elle avait peur pour lui.

— Ce n'est pas ton tour, dit-elle très vite.

Il lui jeta un regard surpris.

— Qu'est-ce que tu racontes ? Je ne comprends pas.

Les mains levées, elle retomba sur le matelas.

— Excuse-moi. Mes pensées sont confuses. Il est parti, Cade. Il n'est plus là. Il nous guettait déjà plus tôt, quand nous... (elle eut une brusque nausée)... quand nous faisions l'amour. Il était là et guettait.

— De toute façon, je vais aller voir, déclara Cade avec entêtement. Je le trouverai bien, ce salopard.

— Tu ne le trouveras pas, lança-t-elle comme il se précipitait dehors.

Mais plus rien ne pouvait arrêter Cade. Il avait besoin d'une cible pour y diriger sa hargne. Il voulait trouver quelqu'un qu'il puisse rouer de coups afin d'apaiser sa rage. Il alluma les lumières extérieures et scruta l'espace éclairé par la pâle lueur jaune. Ne voyant rien, il se dirigea vers sa voiture pour y prendre une torche électrique et un couteau.

Ainsi armé, il fit le tour de la maison en balayant les ombres profondes du rayon de sa lampe. Près de la fenêtre de la chambre à coucher, là où le sol était encore meuble, il s'accroupit pour examiner une zone où les herbes aplaties indiquaient une présence possible.

— Je t'aurai, mon salaud, siffla-t-il entre ses dents en resserrant sa prise sur le manche de son couteau.

Il se redressa et se dirigea à grands pas vers le marais. Cependant, très vite, il réalisa son impuissance. S'il pénétrait dans cet espace touffu, il lui faudrait un temps fou pour en explorer tous les recoins. Cela l'aiderait sans doute à évacuer un peu de sa colère, mais ce serait aussi prendre le risque de laisser Tory seule.

À contrecœur, il regagna la maison, déposant couteau et lampe sur la table de la cuisine.

Tory n'avait pas bougé. Elle était restée assise là, ses poings crispés sur les genoux. Quand il entra, elle leva la tête sans rien dire. Ce n'était pas nécessaire.

— Ce que nous faisons ici ensemble est notre affaire, dit Cade. Qui que ce soit, cette ordure ne peut rien y changer.

Il s'assit près d'elle et lui prit la main.

— Il rend les choses malsaines, soupira la jeune femme.

— Pour lui. Pas pour nous. Pas pour nous, Tory, répéta-t-il en attirant son visage vers lui.

Elle soupira et caressa le dos de sa main du bout des doigts.

— Tu étais si furieux, murmura-t-elle. Comment as-tu fait pour te calmer ?

Il caressa des lèvres ses cheveux.

— J'ai donné quelques coups de pied dans ma voiture. Peux-tu me dire ce que tu as vu ?

— J'ai *senti* sa colère. Bien plus terrible, bien plus noire que la tienne. Mais... comment dire... c'était une colère qui n'avait pas de corps, elle n'était pas réelle. Il s'y mêlait une sorte d'orgueil. Et de la satisfaction. Mais je ne le vois pas. Ce n'est pas moi qu'il veut, seulement il ne peut pas me laisser traîner dans les parages, si près de Hope. Il n'a pas confiance. Le problème, c'est que je ne parviens pas à distinguer, dans tout ce chaos, s'il s'agit de mes pensées ou des siennes.

241

Elle ferma étroitement les yeux.

— Je n'arrive pas à le percevoir clairement. C'est comme s'il manquait quelque chose. En lui ou en moi, je l'ignore. Mais je ne peux pas le voir.

— Alors Hope n'aurait pas été tuée par un vagabond ? C'est pourtant ce que nous avons pensé toutes ces années.

Elle ouvrit les yeux et sentit le chagrin de Cade venir s'ajouter au sien.

— Non. C'était quelqu'un qui la connaissait, qui l'épiait. Qui *nous* épiait. Je le savais déjà à l'époque, je pense, mais cela m'effrayait tellement que je me suis fermée à cette idée. Si j'étais retournée là-bas ce matin-là, si j'avais eu le courage d'y aller avec toi et ton père au lieu de me contenter de vous dire où elle se trouvait, j'aurais peut-être pu sentir quelque chose de plus précis. Et le voir, lui. J'en suis à peu près certaine aujourd'hui. Alors, tout aurait été terminé.

— Nous n'en savons rien. Mais nous pouvons reprendre les choses là où elles en sont restées. Et, en premier lieu, appeler la police.

— Cade... Il est bien rare qu'un policier, si large d'idées soit-il, prête attention à ce qu'une personne comme moi peut raconter. Le seul à pouvoir le faire ne se trouve certainement pas à Progress.

— Le chef Russ peut émettre quelques réserves, mais il t'écoutera, affirma Cade en songeant qu'il saurait convaincre Russ. Tu devrais t'habiller.

— Tu veux l'appeler maintenant ? À quatre heures du matin ?

— Oui.

Cade souleva l'écouteur.

— C'est pour ça qu'on le paie.

17

Le chef Carl D. Russ n'était pas d'une taille très imposante. À seize ans, il mesurait à peine un mètre soixante-dix et, dès lors, il n'avait plus grandi.

C'était un bel homme, avec de grandes oreilles fichées de chaque côté de son large visage. Ses cheveux poivre et sel évoquaient un tampon à récurer usagé. Plutôt maigre, il ne devait pas dépasser, tout mouillé, les soixante-cinq kilos.

Ses ancêtres avaient travaillé comme esclaves dans les champs de coton. Puis ils étaient devenus métayers, gagnant péniblement leur pauvre vie sur une terre qui appartenait à d'autres.

Souhaitant pour son fils un meilleur sort, sa mère l'avait tiré, poussé, harangué, sermonné jusqu'à ce qu'il vise plus haut et sorte enfin de leur misérable condition. Elle était fière que son fils soit devenu le chef de la police, presque autant que Carl D. lui-même.

Ce n'était pas un homme brillant. Chaque information parcourait de sinueux méandres dans son esprit, empruntant des tours et des détours jusqu'à former, enfin, des conclusions bien arrêtées. Il avait l'esprit plutôt lourd, mais possédait une nature des plus consciencieuses.

Et, par-dessus tout, Carl D. était un homme affable.

Il ne ronchonna pas, ne protesta pas d'être réveillé à quatre heures du matin. Il se leva simplement et s'habilla dans le noir pour ne pas réveiller sa femme. Il lui laissa un mot sur la table de la cuisine puis empocha en sortant sa dernière liste de courses.

Mieux encore, il sut garder pour lui ce qu'il pouvait penser de la présence de Kincade Lavelle chez Victoria Bodeen à cette heure de la nuit.

Cade l'accueillit à la porte.

— Merci d'être venu, chef.

— Je vous en prie, répondit Carl D. en mâchant avec satisfaction le chewing-gum qui ne le quittait jamais depuis que sa femme l'avait convaincu d'arrêter de fumer. Vous avez vu un rôdeur dans les environs ?

— Quelque chose comme ça. Venez voir de l'autre côté.

— Comment va votre famille ?

— Bien, merci.

— J'ai appris que votre tante Rosie était venue vous rendre visite. N'oubliez pas de la saluer de ma part.

— Je n'y manquerai pas.

Cade éclaira avec sa lampe électrique l'herbe foulée sous la fenêtre de la chambre et attendit que Carl D. fasse de même et réfléchisse.

— Oui, ça se pourrait bien que quelqu'un soit resté ici à regarder. Peut-être un animal.

Il promena le rayon de sa lampe, toujours mâchonnant.

— C'est assez éloigné de la route. Je ne vois pas pour quelle raison on serait venu rôder par là. Ils auraient dû arriver de la route ou par le marais. Vous n'avez rien vu ?

— Non, je n'ai rien vu, mais Tory, si.

— Je vais d'abord lui parler, puis je jetterai un coup d'œil dans les parages. Celui qui se tenait là doit être loin maintenant.

Il se mit péniblement debout et balaya l'obscurité épaisse de sa torche, là où les chênes verts et les tupélos bordaient le marais.

— C'est plutôt tranquille par ici. Faudrait me payer cher pour que j'y habite. J' parie que vous entendez les grenouilles et les hiboux faire leur concert toute la nuit.

— On finit par s'y habituer, dit Cade tandis qu'ils faisaient le tour pour gagner la porte arrière. On ne les entend plus.

— Ça doit être ça. On n'entend pas les bruits habituels, mais le moindre son anormal vous fait sursauter, pas vrai ?

— Peut-être. Enfin, oui et non. Je n'ai rien entendu.

— Moi, j'ai un sommeil léger. Au moindre petit bruit, j'ouvre les yeux. Mais Ida-Mae, une bombe ne la réveillerait pas.

Il pénétra dans la cuisine, cilla sous la vive lumière, puis ôta poliment sa casquette.

— Bonjour, mademoiselle Bodeen.

— Chef Russ, désolée de vous avoir dérangé.

— Ne vous inquiétez pas pour ça. Est-ce que ça ne sentirait pas le café ?

— Oui. Je viens juste d'en préparer. Laissez-moi vous en servir une tasse.

— Avec plaisir. Il paraît que vous avez eu beaucoup de monde dans votre magasin aujourd'hui. Ida-Mae – c'est ma femme – y est allée. Elle a rapporté un de ces drôles de trucs qui sonnent, un carillon éolien, ça s'appelle. Je l'ai accroché près de la porte et il fait un joli bruit quand on entre.

— C'est vrai. Voulez-vous quelque chose avec votre café ?

— Euh, simplement une demi-livre de sucre. (Il lui fit une petite grimace.) Si vous voulez bien, tant que nous y sommes, parlez-moi donc de votre rôdeur.

Tory jeta un long regard à Cade avant de reposer la cafetière et de s'asseoir.

— Il y avait quelqu'un à la fenêtre. À la fenêtre de la chambre, je veux dire. Enfin... pendant que Cade et moi...

Carl D. sortit de sa poche un carnet ainsi que l'un de ses trois crayons à l'extrémité mâchonnée.

— Je sais, c'est un peu embarrassant pour vous, mademoiselle Bodeen. Détendez-vous. Avez-vous pu voir la personne ?

— Non. Pas vraiment. Je me suis réveillée et je suis venue à la cuisine pour boire un verre d'eau. Pendant que j'étais là vers l'évier je... eh bien... il regardait la maison. Il m'épiait. Nous épiait. Cela ne lui plaît pas que je sois ici. Mon retour l'a perturbé.

— Qui donc ?

— L'homme qui a tué Hope Lavelle.

Carl D. reposa son crayon, fit glisser son chewing-gum dans un coin de sa joue et but une gorgée de café.

— Comment savez-vous ça, mademoiselle Bodeen ?

Il parlait d'une voix douce, se dit-elle, mais ses yeux étaient froids. Des yeux inexpressifs de flic. Elle connaissait parfaitement ce regard.

— De la même manière que j'ai su où trouver Hope le matin après sa mort. Vous étiez là. (Elle se rendait compte qu'elle parlait d'un ton agressif et que son attitude trahissait sa méfiance, mais elle ne pouvait faire autrement.) Vous étiez là, mais vous n'étiez pas encore chef.

— Non. Il y a seulement six ans que j'ai été nommé chef. Le chef Tate a pris sa retraite et il est parti s'installer à Naples, en Floride. Il s'est acheté un bateau, il va à la pêche. Il a toujours été un mordu de la pêche, le chef Tate.

Russ marqua une pause.

— J'étais son adjoint l'été où la petite Hope a été assassinée. Une chose épouvantable. La plus terrible qui soit jamais arrivée par ici. Le chef Tate a pensé que c'était un vagabond qui avait fait ça, à c'te pauvre gosse. On n'a jamais pu prouver le contraire.

— Vous n'avez jamais rien découvert, corrigea Tory. Celui qui l'a tuée la connaissait. Exactement comme il me connaît, et vous-même, et Cade aussi. Il connaît Progress. Il connaît le marais. Ce soir, il est venu à la fenêtre de ma maison.

— Mais vous ne l'avez pas vu ?

— Non, pas de la manière dont vous l'entendez.

Carl D. s'adossa à sa chaise, plissa les lèvres et réfléchit.

— La grand-mère maternelle de ma femme s'entretient avec tous ses parents morts. J' peux pas dire si c'est vrai ou non, car ce n'est pas moi qui ai ces conversations. Mais dans mon métier, mademoiselle Bodeen, on doit s'appuyer sur des faits.

— Pourtant je savais, pour Hope, et aussi où elle se trouvait. L'homme qui l'a tuée le sait. Le chef Tate ne m'a pas crue. Il a décidé de lui-même que j'étais dehors cette nuit-là avec elle et que je m'étais enfuie sous l'effet de la peur. Que je l'avais abandonnée. Ou encore que je l'avais trouvée alors qu'elle était morte et que je m'étais cachée jusqu'au lendemain matin.

Il y avait de la bonté dans le regard de Carl D. Il avait lui-même deux filles.

— Vous n'étiez alors vous-même qu'une enfant.

— Maintenant, je suis adulte et je vous dis que l'homme coupable de la mort de Hope était là dehors cette nuit. Il en a tué d'autres, une autre au moins. Une jeune fille qu'il a ramassée alors qu'elle faisait de l'auto-stop sur la route de Myrtle Beach. Et il en vise d'autres. Pas moi. Ce n'est pas moi qu'il veut.

— Vous me racontez tout ça, mais vous ne pouvez pas me dire qui il est.

— Non. Je ne le peux pas. Mais je peux vous dire comment il peut fonctionner. Cet homme à l'esprit dérangé croit avoir le droit de faire ce qu'il fait. Parce qu'il en a besoin. Besoin de l'excitation et du sentiment de puissance que cela lui procure. Cet homme estime que les femmes sont là exclusivement pour satisfaire les hommes. Ce tueur n'a pas l'intention de s'arrêter ni d'être arrêté. Il y a dix-huit ans qu'il fonctionne ainsi, conclut-elle calmement. Pourquoi voudriez-vous qu'il cesse ?

— Je ne m'en suis pas très bien sortie.

Cade referma la porte arrière et revint s'asseoir à la table. Avec Carl D., ils avaient examiné tous les alentours de la maison et la lisière

246

du marais. Ils n'avaient rien trouvé, pas d'empreintes de pas récentes, pas de morceau de tissu déchiré accroché à une branche.

— Tu lui as dit ce que tu savais.

— Il ne me croit pas.

— Qu'il te croie ou non, il fera son travail.

— Comme les autres ont fait leur travail il y a dix-huit ans.

Il resta un moment sans rien dire. Le souvenir de cette matinée était toujours douloureux.

— À qui s'adresse ce reproche, Tory ? À la police ou à toi ?

— Aux deux. Personne ne m'a crue, mais je n'ai pas pu, non plus, expliquer les choses. J'avais trop peur. Je savais que je serais punie et, plus j'en disais, plus la punition serait dure. Pour finir, j'ai fait mon possible pour me mettre à l'abri.

— N'est-ce pas ce que nous faisons tous ?

Cade se leva et alla vers la cuisinière se verser une tasse de café dont il n'avait pas réellement envie. Puis il poursuivit :

— Je savais qu'elle était dehors cette nuit-là. Elle avait prévu de se faufiler dehors et je le savais. Je n'ai rien dit, ni alors, ni le lendemain, ni plus tard, mais j'avais remarqué qu'elle avait caché sa bicyclette. Selon notre code, on ne rapporte pas, à moins d'en tirer un avantage quelconque. Qu'est-ce que ça pouvait bien faire qu'elle sorte quelques heures en cachette ?

Il se retourna et vit que Tory l'examinait.

— Je n'ai rien dit non plus le lendemain quand on l'a découverte. Pour me protéger. Ils m'auraient fait des reproches comme je m'en faisais déjà à moi-même. Et par la suite, cela n'avait plus de sens. Il nous manquait à tous un élément que nous ne pouvions rattraper. Si j'étais allé raconter à mon père qu'elle dissimulait sa bicyclette pour sortir en cachette, il aurait enfermé le vélo à clé et grondé Hope. Mais elle se serait réveillée saine et sauve dans son lit le lendemain matin.

— Je suis désolée.

— Oh ! Tory. Et moi donc ! Je me le reproche depuis. Et pendant tout ce temps, je regarde la sœur qui me reste faire de son mieux pour gâcher sa vie. J'ai vu mon père nous fuir tous, comme si le fait de rester avec nous lui était insupportable. Et ma mère se dissimuler derrière des couches et des couches d'amertume, de bienséance. Tout cela parce que je me suis intéressé davantage à mes propres affaires qu'au sort de Hope, qui aurait dû rester ce soir-là dans son lit.

— Cade, il y aurait eu un autre soir.

— Mais pas celui-là. Je n'arrive pas à me défaire de cette idée, Tory, pas plus que toi de la tienne.

— Je le trouverai. Je ne sais pas quand, mais je le trouverai.

« À moins que ce ne soit lui qui me trouve, pensa-t-elle. Il l'a déjà fait. »

— Cette fois, je n'ai pas l'intention de laisser quelqu'un dont je me soucie prendre des risques insensés. (Il repoussa sa tasse de café.) Tu vas rassembler quelques affaires et aller t'installer chez ton oncle et ta tante.

— Je ne peux pas faire ça. Je dois rester ici. Il le faut. Si je me trompe, il n'y a aucun risque. Si j'ai raison, ici ou ailleurs ce sera la même chose.

Il n'allait pas perdre de temps à discuter. Il trouverait le moyen d'arranger les choses au mieux, selon son idée.

— Alors, c'est moi qui vais aller chercher quelques affaires.

— Pardon ?

— Puisque je vais passer pas mal de temps ici, mieux vaut que j'aie sous la main ce dont je peux avoir besoin. Ne prends pas un air si surpris. (Il l'attira à lui.) Cette première nuit passée ensemble est juste un début...

— On dirait que tu tiens déjà certaines choses pour acquises, Cade.

— Je ne pense pas.

Il emprisonna son visage entre ses mains et pressa délicatement, tendrement, ses lèvres sur celles de Tory.

— Je ne pense pas tenir certaines choses pour acquises, reprit-il doucement. Surtout à ton sujet. Disons que c'est une impression. Quelque chose que l'on sait sans pouvoir l'expliquer. C'est mon cas. J'ai une certaine impression à propos de toi, et je vais rester ici jusqu'à ce que je puisse me l'expliquer.

— Tu parles d'attirance et de sexe comme s'il s'agissait de simples pièces de puzzle.

— Pourquoi pas ? Dès qu'on a trouvé et ajusté les pièces allant ensemble. Tu m'as laissé entrer, Tory. Ne crois pas que je vais m'en aller aussi facilement que ça.

— Très astucieuse, ta manière de te montrer à la fois encombrant et réconfortant. (Elle s'éloigna de quelques pas.) Et je ne crois pas t'avoir *vraiment* laissé entrer. Je crois plutôt que tu vas où bon te semble.

C'était assez vrai, et il ne prit pas la peine de démentir.

— Tu veux essayer de me jeter dehors ?

— Il semblerait que non.

— Bon. Cela nous épargne une scène. Et maintenant, puisque nous voilà debout et habillés, pourquoi ne pas faire des affaires ?

— Des affaires ?

— J'ai quelques échantillons dehors dans ma voiture. Je vais les apporter et nous allons négocier.

Tory jeta un coup d'œil à la pendule. Il était à peine sept heures.

— Pourquoi pas ? Mais, cette fois, c'est toi qui fais le café.

Faith patienta jusqu'à dix heures et demie, certaine qu'alors sa mère et Lilah seraient parties à l'église. Depuis longtemps, sa mère avait cessé de l'attendre pour se rendre au service dominical, mais Lilah était plus entêtée quand il s'agissait de Dieu. Elle se prenait volontiers pour Son plus dévoué sergent, ce qui l'autorisait à jeter les troupes hors du lit pour les expédier devant l'autel avec force menaces de damnation éternelle.

Quand elle voulait rester à la maison, Faith prenait soin de se cacher, surtout le dimanche. Parfois, pour faire plaisir à Lilah, elle consentait à passer une tenue plus modeste et se présentait à la cuisine, pour se faire presque aussitôt bouter dehors sur le chemin de l'église. Mais, ce dimanche-là, elle n'était pas d'humeur à se montrer obligeante ni à écouter un sermon, assise sur un banc trop dur. Elle avait envie de bouder en dégustant une crème glacée au chocolat et en se lamentant sur son sort.

Quand elle pensait à tout le mal qu'elle s'était donné pour Wade Mooney, elle se sentait au bord de la crise de nerfs. Elle s'était enduite absolument partout d'une crème parfumée, avait choisi les sous-vêtements les plus sexy qu'on puisse trouver – pour que Wade les mette en lambeaux avec passion – et enfilé une petite robe noire et des talons de dix centimètres dont le message disait clairement : « J'ai envie de pécher. »

Elle avait chipé à la cave deux bouteilles d'un vin coûtant une année de collège – ce qui lui vaudrait une sérieuse prise de bec avec Cade quand il s'en apercevrait.

Et elle était arrivée chez Wade toute pomponnée et parfumée, pour découvrir qu'il n'avait même pas la décence d'être chez lui.

Le salaud.

Pis, elle l'avait attendu, rangé sa chambre telle une gentille petite ménagère, allumé des bougies, mis de la musique et failli même s'endormir.

Elle avait patienté jusqu'à près d'une heure du matin tandis que son état d'esprit se transformait de minute en minute. À présent, elle rêvait d'envoyer Wade valser au bas des escaliers afin de le punir de son manque d'égards.

Elle avait bu la moitié du vin et, si elle était presque ivre, Wade n'aurait à s'en prendre qu'à lui-même. Tout comme c'était sa faute si elle avait mal calculé son virage pour franchir le portail et rayé l'aile de sa voiture.

Et voilà que, maintenant, elle se retrouvait assise là, un dimanche matin, abattue et le visage barbouillé de glace.

Elle ne voulait plus jamais le revoir.

De toute façon, elle en avait assez des hommes, se dit-elle. Ils ne valaient pas le temps et la peine qu'une femme leur consacrait. Elle allait les extraire de sa vie et trouver d'autres sujets d'occupation.

Cade apparut sur le seuil au moment où Faith plongeait sa cuillère dans un carton d'une livre de crème glacée. Sachant ce que cette attitude signifiait, il recula aussitôt.

Mais il ne fut pas assez rapide.

— Entre, assieds-toi donc ! Je ne vais pas te mordre.

Elle alluma une cigarette et se mit à manger et à fumer en même temps avec la même avidité compulsive.

— Les autres sont tous partis à l'église pour sauver leur âme immortelle. Tante Rosie est allée avec Lilah. Elle préfère son église à celle de Maman. Je les ai aperçues au moment où elles sortaient. Tante Rosie portait un chapeau aussi grand que la queue d'un paon et, avec ça, des chaussures de tennis vertes. Cette tenue n'aurait pas du tout convenu à Maman.

— Je regrette d'avoir manqué ça. (Il saisit une cuillère et puisa quelques bouchées dans la crème de sa sœur.) Alors, qu'est-ce qui ne va pas ?

— Pourquoi ça n'irait pas ? Je suis aussi satisfaite qu'une oie dans un nid d'œufs en or.

Elle souffla sa fumée, plissa les yeux à travers les volutes bleues et contempla son frère. Ses cheveux étaient encore un peu humides, leur extrémité retroussait. Faith en conclut qu'il venait de prendre sa douche. Il souriait, et ses yeux bleus avaient une expression de satis-faction familière.

Elle savait quel genre d'activité amenait une telle expression de béatitude sur le visage d'un homme.

— Tu n'as pas changé de vêtements depuis hier, on dirait. Tu n'as pas dormi ici, hein ? Bon, bon, c'est donc que quelqu'un a eu du plaisir cette nuit.

Cade lécha sa cuillère et examina sa sœur.

— Et, moi, j'en conclus que « quelqu'un » n'en a pas eu. Je ne vais pas rester assis ici à parler de ma vie sexuelle avec toi pendant que tu te gaves de crème glacée.

— Toi et Tory Bodeen. N'est-ce pas parfait ?

— Pas si mal, c'est vrai.

Cade piocha une autre cuillerée de glace.

— Au fait, un petit conseil d'ami : ne te mêle pas de ça, Faith.

— Pourquoi le ferais-je ? Simplement, je ne vois pas ce que tu lui trouves. Elle est assez jolie, mais plutôt réfrigérante. Elle finira par te refroidir toi aussi, tôt ou tard. Elle n'est pas de notre espèce.

— Tu ne penserais pas cela si tu prenais la peine de mieux la connaître. Elle aurait bien besoin d'une amie, Faith.

— Ne compte pas sur moi. Je ne suis pas douée pour ça. Demande à quelqu'un d'autre. D'ailleurs, je ne l'aime pas tellement. Si tu veux te l'envoyer, ça te regarde. Hé !

Elle leva la tête, surprise, quand il lui saisit brutalement le poignet. Il parla d'une voix aussi douce que de la soie, mais ses yeux brillaient de colère.

— Il ne s'agit pas de ça. Tout le monde ne considère pas le sexe comme un simple passe-temps.

— Tu me fais mal.

— Non. Tu te fais du mal à toi-même.

Il la lâcha enfin et se leva pour lancer sa cuillère dans l'évier. Faith se frotta le poignet, pensive.

— Ce que je fais, moi, c'est prendre soin de ne pas m'exposer. Si tu veux étaler ton cœur pour que tout le monde marche dessus, libre à toi. Mais je peux te dire un truc dont je suis certaine : ne tombe pas amoureux de Tory. Ça ne marchera jamais entre vous.

— Je ne sais pas si je le veux. Et, pas plus que toi, je ne sais si ça marchera ou non. (Il lui tourna le dos.) Il y a une chose dont tu ne te rends pas compte, Faith, c'est à quel point tu lui ressembles. Toutes deux vous vous barricadez, vous ne voulez pas vous exposer. Elle, elle se protège en se refermant, et toi, en te répandant un peu partout. Mais c'est la même chose.

— Je ne lui ressemble absolument pas ! cria-t-elle tandis qu'il sortait. Je ne ressemble à personne d'autre qu'à moi-même !

Furieuse, elle jeta sa cuillère à travers la pièce et, laissant la glace fondre sur la table, se précipita en haut pour s'habiller.

Il fallait qu'elle s'en prenne à quelqu'un, et puisque, dans la confusion de ses pensées, tout se rattachait à Wade, elle fixa son choix sur lui et se vêtit en prévision de la bagarre. Elle avait sa fierté, elle voulait paraître éblouissante quand elle le mettrait en pièces et danserait autour de ses débris.

Faith choisit une tenue stricte en soie, d'un bleu sombre mettant en valeur ses yeux. Pour qu'il se souvienne d'eux. Elle comptait bien pousser brusquement la porte de son appartement, mais se retint au dernier moment et frappa avec cérémonie.

Elle entendit des petits aboiements et des gémissements à l'intérieur et leva les yeux au ciel. Il avait encore ramené chez lui un de ses fichus chiens perdus. Comment pouvait-elle avoir entretenu une relation aussi longue avec un homme qui prenait davantage soin d'un chien hirsute que d'une femme prête à s'envoyer au septième ciel avec lui ?

Dieu merci, elle avait maintenant repris ses esprits.

Il ouvrit la porte, ébouriffé, les yeux encore pleins de sommeil, vêtu seulement d'un jean qu'il n'avait pas pris la peine de boutonner. Et, en un éclair, elle se souvint pourquoi elle n'avait jamais rompu avec cet homme.

En proie à quelques troubles intérieurs, elle choisit de les ignorer et, saisissant sa main, elle y jeta sans ménagement la clé.

— Qu'est-ce que tu fais ?

— C'est pour commencer. J'ai un certain nombre de choses à te dire, après je te quitte.

Elle l'écarta avec brusquerie et entra d'un pas de commandeur. Elle portait des talons et une jupe très courte qui mettait ses jambes en valeur. Juste pour le tourmenter.

— Quelle heure est-il, bon sang ?

Elle grimaça. Pas question de se laisser démonter.

— Près de midi.

— Oh ! non ! Ce n'est pas possible. Je dois être chez ma mère dans une heure.

Il s'effondra sur une chaise, la tête entre les mains.

— Elle va sûrement me tuer.

— Ce serait formidable et je m'en chargerais bien moi-même s'il ne tenait qu'à moi.

Elle se pencha et renifla.

— Tu sens le bourbon bon marché.

— C'était bien du bourbon, mais très cher. Et je ne suis pas dans la bouteille. C'est le bourbon qui est en moi. (Il laissa échapper un hoquet). Pour le moment encore.

— Alors, c'est ça. (Elle plaqua ses mains sur ses hanches.) Tu t'es soûlé et tu as traîné la moitié de la nuit. J'espère que tu t'es bien amusé...

— Je n'en suis pas absolument certain. Ça a commencé par quelques verres et puis...

Elle l'interrompit, furieuse.

252

— Eh bien, réjouis-toi ! Dorénavant, tu pourras passer tous tes samedis soir de cette façon !

Puis, ne pouvant contenir plus longtemps sa jalousie, elle explosa :

— Qui était-ce ?

— Hein ?

Il tenta de relever la tête et fut vaguement surpris qu'elle ne se détache pas de ses épaules.

— Mais de qui parles-tu, bon sang ?

— La petite pute avec qui tu t'imagines pouvoir me tromper.

Elle saisit la première chose qui lui tomba sous la main – une petite lampe –, tira sur le cordon pour la dégager de la prise et la lança à travers la pièce. Le bruit qu'elle fit en se cassant provoqua des hurlements venant de la chambre et fit sauter Wade sur ses pieds en chancelant.

— Espèce de salaud ! hurla Faith. Je viens de l'entendre ! Tu ne manques pas de culot ! Alors, comme ça, elle est encore ici ?

— Mais qui donc ? Qu'est-ce que tu as ? Merde, Faith ! Tu viens de briser ma lampe !

— C'est ton cou que je vais briser.

Elle se détourna rapidement et courut vers la chambre, prête à arracher les yeux de la maudite femme qui avait pris sa place. Ce fut pour découvrir sur le lit un jeune chiot noir aboyant sauvagement, la tête sous les oreillers.

Décontenancée, Faith se retourna pour fusiller Wade du regard.

— Où est-elle ?

Wade leva les bras au ciel. Ses cheveux étaient tout ébouriffés et il avait des poches sous les yeux.

— Mais qui, à la fin ? De qui diable parles-tu ?

— La putain avec laquelle tu as couché.

— La seule créature de sexe féminin avec qui j'ai passé la nuit est celle-ci. (Il fit un geste en direction du lit.) Et elle n'est là que depuis quelques heures.

Il se mit à rire.

— À dire vrai, je préfère un autre style de compagnie féminine...

— Tu crois pouvoir plaisanter avec ça ? Où étais-tu donc la nuit dernière ?

— Je suis sorti. Lâche-moi, tu veux ?

Il se dirigea vers la salle de bains et fouilla parmi les tubes et les flacons de l'armoire à pharmacie en quête d'aspirine.

— Tu es sorti, en effet, jeta Faith, glaciale. Je le sais, je suis venue à neuf heures et je suis restée presque jusqu'à une heure.

Zut, se dit-elle fugitivement. Elle n'aurait pas dû lui avouer qu'elle l'avait attendu si longtemps.

Pantelant, il fit tomber quatre cachets d'un tube et les avala avec un peu d'eau tiède du robinet.

— Je ne me souviens pas qu'il ait été question d'un rendez-vous hier soir. Et je croyais que tu détestais faire des projets. À t'entendre, cela supprime une partie de l'excitation. (Il s'adossa au lavabo et lui jeta un regard sinistre.) Eh bien, pour finir, voilà tout de même de l'imprévu. C'est excitant, non ?

— Hier, c'était samedi. Tu aurais dû savoir que je viendrais.

— Non, Faith. Je n'ai rien à savoir. D'ailleurs, tu prétends toujours aller où bon te semble sans me prévenir. Ne t'étonne pas que j'en fasse autant.

Elle redressa la tête. Ils étaient en train de s'écarter du sujet.

— Je veux savoir où tu étais et avec qui.

Il fixa sur elle un regard dur.

— Ça fait beaucoup de demandes pour une personne ne désirant aucun lien. Rien que du sexe, du plaisir et des jeux, tu te rappelles ? Ce sont tes propres mots. As-tu oublié nos règles ? C'est pourtant toi qui les as fixées.

— Je ne te trompe pas, moi. Quand je suis avec un homme, je ne sors pas en même temps avec un autre. Et je compte bien qu'on me traite avec le même respect.

— Je n'étais pas avec une autre femme. J'étais avec Dwight.

— Oh ! Quel mensonge ! Dwight Frazier est un homme marié ; il ne traîne pas dehors toute la nuit à boire et à faire l'idiot avec toi.

— Je ne sais pas où il est parti après dix heures. Sans doute chez lui avec Lissy. Ils devaient aller au cinéma et je les ai accompagnés. (Sa voix devint froide et lointaine.) Après, j'ai acheté une bouteille et je suis allé faire un tour en voiture. Je me suis soûlé, puis je suis rentré chez moi. Si j'avais voulu faire quoi que ce soit d'autre avec qui que ce soit, j'aurais été libre de le faire. Il en va de même pour toi. C'est ton idée, non ?

— Je n'ai jamais dit ça.

— Tu n'as jamais rien dit d'autre.

— Maintenant, je dis autre chose.

— Ça ne peut pas être toujours selon ton bon plaisir, Faith. Tu as fixé des règles, et maintenant tu en veux d'autres.

Elle pinça les lèvres. Il mélangeait tout. Comme toujours, avec les hommes.

— Je parlais seulement de politesse réciproque.

254

— Ça signifie que je dois rester assis là à t'attendre jusqu'à ce que tu sois disposée à venir me retrouver ? Tous deux, nous allons et venons à notre guise, sinon, c'est un autre genre de relation. Et, alors, plus question de nous retrouver ici ou là dans un de ces fichus motels. Plus question de prétendre que nous ne sommes pas engagés. Soit nous formons un couple, soit nous restons libres.

— Voilà que tu poses des ultimatums. (La voix de Faith tremblait légèrement, à présent.) Alors que je t'ai attendu la moitié de la nuit !

— C'est frustrant, hein ? D'attendre, je veux dire, d'attendre, oui. Ça t'emmerde, pas vrai ?

Il s'écarta du lavabo et se rapprocha d'elle.

— On se sent malheureux et blessé. J'en sais quelque chose.

Gênée, elle se passa une main dans les cheveux.

— Tu ne m'en avais jamais parlé.

— Tu serais partie aussitôt. C'est ton genre, Faith. La nuit dernière, tandis que j'étais assis au bord du fleuve avec la bouteille pour toute compagnie, il m'est arrivé de penser que c'était ce qui me déplaisait le plus chez toi. Comme il me déplaît de t'avoir laissée me traiter si longtemps avec autant de désinvolture. Alors, maintenant, de deux choses l'une : ou nous nous efforçons de faire en sorte que les choses marchent entre nous, ou, alors, nous nous séparons.

— Je tiens à toi, Wade, tu le sais très bien. Pour qui me prends-tu ?

— Il y a eu une époque où je me suis contenté de ce que tu m'offrais. Cette époque est finie. Je veux davantage, aujourd'hui. Si tu ne peux pas, ou ne veux pas, me donner ce que je te réclame, je survivrai. Mais je ne ramasserai plus tes miettes.

Désorientée, elle s'assit au bord du lit. Le jeune chiot rampa en reniflant dans sa direction.

— Je ne te comprends pas. Je ne vois pas comment tu peux me mettre ça sur le dos.

— Pas seulement sur le tien. Sur le nôtre. Je veux pouvoir dire « nous », Faith. Parce que je t'aime.

Elle se redressa, paniquée.

— Quoi ? Tu es fou ? Ne dis pas ça !

— Je te l'ai déjà dit, mais tu ne m'as jamais écouté. Ça ne t'intéressait pas assez. Cette fois, je ne le répéterai pas. Je t'aime. (Il la saisit par les épaules.) C'est comme ça, quoi que tu puisses faire.

Gagnée par la panique, elle se sentit prise de vertige.

— Et moi ? Que suis-je censée faire ? Quelle salade !

— Les autres fois, quand je t'ai parlé d'amour, tu t'es enfuie et tu en as épousé un autre.

Il haussa les sourcils en la voyant ouvrir la bouche.

— Mais non... Je n'ai pas...

Merde, il avait raison, pensa-t-elle. C'était exactement ce qu'elle avait fait.

— Nous pourrions essayer quelque chose de différent cette fois. Nous pourrions essayer de nous comporter comme des gens normaux et voir le résultat. Passer du temps ensemble ailleurs que sur un lit. Il n'y a pas que le sexe, Faith. Du moins pas entre toi et moi.

— Comment le sais-tu ? dit-elle en reniflant.

Wade se mit à rire en lui ébouriffant les cheveux.

— Très bien. Disons que j'ai envie de découvrir ce qu'il y a d'autre.

— Et s'il n'y a rien ?

Il soupira.

— Alors, nous retournerons passer tout notre temps au lit. S'il nous en reste encore un, ajouta-t-il en écartant l'oreiller que le jeune chien cherchait à mettre en pièces.

Il était tellement solide, intelligent, gentil, et avec ça bel homme, songea Faith très vite, son cœur battant la chamade. En outre, il l'aimait. Mais personne ne l'aimait longtemps. Et puis à quoi bon se montrer aussi sérieux ? Cela n'avait aucun sens...

— Je ne vois pas quel genre de relation on peut avoir avec un homme qui couche avec des petits chiens perdus.

— Madame Dottie l'a déposé ce matin en allant à l'église, mais j'avais la gueule de bois et j'ai seulement été capable de nous fourrer tous les deux au lit.

— Qu'est-ce qu'il a ?

— Qui ? Le petit chien ? Il n'a rien.

Il se pencha, tapota sa fourrure et lui gratta les oreilles.

— Les yeux vifs, le poil brillant... voilà un animal en parfaite santé. Il a reçu tous ses vaccins et n'a pas bronché.

— Alors, que fait-il ici ?

— Je le garde pour toi.

Faith recula d'un bon pas.

— Mais je ne veux pas de chien.

— Bien sûr que si.

Il cueillit l'animal sur le lit et le déposa délicatement dans les bras de Faith.

— Regarde comme il t'aime.

— Les chiots aiment tout le monde, protesta Faith en tournant la tête pour éviter les coups de langue enthousiastes.

Avec un petit sourire qui creusa ses fossettes, Wade saisit Faith par la taille.

— Exactement. Ils aiment tout le monde. C'est une petite chienne, au fait. Elle dépendra de toi, te distraira, te tiendra compagnie et t'aimera.

— Elle pissera sur les tapis et mordillera mes shorts.

— Sans doute. À toi de lui apprendre la discipline, de l'éduquer patiemment. Elle a besoin de toi.

Tous deux se connaissaient bien. Ce n'était pas parce qu'ils passaient le plus clair de leur temps ensemble au lit qu'elle ignorait comment son esprit fonctionnait.

— Tu me donnes un chien ou une bonne leçon ?

— Les deux. (Il déposa un baiser sur sa joue.) Fais un essai. Si ça ne marche pas, je le reprendrai.

Faith fronça les sourcils. La petite tête était toute chaude et s'efforçait désespérément de se nicher dans le creux de son cou. Que diable se passait-il ? Tout le monde paraissait lui tomber dessus en même temps. D'abord Boots, puis Cade et maintenant Wade.

— Je ne sais plus où j'en suis. Tu as de la chance, Wade. Je n'arrive pas à élaborer le moindre raisonnement aujourd'hui, c'est la seule raison pour laquelle je veux bien essayer.

— Pour nous ou pour le chiot ?

— Un peu les deux.

— C'est un bon début. Il y a des aliments pour chien à la cuisine. Va donc nourrir le bébé pendant que je prends ma douche ! Sinon, je risque d'être en retard pour le déjeuner familial. Veux-tu venir avec moi ?

Faith ne se souvenait que trop bien du regard froid et sévère de la mère de Wade.

— Merci, mais je ne suis pas encore prête pour les réunions de famille. Va prendre ta douche.

Les sourcils toujours froncés, elle emporta l'animal à la cuisine. Elle n'était pas certaine d'être prête pour une seule de ces choses. Sans doute pour aucune, d'ailleurs.

18

Le lundi matin, Tory venait à peine de déverrouiller la porte de sa boutique que celle-ci s'ouvrit brusquement. Une jeune femme entra en trombe.

— Bonjour ! Mon nom est Sherry Bellows. J'ai attaché mon chien au banc qui se trouve dehors. Ça ne vous dérange pas, j'espère ?

Tory jeta un coup d'œil à l'extérieur et aperçut une montagne de poils hirsutes docilement assise sur le trottoir.

— Non, pas de problèmes, répondit-elle, amusée. Votre chien est vraiment grand, dites-moi. Et très beau.

— C'est un amour. Nous revenons tout juste d'une promenade matinale dans le parc et j'ai eu envie de m'arrêter un instant. J'ai fait un saut samedi dernier chez vous. Il y avait foule.

— Oui. J'ai été pas mal occupée. Puis-je vous montrer un objet particulier ou voulez-vous seulement jeter un coup d'œil ?

— Je me demandais si vous envisagiez de prendre une assistante. (Sherry rejeta en arrière sa queue de cheval.) Je ne suis pas habillée comme il convient pour demander du travail, enchaîna-t-elle avec un sourire en enfonçant son tee-shirt dans son short de jogging. Mais j'obéis à une impulsion. J'enseigne l'anglais au collège. Ou plutôt je vais enseigner. Les cours d'été commencent à la mi-juin et je travaillerai alors à plein temps.

— Dans ce cas, vous n'avez pas vraiment besoin de travail, non ?

— Je suis libre encore quelques semaines, puis tous les samedis et en mi-journée à partir de septembre. J'adorerais travailler dans une boutique comme la vôtre ; en outre, un peu d'argent supplémentaire serait le bienvenu. J'ai suivi des études de commerce, je connais un peu les ficelles du métier. Si vous voulez, je peux vous donner des références et je ne me montrerai pas très exigeante en matière de salaire.

— À dire vrai, Sherry, je n'ai pas réellement envisagé cela, du moins pas avant de voir comment vont marcher les affaires pendant les premières semaines.

— Je comprends. Ce n'est pas facile de tenir un magasin quand on est tout seul.

S'il y avait une chose que Sherry avait retenue en poursuivant ses études pour devenir enseignante, c'était la ténacité. Jamais de pause, pas de temps pour la paperasse, l'inventaire, passer commande...

— Puisque vous ouvrez six jours sur sept, vous ne pouvez guère penser à vos courses, aller à la banque, prévoir vos propres achats. Je suppose que vous faites aussi des expéditions ?

— En effet.

— Alors, vous devrez fermer le magasin chaque fois que vous devrez vous rendre à la poste, ou vous lever aux aurores, le lendemain, pour expédier les commandes avant les heures d'ouverture, ce qui allongera encore votre horaire de travail, et tout le monde sait que le temps c'est de l'argent.

Tory la regarda plus attentivement. Sherry était jeune, jolie, encore en sueur d'avoir couru dans le parc, très directe. Et elle avait raison. Tory était au magasin depuis huit heures du matin, préparant les commandes à expédier, remplissant des papiers, courant à la banque ou à la poste.

Non qu'elle ne se sente pas la force d'accomplir toutes ces tâches. Cela lui procurait même une sorte de satisfaction qui rosissait joliment ses joues. Le problème, c'est que ce programme surchargé deviendrait avec le temps de plus en plus exigeant.

En même temps, elle n'était pas certaine de vouloir partager sa boutique avec quelqu'un d'autre, même à mi-temps. Elle éprouvait un grand plaisir à être seul maître à bord. Malgré tout, elle devait bien l'admettre, il y avait dans cet entêtement à travailler en solitaire une forme de complaisance qui, à la longue, se révélerait fort peu pratique.

Tory passa derrière le comptoir pour prendre son bloc-notes.

— Votre proposition me prend de court. Notez ici votre adresse, votre téléphone et vos références. Et donnez-moi le temps d'y réfléchir.

— Génial ! (Sherry saisit le crayon que Tory lui tendait et se mit à écrire.) Si vous n'y voyez pas d'inconvénient, je viendrai avec mon compagnon. Deux pour le prix d'un !

Elle fit un signe en direction de la vitrine, à travers laquelle on pouvait voir deux femmes occupées à admirer Mongo.

— Il est tellement extraordinaire que les gens ne peuvent pas s'empêcher de faire halte pour le caresser. Et par la même occasion, ils jettent un coup d'œil à votre vitrine. Je vous parie mon billet qu'elles en profiteront pour entrer.

— Astucieux ! (Tory haussa un sourcil.) Je devrais peut-être m'acheter un chien.

Sherry se mit à rire.

— Oh ! vous n'en trouverez jamais un comme mon Mongo. Et, si gentil soit-il, il ne fera pas monter vos ventes.

— Bien vu, reconnut Tory en constatant que les deux femmes pénétraient dans le magasin.

— Ce chien dehors, il est à vous ?

Sherry tourna vers elles un visage rayonnant.

— Non, à moi ! J'espère qu'il ne vous a pas ennuyées.

— C'est le plus gentil chien de la terre. On dirait une grosse boule de fourrure sur pattes !

— Et doux comme un agneau, précisa Sherry. Nous nous sommes arrêtés juste un instant pour admirer toutes ces jolies choses ici. N'est-ce pas un endroit charmant ?

— Très joli, admit l'une des visiteuses. Je ne me souviens pas l'avoir vu auparavant.

— Ce n'est ouvert que depuis samedi, expliqua Tory.

La femme jeta un coup d'œil autour d'elle. Son amie était déjà en train d'examiner les objets.

— Il y a un bon moment que je n'étais pas venue dans ce quartier de la ville. J'aime beaucoup ces chandeliers dans la vitrine. Nous venons juste de nous installer dans une nouvelle maison, et je m'occupe de la décorer à mon goût.

— Je vais les sortir pour vous. (Tory se tourna vers Sherry.) Excusez-moi.

— Je vous en prie. J'ai tout mon temps.

Sherry observa Tory pendant qu'elle s'occupait de ses clientes. Avec compétence et discrétion. « Bon, se dit-elle, moi aussi je peux faire ça. Laisser les objets se vendre d'eux-mêmes. Mais un peu de conversation ne ferait pas de mal. » De toute façon, bavarder était dans sa nature, cela compenserait la réserve de Tory.

Elle aurait ce travail, décida Sherry en continuant d'écrire sur le bloc, un œil sur la scène. Elle avait un don pour convaincre les gens et disposerait ainsi d'un peu plus d'argent.

Habilement, elle admira le choix des clientes, s'entretint aimablement avec elles alors que Tory confectionnait les paquets. Les deux femmes s'en allèrent enchantées, les bras chargés de leurs achats.

— Ça a bien marché. Mais il me semble que vous auriez pu convaincre celle qui s'appelle Sally d'acheter ces plaques pour jardin.

Amusée, Tory classa les reçus des cartes de crédit.

— Si elle les veut, elle reviendra. Et je parie que son amie lui en parlera pendant le déjeuner. Vous savez vous y prendre, Sherry. Vous y connaissez-vous en artisanat ?

— J'apprends vite. Et comme j'admire votre goût, cela me sera facile. Je peux commencer tout de suite.

Tory se sentit soudain sur le point d'accepter. Il y avait en Sherry quelque chose qui lui plaisait. Mais, à cet instant précis, la porte s'ouvrit et le choc terrifiant qu'elle reçut écarta toute autre pensée.

— Salut, Tory ! (Hannibal tendit ses lèvres dans une sorte de rictus.) Ça fait un bail, pas vrai ?

Il porta son regard brillant sur Sherry.

— C'est votre chien, là, dehors, mademoiselle ?

— Oui, il s'appelle Mongo. Il ne vous dérange pas, j'espère.

— Non, pas du tout. Il a l'air tout à fait amical. C'est un bien gros chien pour une petite bonne femme comme vous. Je vous ai vue courir avec lui dans le parc il y a un instant. On ne pouvait pas savoir qui de vous deux conduisait l'autre.

Sherry ressentit un bref malaise, mais réussit à rire.

— Oh ! je voudrais croire que c'est moi.

— Un bon chien est un ami fidèle. Plus fidèle que les gens la plupart du temps. Tory, tu ne me présentes pas à ton amie ?

Avant que Tory ait pu ouvrir la bouche, il tendit la main à la jeune femme. Une de ces grandes mains qui avaient si souvent réduit Tory au silence.

— Je m'appelle Hannibal Bodeen. Le père de Victoria.

— Contente de vous connaître.

Maintenant rassurée, Sherry serra chaleureusement la main tendue.

— Vous devez être fier de votre fille et de ce qu'elle a réalisé ici.

— Il ne se passe guère de jour sans que j'y pense. (Il reporta son regard sur Tory.) Et elle aussi.

Tory était au bord de la crise de nerfs. Puisqu'il était là, elle devait s'occuper de lui. Et s'en occuper seule.

— Sherry, je suis contente que vous soyez venue. Je vais réfléchir à cela et je vous téléphonerai bientôt.

— Je vous remercie. Monsieur Bodeen, j'essaie de convaincre votre fille de m'engager comme assistante. Vous pourriez peut-être lui dire un mot en ma faveur. Heureuse de vous avoir rencontré. Tory, j'attends votre appel.

Elle sortit et s'accroupit près du chien. À travers la porte fermée, Tory entendit son rire heureux et le jappement de bienvenue du chien.

Les mains sur les hanches, Hannibal Bodeen examina la boutique.

— Eh bien ! Tu t'es déniché un joli petit coin, on dirait. Il paraît aussi que tu t'en sors pas mal !

Il n'avait pas changé, constata Tory. Pourquoi aurait-il changé, d'ailleurs ? Avait-il vieilli ? Pas en apparence. Il avait toujours la même corpulence, tous ses cheveux et le même éclat sombre et fanatique dans les yeux. Le temps ne semblait pas avoir d'influence sur lui. Quand il se retourna, Tory se sentit elle-même tassée sous le poids des ans et des efforts qu'il lui avait fallu pour se reconstruire, pour échapper au passé.

— Que veux-tu ?

— Tu t'en sors vraiment bien, répéta Hannibal en avançant vers le comptoir.

Le voyant s'approcher, Tory constata alors qu'elle s'était trompée. Du moins, en partie. Il avait vieilli et les années avaient marqué et creusé son visage. De profonds sillons encadraient sa bouche, barraient son front comme une cicatrice laissée par un coup de fouet.

— Tu es revenue ici pour te pavaner dans la ville de ta jeunesse, pas vrai ? Mais méfie-toi, Victoria. Pour l'orgueilleux, plus dure sera la chute.

— Comment as-tu su que j'étais ici ? C'est Maman qui te l'a dit ?

— Un père reste toute sa vie un père. Je t'ai gardée à l'œil. Et quand tu es revenue ici pour fanfaronner, pour me faire honte, je l'ai su tout de suite.

— Tu dis n'importe quoi ! éclata Tory. Je suis revenue ici pour moi-même. Cela n'a rien à voir avec toi. Mensonges. Mensonges. Mensonges.

— Ici, toute la ville a parlé de toi, toute la ville t'a montrée du doigt. Tu as donc la mémoire si courte ? Ici, tu m'as défié et tu as défié le Seigneur pour la première fois. La honte de ce que tu as fait, de ce que tu *étais* m'a obligé à partir.

— C'est l'argent de Margaret Lavelle qui t'a fait partir d'ici.

Un muscle tressaillit sur la joue de Hannibal Bodeen. Un avertissement.

— Les gens ne se lassent pas de répandre leurs médisances, on dirait, ricana-t-il. Si tu savais comme je m'en moque. « Seul le menteur écoute les mensonges. »

— Ils parleront encore davantage si tu traînes par ici. Des personnes te recherchent, elles te trouveront. Je suis allée voir Maman. Elle est inquiète pour toi.

— Il n'y a pas de raison. Je suis le maître chez moi. Un homme peut aller et venir à sa guise.

— Mais pas s'enfuir. Tu t'es enfui après qu'on t'a arrêté et accusé d'avoir agressé cette femme. Tu t'es enfui et tu as laissé Maman toute seule. Cette fois, quand ils t'attraperont, tu n'auras plus droit à la liberté surveillée. Ils te jetteront en prison.

— Ferme ton clapet.

Sa main jaillit. Elle s'était attendue à un coup et raidie en prévision, mais il la saisit par le devant de son chemisier et la traîna sur le comptoir, à demi affalée.

— Montre-toi respectueuse ! Tu me dois la vie. C'est ma semence qui t'a amenée dans ce monde.

« Pour mon regret éternel », pensa Tory. Elle se rappela alors la paire de ciseaux sous le comptoir, se vit les tenir à la main pendant qu'il la traînait un peu plus loin. Et, en apercevant sur le visage de son père cette rage terrible et si familière, elle se demanda si elle serait capable de s'en servir.

— Si tu oses porter la main sur moi, je te jure que je vais te dénoncer à la police, menaça-t-elle. Frappe-moi et je leur raconterai tout. Je leur dirai combien de fois tu m'as battue jusqu'au sang. Quand j'aurai fini...

Elle eut un hoquet et s'efforça de ne pas crier quand il l'attrapa par les cheveux et renversa sa tête en arrière, ses doigts griffant sa gorge comme un fer brûlant. Des larmes de douleur jaillirent des yeux de Tory et sa voix devint rauque.

— Quand j'aurai fini, ils renforceront encore les barreaux autour de toi, je te le jure. Mais si tu me lâches et si tu t'en vas, j'oublierai que je t'ai vu.

— Tu oses me menacer ?

— Il ne s'agit pas de menace. Ce sont des faits. Lâche-moi.

Elle faillit étouffer sous son étreinte furieuse, sentit la rage et la haine irradier de lui tandis qu'il lui serrait encore plus la gorge. Elle ne tiendrait plus très longtemps.

Sans le quitter des yeux, elle glissa la main sous le comptoir à la recherche des ciseaux.

— Lâche-moi avant que quelqu'un n'entre et ne te voie.

Elle vit passer diverses émotions sur son visage et la peur se mêler à la violence. Ses doigts effleurèrent les poignées de métal des ciseaux au moment où il la repoussait, la jetant violemment contre l'angle de la caisse enregistreuse.

— J'ai besoin d'argent. Donne-moi ce que tu as là-dedans. Tu me le dois pour tout ce que tu as reçu.

— Il n'y a pas grand-chose. Tu n'iras pas loin avec ça.

Elle ouvrit le tiroir-caisse et, des deux mains, sortit l'argent qui s'y trouvait. N'importe quoi pour qu'il s'en aille, pensa-t-elle, éperdue. N'importe quoi.

— Cette putain de Hartsville qui m'a dénoncé est une menteuse, gronda Hannibal, elle brûlera en enfer.

Une main toujours crispée dans les cheveux de Tory, il empocha l'argent.

— Et toi aussi, ajouta-t-il.

— Peut-être... Mais tu y seras déjà.

Pourquoi agissait-elle ainsi ? Elle était incapable de le dire. Elle fixa soudain son regard sur lui et parla comme saisie par une brusque vision.

— Tu ne verras pas la fin de l'année. Tu mourras dans la souffrance, la peur et le feu. Tu mourras en hurlant qu'on ait pitié de toi. Cette pitié que tu ne m'as jamais accordée. Que tu n'as accordée à personne.

Il blêmit et la repoussa si fort qu'elle heurta le mur ; sous le choc, les articles d'emballage s'éparpillèrent par terre. Levant un bras, il pointa l'index sur elle.

— « Tu ne toléreras pas une sorcière dans ta maison. » Rappelle-toi les Écritures. Si tu dis à quiconque que tu m'as vu ici aujourd'hui, je reviendrai et je ferai ce que j'aurais bien dû faire à l'instant où tu es née. Née avec la marque du diable sur ton visage. Tu es déjà damnée.

Il poussa la porte, passa la tête au-dehors et sortit en hâte. Tory se laissa glisser à terre. Déjà damnée ? Elle jeta aux ciseaux un regard absent, chancelant contre le pied du comptoir. Elle avait failli les empoigner. Il s'en était fallu de peu.

Si elle avait pu les prendre solidement en main, un des deux serait en enfer maintenant. Elle ne se souciait pas tellement de savoir lequel. Au moins, ce serait terminé.

Elle releva les genoux, enfouit son visage au creux de ses bras et se pelotonna en boule comme elle l'avait fait si souvent enfant.

Faith la découvrit dans cette même position un peu plus tard en pénétrant dans la boutique, un chiot agité dans les bras.

— Mon Dieu, Tory !

D'un coup d'œil elle vit le tiroir-caisse ouvert et vide, les fournitures répandues au sol et la jeune femme tremblante par terre.

— Tu n'es pas blessée ?

Faith déposa le petit chien, qui se mit à gambader joyeusement, et se précipita derrière le comptoir.

— Laisse-moi te regarder... t'examiner.

— Je n'ai rien.

— Se faire cambrioler en plein jour dans cette ville, ce n'est pas rien. Tu trembles de tous tes membres. Avaient-ils un revolver ? Un couteau ?

— Non, non. Tout va bien.

— Je ne vois pas de sang. Juste une égratignure là, sur ton cou. Je vais appeler la police. Veux-tu que je fasse aussi venir un docteur ?

— Non ! Pas de police. Ni de docteur.

— Pas de police ? Je viens juste de voir sortir d'ici une espèce de grande brute et, en entrant, je trouve ton tiroir-caisse ouvert et vide, toi par terre derrière le comptoir, et tu ne veux pas que j'appelle la police ? Qu'est-ce que font les gens dans les grandes villes quand ils sont cambriolés ? Des gâteaux ?

Épuisée, Tory laissa tomber sa tête en arrière contre le mur.

— Je n'ai pas été cambriolée. Je lui ai remis l'argent. Une centaine de dollars. L'argent ne compte pas.

— Eh bien, donne-m'en donc un peu pendant que tu y es. Si tu envisages les affaires sous cet angle, tu ne tiendras pas très longtemps.

— Je vais très bien et je tiendrai. Personne ne me fera partir d'ici. Rien ni personne. Plus jamais.

Faith n'avait pas une grande expérience de l'hystérie, en dehors de la sienne, mais il lui sembla en reconnaître les signes dans la voix soudain trop aiguë de Tory, et dans l'éclat sauvage de son regard.

— C'est déjà quelque chose. Si tu te levais et venais un instant dans la réserve ?

— Je t'ai dit que j'allais très bien.

— Alors, ou tu es idiote ou tu mens. Quoi qu'il en soit, viens.

Tory voulut la repousser et se lever toute seule, mais ses jambes refusèrent de la porter. En équilibre instable, elle réussit néanmoins à se redresser en s'appuyant sur Faith.

— Allons juste dans la pièce arrière. Je laisse le petit chien ici.

Tory lui jeta un regard perdu.

— Le... quoi ?

— Ne t'inquiète pas pour lui. Il ne prend pas de place. As-tu ici quelque chose à boire ?

265

— Non.

Il fallait s'y attendre. Une Tory si convenable ne peut pas avoir une bouteille de Jim Beam dans son tiroir.

— Bon, assieds-toi, reprends ton souffle et raconte-moi pourquoi tu ne veux pas appeler la police.

— Ce serait pire encore.

— Et pourquoi donc ?

— C'est mon père, Faith, que tu as vu sortir d'ici. Je lui ai donné l'argent pour qu'il s'en aille.

— C'est lui qui t'a fait ces marques sur le cou ?

Comme Tory se contentait de la regarder, Faith poussa un profond soupir.

— Ce n'est pas la première fois, n'est-ce pas ? Oh ! rassure-toi, Hope ne m'a jamais rien dit. Je suppose que tu lui avais fait jurer le secret, mais je n'ai pas les yeux dans ma poche. Je t'ai vue des dizaines de fois avec des tas de bleus sur le corps, et des traces de coups. Tu avais toujours une histoire prête pour les expliquer : tu étais tombée, ou tu t'étais cognée. Pourtant, tu n'avais pas du tout l'air de quelqu'un de maladroit. Je me souviens aussi de toutes ces ecchymoses sur tes bras et tes jambes le matin où tu es venue nous raconter ce qui était arrivé à Hope.

Faith se dirigea vers le petit réfrigérateur, en sortit une bouteille d'eau et la décapsula.

— Est-ce à cause de ça que tu ne l'as pas rejointe ce soir-là ? Il t'avait flanqué une raclée ? (La bouteille à la main, elle jaugea le silence de Tory.) J'ai l'impression de m'être trompée de personne dans mes reproches à propos de toute cette histoire.

Tory but une gorgée d'eau pour apaiser le feu dans sa gorge.

— C'est l'assassin de Hope qu'il faut accuser. Pas moi, dit-elle.

— Nous ne savions pas son identité. Et nous ne le savons toujours pas. Ce serait tellement mieux de pouvoir mettre un nom, un visage, derrière les accusations. Maintenant, prends le téléphone, appelle la police et dépose plainte. Le chef Russ s'occupera de lui.

— Je voulais seulement le voir s'en aller. Je ne m'attends pas à ce que tu me comprennes.

Faith sourit et s'assit sur un coin du bureau, les yeux fixés sur Tory.

— Les gens ne comprennent jamais rien aux autres. Cela t'étonne ?

Voyant que Tory ne répondait pas, elle hocha la tête.

— Mon père levait rarement la main sur moi. J'ai dû recevoir quelques fessées de temps en temps, mais, je dois l'avouer, moins souvent que je ne le méritais. Pourtant, il savait élever la voix et se faire craindre d'une petite fille.

Comme il lui manquait ! Le désir de retrouver son père l'envahit brusquement.

— Je ne craignais pas qu'il me batte, non, reprit-elle d'une voix plus calme. Mais il avait cette façon si particulière de me regarder chaque fois que je le décevais. Crois-moi, Tory, je détestais le décevoir. Ce n'est pas pareil que pour toi, je sais. Et je me demande ce que j'aurais fait s'il avait été une autre sorte de père, une autre sorte d'homme, et si j'avais passé ma vie à le redouter.

— Tu aurais appelé la police et tu l'aurais fait jeter en prison.

— Sûrement ! Oh ! ça ne veut pas dire pour autant que je ne comprends pas pourquoi tu ne le fais pas. Quand mon père s'est mis à fréquenter cette femme, je n'ai rien dit à ma mère. Pendant quelque temps, j'ai vraiment cru qu'elle n'était pas au courant. Je me disais que ça finirait peut-être par s'arranger. Je me trompais, mais le fait de le penser m'apaisait.

Tory avait repris quelques forces et reposa la bouteille sur le bureau.

— Pourquoi es-tu gentille avec moi ?

— Je n'en ai pas la moindre idée. Je ne t'ai jamais beaucoup aimée, mais c'était surtout à cause de Hope. Maintenant tu couches avec mon frère et je réalise que je lui suis plus attachée que je l'imaginais. J'ai donc envie de te connaître mieux pour me faire une idée sur tout ça.

— Donc, tu es gentille avec moi parce que j'ai des relations sexuelles avec Cade.

Par sa sécheresse, cette remarque piqua Faith.

— D'une certaine manière. Et, comme je suis sûre que cela va t'agacer, laisse-moi te dire aussi que je suis désolée de ce qui t'arrive.

Tory se mit debout. Elle était heureuse de ne plus trembler.

— Tu as raison. Ça m'agace.

— Je sais. Tu n'aimes pas qu'on t'exprime de la sympathie. Mais une chose est sûre : personne ne doit être terrorisé de la sorte par son propre père. Aucun homme n'a le droit de battre son enfant ainsi, de meurtrir son corps de coups. Bon, je ferais mieux d'aller voir quels dégâts mon petit chien a fait à côté.

— Un petit chien ? (Tory écarquilla les yeux.) Quel chien ?

Faith sortit de la pièce et partit d'un grand éclat de rire.

— Je ne lui ai pas encore trouvé de nom. Est-ce qu'elle n'est pas la plus adorable des choses ? Un véritable petit amour.

Le petit amour avait trouvé le papier de soie et entamé une guerre contre lui. De nombreuses victimes gisaient sur le sol. Il avait également déniché un rouleau de ruban et réussi à s'entortiller dedans.

— Oh ! non ! s'exclama Tory en contemplant le désastre.

— Ne le prends pas comme ça. Il ne peut pas y en avoir pour plus de cinq dollars. Je te rembourserai. C'est mon bébé.

Le bébé aboya joyeusement, déroula un morceau de ruban et s'affala aux pieds de Faith en la regardant avec adoration.

— Jamais je n'aurais cru que cette petite créature pourrait me faire rire autant. Regarde-toi, jolie poupée de Maman, te voilà tout emballée comme un cadeau de Noël.

Faith prit le chiot dans ses bras en lui susurrant des mots doux.

— Tu te comportes comme une idiote, fit observer Tory.

— Je sais. Mais elle est tellement jolie. Et elle m'adore. Maman va nettoyer tout ça, ma jolie, avant que la vilaine dame ne gronde mon bébé.

À genoux par terre, Tory s'y employait déjà.

— Si tu remets cette terreur par terre, je vous flanque toutes les deux dehors, menaça-t-elle.

— Un peu de patience. Je vais la dresser, lui apprendre à s'asseoir. Regarde.

Faith reposa le petit animal sur le sol en gardant une main sur son derrière.

— Assis ! Sois une bonne fille maintenant. Assis ! Pour faire plaisir à Maman.

Le chien bondit en avant, lécha le visage de Tory, puis se retourna pour attraper sa queue.

— Regarde, elle est adorable !

— Tout à fait adorable. Mais pas ici. (Tory se releva après avoir rassemblé les morceaux de papier déchirés.) Emmène-la faire un tour ailleurs.

— Nous voulons d'abord acheter de jolis bols pour sa nourriture et son eau.

— Non, pas les miens. Pas des poteries tournées et décorées à la main par de vrais artistes pour servir la pâtée d'un chien.

— Qu'est-ce que ça peut te faire, la façon dont on s'en sert, si je paie le prix indiqué ?

Plus décidée que jamais, Faith ramassa le chiot et saisit deux coupes assorties d'un beau bleu roi avec des incrustations émeraude.

— Celles-là nous plaisent. N'est-ce pas, chérie ? ajouta-t-elle en clignant de l'œil en direction de la petite boule de fourrure.

— Je n'ai jamais rien entendu de plus ridicule, soupira Tory.

Imperturbable, Faith se dirigea vers le comptoir et y déposa les articles choisis.

— Une vente est une vente, non ? Dis-moi combien je te dois et n'oublie pas d'ajouter le coût des fournitures détruites.

Tory fourra dans la corbeille les débris de papier de soie et entreprit d'enregistrer l'achat de Faith.

— Laisse tomber les fournitures. Ça fait cinquante-trois dollars et vingt-six cents.

— Bien. Je vais régler en espèces. Tiens-la une minute.

Faith tendit le chiot à Tory pour pouvoir fouiller dans son sac.

Séduite malgré elle, Tory fourra son nez dans la douce fourrure.

— Tu vas manger dans une vaisselle de princesse, non ? lui murmura-t-elle à l'oreille. Oui, tu seras une véritable princesse.

— Princesse ? répéta Faith en haussant un sourcil. Oh ! quelle bonne idée, Tory ! C'est tout à fait ça. (Elle posa l'argent sur le comptoir et reprit le chien.) C'est ce que tu es, mon chou. Une princesse ! Je vais t'acheter un collier avec des diamants.

Tory hocha la tête d'un air compatissant en rendant la monnaie.

— Je découvre en toi tout un aspect de ta nature que je ne connaissais pas, Faith.

— Moi aussi. Et cela ne me déplaît pas. Viens ici, Princesse. Nous avons des visites à faire.

Elle prit le sac contenant ses achats et s'immobilisa.

— Je crains de ne pouvoir ouvrir la porte.

— J'y vais.

Tory ouvrit la porte et, après une brève hésitation, effleura le bras de Faith.

— Merci.

Faith haussa les épaules.

— Bah... de rien. Au fait, ajouta-t-elle en s'éloignant, tu ferais bien de rectifier ton maquillage.

Elle ne voulait pas s'en mêler. Selon Faith, il pouvait être fascinant de s'intéresser à la vie des autres, d'en parler, mais tout ça de loin, à bonne distance pour rester à l'abri.

Cependant, elle n'arrivait pas à effacer de sa mémoire la vision de Tory roulée en boule derrière le comptoir, entourée de papiers d'emballage épars, de rubans, de ficelle dorée.

Ni ses marques rouges sur le cou.

Il y en avait eu aussi sur le cou de Hope. Elle ne les avait pas vues. On ne le lui avait pas permis. Pourtant, elle l'avait su.

Elle n'arrivait pas à comprendre comment un homme pouvait traiter une femme ainsi. Quand il s'agissait d'un parent, on n'alertait pas la police. Mais il y avait d'autres moyens de remettre les choses en place.

269

Elle se pencha pour déposer un baiser sur la tête de Princesse, puis se dirigea directement vers la banque pour avertir J.R. de ce qui venait d'arriver à sa nièce.

J.R. ne perdit pas de temps. Il annula son rendez-vous suivant, prévint son assistant qu'il devait s'absenter pour une affaire personnelle et prit la direction de la boutique de Tory d'un pas si rapide que sa chemise était trempée de sueur quand il parvint à destination.

Elle avait des clients, un jeune couple qui hésitait devant un plat bleu et blanc. Pour ne pas les troubler, Tory s'occupait plus loin à remplacer dans la vitrine le chandelier qu'elle avait vendu le matin.

— Oncle Jimmy ! Est-ce qu'il fait si chaud ? Tu es tout rouge. Veux-tu boire quelque chose de frais ?

— Non...

Mais il se ravisa, songeant que cela lui donnerait le temps de se reprendre.

— Après tout, si. Donne-moi n'importe quoi... ce que tu as sous la main, ma chérie.

— Tout de suite.

Elle se rendit dans l'arrière-boutique, referma la porte sur son passage et, appuyée contre le battant, jura entre ses dents. Bien sûr, contrairement à sa promesse, Faith avait dû se rendre droit à la banque pour tout raconter à J.R. Au temps pour la confiance, se dit-elle en ouvrant la porte du réfrigérateur. Et pour la compréhension.

Elle prit le temps de retrouver son calme et apporta une bouteille de ginger ale à son oncle.

— Merci, ma chérie. (Il but une longue gorgée.) Veux-tu déjeuner avec moi ?

— Il n'est pas encore midi et j'ai apporté quelque chose de la maison. Je ne voudrais pas fermer le magasin à l'heure du déjeuner. Mais je te remercie. Gran et Cecil sont partis ?

— À la première heure. Boots a tenté de les convaincre de rester quelques jours, mais tu connais ta grand-mère. Elle aime son indépendance. Dès qu'elle est loin de chez elle, elle s'impatiente.

Le jeune couple se dirigeait vers la porte, mais la jeune femme se retourna, l'air déçu.

— Nous reviendrons.

— Je l'espère. Bonne journée !

La porte était à peine refermée que J.R. posa sa bouteille sur le comptoir et saisit les épaules de Tory. Il examina les côtés de son cou.

— Et maintenant, fais-moi voir. Oh ! ma chérie. Le salaud ! Pourquoi ne m'as-tu pas appelé ?

— Tu ne pouvais rien faire. Et tout était déjà terminé. Il n'y avait aucune raison de t'inquiéter. Faith m'avait pourtant promis de ne rien dire. Apparemment on ne peut pas lui faire confiance.

— Allons, tu dis des bêtises. Elle a fait exactement ce qu'elle devait faire et je lui en suis reconnaissant. Tu n'as pas voulu prévenir la police et, ma foi, c'est peut-être aussi bien à cause de ta mère. Mais, moi, je suis de la famille.

Tory se blottit contre lui.

— Je sais. Oncle Jimmy, mon père est parti maintenant. Tout ce qu'il voulait, c'était de l'argent. Il avait peur, épouvantablement peur. Ils l'attraperont d'ici peu. J'espère que ce sera loin d'ici, loin de moi. Je n'y peux rien.

Il la regarda avec douceur en la tenant à bout de bras.

— Si tu le vois de nouveau dans les parages, même s'il ne cherche pas à t'approcher, je veux que tu me promettes de m'en informer sur-le-champ.

— Entendu. Mais ne t'inquiète pas. Il a eu ce qu'il était venu chercher. Il est sûrement loin à cette heure.

Elle avait bien besoin de le croire.

19

Elle le crut pendant le reste de la journée, abritée tout au long de l'après-midi par la mince armure que cette croyance souterraine lui forgeait. En se répétant que c'était stupide, elle s'empara d'une des bougies artistiquement présentées, la débarrassa de ses rubans et la posa sur le comptoir.

Elle espérait que sa lueur et son parfum dissiperaient les relents de violence et de laideur que son père avait laissés dans l'air.

Tory ferma la boutique à six heures et, en sortant, se surprit à scruter la rue comme elle l'avait fait pendant des semaines lorsqu'elle s'était enfuie à New York. Elle lui en voulait de réveiller cette prudence anxieuse qui alourdissait ses pas et accélérait les battements de son cœur.

Était-ce bien elle qui, quelques jours plus tôt, dans la maison du marais, la maison de son enfance, avait assuré pouvoir maintenant affronter son père et les terreurs qu'il apportait avec lui ? Qu'avait-elle fait de son courage ?

Tory retint un soupir. Tout ce qui lui restait à faire, c'était le retrouver.

Pourtant, à peine assise dans sa voiture, elle verrouilla les portières, et son cœur battait encore la chamade quand elle prit la direction du marais, sans cesser de jeter des coups d'œil nerveux dans le rétroviseur.

Elle s'obligea même à faire signe à Piney quand son pick-up brinquebalant la doubla bruyamment avec un petit coup de klaxon. Le travail était terminé dans les champs pour aujourd'hui, les ouvriers agricoles rentraient chez eux.

Cade aussi, probablement, songea Tory.

Elle s'irrita de ressentir de la déception quand, en tournant dans le chemin conduisant chez elle, elle n'y vit pas sa voiture. À son insu, elle s'était imaginé trouver Cade en train de l'attendre. Certes, elle n'avait pas accueilli avec beaucoup d'enthousiasme son projet de s'installer chez elle. Mais, plus elle y pensait, plus elle était prête à l'accepter. Et même à y prendre plaisir.

Bien du temps s'était écoulé depuis qu'elle avait désiré vivre avec un compagnon. Partager ses journées avec quelqu'un, parler de tout et de rien, rire ou se plaindre des petits aléas de la vie.

Avoir quelqu'un à ses côtés quand la nuit éveillait trop de bruits, de mouvements, de souvenirs. Mais qu'offrait-elle en retour ? Une certaine résistance, des discussions sans fin, un ressentiment qui ne voulait pas dire son nom, et beaucoup trop de susceptibilité.

En somme, un comportement de vraie garce, pensa-t-elle en descendant de voiture. À cela, au moins, elle pouvait mettre fin. Et faire ce que font les femmes pour se faire pardonner leurs petits péchés : préparer un bon dîner et tout entreprendre pour séduire l'homme aimé.

Cette idée lui remonta le moral. Ne serait-il pas surpris si elle amorçait ce changement ? Elle espérait se rappeler comment procéder, car il y avait longtemps qu'elle ne s'était pas ouverte à pareil comportement. En agissant ainsi, elle affirmait son engagement, acceptait sa part de responsabilité dans la toute nouvelle relation qui l'unissait à Cade.

Elle avait voulu séduire Jack ainsi, mais...

« Non. N'y pense pas. »

Elle repoussa fermement ses souvenirs et glissa sa clé dans la porte. Cade n'était pas Jack, ni elle cette femme qui avait autrefois vécu à New York. Passé et présent ne se rejoignent pas forcément.

En entrant, elle sut aussitôt qu'il était venu, qu'il avait pénétré dans ce lieu dont elle essayait de faire son chez-elle.

Son père.

Il n'avait pas trouvé grand-chose à détruire, mais l'unique fauteuil était renversé et défoncé. La lampe achetée quelques jours plus tôt gisait par terre en morceaux, la table que Tory espérait restaurer avait les pieds en l'air, l'un d'eux cassé comme une allumette.

Elle reconnut la forme et la taille des dents sur le panneau mural. C'était sa signature quand, frustré de ne pouvoir se défouler sur sa propre fille, il s'attaquait à des objets inanimés.

273

Elle laissa la porte ouverte au cas où il serait encore à l'intérieur, mais elle ne le pensait pas.

En effet, la chambre était vide. Il avait arraché toute la literie, lacéré le matelas. Heureusement, le cadre métallique du lit était intact. Il avait dû se dire que cela aurait exigé trop d'efforts.

Les tiroirs de la commode béaient, leur contenu déversé sur le sol. Non, pensa Tory, il n'avait pas cherché à détruire ses affaires, sinon il s'y serait attaqué avec le même outil pointu dont il s'était déjà servi auparavant quand il voulait lui donner une bonne leçon pour qu'elle apprenne à s'habiller convenablement.

Ce que Hannibal Bodeen voulait, c'était de l'argent ou des choses faciles à revendre. Cela aurait pu être pire encore, s'il avait été ivre. Dans ce cas, il l'aurait attendue... Elle se baissa pour ramasser un chemisier déchiré et jeta un cri de désespoir en découvrant la petite boîte de bois sculpté dans laquelle elle rangeait ses bijoux.

Elle était vide.

Il n'y avait plus trace de ses boucles d'oreilles en or et grenats que sa grand-mère lui avait données pour ses vingt et un ans. Des jolis anneaux qui avaient appartenu à sa propre arrière-grand-mère. Son seul héritage. Inestimable. Irremplaçable. Perdu.

— Tory !

L'inquiétude dans la voix de Cade et l'écho de ses pas précipités la firent se remettre vivement debout.

— Je vais bien. Je suis ici.

Il bondit dans la chambre et la serra dans ses bras avant qu'elle ait pu prononcer un seul mot. Elle se sentit enveloppée par les ondes de peur et de soulagement qui irradiaient de lui.

— Tout va bien, répéta-t-elle. Je viens juste de rentrer il y a seulement quelques minutes. Heureusement, il était déjà parti.

— J'ai vu ta voiture, et tout ce chaos dans la cuisine. J'ai pensé... (Il resserra son étreinte et enfouit son visage dans ses cheveux.) Reste là une minute.

Une peur incontrôlable le saisit, refermant ses mâchoires sur sa gorge. Jamais plus cela, pensa Cade, furieux. Jamais plus.

— Dieu merci, tu vas bien. Je voulais être là avant toi, mais j'ai été retenu. Nous allons appeler la police, puis tu viendras t'installer à *Beaux Rêves*. J'aurais déjà dû t'y emmener ce matin.

— Cade, cela n'a pas de sens. Je te rappelle qu'il s'agit de mon père.

Elle s'écarta pour aller poser la boîte sur la commode.

— Il est venu au magasin ce matin, reprit-elle. Nous nous sommes disputés. C'est sa manière à lui de me faire savoir qu'il peut encore me punir.

— Il t'a frappée ?

— Non.

Elle avait répondu très vite, presque automatiquement, mais Cade avait déjà les yeux posés sur les marques de son cou. Il resta silencieux, mais son regard s'étaient assombri, et Tory y lut le désir de violence – elle savait le reconnaître. Puis il se détourna et saisit le téléphone.

— Cade, je t'en prie. Attends. Je ne veux pas appeler la police.

Il redressa brusquement la tête et laissa éclater sa fureur.

— Écoute, Tory, cela suffit ! Tu ne feras pas toujours ce que tu veux !

Sherry Bellows décida de fêter l'emploi dans lequel elle se voyait déjà en ouvrant une bouteille de vin et en glissant dans le lecteur CD un disque de Sheryl Crow. Elle mit le volume aussi fort que possible sans trop déranger les voisins et commença à danser joyeusement à travers l'appartement.

Tout marchait comme sur des roulettes.

Elle adorait Progress. Exactement le genre de petite ville où tout le monde se connaissait et dans laquelle elle avait toujours rêvé de s'établir. Les étoiles devaient lui être favorables le jour où elle avait posé sa candidature au poste que proposait le collège de Progress.

Les autres enseignants lui plaisaient. Elle ne les connaissait pas encore très bien, mais dès qu'elle travaillerait à temps complet cela changerait.

Elle-même se promettait d'être un merveilleux professeur, quelqu'un à qui ses étudiants viendraient poser des questions ou exposer leurs problèmes en toute confiance. Ils suivraient volontiers ses cours distrayants, apprendraient à aimer s'instruire, à lire pour le plaisir. Elle jetterait en eux les bases d'une longue histoire d'amour pour la littérature.

Oh ! elle les ferait travailler aussi, bien sûr, et travailler dur. Mais elle se sentait habitée par toutes sortes d'idées nouvelles pour les intéresser à leurs études et leur faire comprendre que culture et plaisir pouvaient admirablement se conjuguer.

Plus tard, quand ses étudiants évoqueraient leur jeunesse, ils se souviendraient d'elle avec émotion. Peut-être même avec tendresse. Mlle Bellows a changé ma vie, diraient-ils à leurs propres enfants.

C'était tout ce qu'elle désirait.

Elle l'avait désiré assez pour étudier farouchement, assez pour travailler d'arrache-pied afin de payer ses inscriptions. Chaque penny avait été laborieusement gagné et utilisé.

Elle avait assez de factures pour le prouver.

Mais il ne s'agissait là que d'argent, et la nature heureuse de Sherry avait appris à s'en débrouiller. Elle aurait plaisir à être employée à *Southern Comfort*. Cela contribuerait à alléger le fardeau des cours et lui donnerait un peu d'aisance sur le plan financier. Mieux encore, elle pourrait ainsi entrer en contact avec la communauté de Progress. Elle aimait rencontrer des gens, se faire des amis, et, d'ici peu, elle deviendrait un personnage familier de la ville. Elle serait reconnue comme une des leurs.

Elle élargissait déjà son cercle de connaissances. Ses voisins dans l'immeuble, Maxine chez le vétérinaire. Et elle avait l'intention de renforcer ces liens en donnant une petite réception, une sorte de pendaison de crémaillère, dans le courant du mois de juin. Un coup d'envoi pour l'été, se dit-elle, sans préjuger d'autres projets.

Bien entendu, elle inviterait Tory. Et ce beau vétérinaire aux fossettes si charmantes. Décidément, elle aimerait bien le connaître mieux, reconnut-elle en se versant un second verre de vin.

Elle inviterait aussi les Mooney. J.R. Mooney s'était montré si obligeant quand elle avait ouvert un nouveau compte à la banque. Il y avait aussi Lissy, de l'agence immobilière. Une sacrée pipelette, celle-là, mais il était toujours bon d'avoir dans son camp les cancanières de la ville. On découvre ainsi des choses intéressantes. En outre, c'était la femme du maire.

Un autre admirateur, se souvint Sherry. Chaque fois qu'il la croisait, il lui souriait de toutes ses dents et semblait la trouver plutôt à son goût. Heureusement, elle avait appris à temps qu'il était marié.

Elle se demanda s'il ne serait pas présomptueux d'inviter les Lavelle. Après tout, il s'agissait de la famille la plus en vue de Progress. Mais Kincade Lavelle avait été si gentil, si amical le jour où ils s'étaient rencontrés en ville. De plus, c'était un homme merveilleusement séduisant, ce qui ne gâtait rien.

Elle pourrait lancer les invitations de manière désinvolte et voir ce qu'il adviendrait. De toute façon, cette initiative serait forcément profitable. Elle voulait plein de gens chez elle, une ambiance chaleureuse, amicale. Elle laisserait les portes ouvertes sur le patio comme elle le faisait toujours, pour que ses invités puissent circuler librement entre l'intérieur et l'extérieur.

Elle adorait son joli petit rez-de-jardin et songeait à s'acheter un autre fauteuil afin que l'on puisse s'asseoir dehors. Celui qu'elle avait déjà installé paraissait bien seul, et elle n'avait aucune intention de rester solitaire.

Un jour, elle rencontrerait l'homme de sa vie. Ils partageraient des nuits d'amour brûlantes et se marieraient au printemps. Ce serait le début d'une longue vie commune.

Sherry ne se sentait pas faite pour vivre seule. Elle désirait une famille. Bien sûr, elle continuerait d'enseigner ; il était tout à fait possible de mener en même temps une existence d'épouse et de mère.

Elle voulait tout à la fois, et le plus tôt possible.

Tout en fredonnant pour accompagner la musique, elle sortit dans le patio, où Mongo faisait un petit somme. Il remua la queue et roula sur le dos pour le cas où elle voudrait lui gratter le ventre.

Elle s'accroupit et le frictionna vigoureusement en buvant une gorgée de vin, les yeux fixés rêveusement sur la courette qui s'étendait de l'autre côté des fenêtres. Elle s'ouvrait sur un espace herbu et soigné, bordé d'un côté par les arbres du parc et, de l'autre, par une tranquille avenue résidentielle.

Son choix s'était porté sur cet appartement parce qu'on y acceptait les animaux familiers, et Mongo ne la quittait jamais. De plus, l'endroit était idéal pour son jogging quotidien avec lui dans le parc.

Bien sûr, la superficie de l'appartement laissait un peu à désirer, cependant Sherry n'avait pas besoin de beaucoup de place, du moment que Mongo en avait assez pour lui. Et, dans une ville comme Progress, les loyers n'étaient pas aussi exorbitants qu'à Charleston ou à Columbia.

— C'était exactement ce qu'il nous fallait, Mongo, affirma la jeune femme à voix haute. Notre chez-nous.

Elle se redressa et se dirigea vers sa kitchenette en chantonnant sur la musique distillée par le CD. Elle allait bien terminer ce jour de fête en se confectionnant une énorme salade pour son repas.

« La vie est belle », se disait-elle en épluchant et coupant.

Quand ce fut prêt, le crépuscule tombait. Elle avait encore fait trop de salade. Voilà le problème quand on vit seule. Mais puisque Mongo aimait bien les carottes et le céleri, elle ajouterait les restes à son repas du soir. Ils dîneraient dans le patio et elle s'autoriserait encore un verre de vin, même s'il lui faisait tourner un peu la tête. Puis ils feraient une longue promenade, décida-t-elle en s'accroupissant pour verser des croquettes dans le bol de Mongo. Elle s'offrirait même peut-être une crème glacée sur le chemin.

Au même instant, elle perçut du coin de l'œil un mouvement à l'extérieur qui emballa le rythme de son cœur. Le bol du chien lui échappa ; elle poussa un petit cri.

Une main se plaqua sur sa bouche et le couteau dont elle s'était servi pour préparer son repas lui frôla la gorge.

277

— Reste tranquille. Pas un mouvement et je ne te ferai aucun mal. Compris ?

Sherry roulait les yeux de part et d'autre frénétiquement. La terreur lui nouait les entrailles, sa peau en sueur était devenue brûlante. Le pire, c'était de ne pas réussir à voir le visage de son agresseur. Il lui sembla pourtant reconnaître sa voix. Mais non... impossible. Cela n'avait pas de sens. Absolument aucun sens.

Il glissa lentement sa main de sa bouche vers son menton.

— Ne me faites pas de mal. Je vous en prie, ne me faites pas de mal.

— Non. Pourquoi le ferais-je ? Tes cheveux sentent bon. Des cheveux blonds de putain. Allons dans ta chambre, nous y serons plus à l'aise.

— Non !

Elle laissa échapper un hoquet quand la lame du couteau appuya sur sa gorge, l'obligeant à relever le menton. Des larmes ruisselèrent sur ses joues tandis qu'il la tirait hors de la kitchenette.

Les portes étaient maintenant closes sur le patio, les stores baissés.

— Mongo..., gémit-elle. Où est Mongo ?

Il éprouva un fantastique sentiment de puissance qui le rendit dur, invincible.

— Tu ne t'imagines pas que j'allais faire du mal à un gentil chien comme le tien, non ? Il fait un petit somme, ne t'inquiète pas, mon chou. Ne t'inquiète de rien. Ça va être très bon. Tu verras. Juste comme tu en as envie.

Il la jeta à plat ventre sur le lit, posa un genou sur son dos et pesa sur elle de tout son poids. Il avait pris ses précautions. Un homme doit toujours être prêt, même pour une pute comme elle. Surtout pour une pute.

Un moment plus tard, elle se mit à crier et il dut crier encore plus fort pour la faire taire. Mais il ne voulait pas se servir du couteau. À quoi bon quand on a des mains comme les siennes. Il tira le foulard de sa poche et la bâillonna.

Elle se mit à se tortiller, à lutter ; alors il fut au paradis.

Ce n'était pas une mauviette. Elle entretenait sa forme car elle aimait séduire les hommes. La résistance de la jeune femme l'excitait encore davantage. Le premier coup qu'il lui porta retentit en lui comme une secousse tellurique et déclencha un premier orgasme. Il continua à la frapper afin qu'elle comprenne bien qui était le plus fort.

Il lui lia les mains dans le dos. Pas question de se faire égratigner par ces ongles pointus vernis de rose. Puis, tranquillement, il alla tirer les rideaux pour plonger la pièce dans le noir.

278

Elle gémissait sous le bâillon, étourdie par les coups. Il se mit à trembler, de sorte qu'il lui égratigna la peau quand il lacéra ses vêtements avec le couteau. Elle tenta de se retourner et de répondre par des coups de pied, mais il mit la lame sous ses yeux et appuya, alors elle ne bougea plus.

— C'est ça que tu veux. (Il dégrafa son pantalon, la jeta sur le dos et l'enfourcha.) C'est ça que tu réclames, hein ? Ce qu'elles réclament toutes.

Quand ce fut fini, il se mit à pleurer. Des larmes d'apitoiement coulèrent sur son visage. Ce n'était pas elle qu'il avait voulue, mais comment faire autrement ? Elle s'était mise sur son chemin. Ne lui avait pas laissé le choix.

C'était loin d'être parfait. Il avait fait tout ce qu'il avait désiré, tout ce qui lui était passé par la tête. Et, pourtant, ce n'était pas parfait.

Elle avait les yeux vitreux et vides quand il ôta le bâillon. Il l'embrassa sur la joue, coupa la corde qui liait ses poignets et la glissa dans sa poche.

Puis il arrêta la musique et sortit par où il était entré.

— Je ne peux pas aller à *Beaux Rêves*.

Tory était assise sous le porche dans l'air tiède du soir. Impossible, pour l'instant, de rentrer à l'intérieur de la maison. Elle n'était pas encore prête à retrouver le désordre laissé par son père, un désordre encore empiré par la police. Cade contemplait le cigare qu'il avait allumé dans l'espoir d'apaiser ses nerfs et il aurait bien voulu pouvoir l'accompagner d'un whisky.

— Il va falloir que tu me dises pourquoi. Cela n'a aucun sens de vouloir rester ici dans l'état où sont les choses, et tu es une femme raisonnable.

— En général, admit-elle. Être raisonnable évite les complications et économise de l'énergie. Tu as bien fait d'appeler la police, je le réalise maintenant. Ce n'était pas raisonnable de ma part de m'y opposer. Mon attitude n'était dictée que par l'émotion. Mais mon père me fait peur, Cade. Il me fait honte aussi. Je croyais pouvoir contrôler cette angoisse et cette humiliation en gardant tout cela pour moi. C'est détestable d'être une victime, tu sais. On se sent à la fois exposé, vulnérable, furieux et, d'une certaine manière, responsable.

— Je ne discuterai pas ce point, sauf que tu es assez intelligente pour savoir que la culpabilité n'a rien à faire dans tes sentiments.

— Intelligente peut-être, mais pas assez pour trouver le moyen de ne pas éprouver cela. Ce sera plus facile lorsque j'aurai remis de l'ordre dans la maison et me serai débarrassée des traces qu'il a laissées. Mais j'oublierai difficilement la manière dont le chef Russ prenait des notes dans son carnet en observant chacune de mes expressions. Et comment mon père a réussi à m'intimider aujourd'hui comme il l'a fait toute ma vie.

— Il n'y a aucune raison que tu te sentes blessée dans ton orgueil à cause de ça.

— « Pour l'orgueilleux, plus dure sera la chute », articula lentement Tory. Mon père me l'a rappelé ce matin. Il a toujours aimé citer la Bible.

— Ils le trouveront. Il est recherché par la police de deux comtés.

— Le monde s'étend bien au-delà de ces deux comtés. La Caroline du Sud est assez grande par elle-même. Avec des marais, des bois, des clairières. Des tas et des tas d'endroits où se cacher.

Elle ne cessait de se balancer car le mouvement lui faisait du bien.

— S'il trouve le moyen d'entrer en relation avec ma mère, elle l'aidera. Autant par amour que par devoir.

— Raison de plus pour que tu viennes avec moi à *Beaux Rêves*.

— C'est impossible.

— Pourquoi ?

— Pour des quantités de raisons. À commencer par ta mère ; elle ne sera pas d'accord.

— Ma mère n'a rien à dire à ce sujet.

— Oh ! ne viens pas me raconter cela, Cade.

Elle quitta son fauteuil pour aller jusqu'au bout du porche. Était-il là, dehors ? se demanda-t-elle. À guetter ? À attendre ?

— Tu ne le penses pas ou tu ne devrais pas le penser, reprit-elle pensivement. C'est sa maison, elle a donc le droit de dire qui elle veut y recevoir ou non.

— Pourquoi s'opposerait-elle à ta présence ? Surtout si je lui explique ce qui vient de t'arriver.

Elle revint sur ses pas.

— Expliquer quoi ? Que tu veux installer ta petite amie chez elle parce que son père est fou ?

Il tira sur son cigare en réfléchissant.

— Je ne m'exprimerai pas exactement en ces termes, mais c'est plus ou moins ça.

— Et tu crois peut-être qu'elle m'accueillera avec des fleurs fraîches et une belle boîte de chocolats ? Oh ! ne te montre donc pas stupide, Cade. (Voyant qu'il s'apprêtait à répondre, elle leva la main pour le faire taire.) Ce sont les femmes qui donnent leur âme à une maison. *Beaux Rêves* est à ta mère et je refuse d'y venir en intruse.

— Elle se montre difficile parfois... et même souvent, admit-il. Mais elle a aussi du cœur. Enfin... je le crois.

— Peut-être. Mais elle n'acceptera pas sous son toit la femme qu'elle tient pour responsable de la mort de sa fille bien-aimée. N'insiste pas, Cade. (La voix de Tory se brisa.) Si tu savais combien cela me fait souffrir.

— Comme tu voudras.

Il jeta son cigare d'un geste brusque, mais ce fut d'une main douce qu'il saisit Tory par les épaules.

— Si tu ne veux pas, ou ne peux pas venir avec moi, alors je t'emmène chez ton oncle. Lui au moins pourra...

Elle leva à nouveau la main pour l'interrompre.

— Je dois rester ici, Cade. Je sais, tu juges mon attitude irrationnelle et illogique. Je passe à tes yeux pour une entêtée. Mais je ne partirai pas. Je ne fuirai pas. Je l'ai déjà fait une fois et jamais plus je ne recommencerai.

— Tu parles comme si tu étais en guerre.

— Je n'y avais jamais pensé, mais c'est à peu près ça, dit-elle en riant. Oui, tu as raison, c'est une guerre. *Ma* guerre. Une fois, pour me mettre en colère, tu m'as traitée de poltronne, de fait je dois admettre que je l'ai été pendant une grande part de ma vie. J'ai eu quelques sursauts de courage, mais cela a rendu les choses mille fois plus douloureuses quand j'ai dû faire marche arrière après avoir échoué. Je ne peux pas m'en aller encore une fois.

— Je ne vois pas en quoi le fait de rester ici est une marque de courage, grogna-t-il. Parlons plutôt de stupidité.

— C'est ce qui me permet de retrouver l'intégrité de ma personne. Je crois que je risquerais n'importe quoi pour ne plus sentir en moi cet espace vide. Cet inachèvement. Je ne peux pas laisser mon père contrôler à nouveau ma vie.

Elle tourna les yeux vers le marais, qui devenait plus épais, plus profond, plus vert avec l'été qui avançait. Des moustiques y bourdonnaient, se multipliant dans les eaux sombres. Des alligators y glissaient telle une mort silencieuse. Ici, des serpents ondulaient dans les herbes hautes, une tourbière pouvait avaler votre chaussure.

Mais c'était aussi un lieu si beau, si éclatant avec ses lucioles scintillantes, ses fleurs sauvages poussant dans l'ombre. Un océan grouillant et sauvage dont seuls les aigles étaient les rois.

Il n'y avait pas de beauté sans une part de risque. Pas de vie non plus sans l'ombre du danger.

— Quand j'étais enfant, reprit Tory, j'ai vécu dans cette maison sous l'emprise de la peur. C'était un mode de vie auquel j'avais fini

281

par m'habituer, comme on s'habitue à certaines formes, à certaines odeurs. Quand j'y suis revenue, j'ai cherché à la transformer en un nouveau chez-moi, à chasser tous ces mauvais souvenirs ainsi qu'on secoue la poussière d'un tapis. Maintenant, il a tenté de ramener la peur. Je ne peux pas le laisser faire. Je ne le veux pas.

Elle croisa de nouveau son regard.

— Cade... ce matin encore, j'ai eu envie de fuir. Ne le dis à personne. Et plus tard, quand j'ai vu qu'il était venu ici, j'ai pensé encore à partir. Je l'aurais peut-être fait si tu ne m'avais pas soutenue. Mais je vais rester. Je vais chasser mon père de cet endroit et rester. J'espère qu'il le sait.

— Je voudrais ne pas t'admirer pour cela, murmura-t-il tendrement. Il serait plus facile pour moi de t'obliger à faire les choses à ma manière, d'accord ou non.

— Tu ne ressembles guère à un tyran. (Elle leva une main pour lui caresser sa joue.) Tu es de ceux qui préfèrent la négociation à la contrainte.

Il l'attira contre lui et posa ses lèvres sur ses cheveux.

— Bon, si tu as compris ça et t'en accommodes, c'est de bon augure pour notre future relation. Tu comptes beaucoup pour moi, Tory. Bien plus que je ne l'aurais imaginé. Non, ne te raidis pas. Laisse-moi simplement t'amener là où je veux.

Comme elle gardait le silence, il explosa.

— Mais réponds-moi, bon sang ! Donne-moi quelque chose en retour.

Il la repoussa presque brutalement pour écraser sa bouche contre la sienne.

Elle sentit son exigence, sa chaleur, et tout ce flot de colère qu'il contenait si bien. Le flux de cette puissante émotion fit se refermer en elle un autre verrou.

Car elle ne voulait pas être aimée, désirée, elle ne voulait pas que l'on réveille en elle des sensations aussi fortes, aussi incontrôlables. Mais il était là et elle finit par céder à sa demande. Elle se ranima.

— Je t'ai déjà donné plus que je ne croyais. Je ne sais pas ce qui peut encore rester. Tant de choses se bousculent en moi. Je n'arrive pas à suivre le train. Pourtant, je t'ai placé au centre de ma vie. Cela ne te suffit pas ?

— Eh bien, je ne sais pas...

Il desserra son étreinte et l'embrassa de nouveau, cette fois plus doucement.

— Disons que ça me suffit pour l'instant, reprit-il. Jusqu'à ce que tu me fasses une plus grande place. (Du doigt, il dessina le contour de ses joues.) J'ai eu une journée épouvantable. Pas toi ?

— Ce n'est certainement pas une des meilleures.

Il se leva.

— Alors, finissons-en et mettons-nous au travail. Tu voulais le chasser d'ici. Commençons tout de suite !

Ils travaillèrent ensemble pendant plus de deux heures en musique. La musique, c'était une idée de Cade. Elle-même n'y aurait pas pensé, songea Tory. Elle serait restée concentrée sur les détails pour garder à ses pensées un cours strictement concret. Donc, grâce à Cade, une douce mélodie se répandait dans la maison et dans sa tête, l'empêchant de broyer du noir en la distrayant.

Elle aurait voulu brûler les vêtements qu'il avait touchés et se voyait déjà les porter dehors, les entasser, frotter une allumette. Mais elle ne pouvait se permettre cette faiblesse. Elle dut se contenter de laver, plier, ranger, jeter.

Ils retournèrent le matelas endommagé. Il allait falloir en acheter un autre mais, en attendant, avec des draps propres, on ne le remarquait même pas.

Cade parla de son travail, et sa voix calme se mêla agréablement à la musique, contribuant encore à apaiser l'esprit de la jeune femme. Ils rangèrent la cuisine dévastée, mangèrent des sandwichs, et elle lui raconta qu'elle envisageait de prendre une assistante.

— Bonne idée, approuva Cade.

Il alla chercher une bière, se servit tranquillement, heureux qu'elle ait songé à en faire provision pour lui.

— Tu apprécieras davantage ton travail si tu n'en es pas totalement prisonnière. Sherry Bellows, c'est le nouveau prof d'anglais du collège, n'est-ce pas ? Je l'ai rencontrée avec son chien il y a quelques semaines en sortant du centre commercial. Cette fille dégage une énergie formidable.

— C'est aussi l'impression qu'elle m'a faite.

— Dans un très séduisant emballage ! (Il sourit en sirotant sa bière quand il vit Tory hausser un sourcil.) Je pensais à toi, ma chérie. Une assistante séduisante est un atout commercial pour toi, non ? Crois-tu qu'elle portera ces jolis petits shorts que je lui ai vus quand elle faisait son jogging ?

— Non, déclara fermement Tory. Je ne le crois pas.

— À mon avis, elle risque de t'attirer pas mal de clientèle masculine. Cette fille a de très jolies jambes.

— La décision pour elle et ses jolies jambes dépend des références qu'elle m'a données. Mais elles seront bonnes, j'imagine.

283

Tory balaya les derniers débris et les jeta dans la poubelle.

— Bon, dit-elle en parcourant la pièce du regard, je crois qu'on ne peut pas en faire plus.

— Est-ce que tu te sens mieux ?

— Oui. (Elle traversa la cuisine pour aller ranger balai et chiffon.) Nettement mieux. Et je te suis très reconnaissante de ton aide.

Il sourit.

— J'accepterais volontiers que tu me prouves ta reconnaissance...

Elle prit un pichet dans le réfrigérateur et se versa un verre de thé glacé.

— Les placards de la chambre ne sont pas très grands, mais j'ai réussi à faire un peu de place. Et il y a un tiroir vide dans la commode.

Il continua à siroter sa bière en silence.

— Tu voulais apporter quelques affaires ici, non ?

— En effet.

— Alors...

— Alors quoi ?

Elle reposa son verre.

— Naturellement, nous ne vivrons pas ensemble. D'ailleurs, je n'ai jamais vécu avec quelqu'un, et ce n'est pas ce que nous avons l'intention de faire, n'est-ce pas ?

— Hmm.

— Mais si tu dois passer un certain temps ici, tu trouveras un peu de place pour ranger quelques-unes de tes affaires.

— Très pratique.

— Oh ! va au diable !

Elle prononça ces mots sans conviction. Il posa sa bière, enlaça Tory et la souleva de terre.

— Qu'est-ce que tu fais ?

— Je danse. Je ne t'ai encore jamais emmenée danser. C'est pourtant ce que des gens qui ne vivent pas ensemble doivent faire de temps à autre.

— Est-ce que tu essaies de me faire du charme ?

— Je n'ai pas besoin d'essayer. Ça fait partie de mon éducation.

Il la renversa en arrière et elle se mit à rire.

— Très réussi.

Elle laissa tomber la tête sur son épaule et se laissa aller au plaisir de la danse, à la sensation de son corps si proche, à son odeur. Quand ils eurent fini, elle s'affala sur une chaise, épuisée.

— Merci.

— Je t'en prie...

Elle leva les yeux vers lui.

— En rentrant chez moi ce soir en voiture, je pensais à toi.

— C'est bien agréable à entendre.

— Et je me disais : jusqu'ici, c'est lui qui a fait toutes les avances. J'ai accepté car je n'étais pas certaine de vouloir en faire moi-même, pas plus que de repousser les tiennes, d'ailleurs. Je trouvais plus facile d'être...

— ... manœuvrée ?

— Quelque chose comme ça. Et je me suis demandé ce que Kincade Lavelle penserait si je rentrais lui préparer un bon petit dîner.

— Il aurait sûrement apprécié.

— Le problème, c'est que mes pensées ont pris alors un autre cours.

— Qui est ?

— Comment réagirait Kincade Lavelle si, après un dîner agréable en tête à tête, détendus et paisibles, j'entreprenais de le séduire ?

— Eh bien...

Il ne put en dire plus car elle se pressait contre lui et laissait courir ses mains sur ses hanches. Le trouble qui l'envahit n'avait rien de paisible.

— En tant que gentleman, je me dois de te laisser le découvrir toi-même.

Cette fois, ce fut elle qui prit l'initiative de dégrafer un à un les boutons de sa chemise. Elle posa les lèvres sur son cœur, cherchant sous la peau nue et chaude ses pulsations vibrantes.

— J'ai gardé le goût de tes lèvres depuis le premier baiser que tu m'as donné.

Elle fit courir ses mains sur sa poitrine, ses hanches, éveillant un frisson sur ses épaules. Des épaules si larges, si solides.

— J'aime te toucher, sentir tes muscles sous mes doigts. J'aime tes mains larges et fortes, durcies par le travail, lorsqu'elles se promènent sur moi.

Elle ôta son chemisier et le laissa tomber par terre à côté de la chemise de Cade. Les yeux dans les siens, elle décrocha son soutien-gorge, qui glissa à son tour sur le sol.

— Caresse-moi maintenant. Je t'en prie.

Sa tête bascula en arrière quand il posa ses lèvres au creux de sa gorge.

— Oui..., souffla-t-elle. Comme ça... Exactement comme ça...

Plus tard, quand il fut en elle, quand elle l'entendit prononcer son nom et crier de plaisir, le bonheur fulgurant de cet instant la traversa de part en part.

Alors, enfin, elle pleura.

20

Wade était débordé. Il n'avait pas assez de mains pour venir à bout de toutes les tâches qui lui étaient tombées dessus ce matin-là – en plus, ses deux précieuses mains, l'épouvantable chat Peluche venait de les lui déchiqueter alors qu'il lui administrait ses vaccins. Maxine était en plein examen de fin d'études, et il lui avait donné congé pour la journée, de sorte qu'il s'était trouvé seul pour lutter à la fois contre quatre pattes griffues et un grand nombre de crocs acérés.

Une heure plus tôt, il avait dû admettre qu'en se passant de Maxine, il avait commis une grave erreur. La journée avait commencé par une urgence qui l'avait appelé au-dehors et mis sérieusement en retard. Avec cela, une petite bagarre avait éclaté dans la salle d'attente entre un setter et un bichon, tandis que la chèvre d'Olson s'arrangeait pour manger la plus grande partie d'une poupée Barbie Malibu jusqu'à ce qu'un bras se bloque dans sa gorge. Après tous ces désastres, il lui avait fallu en plus affronter le mauvais caractère de Peluche. On pouvait vraiment parler d'une sale matinée.

Quand Faith entra en trombe par la porte de derrière, il était en sueur, saignait et jurait entre ses dents.

— Wade, mon chou, tu veux bien jeter un coup d'œil à Princesse ? J'ai l'impression qu'elle ne se sent pas bien.

— Prends un numéro dans la file d'attente. Désolé, je n'ai pas le temps.

— Mais il y en a juste pour une minute.

— Je n'ai pas une minute.

— Oh ! ça va..., grogna Faith. Mon Dieu, qu'est-il arrivé à tes mains ?

Elle observa Wade bloquant fermement le chat sous son bras, après avoir évité de peu un nouveau coup de griffe.

— C'est ce bon vieux chat qui t'as fait ça, mon chéri ?

— Va te faire voir ! répondit-il, faute de mieux.

Imperturbable, Faith le regarda se diriger vers la salle d'attente.

— Tout va bien, mon bébé, murmura-t-elle tendrement en plongeant le nez dans la fourrure du chiot, Papa va s'occuper de toi dans une minute.

Il alla se laver soigneusement les mains et les asperger d'antiseptique.

— Elle n'a pas cessé de pleurnicher et de geindre toute la matinée. Sa truffe est un peu chaude et elle n'a pas envie de jouer. Elle reste étendue comme ça, par terre, sans bouger. Regarde... Mais regarde, bon sang !

Faith posa par terre le petit chien, qui s'assit aux pieds de Wade, leva vers lui un regard pitoyable et vomit sur ses chaussures.

— Oh ! là ! là ! Ce doit être quelque chose qu'elle a mangé. Selon Lilah, je pouvais lui donner des gâteaux.

Faith se mordit les lèvres sans pouvoir retenir un petit rire en voyant Wade la regarder fixement, une bouteille d'antiseptique dans une main, tandis qu'un mince filet de sang coulait de l'autre et que le chiot continuait de vomir sur ses chaussures.

— Nous sommes tout à fait désolées, tu sais. Princesse, ne mange pas ça ! C'est dégoûtant. (Elle reprit le petit chien dans ses bras.) Tu te sens mieux maintenant, n'est-ce pas, ma jolie ? Regarde, Wade ! Elle remue la queue. Je savais bien que, dès que je te l'aurais amenée, tout irait bien.

Il la fusilla du regard.

— Tu le penses vraiment ? Tout va bien ?

— Euh... écoute... Princesse a vomi ce qui la dérangeait, mais je n'avais pas pensé qu'elle le ferait sur tes souliers. Pas de quoi en faire un drame.

— Ma salle d'attente est pleine de patients, mes mains sont tout écorchées et, à présent, mes chaussures vont puer toute la journée.

— Montons pour arranger ça.

Elle fit un pas en arrière lorsqu'il avança la main pour lui serrer le bras. Elle aimait bien la lueur qui s'allumait dans ses yeux sous l'effet de la colère.

— Allons-y, Wade.

Il la lâcha et, de son poing fermé, se frappa légèrement le front entre les yeux.

— Je vais aller me débarrasser de ces chaussures et, quand je reviendrai, je veux que tu aies nettoyé tout ça.

Elle lui lança un regard surpris.

— Nettoyé ? Moi ?

— Parfaitement. Mets ton chien dans la salle de chirurgie, va chercher un seau et un balai et sers-t'en, pour l'amour du ciel ! Je n'ai pas le temps. (Il se baissa pour se déchausser.) Fais vite. Je suis en retard.

— Papa a l'air de mauvaise humeur ce matin, chuchota-t-elle à Princesse tandis que Wade enjambait les saletés et sortait.

Elle contempla le sol et fit la grimace.

— Bon. Au moins, la plus grande part est restée sur ses chaussures. Ce n'est pas si terrible.

Quand il revint, elle était occupée à nettoyer consciencieusement, sinon avec beaucoup d'expérience. Wade repéra encore des taches incertaines sur le linoléum et de petites flaques d'eau, cependant il n'eut pas le cœur de se plaindre.

— J'ai presque fini. Princesse est derrière, en train de se faire les dents sur son os. Elle a de nouveau l'œil vif, elle est toute pimpante.

Faith trempa la serpillière dans le seau en éclaboussant un peu plus le sol.

— Il faudrait que ça sèche, ajouta-t-elle.

Il eut envie de hurler mais se contenta de se frotter le visage des deux mains.

— Faith, tu es vraiment... unique.

— Bien sûr, je le suis.

Elle recula en le voyant prendre le seau, le vider, rincer la serpillière et éponger le restant d'eau et de savon.

— Tu veux me rendre service ? Va dire à Mme Jenkins d'amener Mitch par-derrière. C'est le beagle qui n'arrête pas de hurler depuis une demi-heure. Et si tu réussis à mettre un peu d'ordre là-bas pendant les vingt prochaines minutes, je t'invite à un bon dîner dans le restaurant de ton choix.

— Champagne ?

— Un magnum.

— Bon. Voyons ça.

Les vingt minutes étaient presque écoulées quand il entendit un grand cri.

— Wade ! Wade ! Venez vite !

Il se précipita pour voir Piney Cobb ployant sous le poids de Mongo.

288

— Il s'est j'té juste sous mes roues. Dieu tout-puissant ! Il saigne vilainement.

— Portez-le au bloc. Je vais l'examiner.

Il s'activa. La respiration du chien était laborieuse, ses pupilles fixes et dilatées. Son épaisse fourrure était tachée de sang ; il en coulait aussi un filet sur le sol.

— Là, sur la table.

— J'ai freiné à mort, marmonna Piney en reculant d'un pas, j'ai même fait une embardée, mais j'ai pas pu l'éviter. J'allais à la quincaillerie chercher des pièces de rechange, et il est sorti du parc comme un fou en fonçant dans la rue.

— Sais-tu si tu lui as roulé dessus ?

— J'pense pas. (D'une main tremblante, Piney sortit de sa poche un foulard d'un rouge passé et s'épongea le visage.) J'ai dû seulement le heurter, mais tout s'est passé si vite...

— Bon.

Wade saisit une serviette-éponge et, comme Faith se tenait à côté de lui, il la lui mit dans les mains.

— Presse ici aussi fort que tu peux. Il faut absolument arrêter l'hémorragie. Il est sous le choc.

Il ouvrit son armoire à pharmacie, saisit un flacon, prépara une piqûre hypodermique.

— Tiens bon, mon garçon, tiens bon, murmura-t-il comme le chien commençait à s'agiter et à geindre. N'interromps pas la pression, ordonna-t-il à Faith. Je lui administre un sédatif. Il faut que je vérifie s'il a des blessures internes.

Elle avait senti ses mains trembler au moment où il les avait saisies pour les appliquer sur la blessure. Il lui semblait avoir vu l'os à travers l'entaille béante ouverte dans la patte arrière gauche du chien.

Faith ferma les yeux brièvement, sentant poindre une vague de nausée. Elle aurait voulu pouvoir écarter ses mains de tout ce sang, se précipiter hors d'ici. Pourquoi Piney ne pouvait-il pas faire cela à sa place ? Et pourquoi n'y avait-il personne d'autre pour le faire ? Elle allait crier sa colère, son désarroi, mais les mots restèrent collés au fond de sa gorge. La pièce sentait le sang, l'antiseptique et la sueur aigre de Piney, qui, paniqué, les regardait sans bouger.

Faith leva les yeux pour contempler le visage de Wade.

Calme, attentif, puissant. Le regard concentré, les lèvres serrées avec détermination. Le regarder travailler avec une telle rapidité, une telle compétence, apaisa la jeune femme. Elle sentit sous ses mains le chien se calmer.

— Pas de côtes cassées. Je ne crois pas que la roue lui soit passée dessus. Un des reins a peut-être été touché. Nous verrons ça plus tard. Les blessures à la tête sont superficielles. Pas de sang dans les oreilles. C'est la patte qui a le plus souffert.

La blessure était sérieuse, se dit-il. Il ne serait pas facile de sauver cette patte. Ni le chien, d'ailleurs.

— Je dois le transporter dans la salle d'opération.

Il jeta un coup d'œil derrière lui et vit que Piney, accablé, s'était laissé tomber sur une chaise, la tête sur les genoux.

— J'ai besoin de toi, Faith. Je vais le soulever et le transporter. Tu restes à côté de moi sans diminuer la pression. Il a perdu beaucoup de sang. Prête ?

— Oh ! Wade. Je...

— On y va.

Elle obtempéra car il ne lui laissa pas le choix. Quand elle ouvrit la porte de sa main libre, Princesse la salua d'un aboiement joyeux et courut entre ses pieds.

— Assis ! ordonna Wade d'un ton si impératif que le chiot, intimidé, obéit aussitôt.

Après avoir déposé Mongo, toujours sous sédatif, il attrapa un épais tablier et le lança à Faith.

— Mets ça. Il me faut prendre des clichés.

Elle le regarda sans comprendre.

— Des clichés ?

— Des radios. Tiens-lui la tête aussi fermement que tu le pourras.

Le tablier pesait une tonne, mais elle le noua et fit ce qu'il lui disait. Les yeux de Mongo étaient entrouverts et elle eut l'impression qu'il l'observait, la suppliait de l'aider.

— Tout ira bien, mon bébé. Wade va te sortir de là. Tu verras.

Le son de sa voix fit gémir Princesse, qui se précipita à ses pieds.

— Maintenant, retire le tablier.

En attendant le développement du film, Wade continuait à donner des ordres.

— Reviens ici et recommence à appuyer sur la blessure. Continue à lui parler. Qu'il entende ta voix.

— O.K. Très bien.

Ravalant une salive acide, elle appuya l'épais tampon sur la plaie.

— Wade va te raccommoder, tu vas voir. La prochaine fois... tu regarderas mieux avant de traverser la rue. N'oublie pas. Oh ! Wade, est-ce qu'il va mourir ?

— Non, si je peux l'empêcher. (Il fixa les radios sur un panneau lumineux et fit la grimace.) Si je peux l'empêcher, répéta-t-il en commençant à rassembler ses instruments.

290

Aiguisés, argentés, ils luisaient sous la lumière crue. Faith éprouva un vertige.

— Tu vas l'opérer ? Maintenant ? Comme ça ?

— Je vais essayer de sauver sa patte.

— La sauver ? Tu veux dire...

— Contente-toi de faire ce que je dis et cesse de penser.

Quand Wade écarta la compresse, l'estomac de Faith se révulsa, mais il ne lui laissa pas le temps d'être malade.

— Tiens ça. Quand je te le dirai, appuie sur ce bouton. Tu peux faire ça d'une seule main. De l'autre, tu me passeras les instruments que je te décrirai. Le manche en avant. Maintenant, je vais l'anesthésier.

Il abaissa la lumière, nettoya le champ opératoire. Dès lors, Faith n'entendit plus que sa voix et le cliquetis des instruments. Elle aurait voulu fermer les yeux, mais les ordres de Wade exigeaient qu'elle regarde.

Après cela, elle eut l'impression que tout se déroulait comme dans un film.

La tête de Wade était penchée, elle distinguait des gouttes de sueur perlant sur son front. Ses mains donnaient l'impression d'être magiques avec leurs mouvements délicats au milieu de toute cette chair broyée, de ces os, du sang...

Elle ne regarda même pas ailleurs quand il réintroduisit l'os dans sa cavité. Rien de cela ne lui semblait réel.

Elle le vit faire des sutures avec un fil incroyablement fin. Ses mains étaient tachées de jaune par la lotion stérile utilisée. La couleur se mêlait à celle du sang.

— Tu dois contrôler les battements de son cœur manuellement. Contente-toi de poser la main sur sa veine, là.

— Il me semble un peu lent, dit-elle après une première pression. Mais régulier. Boum boum, boum, boum.

— Bon. Regarde ses yeux.

— Les pupilles sont terriblement dilatées.

— Y a-t-il du sang dans le blanc ?

— Non, je ne crois pas.

— Bon. Il va falloir que je mette des clous dans l'os : il n'est pas cassé net, mais éclaté. Quand ce sera fait, je refermerai. Puis nous immobiliserons la patte.

— Est-ce qu'il va s'en sortir ?

De son coude, Wade essuya la sueur de son front.

— Il est vigoureux. Et il est jeune. Il a de bonnes chances de s'en tirer.

Il était inquiet à cause des éclats d'os. Les avait-il bien tous retirés ? Les muscles avaient été touchés également, certains tendons étaient déchirés. Mais il avait réparé l'essentiel.

Toutes ces pensées traversaient son esprit, qui se concentrait en même temps sur la consolidation de l'os.

— Je verrai plus clair dans un jour ou deux. Maintenant, il me faut de la gaze et des bandes. Dans ce placard, là-bas.

Quand la plaie fut suturée, Wade banda la patte et vérifia lui-même l'état général du chien. Il soigna la longue égratignure du museau.

— Il a tenu bon, murmura Wade en regardant Faith pour la première fois depuis une heure. Toi aussi.

— Ouais, ouais. J'avais un peu mal au cœur au début...

Elle leva les mains, voulut faire un geste... et les vit tachées de sang, ainsi que sa blouse.

— Oh... Oh ! mon Dieu...

C'est tout ce qu'elle put dire avant que ses yeux se révulsent. Il la rattrapa et l'étendit par terre. Mais elle relevait déjà la tête quand il revint avec un gobelet d'eau.

— Que s'est-il passé ? bredouilla-t-elle.

— Tu as tourné de l'œil, avec grâce et au bon moment. (Il effleura sa joue de ses lèvres.) Je vais t'emmener au premier. Tu pourras te nettoyer et te reposer un instant.

— Je vais très bien.

Cependant, quand il l'aida à se relever, ses jambes se dérobèrent.

— Bon, peut-être pas si bien, en fait. Je ferais mieux de m'étendre un moment.

Elle posa la tête sur son épaule, une tête qui tournait un peu, tandis qu'il la portait à l'étage.

— Je ne pense pas être du bois dont on fait des infirmières.

— Tu t'en es très bien sortie.

— Non. C'est toi. Je n'avais jamais réfléchi, jamais compris, pourquoi tu exerçais ce métier. Selon moi, ça consistait surtout à faire des piqûres et à nettoyer le derrière des chiens.

— Il y a tout de même pas mal de ça.

Il l'emmena dans la salle de bains, où il l'appuya sur le lavabo et fit couler de l'eau chaude.

— Mets tes mains là-dedans. Tu te sentiras mieux quand elles seront propres.

Elle croisa son regard dans le miroir.

— Merde, Wade, j'ai compris quelque chose. Dans ce que tu fais, je veux dire. Et aussi dans ce que tu es. Je n'y avais jamais prêté attention avant, je ne m'étais jamais souciée d'y regarder de plus près. Aujourd'hui, tu as sauvé une vie. Tu es un héros.

— J'ai fait ce pour quoi on m'a formé.

— Je sais ce que j'ai vu, et ce que j'ai vu était héroïque. (Elle se retourna pour l'embrasser.) Maintenant, si ça ne te fait rien, je vais me débarrasser de mes vêtements et aller sous la douche.

— Tu te sens assez solide ?

— Oui, ça va. Retourne voir ton patient.

— Je t'aime, Faith.

— Oui, je le crois, dit-elle d'une voix paisible. Finalement, c'est plus agréable que je ne le pensais. Va-t'en maintenant. Ma tête tourne encore un peu et je pourrais dire des choses que je regretterais.

— Je reviendrai dès que possible.

Il examina Mongo et fit de l'ordre avant de regagner la salle d'examen. Piney était toujours sur sa chaise, Princesse lovée sur ses genoux.

Wade les avait oubliés tous les deux.

— Comment va le chien ?

— Ça devrait aller.

— Seigneur, Wade, j'en suis malade. J'arrête pas de retourner tout ça dans ma tête. J'aurais dû faire davantage attention. Je conduisais en pensant à autre chose, puis v'là que ce chien bondit sur la route devant moi. Si ç'avait été un gosse ?

— Ce n'était pas votre faute.

— Il m'est arrivé une ou deux fois de heurter un chevreuil. Je sais pas pourquoi, mais ça m'a pas fait le même effet. Je ne m'en suis pas vraiment soucié jusqu'ici. Les chevreuils peuvent faire pas mal de dégâts à une camionnette. Il y avait justement des gamins qui sortaient de l'école et rentraient chez eux. Ils se sont arrêtés pour s'occuper du chien.

— Je sais à qui il appartient. Je vais lui téléphoner. Vous l'avez conduit tout de suite au cabinet, c'est ce qu'il fallait faire. Toute la différence est là. Vous n'êtes pas responsable. Mettez-vous bien ça dans la tête.

— Ouais. Bon. (Piney soupira profondément.) Cette petite, là, elle est vraiment mignonne, fit-il en caressant la tête de Princesse. Elle est venue ici avec l'idée de faire des bêtises. Elle a mordillé un instant mes lacets de chaussures, puis s'est installée là, à mes pieds, toute sage.

— C'est gentil de vous être occupé d'elle. Ça va aller ?

Wade étendit la main et souleva le petit animal. Princesse bâilla largement puis se mit à lécher les égratignures causées par le chat.

— Je suppose..., finit par répondre Piney. Pour tout dire, je crois que je vais aller boire un verre. Cade Lavelle doit être en train de me chercher partout, mais ça peut attendre un instant. (Il se mit debout.) Faites-moi savoir comment va le chien, hein ?

— Bien sûr.

Il donna une petite tape sur l'épaule de Piney tandis que tous deux sortaient du cabinet. La salle d'attente était vide. Wade se dit que les clients avaient dû perdre patience et s'en aller. Il apprécia ce calme.

Il posa Princesse par terre avec un des gâteaux pour chien que Maxine gardait dans son tiroir et chercha dans son carnet le numéro de téléphone de Sherry Bellows.

Tombant sur un répondeur, il laissa un message. À cette heure, elle devait probablement courir un peu partout à la recherche de son chien. Sans doute avait-elle déjà rencontré quelqu'un qui avait vu l'accident.

Ne pouvant rien faire d'autre, il retourna voir Mongo.

Peu après que Wade eut appelé chez Sherry, Tory téléphona elle aussi à la jeune femme. Elle entendit la voix joyeuse de son répondeur et laissa un message.

— Sherry, ici Tory Bodeen, de *Southern Comfort*. J'aimerais que vous me rappeliez ou que vous passiez me voir si vous en avez l'occasion. Si cela vous intéresse toujours, vous avez cet emploi.

C'était une bonne décision, se dit Tory en replaçant l'écouteur. Non seulement les références de Sherry s'étaient révélées excellentes, mais elle avait aussi réalisé combien ce serait agréable d'avoir à ses côtés, quelques heures par semaine, un visage plaisant et pleine de bonne volonté.

Les affaires étaient calmes ce matin, elle n'en était pas découragée pour autant. Il fallait du temps pour s'implanter, pour faire partie des habitudes des gens. Et elle avait encore des tas de choses à faire.

Elle commença par établir un horaire acceptable pour sa nouvelle employée. Puis elle sortit les documents à remplir pour les déclarations fiscales et compléta la police d'assurance du magasin.

Elle réfléchit au texte destiné à paraître dans le journal du dimanche pour annoncer à la clientèle que dorénavant elle vendrait aussi du linge de maison. Quand la sonnerie de la porte retentit, elle leva vivement les yeux avec un battement de cœur.

Mais, à la vue d'Abigail Lawrence, elle posa son crayon et sourit.

— Quelle bonne surprise !

294

— Je vous avais dit que je viendrais un jour. Tory, cet endroit est ravissant. Vous avez de très jolies choses.

— Il y a par ici des artisans de talent.

Abigail tendit la main comme Tory faisait le tour du comptoir.

— Et vous, vous savez comment exposer leurs œuvres. Je vais me faire un plaisir de dépenser un peu d'argent ici.

— Ce n'est pas moi qui vous en empêcherai. Puis-je vous offrir quelque chose ? Une boisson fraîche, une tasse de thé ?

— Non, merci. Oh ! qu'est-ce que c'est que ça ? Un batik ?

L'avocate s'avança pour admirer le portrait encadré d'une jeune femme debout dans l'allée d'un jardin.

— Cette artiste fait des merveilles. J'ai également des écharpes de sa fabrication en réserve.

— J'aimerais y jeter un coup d'œil. Je veux tout voir. Mais je peux déjà vous dire que je désire ce batik. Ce sera un cadeau parfait à me faire offrir par mon mari pour notre anniversaire de mariage.

Amusée, Tory alla le décrocher du mur.

— Voudra-t-il aussi un emballage cadeau ?

— Bien entendu.

— Depuis combien de temps êtes-vous mariés ?

Abigail releva la tête tandis que Tory déposait le batik sur le comptoir. Tout au long de leurs relations professionnelles, jamais Tory ne lui avait posé de questions personnelles.

— Vingt-six ans.

— Comment ? Vous vous êtes mariée à dix ans ?

Le compliment fit rougir de plaisir Abigail, penchée sur une boîte en bois de placage verni.

— Cette boutique paraît vous réussir, dit-elle en portant la boîte sur le comptoir. Et la ville aussi, il me semble. Vous êtes ici chez vous.

— Oui. C'est mon chez-moi. Abigail, êtes-vous venue de Charleston pour faire des achats ?

— En partie, mais aussi pour vous voir. Et vous parler.

Tory approuva d'un signe de tête.

— Si vous avez découvert d'autres choses sur la jeune fille assassinée, vous pouvez me le dire franchement.

— Je n'ai rien appris de nouveau sur elle. Mais j'ai demandé à cet ami de vérifier la liste des crimes semblables, des crimes qui auraient été perpétrés pendant les deux dernières semaines du mois d'août.

— Il y en a eu d'autres.

— Vous le saviez déjà.

— Non. Toutefois je le sentais et je le redoutais. Combien ?

— Trois. Qui correspondent exactement. Une fillette de douze ans a disparu au cours d'une excursion familiale à Hilton Head. Une étudiante de dix-neuf ans suivant des cours d'été à l'université de Charleston, et une femme de vingt-cinq ans qui campait avec des amis dans le domaine forestier de Sumter National Forest.

— Mon Dieu..., murmura Tory.

— Dans les trois cas il s'agit d'homicides sexuels. Toutes ont été violées et étranglées. Mais pas de trace de sperme. Seulement des indices de violence physique, surtout dans la région du visage. Et de plus en plus nombreuses au fur et à mesure que les victimes s'additionnent.

— Parce que ce n'était pas le bon visage. Ce n'était pas le visage de Hope.

— Je ne comprends pas.

Tory aurait voulu ne pas comprendre. Que l'affreuse vérité ne soit pas si évidente.

— Elles étaient toutes blondes, n'est-ce pas ? Jolies, fines ?

— Oui.

— Il continue à la tuer. Une fois ne lui a pas suffi.

Abigail s'émut de voir les yeux de Tory s'assombrir et son regard devenir vague.

— Il est possible qu'elles aient été assassinées par le même homme, mais...

— C'est le même, j'en suis certaine.

— Les longues périodes entre les crimes ne correspondent pas au profil type du tueur en série. Tant d'années entre chaque meurtre, c'est inhabituel. Bien sûr, je ne suis ni avocate d'assises ni psychologue, cependant j'ai étudié le sujet ces deux dernières semaines. L'âge des victimes n'est pas conforme non plus.

Tory ouvrit la boîte de bois, puis la referma.

— Ces crimes sont différents, Abigail. Ils ne sont pas typiques.

— Ils doivent bien avoir une base commune. Le meurtre de votre amie et celui de la fillette de douze ans font penser à un pédophile. Toutefois, un homme qui choisit des enfants pour victimes ne change pas soudain pour s'attaquer à des femmes, il me semble.

— Il ne change pas. Chacune des victimes a l'âge qu'aurait eu Hope si elle était encore en vie. C'est ça l'idée.

— Oui. Je l'admets, bien que nous ne soyons ni l'une ni l'autre expertes en la matière. J'ai simplement cru bon de souligner les points faibles.

— Il peut y en avoir encore d'autres.

— Des recherches ont été entreprises dans ce sens, mais mon contact m'a assuré qu'ils n'en avaient pas trouvé. Le FBI s'en occupe. (La jolie bouche d'Abigail se durcit.) Tory, mon contact veut savoir pourquoi je m'intéresse à ces crimes, comment j'ai su pour la fille qui faisait de l'auto-stop. Je n'ai rien dit.

— Je vous en remercie.

— Vous pourriez les aider.

— Je ne sais pas si je le peux. Même s'ils le voulaient bien. Je ne sais pas si j'en suis capable. Je me sens comme figée en dedans. Cela n'a jamais été facile et m'a toujours coûté beaucoup d'efforts. À présent, je ne veux pas me retrouver face à cela, plonger de nouveau dans ces affaires. Je ne peux pas leur être utile. C'est l'affaire de la police.

— Si c'est réellement votre sentiment, alors pourquoi m'avez-vous demandé de me renseigner ?

— J'avais besoin de savoir.

— Tory...

— Je vous en prie. Je ne veux pas revenir en arrière. Cette fois, je ne suis pas sûre d'en sortir indemne.

Elle se mit à déplacer des objets sur une étagère pour occuper ses mains.

— La police, le FBI ont des experts, reprit-elle. C'est leur travail, pas le mien. Je ne peux pas retrouver toutes ces personnes dans ma tête, je ne veux pas avoir leur drame en moi. Hope y est déjà.

« Froussarde. » Une voix murmura le mot à son oreille le reste de la journée. Ne pouvant l'ignorer, elle l'accepta. Et elle allait apprendre à vivre avec cette malédiction.

Elle savait ce qu'elle avait voulu savoir. L'assassin de Hope continuait à tuer. Sélectivement. Efficacement. C'était à la police, au FBI ou à tout autre service officiel de lui faire la chasse et de l'arrêter.

Pas à elle.

Si cette peur enfouie au fond d'elle se révélait justifiée, si ce tueur avait le visage de son père, pourrait-elle vivre avec ça ?

Ils mettraient bientôt la main sur Hannibal Bodeen. Elle déciderait alors.

Quand Tory ferma le magasin le soir, elle estima qu'un petit tour dans le parc lui ferait du bien. Elle pourrait faire un saut jusque chez Sherry et parler avec elle, au lieu d'avoir son répondeur. « Prends soin de tes affaires, se dit-elle. Prends soin de toi. »

Il y avait peu de trafic. La plupart des gens étaient déjà rentrés du travail et assis à la table du dîner. On avait envoyé les enfants faire leur toilette ; la longue soirée se déroulerait comme d'habitude, devant la télévision, à se balancer sous le porche, après avoir rangé la cuisine et fait la vaisselle.

Normal. Quotidien. Si précieux dans sa monotonie. Elle voulait cela pour elle-même, désespérément.

Elle traversa le parc. Les roses étaient en fleur, des parterres de bégonias bien découpés formaient des taches rouges et blanches. Les arbres jetaient des ombres bienvenues sous lesquelles quelques personnes étaient assises ou étendues. Des jeunes, remarqua Tory. Pas encore installés dans le train-train de la génération des trente-cinq ans. Ils sortaient le soir pour manger une pizza, ou un hamburger, puis se retrouvaient avec leurs semblables pour écouter de la musique ou bavarder.

Elle avait fait la même chose autrefois. Brièvement. Cela lui paraissait maintenant si loin. C'était une autre femme qui s'aventurait alors parfois dans un club surpeuplé pour danser, pour rire. Pour être jeune.

Elle avait déjà perdu tout ce pan de vie, elle n'allait pas perdre l'existence nouvelle qu'elle s'efforçait de construire.

Plongée dans ses pensées, elle dépassa la rangée d'arbres et s'engagea sur la pelouse en pente conduisant aux immeubles d'habitation.

Princesse bondit sur le gazon en jappant follement.

Tory s'accroupit et se laissa volontiers assaillir.

— On dirait que tu te promènes, hein ?

— Elle a été enfermée presque la journée entière. Elle a accumulé un trop-plein d'énergie.

Faith s'avança, constatant avec satisfaction que le jeune chien abandonnait Tory pour se jeter sur elle.

— En effet, dit Tory en esquissant un sourire.

Elle leva les yeux pour examiner Faith.

— Ce n'est pas ton style habituel, remarqua-t-elle en contemplant le tee-shirt bien trop large et le pantalon de coton.

— Ça me va quand même, non ? J'avais taché mes vêtements et j'ai emprunté ceux-là à Wade.

— Je vois.

— Oui. Je suppose que tu vois. Ça te dérange ?

— Pourquoi ? Wade est un grand garçon.

— Je pourrais faire une réflexion un peu osée à ce sujet, mais je préfère me taire. (Faith rejeta derrière l'oreille ses cheveux lisses et brillants. Avec un grand sourire.) Tu es fatiguée de la solitude là-bas vers le marais ? Tu cherches un appartement ?

— Non. J'aime bien ma maison. Je faisais juste un saut pour voir une future employée, enfin peut-être. Sherry Bellows.

— Tiens, quelle coïncidence ! Je suis là pour la voir, moi aussi. Wade est encore occupé à son cabinet, et il a cherché à la joindre toute la journée. Son chien a été renversé par une voiture en fin de matinée.

— Oh ! non ! Elle doit être désespérée !

— Il va bien. Wade a fait du bon travail. Il lui a sauvé la vie.

Elle avait dit ces mots avec tant de fierté que Tory la regarda plus attentivement.

— Il n'est pas encore certain de pouvoir sauver sa patte, mais je parie que Mongo va se retrouver aussi frais qu'avant.

— Ça fait plaisir à entendre. C'est un beau chien, et elle semble l'adorer. Je n'arrive pas à croire qu'elle ait pu s'absenter toute la journée en laissant son chien courir dehors.

— On ne sait jamais avec les gens. Tiens, voilà son appartement, indiqua Faith en levant le bras. J'ai déjà frappé à la porte d'entrée, de l'autre côté, mais elle ne répond pas, alors je suis venue voir par-derrière. D'après son voisin, elle passe généralement par là.

— Les stores sont fermés.

— La porte est peut-être ouverte. On pourrait entrer et lui laisser un mot. Wade voudrait absolument la prévenir.

Faith traversa le patio et posa la main sur la porte vitrée coulissante.

— N'entre pas !

Tory lui saisit l'épaule et la tira en arrière.

— Qu'est-ce qui te prend ? Je ne vais pas entrer par effraction ! Je veux juste passer la tête.

— N'entre pas ! N'entre pas !

Les doigts de Tory s'enfoncèrent dans le bras de Faith.

Elle avait déjà vu. La vision l'avait frappée de plein fouet. Elle pouvait même sentir dans sa bouche le goût métallique du sang et de la peur.

— C'est trop tard. Il est venu ici.

Faith libéra son bras avec impatience.

— Mais qu'est-ce que tu racontes ? Tu vas me laisser entrer, oui ou non ?

Tory parla d'une voix éteinte.

— Elle est morte. Il faut appeler la police.

Hope

L'espoir est une petite chose en plumes
Qui se perche sur notre âme
Et chante un air sans paroles
Sans jamais s'arrêter – jamais.

Emily Dickinson

21

Il lui était impossible d'entrer. Et de s'en aller.

L'agent qui avait répondu à leur appel s'était montré ennuyé et sceptique, mais il n'avait pas pu venir à bout de l'insistance des deux femmes, dont il jugeait pourtant l'inquiétude exagérée.

Il avait remonté sa ceinture, vissé sa casquette sur sa tête et frappé vigoureusement à la porte vitrée. Tory aurait pu lui dire que Sherry ne pourrait plus répondre, seulement il ne l'aurait pas écoutée ; il n'aurait d'ailleurs rien compris.

Cependant, il n'était pas entré depuis deux minutes qu'il ressortit en trombe, le visage blême.

Il ne fallut pas longtemps pour mettre tout en branle. Quand le chef Russ arriva, des cordons jaunes de police barraient déjà les lieux aux badauds, et seuls les enquêteurs avaient le droit de les franchir.

Assise par terre, Tory attendait. Comme il n'y avait rien d'autre à faire, Faith s'assit à côté d'elle.

— J'ai appelé Wade. Il faut qu'il attende l'arrivée de Maxine pour veiller sur Mongo, il viendra ensuite.

— Il ne peut rien faire.

— Aucun de nous ne peut plus faire quoi que ce soit, Tory.

Faith fixa le cordon jaune, la porte, les ombres des policiers se découpant sur les stores.

— Comment savais-tu qu'elle était morte ?

— Sherry ? Ou Hope ?

Faith serra le petit chien contre sa poitrine et frotta sa joue contre la fourrure tiède pour se réconforter.

303

— Je n'ai jamais rien pu voir, dit-elle lentement. Ils n'ont pas voulu me laisser approcher de l'endroit où gisait Hope. J'étais trop jeune. Mais toi, tu as vu.

— Oui.

— Tu as tout vu ?

— Pas tout à fait...

Tory pressa ses paumes l'une contre l'autre, puis enfouit ses mains entre ses genoux comme pour les réchauffer.

— J'ai su dès que nous nous sommes approchées de la porte. La mort crée une sorte d'opacité. Surtout la mort violente. Lui aussi a imprégné l'atmosphère. Probablement de sa folie. C'est la même chose qu'avant. Et c'est aussi le même homme. (Elle ferma les yeux.) Je croyais qu'il viendrait pour moi, mais je n'avais pas pensé à ça... Seigneur, jamais je n'aurais imaginé un deuxième désastre...

Il lui faudrait dorénavant assumer cette nouvelle culpabilité.

— Tu veux dire... c'est celui qui a assassiné Hope qui a aussi tué Sherry ? Après toutes ces années ?

Tory allait répondre quelque chose ; finalement elle y renonça.

— Je ne sais pas. Je n'ai jamais été sûre de rien.

Elle leva la tête en entendant prononcer le nom de Faith et aperçut Wade qui traversait en courant la pelouse dans leur direction.

Elle fut surprise de voir Faith se lever d'un bond. Il était rare qu'elle se déplaçât si rapidement. Puis elle observa leur longue étreinte.

« Il l'aime, pensa-t-elle. Pour lui, elle est le centre du monde. Comme c'est étrange. »

Wade prit le visage de Faith entre ses mains.

— Tu vas bien ?

— Je ne sais pas trop.

Faith avait cru pouvoir se tenir à distance des événements, assez loin pour ne pas en être affectée. Maintenant, ses mains tremblaient et son estomac se contractait. La même réaction qu'après avoir vu ses mains tachées de sang dans la salle d'opération.

— Je ferais mieux de m'asseoir, je crois, murmura-t-elle.

— Viens ici.

Quand elle se laissa tomber dans l'herbe, il s'agenouilla à côté d'elle en la soutenant d'une main ferme tout en examinant le visage de Tory. Trop calme, décida-t-il. Trop contrôlé. Cela signifiait que, lorsqu'elle craquerait, elle risquait de se briser.

— Venez donc toutes les deux avec moi. Il faut vous éloigner d'ici.

— Je ne peux pas. Emmène Faith.

— Alors toi tu tiendrais le coup et pas moi ? lança Faith, agacée. Merci quand même.

— Il ne s'agit pas d'une compétition, rétorqua Tory.

— Entre toi et moi ? Mais il y en a toujours eu. Tiens, voilà Dwight.

Des groupes de curieux avaient commencé à se rassembler en chuchotant et en tendant le cou pour essayer d'apercevoir la scène du crime. Les nouvelles circulaient vite à Progress, constata Tory. Elle vit Dwight fendre la petite foule et se diriger directement vers la porte de Sherry.

— Tu pourrais lui parler, Wade, dit-elle en désignant le maire d'un geste las. Il sait peut-être quelque chose.

— Je vais voir. (Il effleura les genoux de Tory avant de se lever.) Cade arrive.

— Pourquoi ?

— Parce que je l'ai appelé. Ne bouge pas d'ici.

— Ce n'était pas nécessaire.

Tory fronça les sourcils en regardant Wade s'éloigner.

— Arrête ton cinéma ! jeta Faith en fouillant dans son sac à la recherche d'un os en caoutchouc pour Princesse. Tu n'es pas plus en acier que moi. On a parfois besoin de s'appuyer sur un homme.

— Je n'ai pas l'intention de m'appuyer sur Cade.

— Oh ! pour l'amour du ciel, montre-toi un peu sincère, pour une fois ! Si tu le trouves assez bon pour coucher avec lui, alors tu peux bien aussi accepter son aide dans un moment pareil. On dirait que tu fais exprès d'être désagréable.

— C'est ça. Nous nous donnerons rendez-vous plus tard et nous irons danser.

Faith eut un sourire pointu.

— Tu es vraiment pénible, Tory. Enfin, je suppose que j'arriverai à m'y habituer. Zut, voilà Billy Clampett, il m'a repérée. Il ne manquait plus que ça. J'ai été assez idiote et assez ivre un soir, il y a des milliers d'années, pour coucher avec lui. Heureusement, j'ai repris mes esprits à temps. Mais, depuis, il n'arrête pas de me harceler.

Tory regarda Billy se diriger vers elles, les pouces glissés dans les poches avant de son pantalon. Il s'accroupit devant les jeunes femmes.

— Mesdames. J'ai entendu dire qu'il se passait quelque chose par ici. Une fille assassinée. Sherry Bellows, paraît-il. Celle qui courait dans toute la ville à côté de ce gros chien poilu. Avec un short ultra-court et pas grand-chose en haut. Un joli petit lot, soit dit en passant.

Il sortit une cigarette du paquet glissé dans la manche roulée de son tee-shirt. Il s'imaginait que ça le faisait ressembler à James Dean.

— Je lui ai vendu quelques plantes il y a deux ou trois semaines. Elle était tout à fait amicale, si vous voyez ce que je veux dire.

— Dis-moi, Billy, est-ce que tu t'entraînes pour être toujours aussi dégueulasse ou est-ce un don naturel ?

Il accusa le coup pendant quelques secondes, puis son sourire devint aussi aigre que du lait tourné pendant qu'il allumait sa cigarette.

— Tu aimes bien te donner des grands airs, pas vrai, Faith ? Jouer les dames de la haute.

— Rien d'extraordinaire à cela. J'ai toujours été une grande dame. Pas vrai, Tory ?

— Je ne t'ai jamais connue autrement. C'est une marque de naissance.

— Exactement.

Enchantée, Faith donna une petite tape reconnaissante sur la cuisse de Tory et sortit une cigarette de son propre paquet.

— Nous autres Lavelle, commença-t-elle en l'allumant et en soufflant délibérément la fumée dans la figure de Billy, nous sommes nés pour être supérieurs. C'est imprimé dans notre ADN.

— Tu n'étais pas si supérieure la nuit où j'avais tes nichons dans les mains derrière chez Grogan.

Faith envoya un autre jet de fumée dans sa direction.

— Oh ! C'était toi ?

— Depuis que tes nénés ont poussé, tu te conduis comme une pute. Tu ferais bien de te surveiller. (Il jeta un regard insistant vers la porte de Sherry.) On voit bien où ça les mène.

— Je me souviens de vous maintenant, dit tranquillement Tory. Vous aviez l'habitude d'attacher des pétards à la queue des chats et de les allumer. Après, vous rentriez chez vous pour vous masturber. Vous continuez à faire ça pendant vos loisirs ?

Billy sursauta. Son sourire s'était effacé, et Tory lut de la peur dans son regard.

— Oh ! vous, la ferme ! On ne veut pas de vous par ici. On n'a pas besoin de gens de votre sorte.

Il aurait pu en rester là, comme la prudence l'incitait à le faire, mais Princesse décida que la jambe de son pantalon était plus intéressante que son os. D'un revers de la main, Billy l'envoya valser. Faith sauta sur ses pieds avec un cri outragé pour ramasser le chiot hurlant.

— Espèce de gros plein de soupe ! Lâche ! Trou du cul ! Pas étonnant que ta femme cherche un autre homme. Si tu es tellement excité, tu n'as qu'à te soulager tout seul.

Il se jeta sur Faith. Tory ne put dire comment la bagarre avait commencé, car elle eut l'impression que quelqu'un d'autre avait agi. Mais son poing partit tout seul, frappant Billy entre les yeux. Sous la force et la surprise du coup, il se retrouva assis par terre, hébété. Tory entendit vaguement des cris et le bruit d'une course. Quand Billy se releva, elle sauta aussi sur ses pieds.

La colère formait une boule au creux de son estomac.

— Salope ! hurla-t-il, pantelant.

Le voyant charger, elle se cala solidement, habitée par une soudaine soif de violence. Toutefois, avant même d'avoir eu le temps de se défendre, elle le vit sauter brusquement en arrière et s'étaler par terre.

— Viens donc te frotter à moi, lui proposa Cade en le remettant debout. Ne vous occupez pas de ça ! lança-t-il aux gens qui se précipitaient pour intervenir. Viens, Billy. Voyons comment tu te débrouilles avec moi au lieu de t'attaquer à une femme qui n'a pas la moitié de ta taille.

— Ça fait des années que ça te démange, pas vrai ? cracha Billy. Quand j'en aurai fini avec toi, je m'occuperai de ta putain de sœur et de ta poule.

Il ricana de nouveau, tassé sur lui-même, impatient de restaurer son image aux yeux de la ville, d'envoyer ses poings fermés dans la face hautaine d'un de ces maudits Lavelle.

Il se rua en avant, mais Cade se contenta de faire un pas de côté. Il lui suffit de deux coups, l'un projetant la tête de Billy en arrière, l'autre dans le ventre, rapide et sec. Cade se pencha, pressa ses pouces sur la trachée de Billy étendu et lui murmura à l'oreille :

— Si jamais tu touches à ma sœur ou à ma femme, si tu oses même leur adresser la parole ou lever les yeux sur elles, j'entortille tes couilles autour de ton cou et je t'étrangle avec.

Il laissa retomber sur le sol un Billy inerte et se dirigea vers Tory sans jeter un coup d'œil en arrière.

— Viens, tu n'as plus rien à faire ici.

Elle était sans voix. Jamais elle n'avait vu la colère éclater si brutalement et se dissiper si vite. Presque avec élégance, conclut-elle. Il avait mis un homme à terre sans qu'une seule goutte de sueur perle à son front et voilà que, à présent, il lui parlait d'une voix douce. Mais ses yeux étaient froids comme l'hiver.

— Allons-nous en maintenant.

— Je dois rester.

— Non, tu ne resteras pas.

La voix de Carl D. s'éleva dans leur dos.

— Désolé de vous dire que si.

Il s'avança vers eux, regarda Billy toujours étendu à terre et se frotta le menton d'un air pensif.

— Des problèmes, on dirait ?

— Billy Clampett m'a insultée.

307

Les yeux de Faith s'étaient soudain remplis de larmes.

— Il a été... il a dit... Écoutez, chef, je ne peux même pas le répéter, mais il s'est montré vraiment très blessant à mon égard et à celui de Tory. (Elle renifla délicatement.) Puis il a frappé ma pauvre petite Princesse. Et quand Tory a voulu l'arrêter il nous a attaquées. Si Cade n'avait pas été là, je ne sais pas ce qui serait arrivé.

Elle se tourna vers Tory en sanglotant.

Carl D. gonfla sa joue d'un coup de langue. Après ce qu'il venait de voir, cette petite comédie lui apportait une amusante distraction.

— Ça s'est passé de cette façon ? demanda-t-il à Cade.

— Plus ou moins.

— Je vais l'emmener. Ça va le calmer.

Tout en mâchant son chewing-gum, il jeta un coup d'œil sur le groupe de badauds qui les observaient.

— Je ne pense pas que quelqu'un ait une plainte à déposer.

— Non, laissons tomber, répondit l'un d'eux.

— Bien. Maintenant, il faut que je parle à Tory. À Faith aussi. Nous serons plus tranquilles au poste.

— Chef !

Wade les rejoignit, enjambant distraitement au passage le corps de Billy encore sonné, ce qui suscita le rire étouffé de Faith.

— J'habite plus près, proposa-t-il. Ce sera plus confortable pour elles.

Russ haussa les épaules.

— On peut faire comme ça. Pour l'instant en tout cas. Un de mes agents va vous conduire. Je vous rejoindrai directement.

— Je vais les emmener, dit Wade.

— Vous et Cade connaissez la plupart de ces gens. J'aimerais que vous me donniez un coup de main pour les renvoyer chez eux. Un de mes hommes va s'occuper des dames. J'ai besoin de leurs déclarations, coupa-t-il en voyant Cade faire un mouvement de protestation. Désolé, c'est la procédure.

Il salua et mit le moteur de sa voiture en marche.

Dwight s'approcha d'eux.

— Mon Dieu ! Comment une telle chose peut-elle arriver en plein centre-ville ?

Ils avaient réussi à écarter de l'immeuble la plupart des curieux, et l'obscurité envahissait progressivement la pelouse tranquille où il se tenait avec ses deux meilleurs amis, hors de l'appartement. Seuls les cordons jaunes de la police rappelaient qu'un meurtre venait de s'y dérouler.

— Que sais-tu de l'affaire ? lui demanda Wade.

— Rien de plus que les autres, sans doute. Carl D. ne m'a pas laissé entrer et j'ai pu venir jusqu'ici uniquement parce que je suis le maire. Quelqu'un s'est introduit chez elle hier. Peut-être pour la voler.

Il se frotta l'arête du nez, l'air songeur.

— Il me semble pourtant qu'elle n'avait pas grand-chose à voler, conclut-il, perplexe.

— Comment est-ce possible avec le chien ? s'étonna Wade.

— Le chien ?

Dwight parut un instant déconcerté, puis hocha la tête.

— Oh ! oui ! Je ne sais pas. C'était peut-être une personne de sa connaissance. Ça paraît plus probable, non ? Un homme avec lequel elle a eu une dispute qui a mal tourné ? Elle était dans la chambre à coucher, ajouta-t-il en soupirant. Je n'en sais pas plus. Euh... j'ai entendu dire qu'elle avait été violée.

— Comment l'a-t-on tuée ? demanda Cade.

— Je l'ignore. Carl D. n'a pas voulu lâcher de détails. Mon Dieu, Wade ! Dire que nous parlions d'elle l'autre soir... Je me suis heurté à elle au moment où elle sortait de chez toi.

— Oui, je m'en souviens.

Une image de Sherry traversa Wade, bouillonnante, séduisante, flirtant innocemment avec lui pendant qu'il examinait Mongo.

Dwight fit un signe de la tête en direction de la porte sur laquelle on avait apposé les scellés.

— Il y a eu des bavardages. À propos de Tory Bodeen, je veux dire. Des propos un peu tranchants, précisa-t-il. J'ai pensé que vous deviez savoir. (Il soupira encore une fois.) Cela ne devrait pas arriver dans une ville moyenne comme la nôtre. Les gens ont le droit de vivre en sécurité chez eux. Lissy va en être malade.

— Ils vont se précipiter chez le quincaillier et l'armurier, prédit Cade. Pour acheter des cadenas et des armes.

— Je ferais bien de réunir le conseil municipal demain pour calmer tout ça. J'espère que, d'ici là, Carl D. aura des nouvelles à nous communiquer. Il faut que je retourne vers Lissy. Elle doit être dans tous ses états.

Il jeta un nouveau regard à la porte.

— Ça ne devrait pas arriver ici, répéta-t-il en s'éloignant.

— Je ne l'ai rencontrée qu'une seule fois. Hier, justement.

Tory était assise sur le canapé de Wade, les mains sagement croisées sur les genoux. Il était important qu'elle soit calme et précise quand elle parlait à la police. Ils utilisaient la moindre émotion, la moindre faiblesse pour tenter de vous extraire plus que vous ne vouliez dire.

Ensuite, soit ils vous ridiculisaient, soit ils vous trahissaient.

— Vous ne l'avez rencontrée qu'une seule fois, répéta Carl D. en prenant des notes.

Il avait demandé à Faith de rester au rez-de-chaussée. Il voulait les interroger séparément. Considérant la jeune femme, il ajouta :

— Pourquoi alliez-vous la voir aujourd'hui ?

— Elle avait postulé pour un emploi dans mon magasin.

— Ah bon ? (Il leva un sourcil interrogateur.) Je croyais qu'elle en avait déjà un. Professeur au lycée.

— En effet, c'est ce qu'elle m'a dit. (Se contenter de répondre exactement aux questions, se souvint Tory, parler sans fioritures.) Mais pas encore à plein temps ; elle cherchait donc quelques heures de travail pour arrondir ses revenus. Et sans doute aussi pour s'occuper, je pense. Elle paraissait déborder d'énergie.

— Hmm. Vous l'avez donc engagée ?

— Non, pas immédiatement. Elle m'a donné des références.

Elle les avait même écrites sur le bloc, songea-t-elle, avec son adresse. Le bloc qui était encore sur le comptoir quand son père était venu. Oh ! Seigneur !

— Bon, ça se tient. Je ne savais pas que vous cherchiez quelqu'un.

— Je n'y pensais pas moi-même jusqu'à ce qu'elle se présente. Elle s'est montrée très persuasive. J'ai pris la peine de faire mes comptes et réalisé que je pouvais me permettre une aide partielle assez peu coûteuse. J'ai vérifié ses références ce matin, puis je lui ai téléphoné et j'ai laissé un message sur son répondeur.

— Hum...

Il avait déjà entendu le message, ainsi que ceux du cabinet de Wade, de son voisin du dessus et de Lissy Frazier. Sherry Bellows avait été une jeune fille populaire.

— Finalement, vous avez décidé d'aller la voir en personne ?

— J'ai eu envie de faire un tour après la fermeture du magasin et j'ai pensé alors traverser le parc pour faire un saut chez elle. Nous aurions pu mettre les choses au point ensemble pour son travail si elle avait été là.

— Vous vous trouviez en compagnie de Faith Lavelle ?

— Non. J'y suis allée seule. J'ai rencontré Faith à l'extérieur de l'immeuble, à l'arrière du bâtiment. Elle m'a appris que le chien de Sherry avait été blessé dans la matinée. Renversé par une voiture mais, heureusement, opéré par le vétérinaire. Elle était venue pour rendre service à Wade car ils n'arrivaient pas à la joindre.

— Vous vous êtes donc trouvées là ensemble au même moment ?

— À peu près. Probablement vers six heures trente car, lorsque j'ai fermé le magasin, il devait être environ six heures et quart.

— Et comme Mlle Bellows ne répondait pas, vous êtes allées chez elle...

— Non, nous ne sommes pas entrées. Ni l'une ni l'autre.

— Mais vous étiez inquiète, m'avez-vous dit.

Il leva les yeux de son carnet. Tory demeura figée et silencieuse, les yeux dans les siens.

— Assez inquiète pour appeler la police, insista-t-il.

— Elle ne s'était pas manifestée après mon message, répondit finalement Tory. Pourtant, elle m'avait semblé tenir beaucoup à ce travail. Elle n'a pas non plus donné signe à Wade, bien qu'il m'eût paru évident qu'elle adorait son chien. Ses stores étaient fermés, la porte aussi. J'ai appelé la police. Ni Faith ni moi n'avons pénétré à l'intérieur. Nous n'avons rien vu, ni l'une ni l'autre. Je ne peux donc rien vous dire de plus.

Il s'adossa à sa chaise en mâchonnant son crayon.

— Avez-vous essayé la porte ?

— Non.

— Elle n'était pas fermée.

Il laissa le silence s'appesantir, le temps de tirer de sa poche son paquet de chewing-gum, d'en offrir un à Tory, qui refusa d'un signe de tête, et d'en dépouiller un soigneusement de son papier d'emballage.

Le cœur de Tory se mit à cogner dans sa poitrine.

Carl D. replia le chewing-gum avec des gestes précis et le fourra dans sa bouche.

— Nous disions donc que vous auriez pu entrer toutes les deux. Connaissant Faith Lavelle, elle a dû passer la tête – au moins par curiosité, pour voir comment c'était chez le nouveau professeur d'anglais, quelque chose comme ça.

— Elle ne l'a pas fait.

— Vous avez frappé ? Appelé ?

— Non. Nous...

Elle s'interrompit et garda le silence.

— Vous êtes restées seulement sur le seuil avant de vous décider à appeler la police, c'est ça ? (Il poussa un profond soupir.) Mademoiselle Bodeen... Je suis un homme simple, avec des manières simples. Et je suis dans la police depuis plus de vingt ans. Les flics ont de l'instinct, il leur arrive d'avoir des pressentiments. Ils ne peuvent pas toujours expliquer pourquoi. Mais ils les ont, c'est tout. On pourrait peut-être dire qu'aujourd'hui, là-bas, à la porte de l'appartement de Sherry Bellows, vous avez eu un pressentiment.

— C'est possible.

— Certaines personnes ont des dispositions pour ça. Peut-être bien que vous en aviez déjà eu un il y a dix-huit ans quand vous nous avez conduits à Hope Lavelle. Vous en avez eu d'autres aussi à New York. Et bien des gens ont été heureux de ça.

Il parlait d'une voix aimable, avec un léger accent chantant, pourtant elle remarqua que ses yeux restaient attentifs.

— Ce qui est arrivé à New York n'a rien à voir avec ici.

— Mais avec vous, oui. Six gosses ont pu retrouver leurs familles grâce à vos pressentiments.

— Un ne l'a pas fait.

— Mais six ont été sauvés, répéta Carl D.

— Je ne peux rien vous dire de plus.

— Peut-être. Seulement je crois plutôt que vous ne voulez pas parler. J'étais là il y a dix-huit ans quand vous nous avez guidés. Je suis un homme simple avec des manières simples. Et je le suis encore aujourd'hui pendant que j'enquête sur ce qu'on a fait à cette pauvre jeune femme. Les deux fois, j'étais là. Vous aussi.

— Je ne suis pas entrée.

— Mais vous avez vu.

— Non ! (Elle sauta sur ses pieds.) Non ! Je n'ai rien vu, simplement... senti. Je n'ai pas regardé. Je ne pouvais rien faire. Elle était morte et je ne pouvais plus rien faire pour elle. Ni pour Hope. Je vous ai dit tout ce que je savais, exactement comme c'est arrivé. Pourquoi cela ne vous suffit-il pas ?

— Très bien. Très bien, mademoiselle Tory. Asseyez-vous donc et détendez-vous. Je vais descendre parler à Faith.

— Je voudrais rentrer chez moi maintenant.

— Restez tranquillement assise un instant pour reprendre vos esprits. Nous veillerons à vous ramener bientôt chez vous.

Tout en descendant, il rumina ses pensées et les paroles de Tory. Cette fille était un véritable nœud de problèmes. Il était peut-être désolé pour elle, cela ne l'empêcherait pas de se servir d'elle à ses propres fins. Il avait un crime sur les bras. Ce n'était pas le premier, mais c'était l'un des plus vilains de toutes ces années.

Et il avait lui aussi des pressentiments. L'un d'eux le faisait soupçonner que Tory Bodeen était la clé du problème.

Il trouva Cade déambulant au pied de l'escalier.

— Vous pouvez monter la voir. Je crois qu'elle a besoin d'être réconfortée. Votre sœur est dans les parages ?

— Elle est là-bas, avec Wade. Il est en train d'examiner le chien.

— Dommage que ce clebs ne puisse pas parler. C'est Piney qui lui est rentré dedans, hein ?

— C'est ce qu'on m'a dit.

Carl D. hocha la tête et tapota le carnet dans sa poche avant de se diriger vers la salle arrière.

— Vraiment dommage que ce chien ne puisse pas parler, répéta-t-il pensivement.

Cade trouva Tory assise sur le canapé, toujours figée.

— J'aurais dû m'en aller, articula-t-elle lentement. Ou mieux, laisser Faith entrer. Elle l'aurait alors trouvée. Nous aurions appelé la police et il n'y aurait pas eu toutes ces questions.

Il prit place à côté d'elle.

— Pourquoi ne l'as-tu pas fait ?

— Je ne voulais pas qu'elle voie ce qui se trouvait à l'intérieur. Moi non plus, d'ailleurs. Et, à présent, le chef Russ s'attend que j'entre en transe et lui révèle le nom de l'assassin. Pour qui me prend-il ? On se serait cru en pleine énigme policière. On aurait dit le professeur Violet brandissant son chandelier [1].

— Tu as raison d'être en colère, assura-t-il en lui prenant la main. Contre lui, contre la situation. Mais pourquoi l'es-tu contre toi-même ?

— Je ne le suis pas. Pour quelle raison le serais-je ? (Elle abaissa son regard sur leurs mains enlacées.) Tes jointures sont meurtries.

— J'ai frappé comme un sourd.

— Vraiment ? On n'en avait pas l'impression à te voir. On aurait pu croire que ce n'était pour toi qu'un léger désagrément.

— J'avais vraiment envie d'écraser ce sale morpion.

Il lui sourit et porta sa main à ses lèvres.

— Un Lavelle doit défendre sa dignité.

Tory soupira.

— C'est un homme mauvais et, maintenant, il cherchera un autre moyen de s'attaquer à toi. Il le fera dans ton dos car il te craint. Ce n'est pas un pressentiment, c'est l'analyse logique de la nature humaine qui me fait dire ça.

Il frotta ses doigts endoloris.

— Clampett ne me préoccupe pas. Ne te soucie pas de lui.

— Je le voudrais, pourtant.

Elle se leva.

— Pourquoi est-ce que je ressens cette culpabilité ?

1. Allusion aux personnages d'un célèbre jeu de société. (*N.d.T.*)

— Je ne sais pas, Tory.

— Je connaissais à peine Sherry Bellows. Je n'ai même pas passé une heure avec elle, elle n'a fait qu'effleurer ma vie. Je suis navrée de sa mort, mais en quoi serais-je impliquée dans cette affaire ?

— Tu ne l'es pas.

— Aucun de mes actes ne pourra plus changer son destin, malheureusement. Alors, où est le problème ? Même si le chef Russ prétend être ouvert à tout ce que je pourrais lui dire, il n'est pas différent des autres, en fin de compte. Pourquoi irais-je me mêler de ça pour recueillir ensuite des moqueries ou du mépris ?

Elle se tourna vers lui.

— Tu n'as donc rien à suggérer ?

— J'attends que tu trouves toi-même la réponse.

— Tu trouves ça drôle, hein ? Tu crois que tu me connais bien. Mais tu ne me connais pas du tout. Je ne suis pas revenue ici pour réparer des fautes ou venger une amie morte. Je suis revenue pour vivre ma vie et ouvrir un magasin.

— Très bien.

— Ne me réponds pas sur ce ton patient alors que tes yeux te trahissent. Je sais ce que tu penses. Tu me prends pour une menteuse.

Voyant sa respiration s'accélérer, il se leva et alla vers elle.

— Je vais t'accompagner.

Elle le regarda un instant, puis se jeta dans ses bras.

— Oh ! Cade... Je n'en peux plus.

— Nous allons descendre et parler au chef Russ. Je reste avec toi.

Elle approuva de la tête mais resta encore un moment immobile. Puisque Cade tenait tant à se trouver à ses côtés, il allait entendre ce qu'elle avait à révéler sur les événements survenus dans l'appartement de Sherry.

Après cela, Cade pourrait bien ne plus jamais avoir envie de la serrer dans ses bras...

22

— Avez-vous besoin de quelque chose avant d'entrer ?

Tory luttait encore pour calmer ses nerfs mais croisa calmement le regard de Carl D.

— Une boule de cristal ? Des tarots ? C'est à ça que vous pensez ?

Il était passé par la porte de devant, comme elle le lui avait demandé, et avait ouvert celle du patio de l'intérieur en brisant les scellés pour la rejoindre dehors, où elle l'attendait avec Cade.

Il y avait peu de chances qu'on les voie à cet endroit. Le tueur l'avait su lui aussi.

Carl D. repoussa en arrière sa casquette et gratta son large front.

— J'ai l'impression que vous êtes un peu fâchée contre moi.

— Vous m'avez forcée à agir contre ma volonté. Ça ne va pas être agréable pour moi et ça risque de ne vous servir à rien.

— Écoutez-moi bien, mademoiselle Tory. Je viens de déposer une jeune femme d'à peu près votre âge sur la table de la morgue. Le médecin du comté va l'autopsier. Sa famille arrive demain matin. Rien de tout cela n'est agréable pour personne.

Il voulait qu'elle ait cette image dans la tête ; Tory fit signe qu'elle avait compris.

— Je ne vous croyais pas si dur.

— Vous n'êtes pas une femme commode non plus. Nous avons tous les deux nos raisons, je suppose.

— Ne me parlez pas.

Elle ouvrit la porte elle-même et entra en s'armant de courage. Elle se concentra d'abord sur la lumière. La lumière de la chambre quand il avait appuyé sur le bouton. La lumière venant de Sherry, dont l'air était imprégné.

Un long moment passa avant qu'elle ne parle. Très long ; ce qui flottait encore dans la pièce devait d'abord se glisser en elle.

— Elle aimait la musique. Le bruit. Vivre seule ne lui semblait pas naturel. Il lui fallait des gens autour d'elle. Des voix, du mouvement. Elle adorait la compagnie.

De la poudre était restée sur le téléphone après les relevés d'empreintes. Elle ne remarqua pas qu'elle s'en tachait les doigts en effleurant l'appareil.

Qui était Sherry Bellows ? Il fallait commencer par là.

— Les conversations étaient pour elle une nourriture. Sans elles, elle serait morte d'inanition. Elle aimait découvrir les gens, les écouter parler d'eux. Elle a été très heureuse ici.

Elle marqua une pause et laissa courir ses doigts sur les cadres des tableaux, les bras d'un fauteuil.

— La plupart des gens ne s'intéressent pas à ce que disent les autres, mais elle si. Elle avait aussi des projets. L'enseignement était une aventure à ses yeux. Tant d'esprits à nourrir. Cette aventure l'exaltait.

Elle passa devant Cade et Carl D. Tout en ayant conscience de leur présence, ils n'étaient pas importants pour l'instant et, de ce fait, moins réels.

— Elle aimait lire, poursuivit Tory d'une voix calme.

Elle se dirigea vers des rayonnages métalliques bon marché remplis de livres. Des images la traversaient. Une jolie jeune femme rangeant les ouvrages sur l'étagère ou les emportant dans le patio pour s'asseoir dans un fauteuil et bouquiner paisiblement, un gros chien poilu à ses pieds.

Il était facile d'accepter ces images, de s'ouvrir à elles. Elle eut dans la bouche un goût salé – des chips – et en éprouva du contentement.

C'est une autre façon d'avoir de la compagnie. On se glisse dans le livre. On devient l'un des personnages, celui que l'on préfère. On vit des aventures.

Le chien s'installe avec toi sur le canapé ou sur le lit. Il met des poils partout. Tu pourrais en faire une couverture ! Mais c'est un véritable amour. Il suffit de passer l'aspirateur tous les jours. La musique couvre le bruit du moteur.

La musique battait maintenant dans sa tête. Forte, joyeuse. Ses pieds remuèrent sur son rythme.

— M. Rice, qui habite la porte à côté, s'est plaint de la musique, reprit-elle d'une voix monocorde. Alors Sherry lui a confectionné de bons gâteaux et les lui a apportés. Tout le monde est si gentil dans cette ville. Exactement l'endroit où elle avait rêvé vivre.

Tory se détourna de l'étagère, le regard trouble, vide.

Cade réprima un sursaut quand ce regard passa sur lui, à travers lui.

— Jerry, reprit Tory. C'est le petit garçon de l'appartement au-dessus. Il adore Mongo. Un gamin aussi agaçant qu'une punaise, mais si mignon... Sherry aimerait en avoir un comme ça un jour. Des yeux immenses, un grand sourire, les doigts toujours collants.

Elle fit un tour en marchant, ses lèvres se retroussèrent, ses yeux regardaient en dedans.

— Parfois, l'après-midi après l'école, ils sortent tous les deux et vont courir ensemble, ou encore il jette une balle de tennis à Mongo. Des balles jaunes un peu ramollies, humides et toutes sales. C'est amusant de rester dans le patio et de les regarder jouer tous les deux. Jerry doit rentrer. Sa mère l'appelle : il doit faire ses devoirs avant dîner. Mongo est épuisé, alors il s'endort dans le patio. Sherry met de la musique, aussi fort que possible sans déranger M. Rice, elle se sent heureuse. Toute pleine d'espoir. Un verre de vin. Du vin blanc. Ce n'est pas un grand vin, mais c'est tout ce qu'elle peut s'offrir. Il n'est pas si mauvais. Elle reste là à le siroter en écoutant la musique et en faisant des projets.

Tory se dirigea vers le patio et regarda au-dehors. Elle ne vit pas la nuit qui régnait, seulement un crépuscule naissant. Le gros chien étalé sur le béton tel un tapis brosse hirsute ronflant légèrement.

— Il faut penser à des tas de choses, tant de projets. Tant à faire. Mais Sherry se sent en pleine forme, prête à entreprendre tout cela, et elle a bien du mal à patienter. Elle rêve d'organiser une petite fête, de voir son appartement plein de monde.

« De flirter avec ce beau véto, continua-t-elle *in petto*, et avec cet élégant Cade Lavelle. Oh ! là là ! on ne manque pas de beaux hommes à Progress ! Bon, pour l'instant, il faudrait penser à préparer quelque chose à manger. Et à nourrir le chien. Peut-être un autre verre de vin pendant que tu t'en occupes. »

Elle se dirigea vers la kitchenette en fredonnant l'air qu'elle entendait dans sa tête, Sheryl Crow. Une salade. Une grande salade avec beaucoup de carottes, car Mongo les aime bien. Tu les mélangeras avec ses croquettes.

Elle tendit la main, effleura la poignée du placard et eut alors un brusque sursaut qui la fit reculer en trébuchant. Instinctivement, Cade fit un pas en avant pour la soutenir, mais Carl D. le saisit par le bras.

— Ne bougez pas, chuchota-t-il comme s'il était à l'église. Laissez-la faire.

— Il était ici. Exactement ici. (La respiration de Tory s'accéléra et se transforma en rapides petits hoquets. Elle avait porté les deux mains à sa gorge.) Tu ne l'as pas entendu arriver. Tu ne peux pas le voir. Il a un couteau. Il a un couteau. Oh ! mon Dieu ! oh ! mon Dieu ! Il a mis une main sur ta bouche et il appuie fort. Le couteau est sur ta gorge. Tu es terrifiée. Absolument terrifiée. Tu ne peux pas crier. Tu feras ce qu'il veut pourvu qu'il ne te fasse pas de mal.

« Il te parle à l'oreille d'une voix douce et calme. Qu'est-ce qu'il a fait de Mongo ? L'a-t-il blessé ? Tout se bouscule dans ta tête. Rien de cela n'est réel. Ça ne peut pas être réel ! Mais le couteau est si aiguisé. Il te pousse et tu as très peur, peur de trébucher avec le couteau sur la gorge...

Elle sortit de la kitchenette en traînant les pieds, s'appuya sur le mur quand elle vacilla.

— Les stores sont baissés. Personne ne peut nous voir. Personne ne peut venir à mon secours. Il veut que tu ailles dans la chambre à coucher et tu sais bien pourquoi. Si seulement tu pouvais t'enfuir, écarter le couteau.

Tory frissonna à la porte de la chambre, secouée par des nausées qui l'envahissaient par vagues.

— Je ne peux pas. Je ne peux pas...

Elle se tourna face au mur, luttant pour ne pas fuir cette terreur et cette violence.

— Je ne veux pas voir ça. C'est là qu'il l'a tuée. Pourquoi dois-je voir ça ?

— Ça suffit.

Cade écarta la main de Carl D., qui voulait le retenir.

— Je vous dis que ça suffit comme ça !

Mais quand il voulut saisir Tory, elle s'écarta, chancelante.

— C'est dans ma tête ! Je ne pourrai jamais l'extraire de ma tête. Ne me parle pas. Ne me touche pas.

Les mains pressées sur le visage, elle haletait, tour à tour retenant puis reprenant sa respiration.

— Oh ! Oh ! Il te pousse sur le lit, le visage en avant. Il te chevauche. Il est déjà dur, tu le sens, tu le sens qui se presse contre toi, tu te débats. La peur t'envahit, immense, suffocante. Une énorme vague de peur qui te brûle.

Elle gémit et s'écroula à genoux à côté du lit.

— Il te frappe durement. Sur la nuque. Une douleur aiguë se répand en toi, te fait perdre à demi conscience. Il te frappe encore et le côté de ton visage explose sous le coup. Tu sens dans ta bouche le goût du sang. De ton sang. Le sang a le même goût que la terreur. Le même.

Il tire rudement tes bras dans ton dos et c'est une nouvelle douleur qui vient s'ajouter aux autres.

« Toute cette souffrance rampe sournoisement en toi comme des tentacules ; elle se mêle à une telle épouvante qu'il te semble sentir ton cerveau sur le point d'exploser.

« Il fait sombre. La pièce est sombre et la musique continue de jouer, mais la douleur t'empêche d'entendre. Tu pleures, tu lui demandes d'avoir pitié de toi, alors il enfonce un chiffon dans ta bouche. Il te frappe à nouveau et tu te sens glisser, échapper. Tu es à peine consciente quand il coupe tes vêtements et les arrache. Le couteau entaille ta peau, mais c'est encore pire, bien pire quand il se sert de ses mains.

Tory se plia en deux, enveloppa son ventre de ses bras et se mit à se balancer.

— Ça fait mal. Ça fait mal. Tu ne peux même pas pleurer quand il te viole. Tu ne peux que le laisser faire. Il donne de grands coups en toi et tu sens que tu t'en vas. Tu dois aller ailleurs. Quelque part ailleurs.

Épuisée, Tory laissa aller sa tête sur le côté du lit, les yeux fermés. Elle avait l'impression d'étouffer, d'être enterrée vivante. Le sang battait dans ses oreilles tel un millier de cloches, et son corps était recouvert d'une sueur glacée. Elle avait froid... si froid.

Il lui fallait lutter pour retrouver l'air libre. Pour se retrouver elle-même.

— Quand il a eu terminé, il l'a étranglée de ses mains. Elle ne pouvait plus se défendre. Elle pleurait, ou peut-être était-ce lui. Je ne sais pas. Puis il a coupé la corde qui liait ses poignets et l'a mise dans sa poche. Il ne voulait rien laisser de lui sur son passage et, pourtant, malgré lui, il a laissé quelque chose d'impalpable, comme la buée d'un vin glacé sur un verre. Je ne peux pas rester plus longtemps dans cette pièce. Je vous en prie, laissez-moi sortir. Je vous en prie, emmenez-moi loin d'ici.

Cade se pencha pour la prendre dans ses bras. Sa peau était froide et moite.

— Tout va bien, murmura-t-il doucement. Tout va bien, mon bébé.

— Oh ! Cade, je suis malade. Je ne peux plus respirer...

Elle posa la tête sur son épaule et se laissa emmener.

Cade la reconduisit chez elle. Durant tout le trajet, elle ne prononça pas un mot, ne fit pas un mouvement. Elle était assise, pâle et silencieuse comme un fantôme, vitre abaissée, laissant l'air du soir lui caresser le visage et gonfler ses cheveux.

La colère qui couvait en lui s'était déchaînée contre Carl D. au moment où celui-ci avait décidé de les suivre. Mais Tory avait dit de le laisser venir. Elle n'avait plus prononcé une parole depuis. La colère de Cade, sans cible à présent, mais toujours vive, grondait en lui et ne cessait d'augmenter. Il gardait un silence plein d'une violence de plus en plus sombre.

Il s'arrêta devant la maison du marais et elle sortit de voiture avant qu'il ait eu le temps d'en faire le tour pour lui ouvrir la portière.

— Tu n'es pas obligée de lui parler, dit-il d'une voix pincée, les yeux froids.

— Si. Tu n'as pas vu ce que j'ai vu, donc ne t'en mêle pas. (Son regard fatigué se posa sur la voiture de police qui venait d'arriver.) Il le sait parfaitement et il s'en sert. Tu n'as pas besoin de rester.

— Ne sois pas stupide ! lança-t-il en se tournant pour attendre Carl D. tandis qu'elle se dirigeait vers la porte.

Cade apostropha le chef au moment même où il ouvrait sa portière.

— Faites attention où vous mettez les pieds ! Tâchez de faire très attention avec elle, sinon je vous le ferai payer cher par n'importe quel moyen.

— Je pensais bien que vous seriez bouleversé.

— Bouleversé ?

Cade agrippa la chemise de Carl D. Il était capable de le casser en deux. D'un seul coup.

— C'est vous qui l'avez plongée là-dedans. Moi aussi d'ailleurs, soupira-t-il en laissant retomber sa main d'un air dégoûté. Et pour quel résultat ?

— Je ne sais pas. Pas encore. Le fait est que je me sens moi-même assez secoué par tout ça. Mais j'utilise les moyens à ma disposition. Et, pour l'instant, Tory est ma seule piste. Je vais poursuivre dans cette direction, Cade. Désolé.

Il y avait une pointe de regret dans sa voix, dans ses yeux. Cependant le devoir l'emportait.

— Je n'ai pas l'intention de malmener cette fille, reprit-il doucement. Si cela peut vous rassurer, je vous promets de rester attentif. Autant qu'il me sera possible. Je n'oublierai jamais de ma vie la manière dont elle a revécu tout ça.

— Moi non plus, dit Cade en s'éloignant.

Tory était en train de faire du thé. Elle espérait que le chaud breuvage calmerait ses nausées et empêcherait ses mains de trembler. Quand les deux hommes entrèrent, elle ne dit pas un mot et se contenta de poser sur le comptoir une bouteille de bourbon, avant de s'asseoir.

— Une petite goutte me fera du bien, fit Carl D. Je ne suis pas censé boire pendant mon service, mais les circonstances ont été particulièrement éprouvantes.

Cade sortit deux verres et versa deux bonnes mesures.

— Il est entré par la porte de derrière, expliqua Tory. Ça, vous le savez déjà. Vous savez bien plus de choses que je ne peux vous en dire.

Carl D. tira une chaise.

— Je vous remercie. Dites-moi simplement comment vous sentez les choses ; prenez votre temps.

— Elle était seule dans l'appartement. Elle avait bu un peu de vin et se sentait tout à fait en forme, excitée, pleine d'espoir. Elle avait mis de la musique. Quand il est entré, elle se trouvait dans la cuisine en train d'assaisonner une salade pour le dîner et se préparait à nourrir le chien. Il l'a saisie par-derrière, il s'est servi du couteau qu'elle venait de poser.

Tory parlait d'une voix plate, terne, le visage inexpressif. Elle but une gorgée de thé.

— Elle ne l'a pas vu. Il est toujours resté derrière elle, le couteau sur sa gorge. Il avait baissé les stores des fenêtres ouvrant sur la petite cour et je pense qu'il avait verrouillé la porte, mais cela n'a pas d'intérêt. Elle était bien trop effrayée par le couteau pour tenter de s'enfuir.

Elle porta distraitement une main à sa gorge, la frotta comme si elle avait été piquée.

— Je ne sais pas ce qu'il a pu lui dire. Ses sensations à elle étaient bien plus puissantes que ce qu'il avait en lui. Il ne la désirait pas particulièrement. L'atmosphère qu'il a laissée est chargée de fureur et de confusion, mêlées à une sorte d'orgueil insensé. Sherry n'était à ses yeux qu'une espèce de... remplaçante, un exutoire commode pour... pour un besoin qu'il ne comprend pas lui-même. Il l'a traînée dans la chambre et l'a jetée face en avant sur le lit. Il l'a frappée à plusieurs reprises, sur la nuque, sur la figure. Il lui a attaché les mains dans le dos avec une bonne corde, bien solide. Il a tiré les rideaux pour qu'on ne puisse pas les voir et pour donner de l'obscurité. Elle ne devait pas le voir et, plus encore me semble-t-il, il ne voulait pas la voir, elle. Quand il l'a violée, il avait un autre visage devant les yeux. Il s'est servi du couteau pour lacérer ses vêtements. Il a fait attention, mais il l'a quand même coupée dans le dos et vers l'épaule.

Carl D. approuva d'un signe de tête et but une longue gorgée d'alcool.

— C'est exact. Elle a deux estafilades, et la corde a laissé des traces sur ses poignets, mais nous ne l'avons pas retrouvée.

— Il l'a emportée avec lui. Il n'avait jamais fait ça à l'intérieur jusqu'à présent. Il avait toujours opéré dehors, et faire toutes ces choses chez elle, dans son lit, l'a excité. La frapper lui a procuré du plaisir. Il aime frapper les femmes. Mais, plus encore que du plaisir, cela apporte une sorte de soulagement à cette faim refoulée qui l'habite. Ce besoin de se prouver à lui-même qu'il est un homme.

« Il se sent un homme quand il oblige une femme à se soumettre à lui. Pendant le viol, il est plus heureux et intérieurement bien plus puissant que dans n'importe quelle autre circonstance. C'est une manière unique de célébrer sa virilité.

L'évoquer, le laisser ramper en elle donnaient la migraine à Tory. Elle se frotta les tempes de plus en plus fort.

— C'est une affaire sexuelle à ses yeux. Selon lui, la femme est faite pour être prise, pour être dominée. Il en est convaincu. Oh ! il se montre prudent et utilise toujours un préservatif. Comment savoir avec qui elle fricote ? Toutes les femmes sont des putains, celle-là comme les autres. Un homme doit faire attention à lui.

— Vous avez dit qu'il ne voulait rien laisser derrière lui, rappela Carl D.

— Oui, il ne veut pas laisser sa semence en elle. Elle ne le mérite pas. Je... eh bien, le problème, c'est que je ne ressens presque rien de lui.

Ses doigts se portèrent à nouveau sur ses tempes douloureuses.

— Il y a dans son esprit des blancs, comme des espaces vides, morts. C'est difficile à expliquer.

— Vous le faites très bien. Continuez.

— Le sexe, pour lui, n'est pas un acte de procréation, c'est une punition. Pour elle, mais aussi pour lui. Pendant l'acte lui-même, elle cesse d'exister à ses yeux. Elle n'est rien, de sorte qu'il est facile de la tuer. Après, il est fier et en même temps furieux. Car ça ne se passe jamais exactement comme il l'aurait voulu. Il ne se sent jamais tout à fait soulagé. Bien sûr, c'est sa faute à elle. La prochaine fois, ce sera mieux. Il a coupé la corde, éteint la musique et il est sorti.

— Qui est-il ?

— Je ne peux pas voir son visage. Je peux seulement intercepter des pensées, des émotions, surtout les plus désespérées. Mais je ne le vois pas, lui.

— Il la connaissait, suggéra Carl D.

— Il l'avait déjà vue. Je crois même qu'il lui avait parlé. Il connaissait l'existence du chien.

Tory ferma les yeux et se concentra.

— Il a drogué le chien. Je pense qu'il l'a drogué. Une boulette de viande avec un produit dedans. C'était risqué. Tout était très risqué et ça n'a fait qu'ajouter à son excitation. Quelqu'un aurait pu le voir. Les autres fois, il n'y avait personne.

— Quelles autres fois ?

— La première, c'est Hope. (Sa voix se brisa ; elle but une gorgée pour se calmer.) Je connais l'existence de quatre autres. Une amie a enquêté. Elle a repéré dans les dossiers de la police cinq cas au cours des dix-huit dernières années. Toutes tuées à la fin du mois d'août, toutes jeunes et blondes. Chacune avait l'âge qu'aurait eu Hope si elle avait vécu. Sherry devait être plus jeune, il me semble, mais elle n'était pas celle qu'il voulait.

— Un tueur en série ? Pendant dix-huit ans ?

— Vous pourrez vérifier auprès du FBI. (Elle leva les yeux vers Cade pour la première fois depuis leur arrivée.) Mon Dieu... Il continue à tuer Hope. Je suis désolée, tellement désolée.

Elle se leva et sa tasse trembla sur la soucoupe pendant qu'elle la portait sur le comptoir.

— Je crains que ce ne soit mon père, lâcha-t-elle.

Cade gardait les yeux rivés sur elle.

— Pourquoi ? Pourquoi crois-tu une chose pareille ?

— Quand il me frappait, cela l'excitait.

La honte la déchira soudain comme des éclats de verre acérés, laissant en elle une amère brûlure.

— Il ne m'a jamais agressée sexuellement, mais me frapper lui procurait du plaisir. Avec le recul, je me demande s'il ne connaissait pas mon projet de retrouver Hope ce soir-là. Quand il est rentré pour dîner, il était de bonne humeur, fait exceptionnel. Il paraissait attendre que je commette une faute pour avoir l'occasion de me frapper. Lorsque j'ai dit à ma mère qu'elle trouverait la boîte de paraffine pour boucher ses confitures au-dessus de l'armoire – une faute si bête –, il m'a eue. Il ne me frappait pas toujours aussi méchamment que ce soir-là. Après, il pouvait être certain que je n'irais nulle part.

Elle se leva.

— Sherry était dans mon magasin au moment où il est venu me voir hier, poursuivit-elle. Il lui a parlé de son chien et, comme elle voulait travailler pour moi, elle a inscrit son nom, son adresse, son numéro de téléphone avec ses références sur un bloc qui se trouvait sur le comptoir. Il était certain que je ne parlerais de lui à personne – j'étais bien trop effrayée, je n'irais pas le dénoncer à la police. Mais il ne pouvait pas savoir pour elle.

— Vous croyez que Hannibal Bodeen aurait tué Sherry Bellows parce qu'elle l'a vu ?

— Il aurait pu trouver ça comme excuse, comme la justification de son projet de meurtre. Il en est capable, je le sais. C'est tout ce que je peux vous dire. Je suis désolée. Je ne me sens pas bien.

Elle alla s'enfermer dans la salle de bains. Il lui était impossible de retenir plus longtemps sa nausée, aussi se laissa-t-elle aller. Elle fit le vide en elle. Puis elle s'étendit par terre sur les dalles fraîches et attendit que le malaise se dissipe. Le calme faisait écho dans ses oreilles aux battements précipités de son cœur.

Quand elle se sentit capable de tenir debout, elle fit couler une douche brûlante, car elle se sentait glacée jusqu'aux os. Il lui semblait que rien ne pourrait jamais la réchauffer, mais l'eau bien chaude contribua à chasser de sa peau, sinon de son esprit, toute la laideur, toute la souillure accumulées.

Plus forte, désormais, elle s'enveloppa dans une serviette, prit trois aspirines et sortit, prête à se glisser au lit pour se perdre dans le sommeil.

Cade était debout près de la fenêtre, contemplant la nuit baignée de lune. Il avait éteint la lumière ; sa silhouette se découpait dans un halo argenté. Tory percevait au-delà de l'écran grillagé la pulsation de la nuit, les battements d'ailes et les bruits qui formaient la musique du marais.

Son cœur se serra à la pensée de tout ce qu'elle ne pouvait s'empêcher d'aimer. Elle s'approcha du placard pour prendre sa robe de chambre.

— Je te croyais parti.

Il ne se retourna pas.

— Est-ce que tu te sens mieux ?

— Oui, je vais bien.

— J'ai du mal à te croire. Tory... j'ai besoin de savoir si tu te sens *vraiment* mieux.

— Ça va. Vraiment. (Elle noua la ceinture de sa robe de chambre.) Tu n'es pas obligé de rester ici, Cade. Je sais ce dont j'ai besoin.

Il se retourna, mais son visage demeurait plongé dans l'ombre. Elle ne pouvait le voir – refusait de voir quoi que ce soit, d'ailleurs.

— Bon. Dis-moi ce que je peux faire pour toi.

— Rien. Je te suis reconnaissante de m'avoir accompagnée et ramenée à la maison. C'est plus que tu ne devais faire, plus qu'on ne pouvait attendre de quiconque.

— Alors, tu t'échappes de nouveau ? Ou bien en as-tu réellement envie ? Tu veux que je m'en aille, que je te laisse toute seule, que je me tienne à une confortable distance ? Confortable pour qui ? Pour toi ou pour moi ?

— Pour les deux, je pense.

— C'est donc tout ce que tu penses de moi ? De nous ?

— Je suis affreusement fatiguée. (Elle eut honte de sa voix tremblotante.) Tu l'es, toi aussi, j'en suis sûre. Cette histoire a dû être plutôt déplaisante pour toi.

Il s'avança vers elle, et elle vit ce qu'elle savait déjà : de la colère. Des vagues de colère. Elle ferma les yeux.

— Enfin, Tory ! (Sa main caressa ses joues, s'enfouit dans ses cheveux emmêlés et encore humides.) Le monde t'a donc toujours déçue ?

Elle ne répondit pas. Elle ne pouvait pas. Une larme roula sur sa joue puis vint atterrir, brillante comme une perle, sur le pouce de Cade. Elle se laissa docilement conduire jusqu'au lit, où il la prit dans ses bras.

— Repose-toi, murmura-t-il. Je reste ici.

Elle pressa son visage contre son épaule, se remplissant de cette délicieuse sensation de réconfort, de force. Personne, jusque-là, ne lui avait offert une telle solidité. Il ne posa pas de question et elle n'en posa pas non plus. Elle se blottit contre lui, leva sa bouche vers la sienne.

— Tu dois dormir maintenant, chuchota Cade.

— J'ai peur de dormir.

— Je suis là.

— Je pensais que tu voulais t'en aller.

— Je sais.

— Tu étais tellement en colère. Je pensais... Tu veux bien m'apporter un verre d'eau ?

— Bien sûr.

Il se leva et enfila son jean pour aller à la cuisine.

Elle l'entendit ouvrir un placard pour prendre un verre, puis le refermer. Quand il revint, elle était assise au bord du lit en robe de chambre.

— Merci.

— Tory, es-tu toujours comme ça, après ?

— Non. (Elle serra son verre de ses doigts crispés.) Je n'ai jamais fait une chose pareille... Je ne peux pas en parler pour l'instant. Mais j'ai besoin de parler. J'ai besoin de te parler d'un autre moment de ma vie. De ce qui s'est passé quand j'étais à New York.

— Je sais ce qui s'est passé. Ce n'était pas ta faute.

— Tu connais juste des bribes. Ce que tu as pu entendre aux informations. Je dois t'expliquer.

La voyant se raidir de nouveau, il passa la main dans ses cheveux.

— Tu te coiffais autrement à l'époque. Tu portais les cheveux plus courts.

Elle réussit à émettre un petit rire.

— Une piètre tentative pour faire de moi quelqu'un de nouveau.

— Je te préfère comme tu es maintenant.

— J'ai changé bien plus que ma coiffure quand je suis allée là-bas. Quand je me suis enfuie là-bas. J'avais à peine dix-huit ans. J'étais terrifiée, mais exaltée aussi. Ils ne pouvaient pas m'obliger à revenir. Même s'il me courait après, je n'y étais pas obligée. J'étais libre. J'avais réussi à économiser un peu d'argent – j'ai toujours été douée pour ça –, et mamie m'a donné deux mille dollars. Je crois que cela m'a sauvé la vie. J'ai pu avoir un petit appartement, enfin, une chambre. Sur West Side. Cet espace exigu, je l'ai aimé. Il était à moi.

Elle s'en souvenait. Il lui était possible de ressusciter en elle la joie pure de se retrouver dans cette chambre vide, à peine plus grande qu'une boîte, les félicitations qu'elle s'était accordées tout en contemplant par la fenêtre le sévère mur de briques qui lui faisait face. De la rue en dessous lui parvenait le tumulte de la circulation. Une journée de travail commençait à New York.

Ce bonheur absolu d'être libre, elle le ressentait encore.

— J'ai trouvé du travail dans une boutique de souvenirs. J'ai vendu des quantités de presse-papiers en forme d'Empire State Building et des tee-shirts. Quelques mois plus tard, on m'a proposé un meilleur emploi, cette fois dans un élégant magasin de cadeaux. J'avais davantage de trajet à faire, mais j'étais un peu mieux payée et je trouvais agréable d'évoluer parmi toutes ces jolies choses. Je me débrouillais très bien.

— Je n'en doute pas.

— La première année, j'ai été heureuse. On m'a nommée assistante de direction. Je me suis fait quelques amis. Je suis sortie avec plusieurs hommes. Tout était si normal... Je ressentais cela comme une véritable bénédiction. Pendant longtemps, j'ai oublié le passé, sauf lorsque quelqu'un me questionnait sur mon accent. Mais ça ne faisait rien. J'avais quitté Progress. Je me trouvais exactement à l'endroit où je voulais, où j'avais toujours voulu être.

Elle leva les yeux vers lui.

— Je ne pensais pas à Hope. J'évitais de penser à elle.

— Tu avais droit à ta propre vie, Tory.

— C'est ce que j'estimais moi aussi. Ce que je désirais le plus au monde. Vivre pour moi-même. C'est pendant cette période que je suis retournée voir mes parents, en partie par obligation morale. Et les choses ne me paraissaient plus si terribles, à présent que j'étais loin. Puisque je menais désormais une vie si... normale, je pouvais peut-être avoir avec eux une relation normale.

Elle marqua une pause, les yeux clos, avant de poursuivre :

— Mais je voulais surtout leur montrer ce que j'avais fait de ma vie, malgré eux, malgré leur violence, leur indifférence. Qu'ils me voient bien habillée, avec un bon travail, une vie équilibrée. Mais voilà... (elle tenta un petit rire) j'ai échoué sur toute la ligne.

— Non, ce sont eux qui ont échoué.

Elle soupira.

— Peu importe, au fond. Cette visite a dû me déstabiliser, même après mon retour à New York. Quelque temps plus tard, pas très longtemps, je suis allée faire des courses après mon travail et j'ai acheté diverses choses. Je ne sais plus quoi. Puis je suis rentrée chez moi ; là, j'ai commencé à vider mon grand sac et à ranger mes achats.

Elle baissa les yeux vers son verre, de l'eau claire dans un verre transparent.

— J'étais là dans ma minuscule cuisine, la porte du réfrigérateur ouverte, un carton de lait à la main. Sur une des faces de l'emballage, il y avait l'image d'une petite fille, Karen Anne Wilcox, quatre ans. Disparue. Mais ce n'était pas l'image que je voyais. C'était elle. La petite Karen. Elle n'avait plus les cheveux blonds comme sur la photo. Ils étaient bruns et coupés court comme ceux d'un garçon. Elle était toute seule dans une pièce et jouait à la poupée. Nous étions en février, mais je pouvais voir le ciel par sa fenêtre. Un beau ciel bleu, limpide. J'entendais le bruit de l'eau. La mer. Tiens, me dis-je, on dirait que Karen Anne est en Floride, à la plage. Quand je repris mes esprits, le carton était par terre et du lait s'en échappait.

Elle but de nouveau une gorgée et reposa le verre.

— J'étais très en colère. En quoi cela me regardait-il ? Je ne connaissais pas cette petite fille, ni ses parents. Je ne *voulais pas* les connaître. Comment pouvaient-ils se permettre d'interférer comme ça dans ma vie ? Pourquoi aurais-je dû m'en mêler ? Pourtant, après ça, j'ai pensé à Hope.

Elle se leva et se dirigea vers la fenêtre.

— Je n'arrêtais pas de penser à elle et à la petite fille. Je suis allée voir la police. Ils m'ont prise pour une folle. Ils m'écoutaient en roulant des yeux moqueurs et en me parlant très doucement comme si j'étais une malade mentale. J'étais embarrassée, fâchée, mais je ne pouvais m'ôter cette petite fille de la tête. Ils étaient deux à m'interroger et j'ai perdu patience. Alors j'ai dit à l'un d'eux que, s'il n'était pas si obtus, il ferait mieux de m'écouter au lieu de s'inquiéter pour sa facture de garage.

« Cette fois, ils m'ont prêté attention. Car justement le plus vieux, l'inspecteur Michaels, venait de donner sa voiture à réparer. Ils ne me croyaient toujours pas, mais maintenant je les inquiétais. Ils se sont mis à me cuisiner. Ils me bombardaient de questions, j'avais les nerfs à vif. Le plus jeune est sorti m'acheter un Coca. Je croyais que c'était pour jouer au bon flic, mais il est revenu avec aussi un sac en plastique. À l'intérieur, il y avait des moufles. De jolies moufles rouges. Ils les avaient trouvées par terre chez *Macy's*. C'était là qu'on avait enlevé la petite à sa mère pendant que celle-ci faisait ses achats de Noël. Elle avait disparu depuis décembre. Il les a jetées sur la table. Comme un défi.

Elle se souvenait de ses yeux. Les yeux de Jack. La dureté et l'éclat des beaux yeux de Jack.

— Je ne voulais pas les prendre. J'étais en colère et, en même temps, gênée. Finalement j'ai touché le sac et, alors, je l'ai vue nettement, elle, dans son petit manteau rouge. Il y avait foule à ses côtés. Des gens achetant des cadeaux. Du bruit. Sa maman était tout près à un comptoir, en train de regarder un pull-over. Mais elle ne faisait pas attention et la petite s'est écartée. De quelques pas seulement. Une femme est arrivée et l'a prise dans ses bras. Elle la serrait très fort contre elle en fendant la foule pour se diriger vers la porte. Personne n'a rien remarqué. Tout le monde s'affairait. Elle a dit à Karen de rester bien tranquille car elle l'emmenait voir le père Noël. Elle marchait très vite et a descendu l'avenue jusqu'à une voiture qui attendait. Une Chevrolet blanche immatriculée à New York avec un pare-choc enfoncé à droite.

Elle poussa un soupir et secoua la tête.

— J'avais même le numéro des plaques. Seigneur, tout était si net ! Je sentais la morsure du vent qui soufflait dans la rue. Je leur ai dit tout ça. Je leur ai dit à quoi ressemblait la femme quand elle avait retiré sa perruque noire. Des cheveux brun clair, des yeux bleu pâle, elle était mince. Elle avait revêtu un gros manteau qui l'engonçait, rembourré en dessous.

Tory jeta un coup d'œil en direction de Cade, qui, assis sur le lit, la regardait et l'écoutait.

— Ils avaient projeté ça depuis des semaines. Elle voulait une petite fille. Une jolie petite fille. Elle a porté son choix sur Karen en la voyant sortir avec sa maman. Elle s'est contentée de la prendre, c'est tout. Elle et son mari sont partis aussitôt pour la Floride. Ils lui ont coupé les cheveux, les ont teints et l'ont gardée enfermée. Ils disaient que c'était un petit garçon du nom de Robbie.

Elle battit des yeux et se retourna.

— Ils l'ont retrouvée. Cela a pris un peu de temps car je ne voyais pas exactement où ils étaient. Ils ont travaillé en liaison avec la police de Floride et, au bout de quelques semaines, ils l'ont retrouvée dans un terrain de camping, à Fort Lauderdale. Ils ne lui avaient pas fait de mal, lui avaient acheté des jouets et la nourrissaient bien. Ils pensaient qu'elle oublierait. Les gens pensent toujours que les enfants oublient, mais ce n'est pas le cas.

Elle poussa un soupir. Au-dehors, le cri d'un hibou jeta ses longues notes basses qui se répercutèrent dans le marais.

— Karen a été la première. Ses parents sont venus me voir par la suite pour me remercier. Ils pleuraient tous les deux. Je me suis dit alors que j'avais peut-être là un don. J'étais peut-être destinée à aider des gens dans leur cas. Et j'ai commencé à me familiariser avec cette idée, à m'en féliciter. Je lisais tout ce que je trouvais et je m'entraînais. C'est ainsi que j'ai commencé à fréquenter Jack – le détective Jack Krentz –, le plus jeune des deux flics qui m'avaient interrogée pour le kidnapping. Je suis tombée amoureuse de lui.

Elle retourna chercher de l'eau, rinça le verre.

— Il y en eut d'autres après Karen. Je pensais avoir trouvé ma raison d'être. Je pensais avoir tout. J'étais follement amoureuse d'un homme qui, je le croyais, m'aimait lui aussi et me considérait comme une espèce de partenaire. Il rapportait sans cesse des objets à la maison et me demandait de les prendre dans ma main, de les sentir. J'étais contente de pouvoir l'aider dans son travail. Nous faisions cela sans en parler. Je n'éprouvais nul besoin de crédit ou de notoriété. Puis, ce que je faisais pour retrouver des enfants disparus a fini par se savoir, et nous nous sommes investis à fond dans ce secteur. Avec tout ce que cela comporte : les lettres, les coups de fil, le harcèlement jour et nuit. Mais je désirais tant aider les autres.

Après avoir reposé son verre vide, elle se dirigea vers la fenêtre.

— Au début, je n'ai pas remarqué la façon dont Jack se comportait de plus en plus froidement avec moi. Je pensais que c'était sa manière d'être. Il était le premier homme que je fréquentais et nous étions ensemble depuis plus d'un an quand il a commencé à s'éloigner de moi.

« Il voyait une autre femme. Elle occupait son esprit, il rapportait avec lui son odeur. Je me sentais trahie, j'étais furieuse et je le lui ai dit. Cependant, il était bien meilleur que moi à ce petit jeu : il se prétendit encore plus trahi, bien plus furieux. J'avais lu dans ses pensées. Je l'avais espionné. À ses yeux, j'étais pire qu'un monstre. Comment avoir une relation avec une femme qui ne respectait pas vos pensées les plus intimes, qui s'introduisait dans votre esprit ?

— Il s'arrangeait pour rejeter la faute sur toi, objecta Cade. C'était lui le tricheur, mais il voulait que tu endosses tous les torts. Et tu as gobé ça ?

— J'avais à peine vingt-deux ans. Il était mon premier et mon unique amant. Et je l'aimais. De plus, c'était vrai : bien malgré moi, j'avais percé ses pensées. J'ai donc accepté le reproche. Toutefois ce n'était pas assez pour lui. Il a lancé d'autres attaques contre moi, m'a accusée de prendre à mon compte le crédit de son dur travail. Les sentiments qu'il avait pu éprouver pour moi au début, quels qu'ils soient, n'étaient plus les mêmes, et nous en souffrions tous les deux. À cette période, alors qu'une fracture s'opérait entre nous, il y eut le cas du petit Jonah. Jonah Mansfield.

Elle porta une main à sa poitrine et ferma les yeux, le visage douloureux.

— Oh ! cela me brise toujours le cœur ! Il avait huit ans et avait été kidnappé par son ancienne gouvernante. La police le savait, car une rançon de deux millions de dollars avait été réclamée. Jack faisait partie de l'équipe chargée de cette affaire. Ce n'est pas lui qui me l'a soumise, ce furent les parents eux-mêmes, les Mansfield. Ils m'ont demandé de les aider et j'ai fait ce que j'ai pu. Le garçon se trouvait dans une sorte de sous-sol. Je ne savais pas si c'était celui d'une maison ou d'un immeuble, mais c'était de l'autre côté du fleuve. Jack était furieux que je sois intervenue – dans son dos, disait-il. Il n'a pas voulu m'écouter. Ils n'avaient pas fait de mal au garçon et étaient disposés à le restituer après avoir touché la rançon dans les conditions exactes qu'ils exigeaient. Étais-je disposée à risquer la vie d'un enfant ou bien est-ce que je cherchais à prouver mes talents ? Voilà ce que Jack m'a demandé, et il a tellement érodé ma confiance que je n'étais plus sûre de rien.

Elle laissa échapper un soupir incertain.

— Aujourd'hui encore, je ne peux pas répondre à cette question avec certitude. Mais je voyais l'enfant. Je voyais la femme. Elle était prête à le rendre. Pour elle, c'était juste une affaire d'argent, et aussi de vengeance contre les Mansfield, qui l'avaient mise à la porte. Je leur ai dit qu'il était bien traité. Le gamin avait peur, mais il allait bien. Je leur ai conseillé de payer la rançon, d'agir selon la demande des ravisseurs. Ils pourraient ainsi récupérer leur fils sain et sauf. Exactement ce que la police voulait aussi, ni plus ni moins. Mais ce que je n'ai pas vu, parce que j'étais anéantie à cause de Jack, c'était que les complices de la femme n'avaient pas les mêmes intentions.

Sa voix se brisa.

— J'ai affirmé à Jack qu'ils étaient trois, mais l'enquête assurait qu'il n'y en avait que deux. La femme et un complice. Jack m'a accusée de semer le trouble, de me mettre en travers du chemin. Alors, quand la somme a été versée, les kidnappeurs ont fait ce qu'ils avaient projeté de faire, ce que je n'avais pas vu. Ils ont tué Jonah et la gouvernante.

Elle respira profondément.

— Je n'ai rien su jusqu'à ce que j'entende la nouvelle aux informations, jusqu'à ce que les journalistes commencent à me harceler de coups de fil. Je les ai repoussés et me suis lovée dans mon chagrin, car Jack m'avait quittée. Je ne savais pas comment ils comptaient s'enfuir. Ils avaient une fourgonnette et voulaient sans doute rouler droit devant eux. Ils n'avaient rien projeté, aucun plan. C'était la femme qui s'occupait de tout, elle avait tout organisé. À la fin, ils n'ont pas voulu partager l'argent avec elle. Selon eux, il leur suffisait de quitter la ville, mais la police avait noté les numéros des billets de banque et les attendait au tournant.

« Deux officiers de police ont été tués et l'un des kidnappeurs a été mortellement blessé. Je n'avais rien prévu de tout cela. Ce que j'avais persuadé les parents de faire avait abouti à la mort de leur enfant.

— Non. C'est le kidnapping qui a conduit à la mort de leur enfant. Les circonstances, l'avidité, la peur.

— Cade... Je n'ai pas pu le sauver. J'ai appris à vivre avec cette pensée. Comme j'ai appris à vivre sans Hope. Mais cela m'a brisée. J'ai passé des semaines à l'hôpital, suivi des années de thérapie, pourtant je n'ai jamais réussi à me défaire de ce chagrin. Pas complètement. Je ne suis pas à l'abri des reproches, Cade. J'étais déroutée, angoissée à cause de Jack et je n'arrivais pas à me concentrer. Je n'ai pas fait assez attention. Ma vie s'effondrait alors que j'aurais tant voulu garder Jack. Il était une partie de moi-même. Même lorsqu'il m'a dénoncée, salie devant la presse, je ne lui en ai pas voulu. Pendant longtemps, très longtemps, je ne lui en ai pas voulu. Et, tout au fond de moi, je refuse encore de lui en vouloir.

— Il s'intéressait davantage à lui qu'à toi. Plus à lui également qu'à l'enfant.

— Je n'en sais rien. C'était une époque difficile. Il était malheureux à cause de notre relation, il se méfiait de moi.

— Et il t'a laissée danser au bout d'une corde qu'il avait lui-même tressée. Est-ce ça que tu attends de moi, Tory ?

331

— C'était ce que j'attendais de lui, répondit-elle calmement. Au point où nous en sommes, je ne sais pas ce que j'attends de toi. Je veux juste que tu saches ceci : je comprends ce que tu peux éprouver.

— Non, je ne crois pas que tu comprennes quoi que ce soit. Il ne t'aimait pas comme je t'aime.

Elle eut un hoquet – un sanglot ? –, mais ne fit pas un mouvement.

— Et maintenant ? lança-t-il en se levant. Que comptes-tu faire à ce sujet ?

— Je...

Les mots se bloquèrent dans sa gorge. Ce n'était pas la peur, songea-t-elle en levant les yeux vers lui. Ce n'était pas la peur qui la submergeait maintenant, c'était l'espoir. Portée sur ses ailes, elle se jeta dans ses bras.

23

Un crime, si horrible soit-il, demeure quelque chose d'intéressant. À une nuit de distance, il apparaissait à présent plus comme un film que comme une tranche de réalité. Faith n'allait pas rester coincée à *Beaux Rêves* alors qu'elle pouvait fureter en ville, au centre du réseau d'informations.

Devinant ses intentions, Lilah l'avait chargée de diverses courses. Puisqu'elle allait bavarder, lui avait-elle dit en lui tendant sa liste, autant qu'elle se montre utile en même temps. Et qu'elle n'oublie pas de lui rapporter les dernières nouvelles.

De fait, les potins allaient bon train.

Au drugstore, on racontait qu'un ancien ami de Sherry était venu pour tenter de se rabibocher avec elle et était devenu fou quand elle avait refusé. Après tout, elle était en ville depuis quelques semaines seulement. Une aussi jolie fille pouvait bien avoir laissé un ou deux petits amis en plan derrière elle en partant.

À la poste, on était certain que l'assassin était l'amant de Sherry ; le sexe lui avait fait perdre la tête. Personne n'avançait le nom de cet amoureux secret, mais, au guichet des timbres et des recommandés, son existence ne faisait aucun doute. Une femme avec un tel physique a forcément un amant. Et sans doute marié, sinon pourquoi l'aurait-elle caché ?

Cette hypothèse en amena beaucoup à penser que Sherry avait pu menacer l'homme dont elle s'était éprise d'aller tout raconter à sa femme. Ils se seraient alors querellés et la situation aurait mal tourné. Le tout-venant s'empara de cette théorie et la fit courir en ville, mettant sur la liste des suspects tous les hommes mariés âgés de vingt à soixante ans – notamment les professeurs, ou encore l'administrateur du lycée.

Mais Faith se rappela les paroles de Tory quand elles étaient assises dans l'herbe devant l'appartement. Et elle songea à Hope. Pourquoi ne pas faire un saut jusqu'à *Southern Comfort* afin de voir ce que Tory avait de nouveau sur le sujet ?

Elle s'arrêta d'abord au supermarché et contempla les bananes en réfléchissant. À quelques pas de là, Maxine chargeait un sac de pommes en reniflant. Faith s'approcha d'elle et saisit au hasard quelques bananes.

— Tiens, Maxine, te voilà. Tu vas bien, mon chou ?

Maxine fit signe que non et cligna des yeux pour en chasser les larmes toutes fraîches qui les noyaient.

— Je suis incapable de faire quoi que ce soit. Wade m'a donné congé pour la journée parce que je suis triste, mais je ne veux pas non plus rester à la maison.

— Maxine, ma chérie !

Faith maudit son radar interne quand Boots Mooney poussa son Caddie dans leur direction. Elle n'était pas d'humeur à approcher de nouveau la mère de Wade.

Les trois chariots se heurtèrent de plein fouet. Boots émit des petits bruits consolateurs en tendant un mouchoir à Maxine, qui s'en tamponna les yeux.

— Je ne peux pas me sortir ça de la tête. J'ai dit à Maman que j'allais faire les courses, mais maintenant je ne peux même plus penser.

— Nous sommes tous bouleversés, je crois, soupira Boots en hochant la tête. Pauvre Sherry Bellows !

— Je ne sais même pas comment une telle histoire peut se produire. Je ne comprends pas. Ce ne sont pas des choses qui arrivent *ici* !

— Je sais. Ne sois pas effrayée. (Faith exprima sa sympathie par une petite tape sur l'épaule de Maxine.) La plupart des gens pensent que c'est un de ses amoureux qui est devenu fou.

— Mais elle n'avait pas d'amoureux ! (Maxine fouilla dans sa poche et en tira un bout de tissu en lambeaux.) Elle ne fréquentait personne, elle avait juste un petit faible pour Wade.

— Wade ?

La main de Faith s'immobilisa, et l'expression de compassion disparut de son visage. Son regard croisa celui de Boots par-dessus la tête inclinée de Maxine.

— Elle aimait bien venir flirter un peu avec lui. Me soutirer des informations sur lui. Rien de choquant, précisa Maxine en continuant à renifler. Un intérêt amical. Par exemple, est-il marié ? Fréquente-t-il quelqu'un ? Des choses de ce genre.

— Je vois, dit Faith en laissant retomber sa main.

— Il est tellement séduisant... Moi-même, j'ai eu un faible pour lui il y a quelque temps, alors je ne peux pas le lui reprocher.

Maxine rougit soudain en se souvenant de la présence de Boots et lui jeta un petit coup d'œil par-dessus son mouchoir.

— Oh ! pardon, madame Mooney. Wade n'a jamais...

Boots rassura Maxine d'une petite tape.

— Bien sûr. Quel mal y a-t-il à ce qu'une jeune femme ait le béguin pour mon Wade ? (Elle posa sur Faith un regard plus soutenu.) C'est un homme merveilleux, n'est-ce pas ?

— Oui, sûr. On ne peut donc pas reprocher ça à Sherry.

« Vraiment ? songea Faith avec irritation. Pourquoi pas, hein ? »

— Sherry et moi sommes devenues amies, poursuivit Maxine, réconfortée par la sympathie visible des deux autres. Elle m'aidait parfois à étudier mes cours, et nous avions prévu de sortir ensemble pour fêter la fin du semestre. Aller à Charleston dans des boîtes, un truc comme ça. Sherry disait qu'elle n'avait pas d'homme dans sa vie. Ça ne lui manquait pas tellement parce qu'elle venait de passer ses examens et de mettre en route sa carrière, mais elle allait commencer à y songer.

Maxine se tamponna les yeux.

— Elle voulait se marier un jour, avoir une famille. Nous en parlions toutes les deux...

— Je suis désolée, murmura Boots. Je ne savais pas que vous étiez amies.

— Elle était si *gentille*. Très intelligente aussi. Nous avions beaucoup de points communs. Comme moi, elle avait travaillé pour se payer des études. Nous parlions de mode, de garçons, de tout. Toutes les deux, nous adorions les chiens. Je me demande ce qui va arriver à son pauvre Mongo. Je voudrais bien le prendre chez moi, mais c'est malheureusement impossible.

Elle se mit de nouveau à pleurer, à la fois pour le chien et pour son amie disparue.

— Ne te tourmente pas pour ça, intervint Faith, prenant conscience que d'autres clientes du magasin s'approchaient pour tenter de saisir quelques mots de leur conversation. Wade lui trouvera de bons maîtres. Et le chef Russ résoudra l'affaire.

— J'en suis malade. Hier encore, elle riait, tout excitée. Nous sommes allées dans le parc ensemble manger un sandwich. Elle allait travailler pour Tory Bodeen dans la nouvelle boutique. Enfin, elle l'espérait. Elle faisait des tas de projets. Quand je pense qu'elle était si vivante, et la minute après... Mon Dieu, je suis tellement triste et bouleversée.

Faith connaissait la douleur de se retrouver seule après la mort d'un être cher.

— C'est bien compréhensible. Maintenant, tu vas rentrer chez toi, mon chou. Veux-tu que je t'accompagne ?

— Non, merci. Ce n'est pas la peine. Je vais aller faire un tour. Je m'attends toujours à la voir descendre la rue avec Mongo. Je ne peux pas m'en empêcher.

Maxine sécha ses larmes et se dirigea vers la sortie.

— Oui, je sais, fit Faith d'une voix calme en se détournant.

Comment lui expliquer combien pire encore était de voir le visage d'une morte apparaître dans la glace à la place du sien ?

— Tenez, dit Boots en lui tendant un second mouchoir.

— Vous prévoyez tout.

Ennuyée de s'être laissé surprendre, Faith prit le temps d'essuyer ses yeux sans endommager son mascara.

— Je suis moi-même malade de ce qui est arrivé à cette fille. (Pour permettre à Faith de se reprendre, Boots choisit quelques pommes.) Pourtant, je la connaissais à peine. Je suis sortie aujourd'hui pour me changer les idées. Je n'arrivais pas à penser à autre chose chez moi. Pauvre petite Maxine. Cela doit être encore plus difficile pour elle ! C'est gentil à vous d'avoir proposé de la raccompagner.

— Cela m'aurait permis d'échapper à la corvée des achats.

Boots posa une main sur le bras de Faith, qui finit par la regarder.

— C'était gentil à vous, répéta Boots. Et cela me fait plaisir de voir tant de gentillesse chez la femme que mon fils aime. Également d'apercevoir cette petite pointe de jalousie. Tout compte fait, j'en suis heureuse, et j'ai décidé de faire un écart à mon régime, qui s'applique aussi à J.R. Je vais préparer pour ce soir une génoise aux pommes. Transmettez mon bon souvenir à votre mère et à Lilah.

Boots s'éloigna avec ses pommes, laissant derrière elle une Faith renfrognée.

— Vous avez la langue bien pendue, madame Mooney, malgré vos tours et détours, marmonna Faith. Vraiment bien pendue !

Irritée, elle poussa son Caddie dans les allées, cueillant au passage les produits réclamés par Lilah, en se disant qu'elle aurait mieux fait de ne pas venir au supermarché.

Jalouse, elle ? Bon sang. Wade avait-il été tenté par ce flirt ? Elle contempla d'un air menaçant les paquets de beurre au rayon crémerie.

Bien sûr que oui. C'était un homme. Très probablement, il avait même envisagé d'aller plus loin. Le salaud ! Combien de fois s'était-il imaginé Sherry toute nue ? En fantasmant sur tout ce qu'il aimerait lui faire et...

Seigneur ! Qu'est-ce qui lui prenait ? Se rendre folle de rage en imaginant Wade avec une morte ? Comme elle pouvait se montrer superficielle, parfois ! Si mesquine et détestable !

— Faith !

— Quoi ?

Elle sursauta et se retourna d'un seul coup, une boîte de céréales à la main, le regard féroce.

Dwight leva une main apaisante.

— Oh ! Pardon !

— Ce n'est rien. Désolée. Je pensais à autre chose.

Elle réussi à lui sourire, avec effort, et se pencha vers le petit enfant assis sur le siège du Caddie.

— Comme tu es mignon ! Tu fais les courses avec papa aujourd'hui ?

Luke tendit une boîte de gâteaux ouverte. Son visage barbouillé de chocolat indiquait qu'il y avait déjà goûté.

— Ils sont très bons, annonça-t-il.

— En effet, je vois.

— Sa mère va me scalper si je ne le débarbouille pas avant notre retour.

Faith accomplit un recul stratégique pour échapper aux petits doigts tachés de chocolat.

— Lissy vous a envoyés faire les courses ?

— Elle ne se sent pas bien. Elle est dans tous ses états à cause des événements d'hier. Maintenant elle a peur de mettre un pied dehors et, la nuit dernière, elle m'a envoyé faire des rondes à six reprises.

C'était bien dans le genre de Lissy Frazier de tout rapporter à elle, songea Faith, en exprimant néanmoins sa sympathie d'un signe de tête.

— J'ai l'impression que cela nous a tous bouleversés.

— Lissy est un vrai paquet de nerfs en ce moment. Je me fais du souci pour elle car il reste encore un mois avant l'arrivée du bébé. Sa mère est auprès d'elle et va rester un peu. Alors je me suis dit que le gosse et moi (Dwight fit une pause pour ébouriffer les cheveux de Luke), nous ferions bien d'aller faire un tour. Pour la laisser un peu tranquille, au calme.

— Quel bon père tu fais ! As-tu appris quelque chose de nouveau ?

— Carl D. enquête et ne laisse pas filtrer grand-chose. C'est encore trop tôt pour cela. Ils devraient avoir bientôt les résultats de l'autopsie.

Carl D. est un brave homme, on ne peut pas dire le contraire, mais avec ce genre d'affaire...

Il laissa traîner les mots en hochant la tête.

— ... c'est quelque chose d'inhabituel pour lui. Pour nous tous, d'ailleurs.

— Ce n'est pourtant pas la première fois que ça arrive.

Il parut un instant déconcerté, puis ses yeux s'assombrirent.

— Oh ! je suis désolé, Faith. Je n'avais pas réfléchi. Tout cela doit réveiller en toi de bien mauvais souvenirs.

— Les souvenirs sont toujours présents. Enfin, j'espère que, cette fois, ils l'attraperont et le pendront par les pieds. Oui, continua-t-elle en s'échauffant, j'espère qu'ils lui couperont les...

— Eh !

Lèvres tirées sur un sourire de façade, Dwight lui prit le bras en désignant son fils des yeux.

— De jeunes oreilles t'écoutent.

— Désolée, dit-elle, tandis que Luke mettait une nouvelle couche d'Oreo sur ses cheveux hérissés comme du pissenlit. Dis donc, mon vieux, Lissy va t'arracher les yeux si tu lui ramènes son garçon à la maison dans cet état.

— Je dois d'abord demander au magasin de faire livrer tous ces achats chez nous.

— Tu devrais faire un tour du côté de la bijouterie.

Dwight se gratta la tête.

— En fait, je pensais justement à offrir un cadeau à Lissy pour la distraire de ses préoccupations. J'ai prévu de m'arrêter au drugstore afin de lui acheter un parfum.

— Ils n'ont rien de bien particulier là-bas. Seulement des eaux de toilette pour vieilles dames. Passe donc chez Tory, tu y trouveras ce que tu cherches. Quelque chose qui fera vraiment plaisir à ta femme.

Dwight jeta un coup d'œil à Luke occupé à recouvrir joyeusement de chocolat la poignée en plastique rouge du Caddie.

— Tu t'imagines que je vais emmener ce garnement dans une boutique pleine d'objets fragiles ?

— Un point pour toi.

Elle avait déjà échafaudé dans sa tête un plan tout à fait plaisant.

— J'ai une idée, Dwight. Tu me donnes l'argent et je te rapporte quelque chose qui fera de toi un héros aux yeux de ta chère épouse. Quand tu auras terminé tes achats et ôté quelques-unes des couches de chocolat dont Luke s'est enduit, tu n'auras qu'à repasser par ici, je te remettrai le cadeau.

— Vraiment ? Tu veux bien ?

— Je devais y aller de toute façon. Et sinon, à quoi servent les amis ? (Elle tendit la main, paume vers le haut.)

— Bon, opina-t-il. J'arrive juste de la banque. J'ai du liquide.

Enchanté, il sortit son portefeuille et se mit à compter les billets. Quand il s'arrêta, elle le regarda en faisant la moue.

— Crache encore, Dwight. Tu ne peux pas être un héros pour moins de deux cents dollars.

— Deux cents ? Bon sang, Faith, tu me pompes jusqu'au dernier cent.

Elle fourra les billets dans son porte-monnaie tandis qu'il faisait la grimace.

— On dirait que tu vas être obligé de retourner à la banque. Cela me donnera un peu plus de temps pour trouver exactement le bon objet.

— Et tes achats ici, qu'en fais-tu ? lui rappela-t-il.

— Oh, ça ? (Elle esquissa un geste négligent en direction de son Caddie.) Je reviendrai plus tard.

Dwight poussa un long soupir et remis dans sa poche son portefeuille pratiquement vide.

— J'ai l'impression qu'elle nous a refaits, dit-il à son fils.

Tout se passait au mieux, songea Faith. Elle pouvait en même temps savoir ce que Tory mijotait et faire une bonne action. Et tout ça à deux pas du cabinet de Wade. Ce qui lui permettait de disposer d'assez de temps pour décider de sa punition. N'avait-il pas laissé son imagination s'emballer à propos de Sherry Bellows ? Faith était même certaine qu'il avait fantasmé sur ses prouesses sexuelles avec la belle blonde.

Cette fois, elle fit descendre de voiture Princesse, qui poussa des petits jappements de joie en se lovant contre ses jambes.

— Tu vas être bien sage, hein, sinon cette vieille Tory va encore râler. Tu resteras assise comme un petit trésor et je te donnerai un os en caoutchouc. Voilà, c'est ça... Tu es le bébé chéri de sa maman.

— Tu ne vas pas encore amener ce chien ici ?

Tory avait immédiatement surgi de derrière le comptoir pour bloquer le passage quand Faith était entrée.

— Ne fais pas tant d'histoires... Elle restera sagement assise ici, un vrai chien en peluche, n'est-ce pas Princesse chérie ?

Elle leva une des pattes du chien et l'agita en guise de salut. L'animal et sa maîtresse jetèrent de concert à Tory un regard candide.

— Bon sang, Faith !

— C'est un amour. Tu vas voir.

Par mesure de sécurité, elle sortit d'abord l'os en caoutchouc, posa le chien par terre et le fit asseoir.

— De toute façon, ce n'est pas une manière d'accueillir quelqu'un qui est chargé d'une commission et qui paie comptant, ajouta Faith en sortant de sa poche la liasse de billets de Dwight.

— Si ce chien fait pipi par terre...

— Elle a bien trop d'amour-propre pour ça. Je suis venue rendre un petit service au maire. Lissy ne se sent pas bien et il veut lui faire un joli cadeau pour la remonter.

Tory poussa un soupir, mais, se remémorant les billets que Faith avait exhibés, tenta d'en calculer le nombre.

— Pour la maison ou pour elle-même ?

— Pour elle.

— Allons regarder.

— Dwight a de la chance d'être tombé sur moi. La plupart du temps, les hommes n'ont pas la moindre idée de ce qu'il faut offrir. Quant au goût de Lissy, il est surtout dans ce qu'elle en dit.

Tout en examinant une vitrine, Faith haussa un sourcil.

— Qu'est-ce que j'entends, un ricanement ? s'enquit-elle.

— J'ai bien trop de dignité pour ça.

— Selon moi, tu as trop de dignité pour ton propre bien. Montre-moi d'un peu plus près ce collier, là, avec des topazes roses et des pierres de lune.

— Tu t'y connais, on dirait.

— Qu'est-ce que tu crois ? Une femme doit être capable de reconnaître si un homme lui offre un péridot ou une émeraude. Il est joli. (Elle prit le bijou dans sa main, l'éleva pour en admirer les reflets.) À mon avis, il y a trop de métal au goût de Lissy. C'est plutôt mon style.

— C'est comme ça que tu fais les commissions ?

— Je peux faire plus d'une chose à la fois. Mets-le de côté pendant que je réfléchis, d'accord ?

Retournant examiner la vitrine, elle ajouta négligemment :

— Tu vas bien ?

— Oui.

— Oh ! ne te fatigue pas à faire la conversation, tu pourrais t'abîmer la voix.

Tory ouvrit la bouche, la referma et poussa un soupir.

— Je vais bien, encore un peu secouée, mais ça peut aller. Et toi ?

Faith leva les yeux avec un petit sourire.

— Tu vois ! Ta langue n'est pas devenue toute noire. Elle n'est pas tombée non plus. Je vais assez bien. J'ai écouté tout ce que l'on raconte en venant. Et ne prends pas cet air indifférent. Tu es aussi intéressée que moi par les racontars.

— Moi aussi je les ai entendus, figure-toi. J'ai vu beaucoup de monde aujourd'hui. Les gens adorent entrer pour jeter un coup d'œil sur moi et avoir ensuite quelque chose à raconter. Pour toi, il en va autrement, Faith. Tu es des leurs. Moi pas. Je ne pense pas l'avoir jamais été.

— Je ne vois pas pourquoi, mais si c'est ce que tu crois, tu n'as qu'à rester ici bien tranquillement. Ils finiront par s'habituer. Ils s'habitueraient même à un nain boiteux et borgne s'il restait assez longtemps en ville.

— C'est réconfortant.

— Voyons ce bracelet. Cade s'est habitué à toi plutôt vite, on dirait.

— Des topazes roses et bleues sur argent. Avec un fermoir comme une pince de homard.

— Très joli. Tout à fait le genre de Lissy. Et ces boucles d'oreilles là-bas ? Je suis sûre qu'elle les voudra parce qu'elles sont assorties. Elle n'a pas beaucoup d'imagination, tu sais.

— C'est plutôt curieux que tu prennes le temps de choisir des cadeaux pour elle : tu ne sembles pas la porter dans ton cœur.

— Ce n'est pas que je ne l'aime pas. (Faith plissa les lèvres en examinant les boucles d'oreilles.) Elle est trop sotte pour que je prenne même la peine de ne pas l'aimer. Après tout, elle rend Dwight heureux et, lui, je l'aime bien. Mets ça dans un écrin avec un joli emballage. Dwight me doit un fameux service. Je vais prendre ce collier pour moi. Cela me remontera le moral.

Tory porta les bijoux sur le comptoir.

— Tu es en train de devenir ma meilleure cliente. Difficile à imaginer.

— Tu as de jolies choses ici.

Princesse s'était endormie, l'os dans la gueule. Faith s'arrêta devant elle pour la contempler avec adoration avant d'aller s'accouder sur le comptoir tandis que Tory emballait les cadeaux.

— De plus, tu semble rendre Cade heureux, reprit-elle. Et je l'aime infiniment plus que Dwight. Le fait est que tu couches avec mon frère et moi avec ton cousin.

— Ce qui fait pratiquement de nous des parentes...

Faith cilla, grogna et, rejetant la tête en arrière, éclata de rire.

— Dieu du ciel ! Quelle idée épouvantable ! J'étais en train de me demander dans quelle mesure nous pourrions devenir amies.

— Autre pensée épouvantable.

— Tu crois ? Quand nous étions assises toutes les deux hier ensemble, il m'est venu à l'idée que nous ressentions probablement la même chose et pensions aussi la même chose. Et puis nous partageons les mêmes souvenirs, non ? Cela crée un lien puissant.

Tory noua soigneusement le ruban autour de l'emballage.

— Tu t'es montrée très prévenante hier soir en restant avec moi. Souvent, je me dis qu'il est préférable d'être seul. Mais c'est difficile. Parfois très difficile.

Faith haussa les épaules.

— Je déteste être seule. Pourtant, plus que toute autre au monde, je suis souvent irritée par ma propre compagnie. (Elle se mit à rire.) Bon, écoute, je vais te donner l'argent de Dwight, mais, pour mon achat, je paie par carte.

Avant qu'elle ait eu le temps de saisir son sac, Tory posa sa main sur la sienne. Curieux comme il lui était devenu facile de toucher, d'être touchée, depuis son retour à Progress.

— De toute ma vie je n'ai jamais eu une amie comme Hope. Je ne sais pas si aucune de nous pourra jamais connaître une amitié semblable à celle de notre enfance. Et, pourtant, en ce qui me concerne, ce ne serait pas de trop.

Déconcertée, Faith la regarda.

— Je ne crois pas pouvoir faire une amie particulièrement valable.

Tory poussa un long soupir et fut satisfaite d'avoir les mains occupées pour ne pas avoir le temps de penser.

— Moi non plus, pas depuis Hope. Ainsi nous partons de la même base. Je crois que je suis amoureuse de ton frère. Si cela se confirme, il serait bien pour tout le monde que nous devenions amies.

— Je sais. J'aime Cade, même s'il n'arrête pas de me contrarier. La vie se présente parfois sous des angles particulièrement tordus.

Faith posa l'argent de Dwight sur le comptoir et sortit sa carte de crédit.

— Tu fermes à six heures, c'est ça ?

— Exact.

— Pourquoi ne pas nous retrouver après ? Nous pourrions prendre un verre.

— Entendu. Où ?

Les yeux de Faith étincelèrent.

— Le mémorial de Hope me semble approprié.

— Quoi ?

— Dans le marais. Tu sais où c'est.

— Faith, pour l'amour du ciel !

— Je n'y suis pas encore allée. Et toi ? Le lieu me semble bien choisi pour voir si toi et moi avons vraiment tourné la page. Tu t'en sens le courage ?

Tory saisit la carte de crédit.

— Oui, si tu l'as aussi.

Faith rapporta à la maison ses achats et accueillit les plaintes de Lilah sur son arrivée tardive avec juste assez d'impertinence pour les satisfaire l'une et l'autre.

— Ne viens pas te plaindre que les tomates sont trop molles ou les bananes trop vertes, sinon tu te chercheras quelqu'un d'autre pour faire les courses la prochaine fois.

— Vous aussi vous mangez ici, non ? Et vous n'avez rien d'autre à faire, ce me semble. Vous pouvez bien aller au supermarché tous les trente-six du mois.

— On dirait que, par ici, les mois ont souvent trente-six jours.

Faith sortit du thé glacé, deux verres, et s'assit, prête à rapporter les derniers potins.

— Alors ? Qu'est-ce qu'on raconte ? dit Lilah en s'installant confortablement à son tour.

— Toutes sortes de choses, certaines aussi improbables que de voir un républicain libéral. La plupart des gens pensent que le coupable serait un ancien petit ami de Sherry. Ou un homme marié. Mais j'ai rencontré Maxine en faisant les courses. Elles étaient devenues de bonnes amies toutes les deux et, selon Maxine, Sherry n'avait pas de petit copain pour l'instant.

— Ça veut pas dire qu'un imbécile d'homme ne pense pas qu'il pourrait l'être. (Lilah sortit son rouge à lèvres et fit tourner le tube dans son étui.) J'ai entendu qu'elle avait dû le faire entrer de son plein gré parce que son chien n'a pas fait de boucan. Il n'y a pas eu de vol non plus, paraît-il, comme les gens l'avaient cru d'abord.

— Faire entrer un homme chez soi ne veut pas dire qu'on a envie d'être violée.

Lilah colora ses lèvres et les pinça ensuite pour leur donner du volume.

— J'ai pas dit ça. Seulement une femme doit être prudente. Si on ouvre la porte à un homme, il faut toujours être prête à lui botter les fesses pour le flanquer dehors.

— Quel romantisme !

— C'est pas la poésie qui me manque, mademoiselle Faith. Mais y faut aussi le même poids de bon sens. C'est un détail qu'une femme oublie toujours quand elle est amoureuse. Peut-être bien que cette pauvre fille en manquait, elle aussi.

— Je te rappelle qu'en ce qui me concerne, j'ai eu assez de bon sens pour flanquer mon pied au derrière de pas mal d'hommes.

— Il a quand même fallu que vous en épousiez deux, pas vrai ?

Faith sortit une cigarette et sourit d'un air mielleux.

— J'aurais pu en épouser plus de deux. Mais, au moins, je ne suis pas vieille fille.

Lilah lui retourna son sourire ironique.

— Si le mariage était bien ce qu'on en dit, il durerait plus long-temps. Cette fille, elle n'avait pas d'ex-mari, hein ?

— Non, je ne pense pas.

— Faith ? (Margaret se tenait sur le seuil de la porte, le visage impénétrable.) J'ai besoin de te parler. Au salon.

— Très bien, Maman.

Faith fit un signe des yeux à Lilah, écrasa sa cigarette et murmura :

— J'aurais dû traîner plus longtemps en ville.

— Vous ne devez pas manquer de respect à vot' maman.

— Si elle en faisait autant pour moi...

Faith prit son temps pour gagner le salon. Elle s'arrêta une fois pour vérifier ses ongles, une autre pour se recoiffer devant la glace du hall. Quand elle entra, sa mère était assise, aussi raide qu'une statue de plâtre.

— Je n'aime pas que tu bavardes avec les domestiques.

— Mais, c'était Lilah...

— Ne me parle pas sur ce ton. Lilah est peut-être un membre res-pectable de la maisonnée, mais il n'est pas convenable que tu t'assieds à la cuisine pour bavarder.

Faith se laissa tomber sur une chaise.

— Trouves-tu convenable d'écouter aux portes ? J'ai vingt-six ans, Maman. Le moment où tu prenais plaisir à me faire des sermons sur ma conduite est passé depuis longtemps.

— Je n'y ai jamais pris plaisir. On m'a dit que tu te trouvais avec Victoria Bodeen hier. Et que c'était vous qui, toutes deux, aviez appelé la police.

— En effet.

— Il est déjà assez déplaisant de te voir mêlée à une affaire inconvenante, il est encore plus intolérable que tu sois maintenant en rapport avec cette femme.

— Cette femme étant Tory et non celle qui a été violée et assassi-née, je suppose ?

L'esprit de Faith s'aiguisait, mais elle gardait une attitude nonchalante.

— Je ne le veux pas, reprit Margaret. Je ne veux pas que tu aies le moindre contact avec Victoria Bodeen.

— Oh. (Faith observa une courte pause.) Vois-tu, il n'y a pas d'alternative dans nos vies. Je vais et viens comme il me plaît et avec qui je veux ; je l'ai toujours fait et, franchement, tu n'as rien à dire là-dessus.

— Je pensais que tu te dispenserais, par respect pour ta sœur, d'avoir le moindre lien avec la personne que je tiens pour responsable de sa mort.

— C'est peut-être par respect pour ma sœur que j'ai établi ce lien. Tu n'as jamais pu supporter Tory, répondit Faith sur le ton de la conversation. Autrefois, déjà, c'était toi qui commandais à la maison. Tu aurais dû interdire à Hope de la fréquenter, seulement tu n'a jamais rien pu interdire à Hope. Et quand tu le faisais, elle s'arrangeait pour passer outre. Elle était infiniment plus intelligente que moi à cet égard.

— Ne parle pas ainsi de ma fille.

— Oui, *ta* fille, répéta Faith d'un encore plus cassant. Ce que je n'ai jamais tout à fait réussi à être. C'est peut-être un point auquel tu n'as jamais pensé. Tory n'est pas responsable de la mort de Hope, mais elle est peut-être la clé de l'affaire. Tu peux trouver du réconfort à te souvenir de Hope comme d'une brillante lumière, comme d'une vie tranchée avant d'être vécue. Moi, j'en trouverais davantage à savoir enfin pourquoi c'est arrivé. Et qui est le coupable.

— Tu ne trouveras ni réconfort ni réponses auprès de cette femme. Seulement des mensonges. Sa vie entière, d'ailleurs, n'est qu'un mensonge.

Faith se leva, un grand sourire aux lèvres.

— Eh bien, alors... c'est une chose de plus que nous avons en commun, non ?

Et, sur ces mots, elle sortit en balançant les hanches.

Aussitôt, Margaret se leva et gagna rapidement la bibliothèque, aux murs couverts de livres et au plafond orné de moulures en stuc. Elle téléphona d'abord à Gerald Purcell pour le prier, au nom de leur vieille amitié, de venir la voir dès que possible.

Quand il lui eut promis d'arriver dans l'heure, elle se dirigea vers le coffre-fort dissimulé derrière une ancienne peinture à l'huile de *Beaux Rêves* et en sortit deux dossiers. Elle allait utiliser cette heure à étudier les documents, à se préparer.

Puis elle ordonna que le thé soit servi sur la terrasse sud, avec des scones et ces gâteaux pour lesquels Gerald avait un faible et qu'elle savait disponibles dans le congélateur. Elle aimait le rituel du thé, la porcelaine de Chine, l'argenterie, les tranches de citron coupées avec précision, les cubes de sucre blanc et roux mêlés dans une coupe. Ce rituel serait préservé aussi longtemps qu'elle serait la maîtresse de *Beaux Rêves*, avec tout ce que cela signifiait.

Il faisait chaud pour le thé *al fresco*, mais le parasol blanc distillait une ombre plaisante et les jardins offraient le genre de toile de fond que Margaret jugeait approprié. Les rosiers-tiges croulaient de fleurs dans leurs grands pots de céramique blanche, et les hibiscus, avec leurs corolles cramoisies, ajoutaient une touche d'exotisme.

Assise à la table de verre gravé, les mains jointes, elle contempla son domaine. Elle avait travaillé des heures et des heures pour lui, et maintenant il fallait veiller à le protéger.

Elle leva les yeux vers Gerald, qui franchissait la porte de la terrasse. Il devait étouffer dans son costume-cravate, se dit-elle paresseusement tandis qu'il s'inclinait sur sa main.

— Je vous remercie d'être venu si vite. Voulez-vous un peu de thé ?

— Avec plaisir. Vous avez l'air troublée, Margaret...

— Je le suis.

Mais sa main était ferme quand elle souleva la théière de Wedgwood et remplit la tasse.

— C'est à propos de mes enfants et de *Beaux Rêves*, reprit-elle. Vous étiez l'avocat de Jasper, vous connaissez donc aussi bien que nous les dispositions concernant le domaine et le patrimoine de la famille. Mieux peut-être.

— Bien sûr.

Il était assis à côté d'elle, notant avec satisfaction qu'elle s'était souvenue qu'il préférait le citron au lait.

— Cade a le contrôle du domaine avec une majorité de soixante-dix pour cent. La même chose pour les usines et la filature. Je détiens vingt pour cent et Faith dix.

— Exact. Les bénéfices sont répartis chaque année selon les mêmes proportions.

— Je suis au courant. Quant aux autres biens immobiliers, c'est-à-dire les immeubles loués par appartements et les maisons données en location – dont la maison du marais –, ils sont partagés en trois parts égales. C'est bien cela, Gerald ?

— En effet.

— D'après vous, si je retirais à Cade mon appui, mes vingt pour cent dans le domaine et l'influence que je peux avoir au conseil d'administration, quel impact cela pourrait-il avoir sur les changements que mon fils a apportés à l'exploitation ? Et sur le nouveau système qu'il met en place ?

— Cela lui créerait de grandes difficultés, Margaret. Mais il pèse plus lourd que vous, et de gros profits sont à la clé. Le conseil d'administration n'a d'ailleurs pas droit de regard sur l'exploitation elle-même, seulement sur les usines et la filature.

Elle approuva d'un signe de tête.

— Mais la filature et les usines aident à faire tourner le domaine. Et si je parvenais à persuader Faith d'ajouter sa part à la mienne ?

Il but son thé en réfléchissant.

— Vous seriez certainement en meilleure position... Puis-je vous demander, en tant qu'ami et conseiller financier, si vous avez des raisons d'être mécontente de la gestion de Cade à *Beaux Rêves* ?

— Je suis mécontente de mon fils d'une manière générale ; je pense qu'il devrait concentrer de nouveau son énergie et ses facultés sur son héritage, au lieu de s'égarer dans des secteurs moins valables. (Elle entreprit de beurrer délicatement un scone.) En fait, je veux que Victoria Bodeen quitte la maison du marais, et même Progress. Pour l'instant, Faith crée quelques problèmes, mais cela s'arrangera. Elle a toujours vécu dans l'instant présent. Je crois pouvoir la persuader de me vendre ses intérêts dans les propriétés immobilières, ce qui me donnerait une majorité des deux tiers ainsi que le contrôle de l'ensemble. Cette fille Bodeen a sans doute un bail d'un an pour la maison et pour son magasin. Je veux les résilier.

— Margaret. (Purcell lui tapota la main.) Vous seriez bien avisée de laisser cela.

— Je ne peux pas tolérer ses rapports avec mon fils. Je ferai tout pour y mettre fin. Je vous demande de rédiger un nouveau testament pour moi, excluant à la fois Cade et Faith.

Il songea au scandale, aux complications légales, à la somme de travail.

— Voyons, Margaret, n'agissez pas avec précipitation...

— Je ne modifierai mon testament que si je n'ai pas d'autre choix, mais je tiens à me servir de cette menace pour faire comprendre à Faith que je parle sérieusement. (Margaret pinça les lèvres.) Quand elle réalisera qu'elle risque de perdre beaucoup d'argent, elle se montrera tout à fait compréhensive, je n'en doute pas. Je veux remettre de l'ordre dans ma maison, Gerald. Vous me rendriez un grand service en étudiant ces baux et en trouvant un moyen de les dénoncer.

— Vous risquez de dresser votre fils contre vous.

— Mieux vaut ça que le laisser porter atteinte au nom de la famille.

24

Je n'ai jamais tenu de journal depuis mon enfance, ni noté par écrit mes pensées secrètes. Il me semble opportun de le faire à présent que le passé hante mon esprit. Et de le faire ici, où Hope a perdu la vie.

Et son enfance.

Mon papa, notre papa à toutes deux, a aménagé cet endroit pour elle, avec cette jolie statue et des fleurs odorantes. Elle y est davantage présente que dans cette tombe où il l'a ensevelie par cette matinée d'été torride sous un ciel blême. Nous ne nous sommes jamais trouvées ensemble ici. C'était mon choix, par malice sans doute, mais à l'époque j'en tirais une grande satisfaction.

Qu'est-ce que je serais venue faire dans ses jeux idiots et avec sa drôle d'amie toujours mal coiffée ?

En réalité, j'en mourais d'envie, mais j'ai refusé de le faire quand Hope me l'a proposé. Je suis une personne difficile. Parfois, je me plais comme ça. De toute façon, il est dans ma nature d'être contre tout et je suis bien obligée de vivre avec.

Tout aurait sans doute été différent pour moi, pour nous tous, si cette nuit-là n'avait jamais existé. Si, en m'éveillant le matin, Hope s'était trouvée dans la chambre voisine. J'aurais encore boudé d'avoir été exclue de la table du dîner. Un combat bien négligeable pour des petits pois, que je détestais et que je déteste toujours.

J'aurais boudé parce que je tirais une certaine satisfaction à le faire, particulièrement lorsque quelqu'un cherchait à m'arracher à mon humeur sombre. J'aimais qu'on me prête attention. Toutes les sortes d'attention que je réussissais à accaparer.

Même alors, j'avais déjà conscience d'être en bas de l'échelle dans la hiérarchie entre les trois enfants. Cade était l'héritier naturel. Tout ça parce qu'il avait un pénis et moi pas. Il n'en était pas responsable, certes, mais il y eut une courte période de mon enfance où je lui ai envié cet intéressant appendice. Jusqu'à ce que j'apprenne, bien entendu, qu'une femme peut posséder autant de pouvoir. J'ai découvert le sexe de bonne heure et en ai tiré du plaisir sans complexe.

Quoi qu'il en soit, à huit ans, les connotations sexuelles entre hommes et femmes représentaient à mes yeux un domaine des plus vagues. Je savais seulement que Cade était formé pour devenir le maître de Beaux Rêves parce qu'il était un garçon. Et cela tombait mal pour moi. À cause de son sexe, il bénéficiait de privilèges qu'on me refusait toujours. Sans doute aussi, pour être juste, à cause de ses quatre années de plus.

Mon père le regardait avec tant de fierté. Naturellement, il exigeait pas mal de choses en retour, mais tout dans le comportement de Papa exprimait l'orgueil – ses yeux, le ton de sa voix, son attitude. Un père avec son fils. Jamais je n'aurais pu connaître un pareil lien.

Et jamais non plus je ne pourrais être Hope, son ange bien-aimé. Il l'adorait. Moi, il m'aimait car c'était un homme juste. Mais il était tristement évident que Hope était la perle de son cœur et que Cade incarnait tous ses espoirs. J'étais une sorte de bonus, me semblait-il, la jumelle arrivée à la suite de son ange.

Cade était une source de fierté pour ma mère également, je pense. Elle avait produit le fils qu'on attendait d'elle. Le nom des Lavelle se perpétuerait parce qu'elle avait conçu et mis au monde un enfant mâle. Elle fut plutôt contente d'abandonner à mon père le soin de veiller sur lui pour l'essentiel. Que savait-elle des garçons, après tout ? Je me demande si Cade a ressenti cette espèce de distance glacée où elle se maintenait par rapport à lui. Je le pense, mais cela ne l'a pas empêché de devenir un homme accompli et admirable.

À cause de cela peut-être ?

Bien entendu, Maman lui a appris les bonnes manières, mais son éducation, l'emploi de son temps, ses choix dans la vie, c'était le rayon de mon père. Je ne me souviens pas avoir jamais entendu Maman questionner papa au sujet de Cade.

Hope était sa récompense. La fille qu'elle pouvait polir, modeler, l'enfant qu'elle accompagnerait de l'enfance jusqu'au mariage. Elle aimait Hope pour sa douceur, son obéissance tranquille. Mais jamais, jamais elle n'a su distinguer la rebelle en elle. Si Hope avait vécu, je crois qu'elle en aurait fait exactement à sa guise et aurait convaincu Maman, d'une manière ou d'une autre, que c'était son idée à elle.

Hope avait réussi à se lier à Tory. À apprivoiser ce petit animal farouche. Elle pouvait le faire avec n'importe qui.

Oh ! Seigneur, comme elle me manque, cette autre partie de moi-même, si brillante, si drôle, si vive. Elle me manque terriblement.

Moi, j'étais une épreuve pour Maman. Je l'ai entendue si souvent le dire que ce doit bien être vrai. Je n'avais rien de la douceur de Hope, rien de sa tranquille obéissance. Je contestais tout âprement, je me battais sur tous les fronts, même sur ceux dont je ne me souciais pas.

Faites attention à moi ! Allez tous au diable ! Faites donc attention à moi ! Voilà mon seul et véritable message.

Comme tout cela était triste et pitoyable.

Hope s'était liée d'amitié avec Tory l'année précédente. Elles avaient été attirées l'une par l'autre tout simplement, comme le font certaines âmes. J'avais moi-même l'impression qu'elles se connaissaient déjà, je pouvais percevoir leur entente instinctive. Dès le départ, elles furent inséparables. Plus jumelles que je ne l'avais jamais été avec ma sœur.

Pour cette raison déjà, je détestais profondément Victoria Bodeen. Je prenais un air dégoûté en voyant ses pieds sales, en l'entendant faire des fautes de grammaire quand elle parlait, je la détestais à cause de ses grands yeux attentifs, de ses parents qui étaient des petits Blancs. Mais ce que je détestais par-dessus tout, c'était son intimité avec Hope.

Je me moquais d'elle chaque fois que j'en avais l'occasion et l'ignorais le reste du temps. Ou, du moins, je prétendais l'ignorer. En fait, je les épiais, elle et Hope, avec une attention digne d'un épervier. À la recherche d'une lézarde quelconque dans leur amitié, afin de l'agrandir et de jeter une ombre sur leur entente.

Le jour de sa mort, elles avaient joué ensemble à la maison car il était strictement interdit à Hope d'aller chez Tory. Bien entendu, elle y allait quand même en cachette, mais elles passaient la plupart de leur temps à Beaux Rêves ou dans ses alentours, parfois dans le marais.

Maman ne savait pas qu'elles allaient au marais. Elle n'aurait pas approuvé. Mais nous allions tous jouer là-bas. Papa était au courant et nous avait seulement recommandé de ne pas nous y rendre de nuit.

Avant le dîner, Hope jouait aux boules dans la véranda. J'avais décidé de la punir en refusant de jouer avec elle. Comme cela ne semblait pas troubler le plaisir qu'elle prenait au jeu, je suis allée bouder dans ma chambre et n'en suis sortie que lorsqu'on m'a appelée pour dîner.

J'avais faim, mais j'étais encore fâchée contre Hope parce qu'elle n'avait pas semblé se soucier de mon humeur. C'est ce qui m'a poussée à faire des histoires pour les petits pois – quoique je persiste à penser que j'avais de bonnes raisons de le faire –, de sorte que ma mère, excédée, a fini par m'envoyer dans ma chambre.

Je détestais être renvoyée de table, pas tellement à cause de la nourriture, mais parce que j'étais ainsi exclue une nouvelle fois du groupe familial. Un psychanalyste y verrait peut-être la preuve que cela renforçait mon sentiment de ne pas faire aussi étroitement partie de la famille que mon frère et ma sœur. J'étais l'outsider qui cherchait à marquer son indépendance vis-à-vis d'eux et, par ailleurs, souhaitait désespérément être inscrite dans le décor.

Je suis allée dans ma chambre comme si c'était précisément l'endroit où j'avais envie de me trouver. J'étais bien décidée à ce qu'ils ne soupçonnent pas combien je me sentais à la fois mortifiée et furieuse.

Une assiette de misérables petits pois devenait le plus important des combats.

Je me suis étendue sur le lit en contemplant le plafond et en nourrissant mon ressentiment. Un jour, me disais-je, je serais libre d'agir selon mes envies. Personne ne m'en empêcherait, et surtout pas la famille qui aujourd'hui me renvoyait. Je serais riche, belle et célèbre. Je n'avais pas d'idée précise sur la manière d'atteindre ces trois objectifs, mais, pour moi, l'argent, la gloire et la beauté constituaient une sorte de prix à gagner, alors que les autres resteraient plongés dans les traditions et les limites de Beaux Rêves.

J'envisageai un instant de m'enfuir, de rejoindre peut-être ma tante Rosie. Ma mère en serait blessée, je le savais, car, pour elle, sa sœur n'était rien d'autre qu'une gêne pour la famille. Un peu comme moi.

Cependant, ce dont je rêvais, ce n'était pas de m'en aller. C'était leur amour. Et ce désir pressant, nourri de frustration, constituait ma propre prison.

Plus tard, j'entendis de la musique chez ma mère. Elle devait être dans son salon occupée à écrire des lettres, à répondre aux invitations, à composer les menus du lendemain ou à toute autre tâche de maîtresse de maison. Mon père devait être monté dans son bureau de la tour pour régler les affaires du domaine en sirotant un verre de bourbon.

Lilah m'avait apporté quelque chose à manger, sans petits pois ni cajoleries ni câlins. Mais ce simple geste me toucha. Dieu soit béni, elle avait toujours été présente, solide comme un roc et chaude comme un toast.

Nous partageâmes le secret, parce qu'elle était venue en cachette et que j'étais punie. Ensuite, je restai étendue dans ma chambre à regarder le soir tomber. J'imaginais Maman en train de brosser les cheveux de Hope, comme elle le faisait chaque soir après le bain. Elle aurait aussi brossé les miens, pour être juste, seulement je refusais de rester tranquille. Après cela, Hope avait dû aller voir Papa pour lui dire bonsoir. Et pendant tout ce temps où elle accomplissait ce qu'on attendait d'elle, elle projetait en secret son escapade interdite.

Je l'ai entendue traverser le hall et s'arrêter devant ma chambre. J'aurais voulu me lever, lui ouvrir la porte et l'inciter à entrer pour me tenir compagnie. Comme j'aurais voulu l'avoir fait. Cela aurait pu changer les choses. Elle aurait été désolée pour moi et m'aurait peut-être révélé son projet. Dans l'état d'esprit où je me trouvais, je serais probablement partie avec elle, juste pour faire un pied de nez à Maman. Elle n'aurait pas été seule.

Mais je restai avec entêtement dans mon lit et l'écoutai s'éloigner.

Je n'ai pas su qu'elle avait quitté la maison. J'aurais pu regarder par la fenêtre à un moment ou un autre et la voir partir. Je ne l'ai pas fait. Je suis restée dans le noir, renfrognée, jusqu'à ce que je m'endorme.

Et pendant que je dormais, elle mourait.

Je n'ai pas senti de rupture entre nous à cet instant, comme on dit que cela arrive entre jumeaux. Je n'ai eu aucune prémonition du drame et n'ai pas rêvé de désastre. Je n'ai partagé ni sa souffrance ni sa peur. J'ai dormi, profondément, comme le font les enfants, avec insouciance, tandis qu'elle mourait seule, elle que ma mère avait portée et enfantée en même temps que moi.

C'est Tory qui a ressenti la rupture, la souffrance et la peur. Je ne l'ai pas crue à l'époque, je ne le voulais pas. Hope était ma sœur, pas la sienne, comment osait-elle prétendre à une telle intimité avec cette partie de moi-même ? J'ai préféré croire, comme bien d'autres, que Tory avait été effectivement dans le marais ce soir-là et s'était enfuie, abandonnant Hope à sa terreur.

J'ai continué à le croire même après l'avoir vue le lendemain. Elle s'est avancée sur le chemin, tôt dans la matinée, d'une démarche hésitante. On aurait dit une vieille femme ; chacun de ses pas semblait lui coûter un effort. C'est Cade qui lui a ouvert la porte, et je me suis avancée sur la pointe des pieds en haut des escaliers. Elle avait le visage pâle comme la mort et des yeux immenses lui trouant la figure.

Elle a dit : « Hope est dans le marais. Elle n'a pas pu s'enfuir et il l'a frappée. Il faut y aller. »

Je crois que Cade lui a poliment proposé d'entrer, mais elle a refusé de franchir le seuil. Alors il l'a laissée là et, pendant que je regagnais vivement ma chambre, il est allé regarder dans celle de Hope. Ensuite, tout est allé très vite. Cade a couru en bas en appelant Papa. Maman est descendue à la hâte. Tout le monde parlait en même temps, personne ne faisait attention à moi. Maman a saisi Tory par l'épaule et l'a secouée en criant après elle. Pendant tout ce temps, Tory s'est contentée de rester là, telle une poupée de chiffon abîmée d'avoir été maltraitée.

Papa a écarté Maman, lui a dit d'appeler immédiatement la police. Il a interrogé Tory d'une voix qui n'était pas très ferme. Elle lui a parlé de leurs projets de la veille. Elle a expliqué pourquoi elle n'avait pas pu y aller : elle était tombée et s'était fait mal. Mais Hope était venue et quelqu'un l'avait suivie. Elle parlait d'une voix lente, calme, comme un adulte, sans cesser un instant de regarder Papa en face, et elle lui a dit qu'elle pouvait le conduire à Hope.

J'ai appris plus tard que c'est ce qu'elle a fait. Elle a conduit Papa et Cade, puis la police, jusqu'à Hope dans le marais.

Nos vies, à tous, venaient de se briser.

Faith reposa le carnet et s'adossa au banc. Elle pouvait entendre à présent le pépiement des oiseaux, respirer le parfum de la terre sombre et des fleurs épanouies. Des rais de lumière scintillaient à travers la voûte épaisse des branches moussues entrelacées, projetant sur le sol de jolis motifs et pimentant la lumière verte d'un soupçon de reflets dorés.

La statue de marbre était là, éternellement souriante, éternellement jeune.

« Comme l'a voulu Papa », songea Faith. Pour camoufler l'horreur sous la grâce. Un faux-semblant peut-être, mais un fait néanmoins. Hope est toujours vivante, avait-il dû se dire, et elle est à moi.

Avait-il amené cette femme ici ? se demanda-t-elle soudain. Cette femme vers laquelle il s'était tourné après s'être détaché de sa famille. Était-elle venue s'asseoir ici avec lui, tandis qu'il laissait remonter ses souvenirs et s'abandonnait au chagrin ?

« Pourquoi elle et pas moi ? Pourquoi ne faisait-on jamais appel à moi ? »

Faith reposa le carnet et alluma une cigarette. Elle fut surprise de sentir ses yeux se baigner de larmes. Elle ne les avait pas senties s'accumuler, brûlant d'être versées. Pour Hope, pour son père, pour elle-même. Pour toutes les vies et les rêves dévastés. Pour l'amour gaspillé.

Tory s'arrêta au bord d'un parterre d'impatiens. Ce parc, calme et largement fleuri, était en lui-même un choc. Elle revoyait en pensée le lieu tel qu'elle l'avait autrefois connu, vert, sauvage, sombre, et le comparait au décor que ses yeux lui montraient aujourd'hui. Les deux images se mêlaient sans qu'aucune puisse s'imposer ; aussi chassa-t-elle ses souvenirs.

Hope était là, figée à jamais dans la pierre.

Et Faith pleurait.

Son estomac se noua, mais elle se força à avancer, craignant que les images d'un drame vieux de dix-huit ans ne prennent le dessus. Elle s'assit et attendit.

— Je ne viens jamais ici, dit Faith en sortant un mouchoir de son sac et en se mouchant. C'est sans doute la raison pour laquelle je ne peux pas dire si je trouve cet endroit horrible à cause des souvenirs, ou simplement joli.

— Il faut beaucoup de courage pour rendre la paix à un tel lieu.

Faith glissa son mouchoir dans son sac et alluma une cigarette d'un mouvement saccadé.

— Du courage ? Tu trouves que ça, c'est une manifestation de courage ?

— Oui. Il en a fallu plus que je n'aurais pu en trouver. Ton père était un homme bon. Il a toujours été gentil avec moi. Même après... (Elle serra les lèvres.) Il a fait preuve de bonté à mon égard et je sais que cela a dû lui coûter.

— Il nous a quittés... « affectivement », expliquerait sans doute un psychologue. Il nous a quittés pour sa fille perdue.

— Je ne sais pas que te dire. Ni toi ni moi ne connaissons le drame de perdre un enfant. Comment deviner ce que nous aurions fait dans ce cas pour survivre à une telle perte ?

— J'ai perdu une sœur.

— Moi aussi, répliqua doucement Tory.

— Je déteste t'entendre dire ça. Je déteste encore plus le fait de savoir que c'est vrai.

— Crois-tu que je vais t'en faire le reproche ?

— J'ignore ce que je crois.

Avec un soupir, Faith se pencha pour prendre une bouteille Thermos mise au frais à côté du banc.

— Mais ce que je sais, reprit-elle, c'est que j'ai ici un pot rempli de margarita. C'est exactement la boisson idéale par une chaude soirée d'été.

Elle versa le liquide vert citronné dans deux gobelets de plastique et en tendit un à Tory.

— Je t'avais dit que nous prendrions un verre. Buvons à la mémoire de Hope. (Faith trinqua avec Tory.) Cela semble dans l'ordre des choses.

— C'est certainement plus fort que la limonade que nous partagions ici. Hope aimait la limonade.

— Lilah la préparait pour elle. Beaucoup de pulpe de fruit et de sucre.

— Ce soir-là, elle avait emporté une bouteille de Coca. Elle avait chauffé dans son sac à dos et...

Tory s'interrompit et frissonna.

— Tu vois toujours ce qui s'est passé ? Clairement ? s'enquit Faith.

— Oui. Ne me pose pas de questions, s'il te plaît. Je ne suis pas encore revenue ici depuis mon retour. Et, pourtant, cela fait des semaines. Je n'en avais pas le courage. Je déteste être prise pour une froussarde, mais il faut aussi que je survive.

— Les gens sont trop exigeants, ils réclament trop de courage, pourtant tous s'y réfèrent avec leurs propres normes. Je ne te qualifie-rai pas de froussarde, et mes normes personnelles sont plutôt basses à cet égard.

Tory ne put retenir un petit rire.

— Pourquoi ça ?

— Eh bien, comme ça, je peux m'y tenir sans trop d'efforts. Prends mes mariages, par exemple. Comme je voudrais qu'ils n'aient pas existé ! (Elle fit un geste emphatique avec son gobelet.) Certains diront que j'ai échoué ; moi, je prétends avoir remporté une victoire par le seul fait d'avoir pu m'en sortir sans trop de cicatrices.

— Étais-tu amoureuse ?

— De quel homme parles-tu ?

— Des deux.

— Ni de l'un ni de l'autre. La première fois, c'était une forte pul-sion physique. Ce garçon baisait comme un lapin. Et pendant un cer-tain temps, le sexe a été pour moi une priorité parmi les plaisirs. Il a tout à fait rempli sa part du contrat. Un homme dangereusement beau, plein de charme, qui parlait bien. Mais c'était aussi un véritable trou du cul. Bref, il s'est révélé exactement tel que ma mère l'avait prévu. Comment aurais-je pu ne pas l'épouser ?

— Tu aurais pu te contenter de coucher avec lui.

— C'est bien ce que j'ai fait. Mais le mariage a été un affront pour elle. Voilà pour toi, Maman.

Faith leva bien haut son gobelet et rejeta la tête en arrière en riant.

— Seigneur, quel idiot ! Quant au second mariage, il est surtout le résultat d'une impulsion. Naturellement, l'aspect sexuel a joué aussi un rôle. Pourtant c'était un très mauvais choix. D'abord, il était beaucoup trop vieux pour moi, ensuite il était marié au moment où nos relations ont débuté. Je suppose que j'ai voulu provoquer mon père. Alors, Papa, tu te complais dans l'adultère ? Eh bien, moi aussi ! Seulement, une liaison illicite est une chose, le mariage avec un coureur de jupons en est une autre. Je crois qu'il a été relativement fidèle dans les premiers temps, mais moi, bon sang, je m'ennuyais à mourir ! C'était probablement la même chose pour lui, et il a sans doute pensé s'identifier aux héros de ses chansons en me trompant et en buvant. Il avait remporté quelques succès sur scène. La première fois qu'il a voulu me frapper, j'ai frappé encore plus fort et je suis partie. Le divorce m'a rapporté pas mal d'argent, mais j'en avais gagné chaque sou.

Elles étaient assises là, songea Tory, comme avec Hope autrefois, parlant de ce qu'elles avaient fait ou projetaient de faire. Hope aussi aimait évoquer toutes sortes de sujets, des choses simples, des rêves d'enfant. Aussi vitales et intimes que ce que Faith racontait à présent.

— Et Wade dans tout ça ?

Faith soupira et but une nouvelle gorgée de margarita.

— Je ne sais pas. C'est un problème et un souci. Il est séduisant, et nous nous entendons drôlement bien sur le plan sexuel. Mais sortir avec le vétérinaire de la ville ? Voilà qui n'a jamais figuré dans mes plans. Et maintenant, Wade complique les choses en étant amoureux de moi. Je gâche sa vie. C'est fatal !

Elle vida son gobelet et s'en versa aussitôt un second.

— C'est plutôt son problème à lui, non ? suggéra Tory.

Sidérée, Faith tourna la tête pour la regarder.

— C'est bien la dernière chose que je pensais entendre de toi.

— Wade est un homme adulte. Il connaît son mode de pensée, il connaît son cœur. À mon avis, il a toujours fait ce qu'il voulait et obtenu ce qu'il désirait. Il se pourrait qu'il te connaisse mieux que tu ne l'imagines. Toutefois je ne comprends rien aux hommes.

— Oh ! rien de plus facile, pourtant, répondit Faith en remplissant le gobelet de Tory. La moitié du temps, ils pensent à leur queue et l'autre moitié à leurs petits plaisirs de macho : le sport, la voiture.

— Ce n'est pas une très gentille façon de voir pour une femme qui a un frère et un amoureux.

— Oh, il n'y a rien de désagréable à ça. J'aime les hommes. Certains diront même que j'en aime un trop grand nombre.

Ses yeux reflétèrent une brève lueur d'humour, dénuée de tout regret. Tory s'en amusa et alla jusqu'à envier sa décontraction.

— J'ai toujours préféré leur compagnie, poursuivit Faith. Les femmes sont beaucoup plus rusées et considèrent généralement leurs semblables comme des rivales. Pour les hommes, les autres hommes sont des concurrents, ce qui est tout à fait différent. Mais toi, tu n'es pas rusée. Te détester me coûterait trop d'effort.

— Cela pourrait-il constituer la base d'un moratoire ?

Faith haussa une épaule et ramassa son carnet.

— Tu en connais une meilleure ? J'ai éprouvé le besoin urgent de noter certaines choses ici et j'obéis généralement à ce genre d'impulsion. Pourquoi ne le lirais-tu pas ?

— Entendu.

Faith se leva et s'éloigna avec son verre et sa cigarette. Aujourd'hui, elle avait consacré bien plus de temps à réfléchir à des choses sérieuses que cela ne lui était arrivé depuis longtemps. Elle avait laissé son esprit s'ouvrir à des pensées honnêtes et sérieuses. Certes, rien n'était résolu, pourtant elle se sentait plus forte pour tirer les choses au clair. Le retour de Tory à Progress aurait-il déclenché en elle une métamorphose lui permettant enfin d'être satisfaite de sa vie ?

Elle s'arrêta près de la statue de sa sœur et contempla ce visage qui était aussi le sien. Puis elle jeta un coup d'œil en direction de Tory – toujours si calme, si maîtresse d'elle-même. Mais, sous la surface, on devinait une nature agitée de profonds remous. C'était extraordinaire de voir comment Tory préservait cet écran sans, pourtant, détruire sa vérité.

Sombre, oui, mais pas prête à se briser.

« Pas comme ma mère, songea Faith, toujours si fragile, et qui risquait de se briser à chaque instant ». Une mère à laquelle elle commençait à ressembler. Comme c'était étrange, et d'une certaine manière heureux, que Tory – précisément elle – lui eût donné juste la secousse nécessaire pour l'empêcher de se précipiter là où elle ne voulait pas aller, de devenir ce qu'elle ne voulait pas devenir.

Le portrait de sa mère.

Elle lança sa cigarette et l'enfouit sous les aiguilles de pin.

— Je devrais peut-être me mettre à écrire. (Faith avait parlé d'un ton léger.) Tu sembles absorbée par cette lecture.

Tory avait été surprise en se glissant dans les mots de Faith et dans les images qu'ils éveillaient dans son esprit. À la fois secouée et triste.

Puis un poids était tombé sur sa poitrine, contraignant son cœur à battre plus vite, plus fort.

Le lieu d'abord, puis les souvenirs attaquaient ses défenses à coups redoublés. Elle ne leur répondrait pas. Elle resterait dans le présent.

Mais le froid la gagnait et l'obscurité rampait, l'entraînant vers ses visions. Le carnet lui échappa des mains et tomba par terre à ses pieds. Une brise légère s'amusa à soulever ses pages. Elle allait sombrer.

— Quelqu'un nous épie.

— Quoi ? Mon chou, tu n'as pas bu plus de deux verres. C'est trop peu pour être ivre.

— Quelqu'un nous épie. (Elle saisit la main de Faith d'une étreinte d'acier.) Cours !

— Arrête tes conneries, Tory !

Faith se pencha et tapota la joue de Tory.

— Reviens à toi ! Reprends-toi !

— Il nous épie. Dans les arbres. C'est toi qu'il guette. Va-t'en, cours !

— Il n'y a personne ici en dehors de nous.

Mais un frisson glacial la parcourut.

— Je suis Faith, pas Hope.

— Faith...

Tory lutta pour fixer les images, pour séparer nettement hier d'aujourd'hui.

— Il est dans les arbres. Je le sens. Il guette. Cours !

La peur élargissait ses yeux et les faisait briller. Elle l'entendait à présent, un bruissement léger dans les buissons de l'autre côté de la clairière. Elle se sentait gagnée par la panique, des doigts glacés griffaient sa peau.

— Nous sommes deux ici, bon sang ! siffla Faith en saisissant son sac à main. Nous n'avons pas huit ans et nous ne sommes pas sans défense.

Elle sortit du sac son joli revolver à crosse de nacre et hissa Tory sur ses pieds.

— Oh ! mon Dieu !

— Arrête ça tout de suite ! ordonna Faith. Et allons voir de quoi il retourne.

— Tu es folle ?

— Maintenant, c'est la paille et la poutre. Tu vas voir ce qu'il en est, espèce d'enfant de salaud !

Elle perçut un craquement de branche suivi par un froissement de feuilles et fonça en avant.

— Il se sauve, cet enfoiré !

— Faith ! N'y va pas !

Mais la jeune femme s'élançait déjà en direction des arbres. N'ayant pas d'autre choix, Tory la suivit.

Le sentier se rétrécissait et butait sur des broussailles. Des oiseaux s'envolèrent soudain vers le ciel en poussant des cris de protestation. Des morceaux de mousse tombèrent sur les cheveux de Tory. Elle les chassa de la main en courant pour rejoindre Faith.

— Je pense qu'il est parti vers le fleuve. Nous ne pourrons pas le rattraper, mais nous allons lui flanquer la trouille.

Elle pointa le revolver en direction du ciel et tira. Les coups se répercutèrent en écho, éveillant chez Tory des vibrations qui la secouèrent tout entière. Des oiseaux sortirent en flèche des arbres pour s'envoler vers les nuages. Faith se mit à rire comme une folle.

— Viens ! Il a peut-être mordu à l'hameçon.

Tory sentait l'odeur du fleuve, puissante, chaude. Sous ses pieds, le sol devenait spongieux ; Faith dérapait tel un patineur.

— Pour l'amour du ciel, fais attention ! Tu risques de te tirer dessus !

— Je sais me servir d'un revolver comme celui-là, rétorqua Faith, la respiration haletante. Tu connais le marais mieux que moi. Prends la direction de l'opération.

— Mets le cran de sûreté à ton arme. Je n'ai pas envie de prendre une balle perdue.

Tory reprit sa respiration et rejeta en arrière les cheveux qui lui tombaient sur le front.

— On peut couper par ici pour aller jusqu'à la rive, proposa-t-elle. Fais attention aux serpents.

— Seigneur, j'avais bien raison de détester ces lieux.

La première poussée d'adrénaline retombée, il ne restait à Faith qu'un immense dégoût de tout ce qui rampait ou glissait sur le sol. Mais Tory avançait toujours, aussi la fierté l'obligeait-elle à poursuivre son chemin.

— Qu'est-ce que cet endroit pouvait bien avoir d'attirant pour vous, Hope et toi ?

— Il est beau. Et sauvage.

Elle entendit soudain des bruits de pas, bien distincts, qui ne se dissimulaient pas.

— Quelqu'un vient. Du fleuve.

— Il fait demi-tour, tu crois ? (Faith se carra sur ses pieds et leva son revolver.) Je suis prête. Montre-toi, fils de chienne. J'ai un revolver et bien l'intention de m'en servir.

Il y eut un bruit sourd, comme si quelque chose était tombé ou avait été lancé.

— Pour l'amour du ciel ! Ne tirez pas !

— Sors de là et montre-toi ! Tout de suite.

— Ne tirez pas ! Sainte Mère de Dieu ! Mademoiselle Faith, c'est vous ? Mademoiselle Faith, c'est Piney. Piney Cobb.

Levant bien haut ses mains qui tremblaient, il sortit des arbres, tournant le dos à la courbe du fleuve, là où des troncs de cyprès trouaient la surface de l'eau.

— Qu'est-ce que tu fais là, à traîner et à nous épier ?

— J' vous épiais pas, je l' jure sur Dieu lui-même. Je savais même pas que vous étiez là jusqu'à ce que j'entende les coups de feu. Vous m'avez flanqué une sacré trouille. Je voulais attraper des grenouilles, c'est tout. Ça fait une heure que j'en cherche. Le patron n'a rien contre si je cherche par ici.

— Et où sont-elles, tes grenouilles ?

— Le sac est par là. Je l'ai jeté quand vous avez commencé à crier.

Tory lut la peur sur son visage et ne sentit émaner de lui que de la panique. Il dégageait une nette odeur de sueur et de whisky.

— Montre ton sac.

— Oh ! d'accord. Il est juste là-bas.

Il pointa le doigt dans une direction en s'humectant les lèvres du bout de sa langue.

— Fais attention où tu mets les pieds, Piney. Je suis très nerveuse en ce moment ; mon doigt pourrait trembler sur la détente.

Faith garda son arme pointée sur lui tandis que Tory s'avançait.

— Vous voyez ? Vous voyez ? J'attrapais les grenouilles avec ce vieux sac de toile.

Tory s'accroupit et jeta un coup d'œil à l'intérieur. Une demi-douzaine de malheureuses grenouilles lui rendirent son regard.

— C'est une bien maigre prise pour une heure de chasse.

— La plupart se sont sauvées quand j'ai jeté l' sac. Il y en avait deux fois plus. J'ai failli chier dans mon froc quand vous avez tiré. J'ai cru entendre quelqu'un qui se sauvait, et j'ai même pas eu l' temps de me poser des questions quand les coups sont partis. J' me suis dit que j' ferais mieux de me tenir à l'écart bien tranquille. P't-êt' bien que quelqu'un s' mettait à tirer, je m' suis dit, comme m'sieur Cade le fait parfois avec ses amis. J'avais pas envie de recevoir une balle perdue. J' viens souvent chercher des grenouilles par ici. Z'avez qu'à d'mander à m'sieur Cade.

— Qu'est-ce que tu en penses ? demanda Faith à Tory.

— Je ne sais pas. Il a des grenouilles, c'est vrai.

Il n'était pas jeune, songea Tory, mais il connaissait bien le marais et ses muscles étaient endurcis par les travaux des champs. Cependant il n'y avait aucune preuve.

— Désolée de vous avoir effrayé, il y avait une personne par ici qui nous épiait, près de la clairière.

— C'était pas moi. (Ses yeux inquiets allaient de Tory au revolver.) J'ai entendu quelqu'un courir, comme j' viens d' le dire. Y a plein de chemins pour entrer et sortir d'ici.

Elle hocha la tête et recula. Piney se gratta la gorge et tendit la main vers le sac.

— J' peux l' prendre ?

— Ouais, tu peux partir, dit Faith. À ta place, je préviendrais Cade la prochaine fois que j'aurais envie d'attraper des grenouilles.

— J' le ferai, pour sûr. Avec votre permission, j' vais m'en aller maintenant.

Il recula, les yeux fixés sur le visage de Faith, jusqu'à ce qu'il puisse se glisser dans l'ombre des arbres.

25

Depuis près de trente-cinq ans, J.R. et Carl D. avaient l'habitude d'aller à la pêche le dimanche. Une habitude régulière qu'ils ne considéraient pas, toutefois, comme un rite. Juste une simple manière de se détendre et de passer le temps.

À la mort de son mari, Iris avait dû reprendre le travail. Elle chargea la mère de Carl D. de veiller sur Sarabeth après l'école. Par un accord tacite entre les deux femmes, il avait été entendu que la surveillance s'étendrait à J.R.

Fanny Russ avait une poigne de fer et cuisinait divinement – ce don faisait sa fierté. J.R. apprit rapidement à l'appeler « m'dame ». Et, tandis que, dans les années cinquante, le Ku Klux Klan répandait la terreur partout dans le Sud, J.R., le jeune Blanc, et Carl D., l'adolescent noir, se lièrent d'amitié.

Aucun homme de couleur, à cette époque, n'avait le droit de pénétrer dans un établissement de Market Street et, pourtant, personne en ville n'éleva la moindre objection en voyant les deux garçons si proches. Depuis, rien n'avait changé. Tous les dimanches, avec de rares abstentions pour cause de vacances ou de maladie, les deux hommes s'asseyaient côte à côte au bord de l'eau avec leurs cannes et leurs moulinets, comme ils le faisaient déjà enfants. Ils avaient l'un et l'autre moins de cheveux et plus de ventre qu'autrefois, mais les après-midi au bord du fleuve continuaient de s'écouler sur le même rythme lent et paisible.

Durant les fiançailles de J.R. et les premiers mois de son mariage, Boots avait tenu à leur préparer des pique-niques raffinés dans un

362

panier d'osier. Il avait fallu quelque temps à J.R. pour lui faire comprendre sans l'offenser que ses délicats sandwichs à la salade et au poulet avaient quelque chose de trop féminin pour ces moments passés entre hommes. À la pêche, ils n'avaient besoin que d'une bonne bière bien fraîche et d'une poignée de vers de terre. Et, les jours de chance, d'un gâteau de patates douces ou d'une tourte à la noix de pécan sortant des mains aimantes de Ma' Cobb's.

Les années s'étaient écoulées sans modifier ce programme. Le fleuve lui-même avait peu changé. Le vieux pêcher avait fini par mourir trois hivers plus tôt, laissant plusieurs rejets qui s'étaient développés telle de la mauvaise herbe jusqu'à ce que le conseil municipal les fasse couper en ne gardant que les deux meilleures pousses.

Elles donnaient déjà des fruits – pas encore tout à fait mûrs pour l'instant – que les enfants ne tarderaient pas à venir grappiller, quitte à avoir la colique après.

L'eau coulait lentement, sereinement, comme toujours, et le vieux saule penché sur elle y laissait traîner ses branches souples. De temps à autre, si on avait la patience d'attendre, des poissons venaient troubler la surface et mordaient à l'hameçon. Mais, si rien ne se produisait, le pêcheur ne s'en sentait pas pour autant frustré.

Les années avaient fait de Carl D. et de J.R. de bons citoyens chargés de responsabilités. Des chefs de famille, avec des crédits immobiliers et toutes sortes de paperasses à remplir. Les quelques heures consacrées chaque semaine à laisser flotter des vers dans l'eau étaient pour eux la preuve qu'ils n'avaient pas changé et restaient fidèles à eux-mêmes.

Parfois, ils parlaient politique et, comme J.R. était un républicain convaincu et Carl D. un tout aussi fidèle démocrate, la discussion tendait parfois à devenir animée et bruyante. Tous deux prenaient d'ailleurs le plus grand plaisir à ce face-à-face. Certains autres dimanches, en fonction de la saison, ils ne parlaient que de sport. Un match de football entre deux équipes universitaires pouvait les occuper et les passionner pendant plus de deux heures.

Mais, leurs vies étant étroitement mêlées, c'était plus souvent la famille, les amis et la ville elle-même qui formaient le sujet de leurs conversations nonchalantes, tandis que l'eau clapotait sur la rive et que les rayons du soleil filtraient à travers les arbres.

Ils savaient pouvoir compter l'un sur l'autre pour tester leurs idées, aussi leurs bavardages ne quittaient-ils pas les rives du fleuve. Mais la vie, parfois, éprouve les plus fortes loyautés. Sachant cela, Carl D. choisissait ses mots et son approche avec le plus grand soin.

— C'est bientôt l'anniversaire d'Ida-Mae, dit-il en débouchant sa seconde bière, les yeux fixés sur la calme surface de l'eau. Cette sauteuse électrique que je lui ai achetée l'an dernier est restée entre nous un sujet de discorde.

J.R. prit une poignée de chips dans le sac posé entre eux.

— Tu m'as dit, ouais. Si t'achètes à une femme un truc avec une prise de courant, t'es sûr d'avoir des ennuis.

— Elle en voulait une nouvelle et n'arrêtait pas de se plaindre que la vieille attachait.

— C'est pas un appareil électrique qu'une femme veut trouver dans un bel emballage avec un nœud. Ce qu'elle veut, c'est un truc inutile.

— J'ai passé un sacré bout de temps à réfléchir à ce qui serait assez inutile pour lui plaire. Je me suis dit finalement que je pourrais faire un tour chez ta nièce, elle aura des idées, elle.

— Ça peut pas faire de mal. Tory s'y connaît dans ce genre de choses.

— Elle s'en est plutôt bien tirée, hein ? Un foutu bon travail qu'elle a fait à la boutique.

— Elle a toujours été dure au boulot. Une fille sérieuse, la tête sur les épaules. Difficile de croire qu'elle s'en est sortie si bien que ça.

C'était l'ouverture que Carl D. attendait, mais il prit son temps. Il sortit un nouveau chewing-gum, défit le papier d'emballage et le replia soigneusement selon son habitude.

— Elle a eu la vie dure. Je me souviens, elle ne disait jamais un mot. Elle regardait les choses simplement comme ça, avec ses grands yeux. Ton beau-frère avait vraiment la main lourde.

La bouche de J.R. se crispa.

— Je sais. J'aurais dû me montrer plus vigilant à l'époque. Ça n'aurait peut-être pas changé grand-chose, mais j'aurais dû savoir tout ça.

— Maintenant, tu le sais. On le recherche, J.R., pour cette affaire de Hartsville.

— J'espère que tu trouveras Hannibal et qu'il aura la punition méritée. De toute façon, la vie de ma sœur est foutue. Mais Tory dormirait sans doute mieux s'il était derrière les barreaux.

— Je suis un peu soulagé de t'entendre dire ça. Pourtant, il y a pire encore. Et un pire qui pourrait te toucher.

— Qu'est-ce que tu racontes là ?

— Je parle de ce qui est arrivé à Sherry Bellows.

— Bon Dieu ! Quelle sale affaire... Vraiment une sale affaire ! répéta J.R. en hochant tristement la tête. On n'a pas l'habitude de voir ça par ici. Une jolie jeune femme comme ça...

Il laissa les mots en suspens, se raidit et se tourna vers Carl D.

364

— Nom de Dieu ! Tu ne crois tout de même pas que Hannibal a quelque chose à voir avec ça !

— Je ne devrais pas t'en parler. Mais j'ai pas arrêté de retourner ça dans ma tête toute la nuit. Officiellement, je devrais garder ça pour moi, mais j'y arrive pas. Pour l'instant, J.R., ton beau-frère est en tête de liste des suspects pour ce meurtre. Il est même le seul coupable possible.

J.R. se releva et se mit à déambuler le long de la rive, les yeux fixés sur la courbe du fleuve. Tout était tranquille, à l'exception du pépiement actif des oiseaux. Il fallait vraiment tendre l'oreille pour deviner au loin le murmure du trafic. Au cœur de ce paysage solitaire, de ses hautes herbes humides et de son eau tranquille, J.R. dut faire un effort pour se rappeler la vie et les problèmes de Progress.

— Je n'arrive pas à m'imaginer ça, Carl D. D'accord, Hannibal est un salaud et un rustre. Je ne vois pas une seule qualité à mettre à son actif, mais tuer cette fille... Seigneur Dieu, la tuer... Non, je ne peux pas l'imaginer.

— Il a déjà sur le dos l'agression d'une femme.

— Je sais, je sais. Je ne cherche pas à l'excuser. Mais il y a une sacrée différence entre agresser et assassiner.

— Plus mince que tu ne le crois au bout d'un certain temps. Surtout s'il a un mobile.

J.R. revint sur ses pas et s'accroupit pour croiser le regard de son ami.

— Quel mobile voudrais-tu qu'il ait ? Il ne connaissait même pas cette fille.

— Il l'a rencontrée dans la boutique de ta nièce le jour même où elle a été tuée. Il lui a même parlé et, autant qu'on sache, elle était la seule avec Tory à savoir qu'il était à Progress.

Comme J.R. avait toujours l'air de douter, Carl D. ajouta :

— Je ne peux pas te dire combien je suis désolé de mêler ta famille à ça, mais j'ai un devoir à accomplir, désolé ou pas. Impossible d'agir autrement.

— Je ne te le demanderais pas, de toute façon. Mais je pense que tu fais fausse route, c'est tout. (J.R. se laissa tomber lourdement sur le sol.) Je vais y réfléchir.

— En fait... c'est Tory qui m'a mis sur la voie.

— Tory ?

— Je suis retourné avec elle sur la scène du crime.

Le regard de J.R. était perplexe, mais, soudain, il se remplit d'horreur.

— La scène du crime ? répéta-t-il d'une voix blanche. Enfin, Carl D., pourquoi as-tu fait ça ? Pourquoi l'as-tu obligée à y aller ?

— Cette fille a plus ou moins l'âge de mon Ella. Elle a dû en voir de bien pires. J'ai une mission à remplir, J.R. et, pour moi, tous les moyens sont bons pour m'aider à y voir clair.

— Tory n'a rien à voir là-dedans.

— Tu te trompes. Elle est directement liée à ces meurtres, j'en suis convaincu. Maintenant, avant de me balancer un coup de poing, tu ferais bien de m'écouter. Je l'ai emmenée là-bas et j'en suis vraiment désolé parce que c'était dur pour elle. Pourtant, si c'était à refaire, je recommencerais. Elle connaissait des détails qu'elle n'avait pas le moyen de savoir. Elle a *vu* les choses, comme si elle y avait assisté. J'avais entendu dire que cela pouvait arriver, mais je n'avais jamais participé à ce genre d'expérience. Et je ne risque pas de l'oublier.

— Elle a le droit d'être laissée tranquille. Tu n'avais pas à faire ça.

— Toi, J.R., tu n'as pas vu la fille assassinée, tu ne sais pas ce qu'on lui a fait, et j'espère bien que tu n'auras jamais l'occasion de voir un truc pareil. Mais si c'était le cas, tu ne me reprocherais pas de tenter n'importe quoi pour résoudre l'affaire. C'est la seconde fois que je dois enquêter sur ce genre de meurtre. Si nous avions fait attention à Tory la première fois, cette affaire-ci ne serait peut-être pas arrivée.

— Mais qu'est-ce que tu racontes ? Nous n'avions encore jamais eu une femme violée et tuée à Progress !

— Non. La première fois, il s'agissait d'une enfant. (Il vit les yeux de J.R. s'agrandir et son visage blêmir.) Et ce n'était pas en ville. Pourtant Tory était là. Exactement comme aujourd'hui. Et quand elle déclare que c'est la même personne qui a tué Sherry Bellows et Hope Lavelle, j'ai tendance à la croire.

— Mais Hope Lavelle a été tuée par un vagabond ! protesta J.R., la bouche sèche.

— C'est ce qu'a conclu le rapport. Et ce que tout le monde a voulu croire. Le chef Tate aussi en était persuadé, et il n'avait pas vraiment tort. Mais il m'est impossible d'y croire encore, à présent. Je ne vais pas mettre cette nouvelle affaire sur le dos d'un vagabond. D'ailleurs, il y a eu d'autres cas. Tory le sait. Le FBI le sait aussi, ils vont venir mener leur petite enquête ici. Ils chercheront à l'attraper, J.R. Ils interrogeront Tory, son père, ta sœur. Toi aussi.

J.R. enfouit son visage dans ses mains.

— Hannibal Bodeen ! Sarabeth en mourra de chagrin ! Ça la tuera ! (Il laissa retomber ses mains.) Il va retourner là-bas. Seigneur Dieu, Carl D... C'est là qu'il va aller. Voir Sari et...

— J'ai contacté le shérif de Florence. L'endroit est surveillé. Il a placé un de ses gars pour garder un œil sur ta sœur.

— Il faut que j'y aille moi-même. Que je l'oblige à venir ici.

— C'est aussi ce que je ferais si c'était ma sœur. Si tu veux, j'irai avec toi. Ça facilitera les choses avec la police locale.

— Je peux m'en sortir tout seul.

Carl D. approuva d'un signe de tête en commençant à rassembler ses affaires. Il comprenait la colère et l'amertume de son ami. Il s'y était attendu. Et, il le savait bien, ce qu'il avait fait, ce qu'il devait faire encore, porterait sans doute dommage à une amitié aussi longue que leur propre vie. Cependant il n'avait plus le choix. Il fallait attendre et voir comment les choses pourraient être raccommodées.

— Je sais que tu peux te débrouiller tout seul, J.R., reprit-il. Mais je viendrai quand même. Je dois parler à ta sœur et je voudrais le faire avant que les fédéraux ne viennent s'en mêler et ne m'enlèvent toute l'affaire.

— Tu viendras en tant que flic ou en tant qu'ami ?

— Les deux. Je suis ton ami depuis plus longtemps, seulement je suis aussi flic. (Il posa sa canne à pêche sur son épaule et croisa le regard de J.R.) Et j'ai bien l'intention de le rester. Si ça ne te fait rien, on prendra ma voiture. Ça ira plus vite.

J.R. ravala la réplique qui n'aurait fait qu'aggraver les choses entre eux. Il réussit à afficher un maigre sourire.

— Alors, tu ferais mieux de mettre la sirène et de conduire comme un homme, pas comme une vieille dame.

Carl D. hocha la tête, un peu soulagé.

— J'essaierai. Au moins pendant un bout de chemin.

Cade faisait de son mieux pour contrôler son humeur et surveiller son langage. Pourtant, chaque fois qu'il pensait au risque insensé pris par sa sœur et Tory la veille, il se sentait envahi par une irrépressible vague de fureur.

Des sermons, des menaces, des reproches auraient soulagé sa tension, sans pour autant le mener nulle part. Il n'était pas homme à ne rien faire. Il savait exactement où il voulait en venir ; la seule question était de savoir par quelle voie.

La rapidité n'étant pas une priorité, il se contraignait à prendre son temps.

Il ne se souvenait pas depuis quand il s'était autorisé à paresser un dimanche matin. Il s'était dit que le mieux était de garder Tory au lit aussi longtemps que possible. Une façon comme une autre de l'amener tout doucement là où il voulait, jusqu'à ce qu'elle comprenne d'elle-même les enjeux. Ce projet lui fournissait en même temps l'occasion d'arrondir certains angles.

Il prépara le petit déjeuner parce qu'il avait faim ; de plus, Tory apprécierait une seconde tasse de café. Il orienta la conversation sur des sujets décontractés, livres, cinéma, art. Heureusement, ils avaient beaucoup de goûts communs. Cade ne jugeait pas cela indispensable, mais le fait contribuait à rendre leurs relations faciles et agréables.

Elle croyait sans doute qu'il ne remarquait pas ses yeux si souvent tournés vers la fenêtre, sombres, attentifs. Ni ses mains nerveuses qu'elle cherchait à occuper, la manière dont elle s'arrêtait parfois, brusquement silencieuse, l'oreille tendue pour surprendre le moindre changement dans les bruits extérieurs. Et cette manière de sursauter chaque fois qu'il refermait trop bruyamment la porte grillagée en sortant pour la rejoindre dehors tandis qu'elle s'occupait de ses fleurs.

Combien de fois, à *Beaux Rêves*, s'était-il ainsi rendu au jardin pour y rejoindre sa mère ? Pas plus que celles de Tory, il n'était capable de sonder les pensées de Margaret pendant qu'elle sarclait et taillait ses plates-bandes bien-aimées.

Comme leurs mains à toutes deux étaient méthodiques, précises ! songea-t-il. Toutes deux agenouillées, un chapeau sur la tête, les mains gantées enfouies dans la terre ou arrachant sans ménagement les mauvaises herbes. Margaret et Tory n'auraient sans doute guère apprécié de le voir ainsi comparer leurs talents...

Toute la matinée, Tory était restée d'un calme absolu. Cade en éprouva de la frustration. Elle refusait de partager avec lui ce qui l'affectait pourtant profondément, il en était certain. Elle gardait toujours sous clé une partie de sa personne, préférant se replier dans sa souffrance.

Margaret aussi tenait ses sentiments cachés pensa-t-il en sortant sur le porche pour regarder Tory travailler, la tête inclinée vers le sol. Même lui n'avait rien pu faire pour percer à jour les pensées secrètes de sa mère.

Mais il viendrait à bout de celles de Tory.

— Viens faire un tour avec moi.

— Un tour ?

Il lui tendit la main pour l'aider à se relever.

— J'ai des choses à voir. Viens.

Elle éprouva d'abord une vague de soulagement à l'idée qu'il puisse partir. Elle serait enfin seule et pourrait s'étendre, fermer les yeux et tenter de mettre un peu d'ordre dans son tumulte intérieur. Quelques heures de solitude pour réédifier le mur protecteur invisible et apaiser les tremblements.

— J'ai des tas de choses à faire, moi aussi. Vas-y. Je te rejoindrai.

— Nous sommes dimanche.

— Je le sais bien. Mais, demain, j'attends de nouvelles livraisons, dont une de Lavelle Cotton. Et puis j'ai une tonne de paperasse en retard.

— Ça peut attendre, Tory. Je veux te montrer quelque chose.

Tout en parlant, il lui ôta ses gants de jardin.

— Cade, je ne suis pas habillée pour sortir. Et je n'ai même pas mon sac.

— Tu n'en as pas besoin, dit-il en la poussant dans la voiture.

— Voilà une remarque typique d'un homme ! (Elle lui fit une grimace.) Laisse-moi quand même me donner un coup de peigne.

Il lui enleva son chapeau et le lança sur le siège arrière.

— Je te trouve très bien. Le vent soufflera dans tes cheveux. C'est bien plus sexy.

Avant qu'elle trouve une autre excuse, il était déjà assis au volant. Il mit ses lunettes de soleil et fit demi-tour pour s'engager sur la route. Le moteur gronda à plein régime et la voiture bondit en avant.

— Tu es très jolie quand tu es en colère, tu sais...

— Alors je dois être splendide actuellement.

— Dis-moi, Tory, cela fait combien de temps que nous nous connaissons ?

Elle tenta de maintenir ses cheveux d'une main.

— Une vingtaine d'années, je suppose.

— Non. Nous nous connaissons réellement depuis deux mois et demi. Aimerais-tu savoir ce que j'ai appris sur toi dans ce court laps de temps ?

Malgré sa décontraction apparente, Cade, elle le savait, avait une idée derrière la tête.

— Je ne suis pas sûre d'en avoir envie, finit-elle par répondre.

— Une des choses que j'ai apprises, c'est que Victoria Bodeen est une femme méfiante. Elle avance rarement sans regarder attentivement où elle va et ne se lance qu'après une étude exhaustive de la situation. Elle n'accorde pas facilement sa confiance. Même pas à elle-même.

— Si tu te lances sans regarder où tu vas, tu diminues tes chances d'arriver intact.

— Voici une autre chose : Victoria Bodeen est une femme logique. Méfiante et logique. Certains pourraient voir là une combinaison plutôt ordinaire et sans grand intérêt. C'est parce qu'ils ne considèrent pas l'ensemble. Car il faut ajouter à ce tableau la détermination, l'intelligence, l'humour, la gentillesse. Et la chaleur, d'autant plus précieuse qu'elle est rarement partagée. Le tout enveloppé dans un emballage parfois trop hermétique, mais extrêmement séduisant.

Il tourna dans une petite route étroite, mal entretenue, et ralentit.

— Voilà une analyse vraiment approfondie, lâcha Tory d'un ton qui se voulait ironique.

— Oh ! elle ne fait qu'effleurer la surface. Tu es une femme complexe, tout à fait fascinante. Compliquée et difficile. Exigeant peu, car tu refuses de demander. Voilà ce qui est si pénible pour l'ego d'un homme. Tu ne demandes jamais la moindre chose.

Elle ne répondit pas, mais joignit les mains, signe évident de tension. Elle avait perçu dans sa voix une pointe de colère.

— Descendons, dit-il. À partir d'ici, il faut marcher.

Tout autour d'eux, des champs s'étendaient à perte de vue, bordés de cotonniers alignés tels des petits soldats. Tory respira les parfums de la terre, l'odeur du fumier, les relents doux et forts de la végétation mûrissante. Les hommes de Cade devaient être venus ici récemment, pour retourner la terre et semer, songea-t-elle.

Déconcertée, ignorant pourquoi ils étaient venus là et ce qu'il fallait faire, elle suivit Cade entre les jeunes arbustes qui lui frôlaient les jambes, réveillant dans sa mémoire de doux souvenirs d'enfance.

— Il n'a pas beaucoup plu, commenta Cade. Assez, mais tout juste. Nous n'avons pas besoin d'autant d'irrigation que les autres exploitations. Le sol retient mieux l'humidité quand il n'est pas gorgé de produits chimiques. Si on le traite de manière naturelle, il réagit naturellement. Mais si on le contraint à changer pour atteindre des objectifs artificiellement définis, alors il a toujours besoin de plus. D'ici un ou deux mois, les capsules de coton vont s'ouvrir.

Il s'accroupit, ôta ses lunettes de soleil et les accrocha à sa chemise. Puis il cueillit une capsule encore étroitement fermée.

— Mon père aurait utilisé un régulateur pour ralentir la croissance et un défoliant pour faire disparaître les feuilles. C'était comme ça que tout le monde faisait. Quand on décide d'agir autrement, les gens n'aiment pas beaucoup ça. Il faut faire ses preuves. Il faut aussi en avoir envie.

Il se redressa et croisa son regard.

— Et moi, Tory ? Quelles preuves dois-je te donner ?

— Je ne sais pas ce que tu veux dire.

— À mon avis, la plupart des gens se comportent d'une certaine façon avec toi. C'est ainsi que les choses se sont toujours produites. Pourtant, moi, je réagis différemment.

— Tu es fâché contre moi.

— Oui, tu as raison. Je suis fâché. Mais, dans l'immédiat, ce que je veux savoir, c'est ce que tu attends exactement de moi.

— Je n'attends rien, Cade.

— Merde, Tory ! Mauvaise réponse.

Il s'éloigna à grands pas et elle se hâta derrière lui.

— Pourquoi mauvaise ? Pourquoi devrais-je attendre quelque chose de toi, pourquoi devrais-je désirer que tu sois – que tu fasses – quelque chose d'autre alors que je suis heureuse en ta compagnie ?

Il s'arrêta et se retourna vers elle. Le soleil martelait les champs sans pitié. Il sentait sa chaleur au-dessus de lui, mais aussi en lui.

— C'est un début. Selon toi, je te rends heureuse. Mais je désire autre chose de toi, et ça ne marchera pas entre nous si tu n'acceptes pas de t'engager vraiment. Il ne faudra pas longtemps pour que nous ne nous sentions plus heureux du tout si les choses demeurent ainsi.

Aussitôt, Tory se sentit traversée par une douleur fulgurante.

— Cade... tu veux en finir, c'est ça ? Tu...

Sa voix se brisa, ses yeux se remplirent de larmes brûlantes. Ne trouvant pas les mots, elle se replia sur elle-même.

— Je suis désolée, finit-elle par balbutier.

Ignorant ses larmes, il la regarda.

— Tu as raison de l'être. Je t'aime, je te l'ai dit. Crois-tu que je peux effacer cet amour simplement parce que tu me poses des problèmes ? Je t'ai amenée ici pour te montrer que j'ai l'habitude d'aller jusqu'au bout de mes actes, que j'exige le meilleur de tout ce qui m'appartient. Or tu m'appartiens. (Il la saisit par le bras et l'attira à lui.) J'en ai assez d'attendre que tu comprennes à quel point je tiens à toi, Tory. Maintenant, je veux quelque chose en retour. Je t'ai dit que je t'aimais. À toi de répondre.

— J'ai peur, Cade. J'ai peur de mes sentiments pour toi. Peux-tu le comprendre ?

— Peut-être... si seulement je savais ce que tu ressens vraiment.

— Beaucoup trop de choses. (Elle ferma les yeux.) Je ne peux plus imaginer ma vie sans toi. Et pourtant je ne veux pas que tu me deviennes indispensable.

— Cela te paraît plus facile d'être, toi, indispensable à l'autre ? De m'être indispensable à moi ?

La voyant fermer les yeux, il la secoua doucement.

— Je t'aime, Victoria. Et, crois-moi, cela me cause aussi bien des tourments. (Il pressa ses lèvres sur le front de la jeune femme.) Je ne peux rien y changer, même si je le voulais.

371

— C'est que... j'ai besoin de temps. De voir les choses plus calmement.

Elle appuya sa joue contre sa poitrine et sourit lorsqu'il jeta d'un geste vif ses lunettes sur le sol afin qu'elle ne se blesse pas.

— Parce que, selon toi, il est normal d'être calme quand on parle d'amour ? Je ne me sens pas calme du tout, Tory. (Il passa une main dans ses cheveux.) Réponds-moi : tu m'aimes ?

Elle se serra plus étroitement contre lui.

— Oui, je crois...

Il l'empoigna par les cheveux pour la forcer à lever son visage vers lui.

— Contentons-nous d'un vrai « oui », murmura-t-il en posant sa bouche sur la sienne. Et répète-le de temps en temps pour que nous finissions par nous y habituer, toi et moi. Je recommence : est-ce que tu m'aimes, Tory ?

— Oui.

Avec un long soupir, elle noua ses bras autour de son cou.

— C'est déjà mieux. Est-ce que tu m'aimes, Tory ?

Cette fois, elle se mit à rire.

— Oui.

— Presque parfait.

Il l'embrassa et sentit qu'elle faiblissait.

— J'ai une autre question à te poser : veux-tu m'épouser ?

— Oui, répondit-elle aussitôt.

Mais, la seconde suivante, elle ouvrit tout grands les yeux et recula, comme effrayée.

— Quoi ?

— Tu as dit « oui ». Impossible de revenir en arrière, à présent...

Il la souleva puissamment pour l'embrasser jusqu'à ce qu'elle en perde le souffle et sente sa tête tourner.

— Cade... Lâche-moi... Laisse-moi réfléchir...

— Désolé. Je crains que, pour une fois, tu aies sauté sans regarder. Tu vas devoir vivre avec moi.

— Tu m'as eue par surprise, tu le sais très bien.

— C'est plutôt une manœuvre, rectifia-t-il en la portant vers la voiture. Et une fameuse manœuvre, si j'ose dire.

— Cade, le mariage n'est pas une plaisanterie, c'est une situation à laquelle je n'ai pas encore pensé.

— Eh bien, tu vas devoir y penser vite. Si tu veux une grande cérémonie, ça peut attendre, disons, après la récolte. (Il la poussa vers la voiture.) Mais si tu te contentes d'une petite fête plus intime, le prochain week-end conviendrait parfaitement.

— Arrête. Arrête ! Je ne t'ai pas dit que j'étais d'accord pour le mariage.

Il s'installa au volant.

— Si, tu l'as dit. Tu peux protester, le fait est que je t'aime. Et tu m'aimes aussi. Cela nous conduit donc directement au mariage. Nous sommes ainsi, Tory. Je veux vivre avec toi. Et fonder une famille avec toi.

— Une famille. (Cette pensée la glaça.) Tu ne vois donc pas que... Oh ! Cade !

Il prit son visage dans ses mains pour le couvrir de baisers.

— Oui, une famille. Celle que nous créerons ensemble.

— Ce n'est pas si simple.

— Il n'y a rien de simple là-dedans. Ce qui est bien n'est pas forcément simple.

— Ce n'est pas le moment, Cade. Il y a trop d'événements graves en cours.

— Voilà pourquoi le moment me semble parfaitement choisi.

— Nous devrions parler de cela posément, dit-elle comme il engageait la voiture sur la route. Quand j'aurai les idées plus claires.

— Bien. Nous en parlerons autant que tu voudras.

Après avoir quitté le chemin de champ, il tourna à gauche.

Tory sursauta sur son siège, l'estomac noué.

— Où vas-tu ?

— À *Beaux Rêves*. J'ai besoin d'y prendre quelque chose.

— Je ne veux pas aller là-bas. Je ne *peux* pas.

— Bien sûr que si, tu le peux. (Il posa la main sur la sienne.) C'est une maison, Tory. Rien qu'une maison. Et elle m'appartient.

Le cœur de la jeune femme battait douloureusement dans sa poitrine, ses mains étaient devenues toutes moites.

— Je ne suis pas prête. Margaret n'aimera pas ça. C'est la maison de ta mère, Cade.

— C'est *ma* maison, rectifia-t-il froidement. Ce sera notre maison. Ma mère devra s'en accommoder.

Et Tory aussi, pensa-t-il.

26

C'était la plus belle demeure dont on puisse rêver, pensa Tory. Pas aussi ancienne ni élégante que les riches manoirs de Charleston, avec leur grâce fluide et féminine. Mais palpitante, unique, puissante. Enfant, elle la considérait comme un château de conte de fées. Un lieu de rêves et de beauté dont il émanait une extraordinaire énergie. Les rares fois où elle avait osé y pénétrer, elle était restée bouche bée, parlant à mi-voix tel un pécheur pénétrant en tremblant dans une cathédrale.

Les occasions avaient été peu nombreuses, car elle était trop timide et apeurée pour risquer d'affronter la moue désapprobatrice de Margaret Lavelle, qui la toisait, lèvres pincées. Et trop jeune, alors, pour se protéger de ses pensées, méprisantes et acérées comme des flèches.

Mais, à travers Hope, elle avait connu, *senti* et presque respiré toutes les pièces.

Elle connaissait la vue offerte par chacune des fenêtres, le contact des sols carrelés et des planchers, l'odeur du bureau de la tour, un mélange viril de cuir, de bourbon et de tabac.

Papa.

Aujourd'hui, il n'était plus question de voir par les yeux de Hope, de s'y laisser entraîner de cette manière. Tory allait devoir découvrir la maison par elle-même. Au présent.

Beaux Rêves lui apparut aussi impressionnante qu'à sa première visite. Impressionnante et orgueilleuse, ses tours dressées comme un défi contre le ciel. Oui, la maison avait reçu le nom qui lui convenait.

C'était un monde de rêves enchantés, avec ses parterres de fleurs et ses grands arbres centenaires.

Pendant quelques courts et précieux instants, Tory oublia la dernière fois qu'elle l'avait vue, ce matin effroyable où elle avait clopiné sur le chemin, les yeux pleins d'horreur et la mort dans le cœur.

— Elle n'a pas changé, murmura-t-elle.

— Hein ?

— Quoi qu'il se passe autour d'elle, et même à l'intérieur de ses murs, elle est toujours là, toujours solide. Cela relève presque du miracle.

— Mes ancêtres avaient de la personnalité et de l'humour. Deux traits essentiels pour réussir une maison. (Cade se gara et coupa le contact.) Viens, Victoria. Entrons.

Le sourire de Tory s'effaça.

— Tu vas au-devant d'ennuis.

Il descendit de voiture et fit le tour pour venir ouvrir sa portière.

— Quel mal y a-t-il à ça ? Je propose seulement à la femme que j'aime d'entrer dans ma maison. S'il y a des ennuis, nous les surmonterons.

Il lui prit la main et la tira sans ménagement hors de la voiture pour lui faire comprendre que, malgré ses bonnes manières, il pouvait aussi se montrer entêté.

Elle leva les yeux vers lui.

— C'est plus facile pour toi. Tu as toujours connu un environnement solide. La maison, par exemple. Alors que moi, j'ai toujours chancelé sur des terrains marécageux. Chaque jour de ma vie, j'ai dû faire attention à mes pas. Est-ce si important pour toi que je fasse celui-ci ?

— Oui, très.

— Bien, mais souviens-toi de ça si le terrain se dérobe sous mes pieds.

Ils franchirent les marches conduisant à la véranda. Un souvenir traversa Tory, et elle se revit assise là, jouant aux boules avec Hope ou étudiant attentivement une carte dressée par les pirates. De grands verres de limonade aux parois embuées par le froid. Des gâteaux sortant du congélateur. Un parfum de rose et de lavande. Deux fillettes, bras et jambes bronzés par le soleil, têtes rapprochées. Se murmurant des secrets à l'oreille bien qu'il n'y ait personne pour les surprendre.

— « Aventure », lâcha Tory d'une voix calme. C'était notre mot de passe. Nous projetions de vivre toutes sortes d'aventures.

Il déposa un baiser sur sa main, toujours emprisonnée dans la sienne.

— Maintenant, nous aussi nous en connaîtrons une. Cela aurait plu à Hope, n'est-ce pas ?

Tory réussit à sourire tandis qu'il lui ouvrait la porte.

— Oui, je le pense. Mais elle ne se souciait guère des garçons. Nous te trouvions si ennuyeux et stupide !

Son cœur s'accéléra ; le vaste hall qui s'ouvrait devant elle, avec son joli carrelage vert, lui sembla un fossé infranchissable.

— Cade...

— Fais-moi confiance, murmura-t-il en l'attirant à l'intérieur.

Il y faisait bon. Ici, l'air était toujours frais et délicatement parfumé. Tory se souvint combien cela la changeait de l'atmosphère étouffante de la maison du marais, toujours chargée des relents du dernier repas. Oui, ici, tout lui paraissait magique.

— Tu étais grand pour ton âge, dit-elle en s'efforçant de parler d'une voix assurée. Du moins, c'est ce qu'il me semblait. Et tu étais beau. Le prince dans son château. Tu l'es toujours, d'ailleurs. Si peu de choses ont changé, au fond.

— La tradition est une religion chez les Lavelle. Nous l'apprenons dès notre naissance. C'est à la fois un confort et un piège. Viens au salon. Je vais te chercher quelque chose à boire.

Elle faillit lui dire qu'elle n'était pas autorisée à entrer au salon. Autrefois, on tolérait sa présence à la cuisine seulement. Et encore... en entrant par la porte de derrière. Lilah lui donnait du thé glacé ou du Coca-Cola avec un gâteau ou une friandise. Et quand Tory l'aidait à balayer, Lilah glissait quelques piécettes dans sa poche.

Mais elle n'avait pas le droit de pénétrer dans les pièces réservées à la famille.

Elle fit un effort pour chasser ces images et se concentrer sur le présent. Les premiers lilas venaient d'éclore et quelques branches décoraient un grand vase posé sur une superbe table dans le hall. De part et d'autre, de fiers chandeliers bleus étaient garnis de hautes bougies blanches. Elles n'avaient encore jamais servi et se dressaient intactes, pures. Parfaites, comme tout le reste.

Au moment où elle s'avançait vers le seuil, Margaret apparut dans la courbe de l'escalier.

— Kincade ! lança-t-elle d'une voix cinglante.

Si elle ne l'avait contrôlée, sa main aurait tremblé sur la rampe. Tête haute, elle descendit quelques marches.

— Je voudrais te parler.

Il connaissait ce ton et cette attitude hautaine qu'elle ne cherchait même pas à dissimuler derrière un sourire de politesse.

— Bien sûr. J'allais justement conduire Tory au salon. Pourquoi ne viendrais-tu pas nous rejoindre ?

— Je préfère te parler en particulier. Veux-tu monter, s'il te plaît ? Elle fit demi-tour, certaine qu'il allait la suivre.

— Je crains de ne pouvoir venir tout de suite, répliqua-t-il d'une voix aimable. J'ai une invitée.

Margaret s'arrêta brusquement et tourna la tête au moment où Cade introduisait Tory au salon. Elle fut incapable de contenir plus longtemps la tension et l'animosité qui la dévoraient.

— Cade, ne fais pas cela.

— Désolé, Maman. (Il se tourna vers Tory.) Qu'aimerais-tu boire ? Lilah a du thé glacé à la cuisine, mais il y a peut-être aussi de l'eau pétillante dans le bar.

— Ne te sers pas de moi comme d'une arme, murmura Tory. Ce n'est pas bien, Cade.

— Mais je ne le fais pas, chérie, rétorqua-t-il à mi-voix en déposant un baiser sur son front.

Le visage pâle et figé, Margaret les observait, les yeux étincelants de colère.

— Comment oses-tu ? Comment oses-tu me défier ainsi chez moi et avec cette femme ? Je croyais m'être montrée parfaitement claire à ce sujet. Je ne veux pas d'elle dans cette maison.

Cade posa une main sur l'épaule de Tory.

— C'est moi qui n'ai peut-être pas été parfaitement clair, Maman. Tory est la bienvenue ici. Et j'entends que toute personne introduite par moi dans ma maison soit traitée avec courtoisie.

— Puisque tu insistes pour avoir cette conversation en sa présence, je ne vois pas la nécessité de me montrer courtoise.

Margaret entra. Le décor de la scène était en place, songea Tory. Seuls les caractères changeaient.

— Tu es libre de dormir avec qui tu veux. Je ne peux pas t'empêcher de passer ton temps avec cette femme malgré les commérages de la ville sur toi et sur toute notre famille. Mais tu ne l'introduiras pas sous mon toit.

— Mère, surveille tes paroles. (La voix de Cade avait baissé d'un ton et s'était faite dangereusement sourde.) Tu parles de la femme que je compte épouser.

Margaret recula d'un pas en chancelant, comme frappée de plein fouet. Son visage s'empourpra.

— As-tu perdu la tête ?

Où est mon texte ? se demanda Tory. Je dois pourtant avoir un rôle à jouer dans cette drôle de pièce. Pourquoi est-ce que je n'arrive pas à m'en souvenir ?

— Je ne te demande pas de m'approuver. Il est regrettable que cela te bouleverse à ce point, mais tu vas devoir t'adapter à cette nouvelle situation.

— Cade...

Tory avait la voix rauque, peut-être parce qu'elle n'avait rien dit depuis un moment.

— ... je suis certaine que ta mère préférerait te voir en particulier.

— Ne parlez pas à ma place ! lança Margaret. Je vois que j'ai trop attendu. Kincade, si tu persistes avec cette femme, tu t'exposes à perdre *Beaux Rêves*. J'userai de mon influence pour convaincre le conseil d'administration de Lavelle Cotton de te déchoir de ton poste de président.

— Tu peux toujours essayer, répondit Cade posément, mais tu n'y parviendras pas. Je lutterai contre toi pied à pied et, crois-moi, j'aurai l'avantage. En admettant même que tu parviennes à affaiblir ma position à l'usine, ce dont je doute, tu ne pourras jamais toucher à la plantation.

— Voilà ta reconnaissance à mon égard ? C'est elle qui te pousse, qui t'influence !

Les talons de Margaret claquèrent sur le dallage tandis qu'elle s'avançait vivement. Cade fit un pas de côté pour s'interposer entre Tory et sa mère.

— Non, c'est une décision personnelle, reprit-il. C'est à moi que tu dois t'adresser.

— Oh ! chic ! Une réception !

Faith entra, Princesse sur les talons. Ses yeux brillaient, un sourire malicieux flottait sur ses lèvres.

— Hello ! Tory. Te voilà bien jolie. Que penserais-tu d'un verre de vin ?

— Excellente idée, Faith, intervint son frère. Verse donc un verre à notre invitée. (Il se tourna vers sa mère.) C'est à moi que tu dois t'adresser, répéta-t-il.

— Tu fais honte à ta famille et à la mémoire de ta sœur !

— Non. C'est toi qui lui fais honte. Comment oses-tu accuser une enfant de la mort d'une autre enfant ? Et traiter une femme innocente avec un tel mépris et tant de méchanceté ? Alors qu'il ne s'agit que de ton propre chagrin et de ta propre culpabilité. Je suis désolé que tu n'aies jamais pu trouver la force ou le temps de t'intéresser à tes enfants vivants. Tu as préféré rester enfermée dans ton univers.

— Tu oses me parler sur ce ton ? À moi, ta mère ?

— J'ai souvent tenté d'en employer un autre, Maman. En vain. Si tu veux continuer à vivre comme tu le fais depuis dix-huit ans, libre à toi. Mais Faith et moi avons notre propre existence à mener. Et, moi, je compte passer le reste de mes jours aux côtés de Tory.

— Félicitations ! (Faith leva le verre qu'elle venait de remplir et but une gorgée.) Pour l'occasion, il faudrait plutôt boire du champagne. Tory, je tiens à être la première à te souhaiter la bienvenue dans cette heureuse famille.

— Tais-toi ! siffla Margaret.

Voyant Faith hausser les épaules, elle se tourna à nouveau vers Cade.

— Crois-tu que je ne sais pas pourquoi tu fais ça ? Tu veux me punir – Dieu seul sait pourquoi. Mais je suis ta mère et j'ai fait de mon mieux pour toi depuis le jour de ta naissance.

— Je le sais.

— Déprimant, hein ? murmura Faith.

Cade lui jeta un coup d'œil en hochant la tête.

— Je n'ai aucune raison de vouloir te contrarier ou te punir, Maman. Je n'agis nullement ainsi à cause de toi. C'est à moi que je pense, à moi enfin. Un miracle vient de se produire dans ma vie. Grâce à Tory.

Il étreignit la main glacée de la jeune femme et l'attira à lui.

— J'ai découvert en moi quelque chose que je ne croyais pas trouver, reprit-il. Je suis capable d'aimer et je désire faire le bonheur de la femme que j'aime. Et j'ai bien l'intention de veiller sur ce trésor.

— Dès demain, le juge Purcell aura en main mon nouveau testament. Je ne vous laisserai pas un sou, ni à l'un ni à l'autre. (Elle jeta à Faith un regard furieux.) Tu as bien entendu ? Pas un sou, sauf si tu me cèdes tes parts dans la maison du marais et dans l'immeuble de Market Street, au prix du marché.

Faith contempla le fond de son verre.

— Hum, hum... Peut-on savoir à combien se monterait ce prix du marché ?

— Autour de cent mille, répondit Cade. Quant à ma part dans les biens de notre mère, elle doit avoisiner les sept chiffres.

Faith plissa les lèvres.

— Ooooh ! Voyez-vous ça ! Tout cet argent pour moi, simplement si j'accepte de jeter Cade en pâture aux loups, pour ainsi dire, et si je fais ce que ma chère maman désire.

Elle laissa passer un instant.

— Mais je me le demande tout à coup : quand ai-je jamais fait ce que tu désirais, Maman ?

— Tu serais bien avisée d'y réfléchir.

— Cade, veux-tu du vin ou préfères-tu une bière ?

— Je ne te ferai pas cette offre une seconde fois, articula froidement Margaret. Si vous persistez dans cette farce, je quitterai cette maison et cesserai toute relation avec vous.

— J'en serais désolé, répondit calmement Cade. J'espère que tu changeras d'avis avec le temps.

— Tu la choisirais, *elle*, de préférence à ta famille ? À ton propre sang ?

— Sans une seconde d'hésitation. Et il est regrettable que tu n'aies jamais éprouvé un sentiment semblable pour qui que ce soit. Dans ce cas, tu ne me poserais pas la question.

— Elle sera ta perte.

Margaret se maîtrisa pour regarder Tory.

— Vous croyez intelligent de résister ? Vous pensez avoir gagné ? Mais vous vous trompez. Un jour, il vous verra telle que vous êtes et, alors, vous n'aurez plus rien.

La réponse vint spontanément. Les mots étaient là, attendant d'être prononcés.

— Il me voit telle que je suis. C'est mon miracle à moi, madame Lavelle. Je vous en prie, ne l'obligez pas à choisir entre nous. Ne nous obligez pas à vivre avec ça.

— J'avais une autre enfant, elle vous avait choisie, elle aussi, et cela lui a coûté cher. À présent, vous me volez mon fils. Cade, je vais prendre mes dispositions pour partir immédiatement. Aie la décence de tenir cette femme loin de moi jusqu'à ce que ce soit fait.

Faith se versa un second verre de vin tandis que sa mère sortait.

— Eh bien, eh bien ! Voilà qui est distrayant.

— Faith...

— Oh ! ne me regarde pas comme ça, répliqua-t-elle en levant une main pour couper court au discours de Cade. Ce n'était sans doute pas particulièrement distrayant pour vous deux, mais pour moi oui. Énormément. Dieu sait que Maman l'a bien cherché. (Elle mit un verre dans la main de Tory.) Tiens, bois ça, tu as l'air d'en avoir besoin.

— Va lui parler, Cade, murmura Tory. Tu ne peux pas laisser les choses dans cet état.

— S'il y va, je lui retire sur-le-champ l'admiration et le nouveau respect que j'éprouve pour lui. (Dressée sur la pointe des pieds, Faith déposa un baiser sur la joue de son frère.) On dirait qu'après tout Mère n'a pas réussi à nous détruire pour de bon.

Cade prit les mains de sa sœur dans les siennes.

— Merci.

— Mon chou, c'était un plaisir !

380

Faith se laissa choir dans un fauteuil avec un petit rire quand Princesse sauta sur ses genoux.

— Et maintenant, j'ai une idée pour fêter ça.

— Fêter quoi ? Le fait que Cade ait annoncé son intention de m'épouser ou le désespoir de ta mère ?

Faith releva la tête pour étudier le visage de Tory.

— Les deux. Mais ça ne semble pas être ton cas. Tu es trop sensible. Et trop gentille. Voilà encore une chose que Maman détesterait. (Elle leva son verre.) Et encore une chose à fêter !

— Faith, tu dépasses les bornes, murmura Cade.

— Laisse-moi ricaner un instant, tu veux ? Tout le monde n'a pas une aussi grande âme que vous deux. Dieu du ciel, vous êtes réellement bien assortis. Qui l'aurait cru ? Vous vous rendez compte ? Me voilà sincèrement heureuse pour vous ! Pour tout dire, j'en suis presque émue...

— Essaie de contrôler cet embarrassant étalage de sentiments.

Avec impatience, Cade se tourna vers Tory.

— Je dois me rendre dans mon bureau. Nous partirons ensuite. Ça ira ?

— Cade, il faut que tu parles à ta mère.

— Non. (Il lui donna un léger baiser.) Je ne serai pas long.

— Bois donc un peu de vin, suggéra Faith quand elles furent seules. Cela ramènera un peu de couleur à tes joues.

— Je n'en veux plus.

Tory reposa son verre et se dirigea vers la fenêtre. Elle aurait voulu être dehors à nouveau, respirer à pleins poumons les parfums de la nature.

— Si tu insistes pour garder cet air malheureux, tu vas rendre les choses encore plus difficiles pour Cade, lança Faith. Il a agi ainsi par amour pour toi.

— Mais toi, pourquoi as-tu refusé l'offre de ta mère ?

— Question intéressante. Il y a un an – ou peut-être un mois –, j'aurais pu accepter sa proposition. Ça fait une jolie somme et je sais ce qu'on peut faire avec de l'argent.

— Non, rétorqua Tory. Tu ne l'aurais pas fait et tu ne le feras jamais. À cause de Cade. Parce que tu l'aimes.

— C'est vrai. Il ne nous est pourtant pas facile d'aimer, à l'un comme à l'autre. Ma mère y a veillé.

— Faut-il vraiment tout lui reprocher ?

— Non, seulement ce qui lui revient. Moi, j'ai réussi à me forger une vie presque indépendante. Pas Cade. Il n'a jamais fait de mal à personne. Tu as raison, Tory. Je l'aime énormément.

Surprise, Tory vit les yeux de Faith se remplir de larmes.

— Ce qu'il a dit à Maman, il ne l'a pas fait pour la blesser, mais simplement parce que c'est la vérité. Moi, j'ai voulu la blesser. Tu peux te sentir désolée pour elle si tu y tiens. Mais ne compte pas que je le sois. Il a une chance avec toi et je tiens à ce qu'il la saisisse.

— Pourquoi ne lui dis-tu pas tout ça ?

— Je te le dis à toi. J'observe bien ses sentiments pour toi et je voudrais pouvoir éprouver la même chose pour quelqu'un.

Songeuse, elle contempla les reflets de la lumière dans son verre de vin. Voyant Cade regagner le salon, elle se leva.

— Je suppose que vous avez envie d'être seuls. Viens, Princesse, allons faire un tour. Le temps que les choses se tassent. (Elle caressa la joue de son frère en passant.) Je te conseille d'en faire autant.

— Pas tout de suite.

Il attendit le bruit de la porte se refermant derrière sa sœur et tendit la main à Tory.

— Cade, c'était un moment difficile pour toi, pour nous tous, et je...

— Non, ça ne l'était pas. C'est terminé. Toi et moi, nous sommes au commencement de notre aventure.

Il plongea une main dans sa poche et en sortit une petite boîte, qu'il tendit à Tory. Quand, d'une main tremblante, elle souleva le couvercle, le diamant jeta des feux dans les rayons du soleil.

— C'était à ma grand-mère et j'en ai hérité.

Tory sentit une vague de panique l'étouffer.

— Non...

Il lui prit la main pour y passer la bague.

— Il est à moi, répéta-t-il. J'ai toujours pensé l'offrir un jour à la femme que je désirerais épouser. Il ne m'est même pas venu à l'idée de le donner à Deborah. Sans doute avais-je déjà deviné qu'il me fallait le garder pour quelqu'un d'autre. Quelqu'un qui compterait vraiment. Tory... Regarde-moi.

— Tout va trop vite. Il faut me laisser un peu de temps.

— Comme tu voudras. Le temps ne compte pas entre nous. Si tu n'arrives pas à me croire, à me faire confiance, si ça ne suffit pas à te rassurer, alors, toi qui sens si bien les autres, essaie de lire au fond de moi. (Il leva sa main et la posa sur son cœur.) Regarde-moi, Tory, regarde en moi.

La chaleur qui émanait de lui se glissa en elle. Sa chaleur et sa force. L'espoir aussi. Son cœur battait régulièrement sous la paume de sa main tandis que ses yeux restaient plongés dans ceux de la jeune femme. « Il me fait confiance, de tout son être, songea-t-elle. C'est à moi maintenant de faire le pas suivant. »

— Je voudrais que tu puisses voir en moi aussi, car je ne sais pas comment te dire ce que j'éprouve, dit-elle lentement. J'ai peur, tout cela est si nouveau. Je ne voulais plus aimer, jamais, plus personne. Mais je ne savais pas que l'amour pouvait être si différent. Je ne savais pas que ce serait toi. Tu me rassures, Cade.

Elle passa une main dans ses cheveux, souriant maintenant.

— Oui... Tu me rassures.

— Alors, épouse-moi.

Elle inspira une grande bouffée d'air, attendit une seconde et répondit enfin :

— Oui, Cade.

Elle contempla le bijou brillant à son doigt.

— Il est magnifique. J'en ai le vertige rien qu'à le regarder.

— Il est un peu grand. (Il tâta l'anneau d'or.) Tu as des mains si délicates. Nous le ferons ajuster à ta taille.

— Pas tout de suite. Je dois m'y habituer d'abord.

Elle ferma la main, la rouvrit, soupira. Cade... Comme elle l'aimait ! Ses yeux vacillèrent avant de se lever à nouveau vers lui.

— Ta grand-mère... Je sens sa présence. Elle a aimé celui qui la lui a offerte. Elle s'appelait Laura et elle a été heureuse.

— Nous le serons aussi, promit-il.

Elle le crut.

Toutes sirènes hurlantes, Carl D. roula à plus de cent vingt pendant tout le trajet. Ce n'était pas recommandé, bien sûr, mais il y prit plaisir et Dieu sait que J.R. en tira de la distraction.

Il ralentit en approchant de l'embranchement.

— Nous devrions faire ça plus souvent le dimanche au lieu d'aller à la pêche.

— Ça fait circuler le sang, approuva J.R. Impossible de se sentir un vieux bonhomme quand on fonce sur la route comme ça.

— Qui te parle de vieux bonhomme ? Je vais te dire, J.R., si tu penses que ça peut te faciliter les choses, je te dépose chez ta sœur et je vais voir le shérif. Ça te laissera le temps de lui parler et, à elle, de rassembler ses affaires.

— Bonne idée.

L'humeur de J.R. s'assombrissait, pourtant il faisait de son mieux pour se donner du courage.

383

— Elle ne va pas vouloir bouger, reprit-il, et il va falloir que je la décide. Je vais lui dire qu'on est à peu près sûr que Han rôde dans les parages de Progress. Comme ça, elle se sentira plus près de lui si elle vient chez nous.

— Ça pourrait bien être vrai. Si c'est le cas, je mettrai en place des patrouilles supplémentaires dans ta rue. Au fait, qu'est-ce que c'est que ce drôle de système d'alarme dont Boots m'a parlé ?

— On le met depuis que tu as trouvé la petite Bellows. Boots prétend qu'elle ne se sent pas une seule seconde tranquille tant qu'il n'est pas branché.

J.R. ferma un instant les yeux, songeant à sa ville, et à tous ces gens dont il connaissait le nom et qui connaissaient le sien.

— Je n'aime pas ça, reprit-il. Je n'aime pas ça du tout.

— Toi et moi, J.R., nous avons été élevés d'une certaine manière. Nous avons vu Progress changer et nous nous y sommes habitués, parfois au prix d'un sacrifice, comme lorsqu'ils ont construit des maisons dans le pré où nous allions jouer au ballon ou quand ils ont parlé d'implanter des supermarchés hors de la ville. Ouais... On a bien fini par s'y faire.

Il ralentit.

— C'est celui-là, le carrefour pour aller chez Sarabeth ?

— Oui. La route n'est pas bonne. Fais attention à ta carrosserie. Ça me fait honte de voir comment elle vit, Carl D.

— T'en fais donc pas.

Le véhicule cahota, grinça, et Carl D. ralentit pour rouler au pas. Soudain, comme il regardait au loin, son regard devint fixe.

— Qu'est-ce qui se passe, bon Dieu ? Il est arrivé quelque chose...

Il accéléra brutalement et la voiture fut traversée de rudes secousses tandis qu'elle parcourait les derniers mètres les séparant de la maison. Deux voitures étaient arrêtées nez à nez et des cordons jaunes de police avaient été tendus à travers la cour jonchée de saletés. Au moment où Carl D. écrasait le frein, un homme en uniforme qui se tenait sous le porche branlant descendit les marches.

— Chef Russ, de Progress, annonça Carl D. (Il sortit sa plaque d'identité et la leva bien haut pour que l'homme puisse la voir.) Qu'est-ce qui s'est passé ?

— Nous avons un problème, chef. (Le visage du policier était pâle et figé, ses yeux dissimulés derrière des lunettes noires.) Je suis obligé de vous demander se rester ici. Le shérif est à l'intérieur. Il vous expliquera.

J.R. saisit le policier par la manche.

— C'est là qu'habite ma sœur ! Où est-elle ?

— Vous verrez avec le shérif. Je vous en prie, restez de l'autre côté du cordon.

Il pénétra dans la maison.

— Il est arrivé quelque chose à Sarabeth, bredouilla J.R. Il faut que...

Carl D. le saisit par le bras avant qu'il ne se précipite en avant. Il avait déjà repéré la tache sombre à l'extérieur du poulailler branlant et une autre près des broussailles.

— Reste tranquille. Tu ne peux rien faire pour l'instant. Attendons.

Le shérif Bridger était un homme corpulent au visage tanné par les années et les intempéries. Ses yeux bleu pâle étaient cernés de rides qui semblaient creusées à même la peau par le soleil. Il jeta un coup d'œil autour de lui en sortant, prit le temps de tirer un mouchoir de sa poche pour s'éponger le front et descendit enfin à la rencontre des deux hommes.

— Chef Russ ?

— Lui-même, shérif. J'ai amené ici M. Mooney qui vient chercher sa sœur. Qu'est-il arrivé ?

Bridger reporta son regard pâle sur J.R.

— Vous êtes le frère de Sarabeth Bodeen ?

— Oui. Où est-elle ?

— Désolé, monsieur Mooney. Il y a eu un problème ici, sans doute ce matin de bonne heure. Votre sœur est morte.

— Morte ? Qu'est-ce que vous racontez ? Ce n'est pas possible. Je lui ai encore parlé il n'y a pas deux jours. Pas deux jours. Carl D., tu disais que la police était là pour la protéger...

— C'est exact, intervint le shérif. Nous l'avons fait. Et cela m'a coûté un homme. Un brave gars, avec une femme et des gosses. Je suis désolé pour votre sœur, monsieur Mooney, mais désolé aussi pour eux.

— J.R., ordonna Carl D., assieds-toi. Tu vas rester tranquille jusqu'à ce que tu puisses tenir sur tes jambes.

Carl D. ouvrit la portière de sa voiture et poussa son ami à l'intérieur. Le visage de J.R. était d'un rouge inquiétant, sa grande carcasse commençait à trembler.

— Pourriez-vous lui faire apporter un verre d'eau, shérif ?

Bridger fit signe à l'agent en uniforme.

— Purty, apporte un verre d'eau à M. Mooney.

— Toi, tu restes là. (Les genoux de Carl D. craquèrent quand il s'accroupit.) Tu restes là et tu reprends ton souffle. Je vais voir ce que je peux faire.

— Je lui ai parlé, répéta J.R., hébété. C'était vendredi soir.

— Je sais. Ne bouge pas d'ici. Attends que je revienne.

Carl D. s'éloigna de la voiture suffisamment pour que J.R. ne puisse plus entendre.

— Et maintenant, pouvez-vous me dire ce qui est arrivé ?

— Nous avons reconstitué les faits, expliqua Bridger. Flint a pris sa garde à dix heures du soir. Nous n'avons su qu'il s'était passé quelque chose qu'au moment où on est venu le relever. Ça s'est produit là-bas, ajouta-t-il en désignant le poulailler.

Ils avaient emmené son homme à la morgue, enveloppé dans un grand sac noir. Il n'était pas près de l'oublier.

— Il a reçu une balle dans le dos et il est tombé. Il était jeune, costaud. Il a cherché à regagner sa voiture et a rampé sur plusieurs mètres avec la balle dans le corps. Il a sorti son arme. Alors un salopard lui a mis le canon d'un revolver dans l'oreille et a appuyé sur la détente. Il avait trente-trois ans, chef Russ. C'est moi qui l'ai envoyé ici. Nous savions que Bodeen était dangereux, mais nous ne pensions pas qu'il était armé. Autant que je sache, il ne s'était encore jamais servi d'une arme à feu. Cette ordure a tué mon homme en lui tirant dans le dos.

Carl D. se rembrunit.

— Et Mme Bodeen ?

Sarabeth... Sari Mooney... Il la revoyait enfant, assise sous le porche de la maison, mangeant à leur table.

— Selon moi, elle devait savoir qu'il allait venir. Elle avait préparé une valise. Dans sa chambre, il y a une boîte vide, là où elle devait garder son argent. Envolé maintenant. La porte était ouverte, mais pas d'effraction. Elle l'a fait entrer ou il est entré par lui-même. Il a tiré deux fois sur elle. Une fois dans la poitrine et l'autre derrière la tête.

Carl D. examina l'intérieur de la maison et les alentours.

— Vous avez fait une enquête, je suppose ?

— Ouais. On a interrogé les voisins et fini par trouver quelqu'un qui a entendu des coups de feu, vers cinq heures, cinq heures trente ce matin. Mais, par ici, les gens s'occupent de leurs affaires. Personne n'y a fait attention.

Il faisait une chaleur torride. Carl D. sortit un mouchoir pour éponger la sueur qui ruisselait de son visage et inondait sa chemise.

— Comment a-t-il pu arriver jusqu'ici ?

— Peux pas dire. Il a dû voler une voiture. Nous enquêtons.

— Et l'argent ? La valise pleine ?

— On a trouvé des vêtements à elle et quelques-uns appartenant à son mari. Elle savait qu'il devait venir. On vérifie les appels téléphoniques. Il a dû l'appeler et elle lui a expliqué la situation. On peut pas dire qu'elle coopérait avec la police. Il va falloir que M. Mooney aille l'identifier.

— Ouais. Mais laissez-le d'abord reprendre ses esprits. Avez-vous déjà informé Iris Mooney, la mère de la victime ?

— Non. Je le ferai de retour à mon bureau.

— J'aimerais que vous me laissiez cette tâche, shérif Bridger. Pas pour empiéter sur votre terrain, mais elle me connaît.

— Oh ! je vous confie bien volontiers ce boulot. Ce n'est pas un truc dont je raffole, hein.

— Merci. Je vais emmener J.R. chez sa mère. Ce sera plus facile pour eux comme ça.

— Il a tué un flic, chef Russ. Si ça peut consoler votre ami, vous pouvez lui dire que ce salaud ne cavalera pas longtemps ou pas assez vite.

— Tenez-moi au courant de l'enquête, shérif. J'en ferai autant de mon côté. J'attends les fédéraux demain ou après-demain. Ils voudront vous voir.

— D'accord. Mais, ici, c'est mon boulot et c'est un homme à moi qu'ils ont emporté ce matin dans un sac. (Bridger cracha par terre.) Bodeen ferait bien de prier son Dieu tout-puissant que les fédés mettent la main sur lui avant moi.

À des kilomètres de là, Hannibal Bodeen mordait dans une côtelette de porc. Il l'avait trouvée dans une maison vide à l'intérieur de laquelle il avait pu se glisser sans bruit, et du pain aussi, du fromage et une bouteille de Jim Beam. Il n'avait pas eu de difficulté, la famille étant à l'église. Ils les avait vus sortir de chez eux dans leurs beaux habits du dimanche et s'entasser dans un minibus. Hypocrites ! Aller à l'église pour exhiber leurs atours de richards ! Se pavaner dans la maison du Seigneur !

Dieu les punirait, exactement comme il punissait tous les orgueilleux. Et Dieu avait veillé à ce qu'il puisse manger, songea-t-il avec satisfaction en mordant dans la viande.

Il avait déniché plein de bonne nourriture dans cette grande maison. De la viande bien rangée qui restait du souper de la veille. Assez pour restaurer son corps. Et de quoi boire quand il en aurait besoin. C'était son épreuve, sa traversée du désert. Mais il tiendrait le coup.

Il jeta l'os et avala une longue gorgée à la bouteille.

Le désespoir l'avait accablé un court instant. Pourquoi était-il puni, lui, un juste entre les justes ? Ensuite tout était devenu clair. Le Seigneur l'avait mis à l'épreuve. Il devait apporter la confirmation de sa valeur. Et Dieu lui envoyait aussi des tentations. Parfois, il avait été faible, il avait succombé. Cependant il lui restait une chance de se rattraper.

Satan avait vécu dans sa maison, sous son toit, pendant dix-huit ans. Il avait fait de son mieux pour chasser le démon, mais il n'avait pas réussi. Cette fois, il n'échouerait pas.

Il leva la bouteille et laissa le whisky répandre en lui sa chaleur. Bientôt, quand il se serait suffisamment reposé, il achèverait la tâche qui lui avait été confiée. Et il prierait. Dieu lui montrerait alors la voie.

Il ferma les yeux et plongea dans le sommeil, la main sur le revolver serré contre lui

27

Tory regarda la voiture du chef Russ descendre lentement le chemin et s'engager sur la route de Progress. Depuis que son oncle était venu lui annoncer la mort de sa mère, elle s'était laissée tomber sur le vieux fauteuil à bascule placé sous le porche avant et n'avait plus bougé.

Son immobilité et son silence inquiétèrent Cade.

— Tory, rentre et viens t'étendre un instant.

— Tout va bien. Trop bien, même. Je voudrais éprouver davantage de choses. Il y a une sorte de vide en moi, là où devrait se trouver du chagrin. J'essaie d'y mettre un sentiment, mais je n'y parviens pas. Quel être suis-je donc pour ne pas éprouver de tristesse alors qu'il s'agit de ma mère ?

— Tu n'as pas à te forcer.

— J'ai ressenti davantage de pitié et de chagrin pour Sherry Bellows. Une femme que j'avais vue seulement une fois. Un plus grand choc et plus d'horreur que pour une personne de mon propre sang. Dans les yeux de mon oncle, j'ai lu de la douleur, du désespoir. Mais il n'y a rien de tel en moi. Je n'ai pas de larmes pour ma mère.

— Peut-être en as-tu déjà trop versé.

— Il doit me manquer quelque chose.

Cade vint s'agenouiller devant elle.

— Non, certainement pas. Sarabeth ne faisait plus partie de ta vie. Il est plus facile de se désoler du sort d'un étranger que de celui d'un être qui aurait dû être une part de toi-même et ne l'a jamais été.

— Ma mère est morte. Mon père l'a peut-être tuée. La question qui me vient à l'esprit, qui me hante, c'est : pourquoi veux-tu prendre pour femme quelqu'un comme moi, issue de tels parents ?

— Tu connais la réponse. Et si l'amour ne te suffit pas, nous pouvons y ajouter le bon sens. Tu n'es pas tes parents, pas plus que je ne suis les miens. La vie que nous mettons en route et que nous allons bâtir ensemble nous appartient, à nous seuls.

— Je devrais te quitter. C'est la chose raisonnable à faire, sans doute aussi la plus grande preuve d'amour. Mais je ne le peux pas. J'ai besoin de toi. Je désire tant tout ce que nous pouvons avoir de commun. Je ne trouve pas le courage de partir.

— Ma chérie, tu ne ferais pas deux pas sans moi.

Elle poussa un soupir et laissa échapper un petit rire saccadé.

— Je suis la première à le savoir, Cade.

Elle tendit la main vers lui. Il était si facile de le toucher, de laisser ses doigts courir dans ses cheveux.

— Crois-tu que nous nous serions trouvés l'un l'autre si Hope avait vécu ? Si rien de tout cela n'était arrivé et si nous avions grandi ici comme des gens normaux ?

— Oui, répondit Cade.

Tory réussit à esquisser un pâle sourire.

— Ta confiance me réconforte.

Elle se leva et alla jusqu'au bout du porche regarder les arbres qui couvraient le marais de leur ombre épaisse.

— Deux personnes sont mortes depuis mon retour dans cette maison. J'étais pourtant sûre que ce serait moi, sa prochaine cible. Mais il viendra. Il viendra.

— Il ne s'approchera pas de toi. Je l'en empêcherai.

« Il est si confiant, songea-t-elle en le regardant. Si réconfortant. »

— Tu ne comprends pas. Il *faut* qu'il vienne. Qu'il m'ajoute à sa liste. (Elle réprima un frisson.) Pourrais-tu me procurer un revolver ?

— Tory...

— Ne me dis pas que tu vas me protéger ou que la police va le trouver et l'arrêter. J'admets tout cela dans la mesure où ça marchera. Mais il sera obligé d'en finir avec moi, Cade. Je dois pouvoir me défendre si j'y suis contrainte. Et je me défendrai. Je n'hésiterai pas à prendre sa vie pour sauver la mienne. J'aurais pu le faire une fois. Désormais, il y a trop de choses en jeu. Il y a toi.

Une crainte brusque noua l'estomac de Cade, mais il réussit à hocher la tête. Sans rien dire, il se dirigea vers sa voiture, ouvrit le compartiment à gants et rapporta le revolver qui ne le quittait plus depuis le meurtre de Sherry Bellows.

Il le tendit à Tory.

— C'est un 38 mm.

— Il est plus petit que je ne pensais.

Cade fit tourner le vieux Smith & Wesson dans sa main.

— Il appartenait à mon père. Sais-tu t'en servir ?

Tory serra les lèvres. Dans la main de Cade, l'arme avait un air sinistre, efficace. Une main puissante, séduisante, celle d'un homme de la terre.

— On se contente d'appuyer sur la détente ?

— C'est un petit peu plus compliqué. Es-tu sûre de vouloir porter cette arme, Tory ?

Elle laissa échapper un soupir.

— Oui. J'en suis sûre.

— Alors, viens. Allons dans la cour. Je vais te donner ta première leçon de tir.

Tout en fredonnant d'une voix étonnamment douce et légère, Faith gravit l'escalier de l'appartement de Wade, les bras chargés d'articles d'épicerie. Princesse gambadait derrière elle, reniflant avec délectation l'air où flottaient d'innombrables et exquises odeurs de chiens, de chats et autres animaux familiers.

D'excellente humeur, Faith déplaça ses sacs, réussit à tourner le bouton de la porte et, de la hanche, poussa le battant pour l'ouvrir tout grand. Mongo était étendu sur un vieux tapis dans le salon, la tête posée sur ses pattes. Il remua la queue et leva la tête.

— Ah ! te voilà ! s'exclama gaiement la jeune femme. Tu as l'air en meilleure forme, mon vieux. Princesse, Mongo est convalescent. Ne lui mordille pas les oreilles. Il ne ferait qu'une bouchée de toi.

Mais la petite chienne était déjà occupée à renifler, mordiller et se faufiler partout.

— Bon. On dirait que vous avez fait connaissance, vous deux. Où est donc votre bon docteur ?

Elle le trouva à la cuisine en train de contempler fixement une tasse de café. Laissant tomber ses sacs sur le comptoir, elle encercla son cou de ses bras et déposa un baiser sonore sur le dessus de sa tête.

— J'ai une grande surprise pour toi, doc Wade. Tu vas bénéficier d'un bon dîner préparé à la maison. De plus, si tu t'y prends bien, un intermède romantique pourra succéder au dessert.

Un aboiement saccadé venant du salon la fit se précipiter dehors.

— Oh ! n'est-ce pas adorable ? Wade, tu devrais venir voir ça. Ils jouent ensemble. Ce gros chien pourrait écraser Princesse d'une seule patte ! Ils s'amusent tous les deux.

Elle riait encore en réintégrant la cuisine et s'arrêta net en voyant le visage de Wade.

— Chéri, que se passe-t-il ? C'est le cheval que tu es allé soigner hier soir ?

— Non, non. La jument va bien. Ma tante – la sœur de mon père – est morte. Elle a été assassinée ce matin.

— Mon Dieu ! Wade... C'est affreux. Que s'est-il passé ? (Elle s'assit en face de lui, bras ballants.) La sœur de ton père ? La mère de Tory ?

— Oui. Je ne l'ai pas vue depuis une éternité. En fait, je n'arrive même pas à me souvenir de son visage.

— Allons, calme-toi.

— Ma famille est effondrée. Faith, ils pensent que c'est mon oncle qui l'a tuée !

L'horreur qu'elle lut dans ses yeux l'empêcha d'en éprouver elle-même.

— C'est un homme méchant, Wade. Méchant et dangereux, mais il n'a rien à voir avec toi. Je suis désolée pour Tory. Vraiment. Également pour ta tante, et pour toute ta famille. Mais... Bon, autant te le dire, même si tu es fâché contre moi. Ta tante avait choisi cet homme de son plein gré. C'était peut-être une forme d'amour, mais alors une bien mauvaise.

— On ne sait pas ce qui se passe vraiment dans le cœur des autres.

— Bien sûr que si ! On dit toujours ça, et pourtant nous le savons très bien. Je sais par exemple ce qui s'est passé dans la vie de mes parents. S'ils avaient eu pour un sou de jugeote, ils auraient fait en sorte que leur mariage marche, ou alors ils y auraient mis fin. Au lieu de ça, ma mère s'est accrochée au nom des Lavelle comme s'il s'agissait d'une sorte d'emblème sacré, et Papa a fichu le camp avec une autre femme. À qui la faute ? Pendant pas mal de temps, j'ai cru que c'était celle de l'autre, mais ce n'était pas vrai. Papa n'a pas respecté son mariage, et Maman a toléré cette situation pour sauver les apparences. Il serait peut-être plus facile de dire que tout ça est la faute de Hannibal Bodeen. Mais ce n'est pas suffisant. Tu n'as pas à te sentir coupable. Pas plus que Tory ou J.R.

Elle recula d'un pas pour mieux le regarder.

— Je voudrais trouver de jolies choses à te dire. Des choses douces, réconfortantes. Seulement je ne suis pas douée pour ça. Tu veux aller voir ton père, j'imagine.

— Non. (Il gardait les yeux fixés sur elle depuis qu'elle avait commencé à parler.) Il est mieux avec ma mère. Elle sait ce qu'il faut faire pour lui. Qui aurait jamais pu penser que, toi aussi, tu saurais ce qu'il fallait faire pour moi ?

Il tendit la main. Quand elle l'eut prise, il l'attira contre lui et posa la tête sur son ventre.

— Reste avec moi, Faith.

— Bien sûr que je reste !

Elle passa une main dans ses cheveux. Tout au fond d'elle-même, elle éprouvait une curieuse sensation, l'impression de vaciller au-dessus d'un vide immense. Il la tint contre lui, aussi surpris qu'elle de trouver ce point d'ancrage.

— Je suis resté assis là depuis le coup de téléphone de mon père. Je ne me rappelle plus depuis quand. Une demi-heure, une heure. J'étais comme figé. Je ne sais pas quoi faire pour mes parents.

— Tu le sauras, le moment venu. Tu l'as toujours su. Veux-tu que je prépare un peu de café frais ?

— Non, merci. Non. Il faut que j'appelle ma grand-mère, Tory aussi. Je dois d'abord penser à ce que je vais leur dire.

Les yeux clos, le visage toujours pressé contre elle, il entendit les chiens aboyer dans la pièce à côté.

— Et Mongo... Je vais le garder, je suppose...

— Je le savais déjà, mon chéri.

— Sa patte va bien. Il faut encore un peu de temps pour qu'elle soit totalement guérie, mais tout ira bien. Il boitera peut-être un peu. Je voulais lui trouver de bons maîtres, mais... je ne sais pas pourquoi... je ne peux pas. (Il leva vers elle un regard troublé.) Que voulais-tu dire par « Je le savais » ? Tu savais que je n'allais pas donner Mongo ? Pourtant, je n'ai jamais gardé de chien.

— Parce que tu n'avais pas trouvé le bon.

Il la dévisagea un instant, et ses fossettes se creusèrent comme chaque fois qu'il était amusé.

— Tu deviens un peu trop sage à mon goût.

— C'est mon nouveau moi. Il ne me déplaît pas.

— Ce nouveau toi peut préparer à dîner ?

— En de rares occasions. J'ai apporté des steaks, et ce qui va avec. (Elle alla vers le comptoir, fouilla dans le sac et en sortit deux bougies blanches.) Au supermarché, Lucy m'a demandé ce que j'allais fêter en me voyant acheter de la viande rouge et des bougies blanches, et aussi un drôle de gâteau au fromage blanc dans une boîte.

Il se leva avec un sourire.

— Et qu'as-tu répondu à Lucy ?

— Que je préparais un dîner romantique pour deux : le Dr Wade Mooney et moi. Plusieurs oreilles intéressées l'ont entendu et les commérages vont bon train. J'espère que tu ne m'en veux pas de cette indiscrétion. Nous allons être le centre de pas mal d'échanges et de spéculations.

Il l'entoura de ses bras et posa une joue sur ses cheveux.

— Non. Je ne t'en veux pas.

— Lissy, mon trésor, ça ne me dit rien.

Lissy s'agita sur le siège de la voiture à la recherche d'une position confortable en soutenant son ventre d'un bras.

— Écoute, Dwight, nous devons faire cette visite. Ce sont des voisins et aussi des amis. Tory vient de perdre sa mère, elle appréciera une manifestation de sympathie.

— Demain peut-être. (Dwight jeta un regard préoccupé à la route devant lui.) Ou un autre jour.

— Choquée comme elle doit l'être, Tory n'est sans doute même pas en état de se préparer un repas correct. Je lui apporte un délicieux poulet en cocotte pour lui redonner des forces. Seigneur, elle doit en avoir bien besoin !

Malgré ses soupirs de circonstance, elle ne pouvait dissimuler une certaine fascination. La propre mère de Tory tuée par son père ! Comme dans les récits des journaux à sensation ou une série de Hollywood ! Et comme elle avait réussi à convaincre Dwight de partir à peine une heure après avoir appris la terrible nouvelle, elle serait peut-être la première à voir Tory.

Non qu'elle éprouvât pour celle-ci une sympathie particulière. Oh ! oui, elle l'aimait bien. Ne lui portait-elle pas ce poulet préparé à son intention par sa mère afin qu'elle n'ait qu'à le réchauffer quand le bébé naîtrait ? La nourriture avait son rôle à jouer dans les deuils. Tout le monde savait ça.

— Elle n'a sûrement pas envie de compagnie, insista Dwight.

— Nous ne sommes pas de la compagnie. Enfin quoi ? Je suis allée à l'école avec Tory. Nous nous connaissons depuis l'enfance. Je ne supporte pas l'idée qu'elle se retrouve seule dans un pareil moment. Ou que quelqu'un d'autre vienne la voir avant nous. N'oublie pas que tu es le maire, Dwight Frazier. C'est ton devoir de rendre visite aux gens frappés par un deuil. Seigneur, fais attention à ces cahots, mon chou ! Il va falloir que je fasse de nouveau pipi.

— Ce n'est pas bon pour toi d'être énervée ou toute retournée comme ça. (Il avança la main pour tapoter la sienne.) Tu ne vas pas déclencher les douleurs ici, hein ?

Satisfaite de le voir s'inquiéter, elle répondit néanmoins :

— Ne te fais pas de souci. Il reste encore trois semaines. De quoi ai-je l'air ? (Elle referma d'un coup sec le miroir de son poudrier.) J'ai une tête à faire peur, en ce moment. Je ressemble à une grosse vache affreuse.

— Tu es très jolie. Pour moi, tu seras toujours la plus jolie fille de Progress. Et tout à moi !

— Oh ! Dwight. (Les joues de Lissy rosirent et elle fit bouffer ses cheveux.) Tu es un amour. Je me sens tellement grosse et vilaine en ce moment. Et Tory est si mince.

— Elle n'a que la peau sur les os, oui. Ma femme, au moins, a des formes.

Il tendit le bras pour lui caresser la poitrine et elle poussa un petit cri de plaisir en lui administrant une tape sur la main.

— Arrête ! Tu n'as pas honte ? Regarde, nous sommes presque arrivés et me voilà tout excitée ! (Elle glissa une main entre les jambes de son mari.) On dirait que tu l'es toi aussi ! Nous avions l'habitude de nous garer par ici quand nous étions jeunes et un peu fous, tu te souviens ?

— Et je te faisais un brin de conversation sur la banquette arrière de la voiture de mon père.

— En réalité, on ne parlait pas beaucoup. J'étais folle de toi. La première fois que nous avons fait l'amour, c'était ici et il faisait noir. C'était drôlement excitant, Dwight.

Elle fit courir ses doigts le long de sa cuisse.

— Après le bébé, je retrouverai ma ligne. On fera venir Maman pour le garder et on viendra ici, toi et moi, voir si tu es encore capable de faire un brin de causette sur le siège arrière.

Il poussa un soupir.

— Arrête de parler comme ça, Lissy. Sinon, je ne vais pas pouvoir descendre de voiture sans être affreusement embarrassé.

— Ralentis un peu. Je voudrais me remettre du rouge à lèvres.

Elle sortit un tube de son sac.

— Maman gardera Luke pour la nuit. Nous pourrions rendre visite à Boots et J.R. quand nous quitterons Tory. Je pense que les obsèques auront lieu à Florence. Nous serons obligés d'y aller, naturellement, ne serait-ce que pour représenter la ville. Je n'ai pas de robe de grossesse noire. Ma bleu marine devrait aller, même avec son joli col blanc. Tu crois que les gens comprendront si je me mets en bleu marine ? Il faudra aussi envoyer des fleurs.

Ils bavardèrent ainsi jusqu'à l'entrée du chemin. Dwight ne s'amusait plus et avait vaguement mal à la tête.

395

Pas plus d'un quart d'heure, se promit-il. Il avait donné quinze minutes à Lissy pour sa visite. Après, il la ramènerait à la maison pour qu'elle s'étende les jambes en l'air. Ce qui lui permettrait de boire une bière et de regarder la télé un moment.

Personne à Progress ne pleurerait Sarabeth Bodeen, à l'exception de sa famille proche. Il ne voyait pas pourquoi un décès qui le touchait si peu, lui et sa ville, lui prendrait plus que le minimum de son temps, officiel et privé.

Il ferait ces visites par devoir, puis les oublierait.

— Je me demande comment on peut avoir envie de vivre ici, sans une seule âme aux alentours, observa Lissy tandis que Dwight l'aidait à descendre de voiture. Tory a toujours été une originale. Un peu comme un canard à deux têtes, aurait dit Maman. Mais...

Elle s'interrompit en apercevant la voiture de Cade.

— On dirait qu'après tout elle ne manque pas de compagnie. Je t'assure, Dwight, je ne peux pas m'imaginer ces deux-là ensemble. Pas un seul instant. Ils n'ont rien en commun, et Tory ne me semble pas du genre à garder un homme bien au chaud, si tu vois ce que je veux dire. Elle n'est pas mal, si on aime ce genre-là, mais elle n'arrive pas à la cheville de Deborah Purcell. Je ne sais vraiment pas ce que Cade peut lui trouver. Un homme dans sa position peut prétendre à mieux. Dieu sait que j'ai essayé de lui présenter les plus beaux partis.

Tout en sortant le plat du coffre de la voiture, Dwight se contentait de ponctuer ce flot de paroles par des « hmmm », des « aaaah » et, parfois, d'un « oui, chérie ». Il n'était pas nécessaire d'écouter sa femme quand elle se mettait à bavarder ainsi. Plusieurs années de mariage l'avaient accoutumé à son rythme ; de la sorte, il savait placer ses exclamations au moment opportun sans avoir la moindre idée de ce qu'elle racontait.

Ce système leur convenait parfaitement à tous les deux.

— Je pense qu'il se fatiguera vite d'elle, et ils iront chacun de leur côté comme le font les gens qui ne sont pas unis comme nous par un lien vraiment profond.

Elle s'agita un peu et donna à son mari une petite tape sur le bras. Dwight, docile, interpréta correctement ces signes et lui jeta un regard chaleureux et aimant.

— Quand il sera libre de nouveau, nous l'inviterons à dîner, peut-être avec Crystal Bean. Je devrais bien trouver un homme qui convienne à Tory, un homme plus dans son genre. Ce ne sera pas facile, car à mon avis il n'y en a pas beaucoup qui accepteront la compagnie d'une femme aussi étrange. Je te jure, parfois, quand elle me regarde, j'en ai des frissons, si tu vois ce que je veux dire. Oh !

Tory ! s'exclama-t-elle en voyant la jeune femme apparaître sur le seuil.

Tout sourire, Lissy lui ouvrit grand les bras.

— Ma chérie, je suis tellement désolée pour ta mère. Dwight et moi sommes venus dès que nous l'avons appris. Pauvre trésor. Pourquoi ne te reposes-tu pas ? Cade devrait songer à te faire garder le lit dans un moment pareil.

Les deux femmes échangèrent une étreinte qui se voulait énergique et chaleureuse.

— Je vais bien.

— Bien sûr que non, tu ne vas pas bien. Et ce n'est pas la peine de prétendre le contraire devant nous, tes vieux amis. (Elle tapota le dos de Tory.) Tu vas aller t'asseoir et je vais te faire une bonne tasse de thé. Tiens, je t'ai apporté un plat tout préparé. Il faut que tu avales un repas chaud pour garder des forces durant cette pénible épreuve.

Elle se détourna de Tory pour reporter son attention sur Cade, qui sortait de la cuisine.

— Cade... Tu es là ! s'exclama-t-elle aussitôt. Je suis heureuse que tu sois venu voir Tory. Dans un moment pareil, elle a besoin de tous ses amis. Maintenant, viens avec moi, mon chou. (Elle entoura d'un bras la taille de Tory.) Dwight, apporte donc ce plat que je puisse le réchauffer pour Tory.

— Écoute, Lissy, c'est vraiment très gentil à toi, commença Tory. Mais...

— Il n'y a rien de gentil là-dedans. Ne sommes-nous pas de vieilles amies ? Tu dois être complètement désorientée en ce moment, mais nous sommes là, près de toi. Si tu as besoin de quoi que ce soit, tu peux compter sur nous, n'est-ce pas, Dwight chéri ?

— Bien sûr.

Il jeta à Cade un regard douloureux pendant que Lissy entraînait Tory vers la cuisine.

— Je n'ai pas pu l'arrêter, murmura-t-il. Elle croit bien faire.

— J'en suis certain.

— C'est une chose terrible. Vraiment terrible. Comment Tory réagit-elle ?

Cade jeta un coup d'œil en direction de la cuisine, d'où provenait l'intarissable bavardage de Lissy.

— Elle tient le coup. Je me fais du souci pour elle, mais elle tient le coup.

— On raconte que c'est Hannibal Bodeen qui aurait commis le meurtre. La rumeur va vite. J'imagine qu'il vaut mieux que tu le saches. Il va y avoir de sales moments avant que ça aille mieux.

397

— Ça ne peut guère être pire. Le chef Russ t'a donné les dernières informations à propos de son enquête ?

— Il s'en occupe de près. Bien obligé d'ailleurs. Il n'y avait rien eu de semblable par ici depuis l'affaire de ta sœur.

Dwight hésita un instant et assujettit sa prise sur le plat qu'il tenait à la main.

— Cade, ça ne doit pas être facile pour toi non plus. Tous ces souvenirs qui remontent...

— Non, ça ne l'est pas. Cependant, vu la façon dont les choses ont l'air d'évoluer, ça pourrait aussi clore l'affaire définitivement. Il semblerait que ce soit également Bodeen l'assassin de Hope.

— Hope !

Dwight prit une profonde inspiration et retint l'air un instant avant de le laisser échapper doucement, tout en jetant un coup d'œil vers la cuisine.

— Dieu tout-puissant ! Cade, je ne sais pas quoi dire. Ni quoi penser.

— Moi non plus. Pour l'instant.

— Dwight, tu veux bien m'apporter cette casserole ? lança la voix de Lissy depuis la cuisine.

— Ça vient ! cria-t-il. Je vais emmener Lissy dès que possible, murmura-t-il à Cade. Je sais que vous n'avez pas envie de compagnie.

— Je t'en serais reconnaissant. Et j'aimerais aussi que tu ne parles pas de ce lien possible entre le père de Tory et la mort de Hope. Ni à Lissy ni à personne d'autre. C'est déjà assez difficile comme ça pour Tory.

— Tu peux compter sur moi. Fais-moi savoir si je peux t'être utile. (Il réussit à sourire.) Toi et moi, et Wade. Un fameux trio, pas vrai ? Ça nous ramène en arrière. Tout ce chemin ensemble.

— Je compte sur toi, fit Cade. Je...

Un cri soudain provenant de la cuisine fit bondir Dwight en avant. Il se heurta à Lissy, les yeux écarquillés, la bouche ouverte, étreignant une des mains de Tory.

— Elle est fiancée ! Je n'arrive pas à le croire ! Dwight, regarde cette bague au doigt de Tory ! Et ils n'ont rien dit à personne !

Fascinée, elle contemplait la bague, le visage animé, tout excitée à l'idée d'être certainement la première à connaître la nouvelle.

Dwight croisa les yeux de Tory. Il y lut la fatigue, l'embarras, une légère irritation.

— Je vous souhaite beaucoup de bonheur, articula-t-il.

— Bien entendu qu'elle sera heureuse !

Lissy laissa retomber la main de Tory pour faire le tour de la table en direction de Cade, qu'elle étreignit.

— En voilà un malin ! Avec lui, on ne sait jamais rien et soudain il soulève Tory avant qu'on ait le temps de s'en apercevoir. Elle doit en avoir la tête qui tourne. Il faut fêter cela, boire un verre à la santé de l'heureux couple. Oh !

Elle s'arrêta net ; toutefois ses yeux avaient gardé une lueur dansante.

— À quoi ai-je la tête ? Je ne pense vraiment à rien. Seigneur, chérie, tu dois te sentir si malheureuse...

Elle revint vers Tory aussi rapidement que sa forte corpulence le lui permettait.

— Se fiancer et perdre sa mère comme ça, coup sur coup. C'est la vie, on doit s'en souvenir. C'est la vie.

Tory ne jugea pas bon de se manifester, soulagée de récupérer sa main pour la reposer sur ses genoux.

— Merci, Lissy. Je suis désolée, mais j'espère que tu comprendras. Je dois appeler ma grand-mère. Nous devons prendre des dispositions.

— Bien sûr. Nous comprenons tout à fait. Surtout, n'hésite pas à me faire savoir ce que je peux faire pour toi. N'importe quoi. Beaucoup ou peu, Dwight et moi serons heureux de vous venir en aide. N'est-ce pas, Dwight ?

— Bien sûr. (Il saisit fermement Lissy par la taille.) Nous partons maintenant, mais vous pouvez téléphoner en cas de besoin. Non, ne vous dérangez pas, ajouta-t-il en entraînant Lissy vers la porte. Nous connaissons le chemin. Mais n'oublie pas d'appeler, Cade, tu entends ?

— Merci.

Lissy put à peine attendre d'avoir franchi la porte.

— Tu te rends compte ? Tu te rends compte ? Recevoir un diamant assez gros pour vous aveugler et apprendre le même jour que son père a tué sa mère ! Je te jure, Dwight, je ne sais pas quoi penser. Projeter un mariage et un enterrement en même temps. Je t'avais bien dit qu'elle était étrange.

Il l'installa dans la voiture et ferma la portière.

— Oui, chérie, tu me l'as dit. Tu me l'as sûrement dit.

Cade et Tory demeurèrent un long moment silencieux, assis face à face à la table de la cuisine.

— Désolé, souffla-t-il enfin.

— Pourquoi ?

— Dwight est mon ami, mais elle l'a accompagné.

— C'est une sotte, pas particulièrement maligne, pas vraiment méchante. Elle se nourrit des affaires d'autrui, bonnes et mauvaises. Pour l'instant, elle ne doit pas savoir sur quel pied danser. Voilà cette Victoria Bodeen, plongée au cœur d'une tragédie, d'un scandale. Et en même temps fiancée à l'un des hommes les plus puissants du pays.

Tory se tut et regarda l'anneau à son doigt. Le voir là lui causait un choc. Nullement désagréable, non, mais étrange.

— Toutes ces nouvelles doivent tourner dans son esprit et lui faire perdre la tête, poursuivit-elle. D'autant qu'elles n'y rencontrent pas grand-chose pour gêner leur mouvement.

Cade pinça les lèvres.

— C'est une hypothèse ou est-ce que tu t'es laissée aller à y jeter un coup d'œil ?

— Oh ! ce n'est pas nécessaire. Tout ce qu'elle peut penser se traduit aussitôt sur son visage. Dwight devait l'emmener au plus vite afin qu'elle saute sur un téléphone et répande la nouvelle à travers toute la ville.

— Et ça t'ennuie ?

— Oui.

Elle s'écarta de la table et alla jusqu'à la fenêtre. Curieux comme il pouvait être parfois réconfortant de regarder au-dehors les ombres noires du marais.

— En revenant ici, je savais que je serais passée au crible, poursuivit-elle. Je le comprends et m'en arrange. Quant à ce qui vient d'arriver à ma mère... je pourrai aussi m'arranger de cela. Je ne peux rien faire d'autre.

— Tu n'es plus seule, Tory.

— Je sais. Je suis revenue ici pour affronter mon destin, pour essayer de comprendre enfin. Expliquer – ou tout au moins accepter – la mort de Hope et mon rôle dans tout cela. Je me suis attendue aux regards, aux bavardages, aux spéculations, à la curiosité. J'ai formé le projet de les utiliser pour consolider mon affaire. Oui, en quelque sorte, je m'en sers. C'est raisonner trop froidement selon toi ?

— Non, c'est du bon sens. Peut-être pas si froid que tu le dis.

— Je suis revenue pour moi, reprit-elle paisiblement, pour prouver que je le pouvais. Je savais qu'il faudrait en payer le prix. J'ai voulu apaiser mon tourment intérieur, en prévoyant une inévitable repartie. Mais, toi, je ne t'avais pas prévu.

Elle se détourna.

— Je ne t'attendais pas, Cade. Et je ne sais pas encore que faire de tous mes sentiments à ton égard.

400

Il la rejoignit et écarta doucement ses cheveux de son visage pour les ramener en arrière.

— Tu y parviendras.

— C'est facile pour toi.

— En effet, car je t'attendais.

— Cade, mon père... Il est aussi une partie de moi. Tu dois y penser. Tu dois peser le pour et le contre.

— Crois-tu ?

Il la contempla un instant d'un air concentré.

— Tu dois avoir raison, dit-il enfin. Dans ce cas, toi aussi tu dois peser le pour et le contre à propos de mon arrière-grand-père, Horace. Figure-toi qu'il a eu une longue et trouble aventure avec le frère de sa femme. Quand elle l'a découvert – tu imagines avec quel choc et quelle détresse –, craignant un scandale, Horace et son amoureux l'ont coupée en morceaux, qu'ils ont distribués durant plusieurs jours aux alligators pour les engraisser.

— Tu inventes.

Il l'attira vers le lit.

— Non, pas du tout. Cette affaire d'alligators est une légende familiale. D'autres racontent qu'elle s'est simplement enfuie à Savannah et a vécu jusqu'à l'âge de quatre-vingt-seize ans une vie monacale. Quoi qu'il en soit, tout n'est pas forcément glorieux dans l'histoire de la famille Lavelle.

Elle se tourna vers lui et posa sa tête dans le creux de son épaule.

— Heureusement que je n'ai pas de frère.

— Exactement. Dors un peu, Tory. Il n'y a que toi et moi ici. Et c'est ça le plus important.

Tandis qu'elle glissait dans le sommeil, il resta éveillé, l'oreille tendue, guettant les bruits de la nuit.

28

— Tory, j'insiste.

Elle leva les yeux vers les murs et les tours de *Beaux Rêves*.

— Me voilà de nouveau entre ta mère et toi, Cade. Ce n'est pas bien, pour aucun de nous.

— Non. Mais j'ai besoin de lui parler et je ne veux pas que tu conduises toi-même pour aller en ville. Pas question, non plus, que tu restes seule tant que tout cela ne sera pas terminé.

— Rassure-toi. Je ne le désire pas non plus. Je t'attendrai ici dans la voiture.

— Trouvons un compromis.

— Oh ! depuis quand ce mot est-il entré dans ton vocabulaire ?

Il lui fit un petit sourire de circonstance.

— Écoute, nous allons passer par-derrière et tu m'attendras dans la cuisine. Ma mère n'y vient guère.

Prête à soulever de nouvelles objections, elle céda enfin, sachant qu'il aurait encore insisté. Elle se sentait vidée, épuisée, incapable de lutter. Trop de rêves pendant la nuit et trop d'images se glissant dans sa tête pendant le jour.

« Quand tout sera terminé », avait dit Cade. Comme si c'était possible.

Elle descendit de voiture et s'engagea à ses côtés dans l'allée du jardin, au milieu des roses épanouies et des buissons de camélias aux feuilles luisantes, là où une jolie petite fille avait autrefois caché sa belle bicyclette rose. Ils passèrent devant les azalées géantes, dont la floraison était maintenant terminée, et les hautes lavandes effilées qui embaumeraient encore l'air pendant tout l'hiver.

C'était un monde luxuriant, plein de couleurs, de formes, de parfums. Un lieu élégant aux sentiers dallés, avec de jolis bancs près des parterres et de grands pots garnis de fleurs mélangées artistiquement disposés tout le long du chemin. On aurait dit une peinture réalisée avec un soin méticuleux.

Le monde de Margaret, réalisa Tory. Tout, ici, reflétait sa personnalité, comme l'ameublement parfait des pièces à l'intérieur. Rien ne venait troubler cet ordre idéal. Quel bouleversement ce devait être pour elle de voir un intrus s'introduire dans ce paradis parfaitement maîtrisé et démolir ce bel équilibre !

— Tu ne la comprends pas.

— Pardon ?

— Ta mère. Tu ne la comprends pas du tout.

Intrigué, Cade prit la main de Tory, glissa ses doigts entre les siens.

— T'ai-je jamais donné l'impression du contraire ?

— C'est son monde ici, Cade. C'est sa vie. La maison, les jardins, la vue qu'elle aperçoit de ses fenêtres. Même avant la mort de Hope, c'était le centre de son existence. Un Éden qu'elle soignait, protégeait. Elle a continué à le faire quand elle a perdu son enfant. Cela, elle pouvait le garder, le toucher, le voir, être certaine que cela ne changerait pas. (Elle se tourna vers lui.) Tu ne peux pas le lui enlever.

— Je n'en ai aucune intention. (Il prit le visage de Tory entre ses mains et le leva vers le sien.) Mais je ne peux pas tolérer non plus qu'elle se serve de cela comme d'une menace pour me maintenir sous sa coupe. Je ne peux pas lui donner plus que je ne lui ai déjà offert, pas même si tu me le demandes.

— Alors, tu l'as dit toi-même, il faut trouver un compromis.

Il posa ses lèvres sur son front.

— Le problème, c'est que, parfois, avec certaines personnes, seuls « oui » ou « non » sont possibles. N'insiste pas.

Il se détourna et son regard se troubla. Sa voix était rauque.

— Ne me demande pas ça, Victoria. Ne me demande pas de marchander notre bonheur en échange de son approbation. Elle n'a jamais rien approuvé de ce que j'ai entrepris.

Comme c'est étrange, songea Tory. Il avait grandi dans un château mais avait été privé de mots tendres, tout autant qu'elle.

— Pardonne-moi si j'ai pu te blesser, murmura-t-elle très vite. Je... je ne le voulais pas.

Il lui caressa le bras et noua de nouveau ses doigts à ceux de la jeune femme.

— De vieilles blessures. Mais elles ne saignent plus comme autrefois.

Elles devaient cependant se rappeler à lui de temps en temps, pensat-elle tandis qu'ils reprenaient leur marche. Personne ne l'avait jamais frappé avec une ceinture ou à coups de poing. Mais il y avait d'autres façons de détruire un enfant.

Même ici, au milieu de toute cette beauté, si éloignée des pièces sordides et étouffantes de son enfance. De la beauté, certes, pensa Tory en pénétrant dans une charmille croulant sous les belles-de-jour, mais aussi de la solitude. Une autre sorte de privation.

Il fallait quelqu'un assis sur le banc ou tressant des tiges souples pour un panier. Un enfant étendu à plat ventre sur le chemin, étudiant de près un lézard ou un crapaud.

Tout ce décor avait besoin de vie, de sons, de mouvement.

— Je veux des enfants !

Cade s'arrêta net.

— Pardon ?

D'où venait cette idée et pourquoi avait-elle surgi ainsi comme si elle avait toujours été présente ?

— Je veux des enfants, répéta-t-elle. Je suis lasse de voir des cours vides, des jardins tranquilles, des chambres bien rangées. Si nous vivons ici, je veux du bruit et des miettes de pain par terre, des assiettes dans l'évier. Il me serait impossible de vivre dans une telle perfection, dans ces pièces impeccables. Je ne veux pas de cette maison si elle n'est pas pleine de vie.

Les mots se bousculaient hors de ses lèvres avec une sorte de panique qui fit sourire Cade. Il se souvint du jeune garçon qu'il avait été, un enfant plein d'énergie rêvant de construire un château fort. Avec des bouts de bois et du papier goudronné.

— Quelle heureuse coïncidence ! Je songeais à deux enfants avec une option sur un troisième.

— Très bien. (Elle poussa un soupir.) J'aurais dû me douter que tu y avais déjà pensé.

— Je suis un homme de la terre. Les gens comme nous avons l'habitude de prévoir en espérant que le sort nous sera favorable.

Il se pencha pour cueillir un brin de romarin dans le potager près de la cuisine.

— En souvenir, dit-il en le lui offrant. En m'attendant ici, souviens-toi que nous avons une vie à bâtir, avec autant de bruit et de désordre que nous en aurons envie.

Elle entra avec lui ; Lilah était là, comme si souvent autrefois, occupée près de l'évier. L'air sentait le café, le gâteau et ce parfum sucré de rose que Lilah dégageait à chacun de ses mouvements.

— Vous arrivez un peu tard pour le petit déjeuner, lança-t-elle. Mais vous avez de la chance, je suis de bonne humeur.

Elle les observait dehors depuis déjà quelques minutes, le cœur réjoui. Ils avaient l'air bien ensemble. Il y avait longtemps qu'elle attendait de voir son garçon avec cette mine resplendissante.

— Bon, asseyez-vous. Le café est encore frais et j'ai fait des crêpes que personne ne se soucie de manger.

— Ma mère est-elle là-haut ?

Lilah disposa des bols sur la table.

— Oui, et le juge ronge son frein à l'attendre dans le grand salon. Mme Lavelle n'a pas dit grand-chose aujourd'hui et elle a passé pas mal de temps au téléphone, portes fermées. Quant à votre sœur, eh bien... elle n'est pas rentrée la nuit dernière.

L'estomac de Cade se noua.

— Faith n'est pas là ?

— Vous faites donc pas de souci. Elle est avec doc Wade. Elle m'a dit où elle allait, hier soir. On dirait que personne ne dort dans son lit en ce moment, sauf moi. Il fait bien trop chaud pour toutes ces allées et venues. Asseyez-vous et mangez.

— Je dois parler à ma mère. Veille à ce que Tory mange, Lilah.

— Je ne suis pas un petit chien, protesta l'intéressée tandis qu'il s'éloignait à grands pas. Ne vous dérangez pas, Lilah.

— Asseyez-vous et ne prenez pas cet air de martyre. C'est à lui de régler ses affaires avec sa maman et z'avez pas à vous tourmenter pour ça. (Elle sortit la tôle à pâtisserie.) Mangez c'que je mets devant vous.

— Je commence à penser qu'il vous ressemble.

— Et pourquoi pas ? C'est pratiquement moi qui l'ai élevé. J'veux rien dire contre Mme Margaret. Y a des femmes qui sont pas faites pour être mères, voilà tout. Elles n'en valent pas moins, mais il faut les prendre comme elles sont.

Elle sortit une coupe du réfrigérateur et ôta le papier qui la recouvrait.

— J'ai appris pour votre mère. Je suis désolée.

— Merci.

Lilah resta là un instant, la coupe dans le creux du bras, ses yeux noirs et chaleureux fixés sur Tory.

— Y a des femmes qui sont pas faites pour être mères, répéta-t-elle. C'est pourquoi, comme dit la chanson, Dieu bénisse l'enfant qui suit son propre chemin. Vous avez toujours suivi votre voie, mon chou. L'avez toujours fait.

Pour la première fois depuis qu'elle avait appris la mort de sa mère, Tory se mit soudain à pleurer.

Cade fit d'abord halte au salon. Son éducation lui interdisait de passer devant un vieil ami de la famille sans le saluer.

— Juge Purcell.

Gerald se retourna et l'expression sévère de son visage se détendit quand il vit Cade.

— J'espérais avoir la chance de vous parler ce matin. Pourriez-vous me consacrer quelques minutes ?

— Bien sûr. (Cade entra et lui désigna un siège.) Comment allez-vous ?

— Toujours un peu d'arthrite de temps à autre. C'est l'âge. (Gerald esquissa un geste négligent en s'asseyant.) On n'imagine jamais que ça peut vous arriver. Et puis, un jour en se réveillant, on se demande qui est ce vieux bonhomme qu'on voit dans la glace en se rasant. Ma foi... c'est la vie.

Il posa ses mains bien à plat sur ses cuisses.

— Je vous connais depuis votre naissance, commença-t-il avec un hochement de tête.

— Dans ce cas, inutile de prendre des gants, coupa Cade. Ma mère vous a sans doute informé des modifications qu'elle compte apporter à son testament.

— C'est une femme orgueilleuse, et elle est inquiète pour vous.

Cade haussa un sourcil.

— Vraiment ? Pourtant, il n'y a aucune raison. Je vais très bien. Et même plus que bien. Si son inquiétude concerne *Beaux Rêves*, elle n'a pas non plus de raison de se faire du souci. Nous avons eu une très bonne année, meilleure même que la dernière.

Gerald toussota pour s'éclaircir la gorge.

— Cade, j'ai connu votre père, j'ai été son ami pendant la plus grande partie de sa vie. N'oubliez pas cela en écoutant ce que j'ai à vous dire. Si vous pouviez remettre à un peu plus tard vos projets personnels, prendre le temps de réfléchir... Je suis parfaitement conscient des besoins et des désirs d'un homme, mais quand ces désirs passent avant le devoir, le sens pratique, et surtout avant la famille, il ne peut rien en sortir de bon.

— J'ai demandé à Tory de m'épouser et je n'ai pas besoin de la bénédiction de ma mère pour cela, ni de la vôtre. Je regrette toutefois de ne pas les obtenir.

— Cade, vous êtes un homme jeune avec la vie devant vous. En tant qu'ami de vos deux parents, je vous demande seulement de prendre le temps de penser à tout cela, et le temps ne manque pas à votre âge. Vous devez considérer les choses dans leur ensemble. Surtout maintenant, avec cette tragédie dans la vie de Tory Bodeen. Une véritable tragédie, oui... et qui conduit à se poser des quantités de questions sur ses origines. Vous n'étiez qu'un jeune garçon quand elle vivait à Progress, vous ignoriez alors les dures réalités de la vie.

— De quelles réalités voulez-vous parler ?

Gerald soupira.

— Hannibal Bodeen est un homme dangereux, certainement un malade mental. Ces choses se transmettent dans le sang. J'ai beaucoup de sympathie pour cette enfant, ne vous y trompez pas, mais ça n'y change rien.

— Je vois à quoi vous pensez. Tel père, telle fille, n'est-ce pas ?

Le visage de Gerald refléta une brève irritation.

— Victoria Bodeen a vécu sous son influence trop longtemps pour ne pas en garder de traces. Voilà de nombreuses années, Iris Mooney, la grand-mère maternelle de Victoria, est venue me trouver pour me demander de retirer aux Bodeen la garde de la fillette. Elle disait que Bodeen la battait.

— Iris vous a demandé de vous en occuper ?

— En effet. Malheureusement, elle n'a pas pu fournir de preuves de ses affirmations, rien de concret. Bien sûr, je ne mettais pas du tout en doute les paroles d'Iris, mais...

— Vous saviez, fit Cade très calmement. Vous saviez qu'il la battait, et vous n'avez rien fait.

— Sur le plan légal...

— Je me fiche de la loi ! coupa-t-il d'une voix glaciale en se levant brusquement. Iris Mooney est venue vous demander votre aide parce qu'elle voulait arracher une enfant à un cauchemar. Et vous n'avez rien fait.

— Je ne pouvais pas intervenir dans une affaire de famille. Elle n'avait aucune preuve. Le cas n'était pas défendable.

Déconcerté, Gerald se leva à son tour. Il n'avait pas l'habitude d'être ainsi critiqué, ni toisé avec un tel mépris.

— Il n'y avait aucun rapport de police, rien non plus des services sociaux. Seulement les déclarations de la grand-mère. Si j'avais présenté ce dossier aux autorités, il n'aurait pas abouti.

— Nous ne le saurons jamais, n'est-ce pas ? Puisque vous n'avez rien entrepris pour sauver cette enfant. Vous n'avez même pas essayé.

— Ce n'était pas à moi d'intervenir.

— C'était bel et bien à vous – à tout le monde, d'ailleurs – d'intervenir. Mais Tory Bodeen s'en est sortie sans vous, sans personne. À présent, je vous prie de m'excuser. J'ai une affaire à régler.

Cade sortit rapidement et grimpa les escaliers. Au premier, il frappa à la porte de sa mère, réalisant en même temps qu'il y avait eu trop souvent des portes closes dans cette maison. Des barrières ne s'ouvrant qu'après une requête polie. Les bonnes manières l'emportaient toujours ici, avant l'intimité.

Cela changerait. Il se le promettait. Les portes de *Beaux Rêves* resteraient ouvertes. Ses enfants n'auraient pas besoin d'attendre qu'on les invite à entrer, tels des hôtes de passage.

— Entre.

Margaret continua à faire ses bagages. Elle avait vu Cade arriver en voiture avec cette femme et s'était attendue à l'entendre frapper à sa porte. Sans doute désirait-il lui demander de ne pas partir et de trouver un compromis. C'était un bon négociateur, songea-t-elle en pliant avec soin ses chemisiers dans du papier de soie. Comme son père.

Elle éprouverait une grande satisfaction à l'écouter la supplier. À lui faire toutes sortes d'offres. Mais elle les refuserait toutes.

— Je suis désolé de te déranger..., commença Cade.

Cette entrée en matière lui était venue automatiquement. Il avait si souvent prononcé les mêmes mots chaque fois qu'il frappait à la porte de sa mère.

— ... et je suis désolé que nous ne soyons pas d'accord.

Elle ne prit pas la peine de le regarder.

— J'ai pris mes dispositions pour faire enlever mes bagages cet après-midi. Bien entendu, j'espère qu'on me fera parvenir par la suite le reste de mes biens. J'ai dressé une liste partielle de ce qui m'appartient. Il me faudra un peu de temps pour la compléter. J'ai acheté moi-même de nombreuses choses dans cette maison au cours des années.

— Bien entendu. As-tu décidé de l'endroit où tu voulais t'installer ?

La question avait été posée sur un ton dégagé. Elle agita les mains pour qu'elles ne tremblent pas et lui jeta un regard glacial.

— Pas encore de manière définitive. Il y a beaucoup d'aspects à considérer.

— En effet. Tu serais sans doute plus à ton aise dans une maison à toi où tu resterais proche de tes relations. Nous possédons la demeure qui fait l'angle de Magnolia et de Main. C'est une jolie construction de briques à deux étages avec une belle cour et un jardin. Elle est louée pour le moment, mais le bail arrive à expiration dans deux mois. Si elle t'intéresse, j'aviserai les locataires.

Stupéfaite, Margaret le fixa.

— Tu me mets dehors, à présent !

— Je ne te mets pas dehors. C'est toi qui as choisi de partir, rappelle-toi. Sache cependant que tu seras toujours la bienvenue ici. C'est ta maison et elle continuera à l'être. Seulement ce sera aussi la maison de Tory.

— Tu finiras par comprendre qui est véritablement cette fille, mais ce sera trop tard. Elle t'aura ruiné. Sa mère ne valait rien. Son père est un assassin. Elle n'est elle-même qu'une opportuniste, une voleuse calculatrice qui n'a jamais su se tenir à sa place.

— Sa place est ici avec moi. Si tu ne peux l'accepter, ni l'accepter elle, alors il vaut mieux que tu partes. La maison sur Magnolia est à toi si tu le désires. Mais si tu préfères aller ailleurs, *Beaux Rêves* se portera acquéreur de toute autre propriété de ton choix.

— Et tu n'éprouves même pas le moindre sentiment de culpabilité ?

— Non, Maman. Je ne me sens pas coupable de chercher mon bonheur et d'aimer une femme que j'admire et que je respecte.

— Du respect ? Tu parles de respect ? scanda Margaret d'un ton méprisant.

— Oui. Je n'ai jamais estimé quelqu'un davantage que Tory. La culpabilité n'a donc pas de place ici. Je veillerai à ce que tu habites une maison confortable.

— Je n'ai pas besoin de toi. J'ai de l'argent.

— Je sais bien. Prends tout le temps nécessaire pour faire ton choix. Quelle que soit ta décision, j'espère qu'elle te permettra d'être heureuse. Ou tout au moins satisfaite. J'aurais voulu...

Il ferma les yeux un instant. Il lui en coûtait de garder son calme.

— ... j'aurais voulu autre chose entre nous, reprit-il, et je voudrais savoir pourquoi cela n'est pas possible. Nous sommes déçus l'un par l'autre, Maman. J'en suis profondément navré.

Elle serra les lèvres pour les empêcher de trembler.

— Quand j'aurai quitté cette maison, tu seras mort pour moi.

Une onde de chagrin s'abattit sur lui, l'envahit, puis s'éloigna.

— Oui, je sais.

Il recula et ferma doucement la porte.

Seule à présent, Margaret se laissa tomber sur le lit et écouta le silence.

Cade rassembla les papiers dont il pensait avoir besoin pendant les jours à venir, écouta ses messages téléphoniques et lut son courrier. Il avait des choses à vérifier avec Piney, il lui fallait rappeler l'usine et passer voir des immeubles locatifs. Il y avait une réunion du conseil le lendemain, mais elle pouvait être reportée.

En revanche, son rendez-vous trimestriel avec son comptable ne pouvait l'être. Il lui fallait seulement trouver un endroit où laisser Tory en toute sécurité pendant plusieurs heures.

Après un coup d'œil à sa montre, il décrocha le téléphone. Faith répondit d'une voix encore endormie.

— Où est Wade ?

— En bas avec un cocker, ou quelque chose comme ça. Quelle heure est-il ?

— Plus de neuf heures.

— Fiche-moi la paix. Je dors.

— Je viens en ville, Tory est avec moi. Elle veut absolument aller au magasin. Je ne pense pas qu'elle ouvre aujourd'hui, mais elle cherche sans doute à s'occuper. Je voudrais que tu gardes un œil sur elle. Alors, va là-bas et restes-y.

— Tu ne m'as peut-être pas bien entendue : je dors.

— Lève-toi. Nous serons là-bas dans une demi-heure.

— Tu joues les patrons ce matin, on dirait !

— Je ne veux pas que vous restiez seules, ni l'une ni l'autre, tant que Bodeen ne sera pas derrière les barreaux. Ne la quitte pas, compris ? Je reviendrai le plus vite possible.

— Et qu'est-ce que je suis censée faire avec elle ?

— Trouve quelque chose. Allez, debout !

Il raccrocha, satisfait, et descendit, son attaché-case sous le bras.

La première chose qu'il remarqua fut que l'assiette placée devant Tory avait été soigneusement vidée. La seconde, c'est qu'elle pleurait.

— Qu'est-ce qui se passe ? Que lui as-tu dit ?

— Oh ! cessez de faire des histoires ! (Lilah l'écarta d'une tape comme elle l'aurait fait d'une mouche.) Elle a une petite crise de larmes et se sentira mieux après. Pas vrai, ma jolie ?

— C'est vrai. Merci, Lilah. Mais je ne peux plus rien manger. Vraiment.

Lilah pinça les lèvres, examina l'assiette et hocha la tête.

— Eh bien, dans ce cas... (Elle jeta un coup d'œil à Cade.) Est-ce que Mme Margaret et le juge voudront un petit déjeuner ?

— Je ne le pense pas. Ma mère a prévu de s'en aller cet après-midi.

— Elle part avec lui ?

— Apparemment. Ne reste pas toute seule ici, Lilah. Si tu allais rendre visite à ta sœur un jour ou deux ?

Lilah posa l'assiette de Tory dans l'évier.

— Ça pourrait se faire... Mais je vais attendre un peu, monsieur Cade, si ça ne vous fait rien.

— Je passerai plus tard.

— C'est une bonne chose qu'elle s'en aille. Mme Lavelle va se libérer pour de bon de cette maison et elle sera plus heureuse d'ici quelque temps.

— J'espère que tu as raison. N'oublie pas d'appeler ta sœur ! dit-il en tendant la main à Tory.

La jeune femme se leva et, après une brève hésitation, s'approcha de Lilah pour appuyer sa joue contre la sienne.

— Merci.

— Z'êtes une bonne fille. Rappelez-vous : il faut suivre votre propre chemin.

— Je le ferai.

Tory attendit que la voiture s'éloigne par la grande allée bordée d'arbres.

— Je ne veux pas un grand mariage.

Cade leva les sourcils.

— D'accord.

— Je voudrais quelque chose d'aussi paisible que possible et...

— Et ?

Il tourna pour s'engager sur la grand-route. Tory regarda au-dehors en direction du marais.

— ... et le plus tôt possible.

— Pourquoi ?

C'était typique de lui de poser une telle question, pensa-t-elle en le regardant.

— Parce que je veux mettre notre vie en route.

— Je m'occuperai de publier les bans dès demain. Cela te convient ?

Elle posa sa main sur la sienne.

— Oui. Cela me convient tout à fait.

Elle lui sourit et le marais resta silencieux. Rien ne vint l'avertir de ce qui l'attendait encore.

Faith se dirigeait vivement vers *Southern Comfort* quand elle aperçut la voiture de Cade qui s'arrêtait. Avec un grand sourire, elle agita le bras en signe de bienvenue.

— Bon, te voilà. Je craignais que tu aies oublié.

411

— Oublié quoi ?

— Souviens-toi, mon chou, tu m'as dit que je pouvais t'emprunter ta voiture aujourd'hui. Tiens, voilà pour toi. (Elle lui mit dans la main ses propres clés.) C'est gentil à toi. N'est-ce pas le meilleur des frères, Tory ? Il sait que j'adore rouler dans sa jolie petite décapotable et il n'hésite pas à me la prêter.

Elle s'empara promptement des clés de Cade et plaqua un baiser sonore sur sa joue.

— Tory, je meurs d'ennui aujourd'hui, car Wade a énormément de travail. Je vais te tenir compagnie un instant, tu veux bien ? Je pensais acheter pour Wade un de ces chandeliers, là.

Elle se détourna de Cade pour prendre le bras de Tory.

— Son appartement a bien besoin d'être arrangé. Tu le connais, tu sais comment il est. Je crois que je vais y passer pas mal de temps, et je ne peux pas supporter ce décor vraiment primitif et viril. Cade, ma voiture est juste derrière l'immeuble de Wade ! lança-t-elle tout en entraînant Tory vers la porte du magasin. Au fait, arrête-toi à la station-service. Il n'y a plus beaucoup d'essence.

Avec un dernier regard en direction de Cade, qui faisait grise mine, Tory déverrouilla la porte.

— Qu'as-tu fait de ton chien ?

— Oh ! Princesse est tout à fait bien chez Wade.

Faith s'approcha de la vitrine et adressa un dernier signe amical à Cade.

— Il est furieux. Il déteste que je conduise son cher jouet.

— Et, naturellement, tu le fais le plus souvent possible.

— Naturellement. Tu as quelque chose de frais à boire ? Il fait si chaud, on peut à peine respirer aujourd'hui.

— Dans l'arrière-boutique. Sers-toi.

— Est-ce que tu ouvres le magasin aujourd'hui ?

— Non. Je n'ai pas envie de voir du monde. Ne m'en veux pas si je ne m'occupe pas de toi.

— La même chose pour toi.

Faith se glissa dans la réserve et revint avec deux bouteilles de Coca. Tory mit la radio à faible volume et commença à s'activer avec un chiffon et du produit pour les vitres.

— Tu devrais me donner un truc à faire avant que je meure d'ennui, déclara Faith.

Tory lui tendit le chiffon.

— Tu sais sûrement te servir de ça. J'ai beaucoup de paperasse à régler dans le bureau. Je t'en prie, ne laisse entrer personne. Si quelqu'un se présente à la porte, contente-toi de dire que c'est fermé aujourd'hui.

— Entendu.

Elle haussa les épaules quand Tory disparut par-derrière et se mit à disposer à son idée les objets présentés, tout en essayant d'imaginer ce que ce serait d'avoir une boutique à elle.

Trop de travail si elle devait s'en occuper seule, décida-t-elle. Et trop de soucis. Mais c'était amusant de se trouver au milieu de toutes ces jolies choses en se demandant qui achèterait quoi.

Elle trouva les clés de la vitrine aux bijoux derrière le comptoir et, après avoir essayé plusieurs paires de boucles d'oreilles, admira un bracelet fait d'un large anneau d'argent tout simple.

Quand elle entendit frapper à la porte, elle sursauta avec un sentiment de culpabilité puis referma la vitrine. De l'autre côté de la porte, un homme et une femme la regardaient et elle les dévisagea. C'était vraiment dommage que le magasin ne soit pas ouvert. Des clients, au moins, l'auraient divertie.

Tout en souriant, elle désigna la pancarte « Fermé ». La femme présenta un badge d'identité.

Le FBI, songea Faith, interdite. Eh bien, tant mieux. De la distraction. Sans hésiter, elle déverrouilla la porte.

— Mademoiselle Bodeen ?

— Non, elle est derrière.

Faith prit le temps de les examiner. La femme était grande et robuste, avec des cheveux noirs coupés court et des yeux sombres au regard froid. Elle portait un tailleur gris que Faith jugea vraiment peu seyant. Sans parler de ses affreuses chaussures.

L'homme était plus attrayant : des cheveux bruns bouclés et une mâchoire carrée creusée d'une fossette tout à fait séduisante. Elle s'efforça de ne sourire qu'à lui et crut voir briller fugitivement une étincelle dans ses yeux.

— Je n'avais encore jamais vu d'agents du FBI. Cela me rend un peu nerveuse.

— Voudriez-vous demander à Mlle Bodeen de venir ? demanda la femme.

— Bien sûr. Excusez-moi une minute. Attendez ici.

Elle se hâta de gagner la réserve et referma la porte derrière elle.

— Tory... Le FBI est venu te rendre une petite visite.

Tory leva brusquement la tête.

— Où ?

— Ils sont là, dans la boutique. Un homme et une femme ; ils ne ressemblent pas du tout à ceux qu'on voit à la télé. Lui n'est encore pas trop mal, mais elle, il faut la voir ! Elle porte un de ces tailleurs de vieille fille dont je ne voudrais même pas le jour où on m'enterrera.

413

C'est sûrement une Yankee. Lui, je ne sais pas. Il n'a pas ouvert la bouche. D'après moi, c'est elle qui mène l'affaire.

— Pour l'amour du ciel, Faith, qu'est-ce que ça peut bien faire ?

Tory se leva, mais ses genoux fléchirent. Avant qu'elle ait pu reprendre ses esprits, un coup sec fut frappé à la porte. Qui s'ouvrit aussitôt.

— Mademoiselle Bodeen ?

— Oui. Je... Oui, c'est moi.

La femme présenta de nouveau son badge.

— Je suis l'agent spécial Tatia Lynn Williams et voici l'agent spécial Marks. Nous souhaiterions vous parler.

— Avez-vous trouvé mon père ?

— Pas encore. A-t-il pris contact avec vous ?

— Non. Je ne l'ai ni vu ni entendu. Il sait très bien que je ne lui viendrai pas en aide.

— Nous voudrions vous poser quelques questions, dit Williams en jetant un regard appuyé en direction de Faith.

Celle-ci bondit aussitôt derrière le bureau et posa un bras sur les épaules de Tory.

— Elle est la fiancée de mon frère et je lui ai promis de ne pas la quitter. Pas question de manquer à ma parole.

Marks sortit un carnet et en tourna les pages.

— Vous êtes ?

— Faith Lavelle. Tory traverse une période extrêmement pénible ; je ne la quitterai pas.

— Connaissez-vous Hannibal Bodeen ?

— Je le connais. C'est lui qui a tué ma sœur il y a dix-huit ans, je pense.

— Nous n'avons aucune preuve de cela, rétorqua Williams d'un ton neutre. Mademoiselle Bodeen, quand avez-vous vu votre mère pour la dernière fois ?

— En avril, répondit Tory. Mon oncle et moi sommes allés chez elle. J'ai quitté mes parents il y a de nombreuses années et je ne l'avais pas revue depuis mes vingt ans – ni elle ni mon père. Jusqu'à ce que je revienne ici pour ouvrir ce magasin.

— Saviez-vous que votre père était en fuite ?

— Oui.

— Vous lui avez donné de l'argent, je crois.

— Il l'a volé, corrigea Tory. Mais je lui en aurais donné pour l'éloigner de moi.

— Votre père a exercé des violences physiques sur vous, d'après mes renseignements. Est-ce vrai ?

Tory s'assit, épuisée.

— Oui.

— Et sur votre mère ?

— Non. Pas vraiment. Ce n'était pas nécessaire. Je pense qu'il l'a battue au cours de ces dernières années, après mon départ. Cependant, ce n'est qu'une spéculation.

— J'ai entendu dire que vous aviez un don de voyance.

Williams leva les yeux et les fixa sur le visage de Tory.

— Vous prétendez bien être voyante, n'est-ce pas ? insista-t-elle.

— Je ne prétends rien du tout.

— Pourtant, voici quelques années, vous avez été mêlée à plusieurs cas de kidnappings.

— Qu'est-ce que cela a à voir avec le meurtre de ma mère ?

Marks intervint d'une voix apaisante et s'assit, tandis que sa collègue restait debout.

— Vous étiez très liée à Hope Lavelle ?

— Oui, oui, nous étions de très bonnes amies.

— C'est vous qui avez conduit sa famille et la police sur les lieux du drame ?

— Oui. Écoutez, vous avez certainement lu tout ça dans les rapports, je n'ai rien à y ajouter.

— Mais vous prétendez bien avoir vu son meurtrier ?

Comme Tory ne répondait pas, Marks se pencha en avant.

— Vous avez demandé récemment de l'aide à Abigail Lawrence, avocate à Charleston. Vous vous intéressiez à une série de crimes sexuels. Pourquoi ?

— Parce que je crois qu'ils ont tous été commis par la même personne, celle qui a tué Hope. Pour l'assassin, toutes ces femmes étaient des substituts de Hope, à des âges différents.

— Vous... vous le sentez, commenta Williams d'une voix calme. C'est bien ça ?

Tory tourna les yeux vers elle.

— Je le *sais*. Évidemment, je ne m'attends pas à ce que vous me croyiez.

— Si vous le savez, poursuivit Williams, pourquoi ne coopérez-vous pas avec nous ?

— Dans quel but ? Pour que l'on reparle de nouveau de Jonah Mansfield et qu'on me jette mes lacunes à la figure ? Vous savez tout ce qu'il y a à savoir sur moi, agent Williams.

Marks sortit un sachet en plastique de sa poche et le posa sur le bureau. À l'intérieur se trouvait une seule boucle d'oreille, un simple anneau d'or.

415

— Que pouvez-vous nous dire de ça ?

Tory s'efforça de garder ses deux mains bien à plat sur ses genoux.

— C'est une boucle d'oreille.

Williams fit un pas en avant.

— Vous ne faites pas preuve de bonne volonté. Pourtant, vous vous êtes intéressée à ces meurtres d'assez près pour réunir des informations sur eux. Ça ne vous intéresse donc pas de voir ce que vous pouvez tirer de ça ?

— Je vous ai tout dit à propos de mon père. Croyez bien que je ferai tout mon possible pour vous aider à le retrouver.

Marks ramassa le sachet.

— Commencez par cela.

— Était-ce à ma mère ?

Tory tendit la main sans réfléchir, ouvrit le sac et prit la boucle d'oreille dans le creux de sa main.

Elle s'abandonna à ce contact plus volontiers qu'elle ne l'aurait pensé. Elle frissonna, puis laissa tomber le bijou sur le bureau.

— L'autre est dans votre poche, lança-t-elle à Williams. Vous les avez retirées en conduisant pour venir à Progress et avez mis celle-la dans le sachet. (Elle leva les yeux et fixa la femme.) Je n'ai pas à faire de démonstration pour satisfaire votre curiosité.

Williams fit un pas en avant pour récupérer la boucle d'oreille.

— Pardonnez-nous, mademoiselle Bodeen, mais nous nous sommes informés sur votre compte. Notamment sur le travail que vous avez accompli à New York. Nous avons étudié le cas Mansfield.

Elle glissa l'anneau dans sa poche.

— Ils auraient dû vous écouter, reprit-elle. (Elle jeta un coup d'œil à son collègue.) En tout cas, moi, j'ai l'intention de le faire.

— Je ne peux rien vous dire de plus, fit Tory en se levant. Faith va vous raccompagner.

— Bien sûr.

Williams sortit une carte, la posa sur le bureau et quitta la pièce, escortée par Faith. Cette dernière réapparut quelques minutes plus tard, prit une nouvelle bouteille de Coca dans le frigo et s'assit sur la chaise laissée vacante par l'agent.

— Tu as pu lui dire tout ça rien qu'en touchant la boucle d'oreille ? Tu as su qu'elle lui appartenait rien qu'en la touchant ?

— J'ai du travail, Faith.

— Oh ! ça va ! (Faith but une longue gorgée de soda.) Je te jure que personne ne prend cette chose plus au sérieux que moi. Nous devrions aller acheter un billet de loterie ou jouer aux courses. À ton avis, ça marcherait avec les chevaux ? Je ne vois pas pourquoi ça ne fonctionnerait pas.

— Allons, Faith !

— Pourquoi pas ? Pourquoi ne pas t'amuser un peu avec ça ? Il n'est pas nécessaire que ce soit toujours sombre et déprimant. Attends, j'ai une idée. Encore meilleure que les chevaux. Nous allons partir pour Las Vegas et jouer au casino. Seigneur, Tory, on fera sauter la banque !

— Ce n'est pas une qualité dont on doit tirer profit.

— Oh ! naturellement, j'oubliais... Tu préfères broyer du noir, te complaire dans tes problèmes. Pauvre de moi. (Faith fit semblant de se frotter les yeux avec un mouchoir.) Je t'entends d'ici : « Je suis voyante, donc je dois souffrir... »

Tory ne put s'empêcher de rire.

— Je ne broie pas du noir.

Faith se percha sur le coin de la table.

— Tu devrais. Je ne suis pas une spécialiste de la voyance. Viens donc avec moi chez Wade. Tu pourrais peut-être m'éclairer sur ce qu'il pense secrètement de moi.

— Je ne le ferai pas, répliqua Tory.

— Sois chic !

— Non.

— Tu n'es qu'une garce.

— C'est vrai. Maintenant, va-t'en. Et remets ce bracelet où tu l'as pris.

— Bien. D'ailleurs, ce n'est pas mon style. (Faith se pencha sur le bureau.) À quoi est-ce que je pense en ce moment ?

Tory leva les yeux et ses lèvres frémirent.

— C'est original, mais anatomiquement impossible ! (Elle fit un geste en direction de son clavier.) Faith, merci !

Faith ouvrit la porte en reniflant.

— Pourquoi ?

— Pour m'agacer délibérément afin que je ne broie pas du noir.

— Oh ! ça ? Si tu savais comme c'est facile... (Faith cligna de l'œil.) Et combien j'y prends plaisir !

29

— Wade chéri ?

Faith nicha le récepteur sur son épaule et jeta un coup d'œil par-dessus le comptoir en direction de l'arrière-salle, où il lui semblait que Tory était enfermée depuis dix jours.

— Tu es occupé ?

— Moi ? Bien sûr que non ! Je viens juste de châtrer un teckel. Encore un jour au paradis !

— J'aime autant ne pas savoir. Comment va mon bébé ?

— Je vais très bien. Et toi ?

— Je parle de Princesse, voyons. Est-ce qu'elle va bien ?

— Supplanté par un petit chien ! (Il poussa un soupir appuyé pour la forme.) Ta Princesse s'amuse. Elle te racontera plus tard son premier jour de travail.

— Moi aussi, je vis mon premier jour de travail. En quelque sorte.

Faith regarda avec une satisfaction évidente les étagères de verre qu'elle avait astiquées et qui étincelaient.

— Vers quelle heure crois-tu pouvoir être libre ? demanda-t-elle.

— Je devrais terminer vers cinq heures et demie. Pourquoi ?

— J'ai la décapotable de Cade et je me disais que nous pourrions en profiter pour faire un tour. Il fait si chaud que je n'ai rien mis sous ma petite robe rouge. (Elle enroula une mèche de cheveux autour d'un doigt en souriant.) Tu te souviens de ma robe rouge, chéri ?

Il y eut un long silence.

— Tu veux ma mort, finit par articuler Wade.

Faith laissa échapper un petit rire de gorge satisfait.

— Je voulais juste m'assurer qu'un certain aspect de nos relations n'était pas oublié, car nous avons passé pas mal de temps en conversations récemment.

— Je n'ai pas de retard dans ce domaine.

— Alors, Faisons cette balade ! Nous pourrions trouver un motel pas trop cher et jouer au représentant de commerce en voyage.

— Qu'est-ce que tu vends ?

Cette fois, Faith éclata de rire. Un rire long et franc.

— Chéri, fais-moi confiance. Le prix ne sera pas excessif !

— Alors j'achète. Mais nous devrons rentrer dans la nuit ou tôt demain matin. J'ai des rendez-vous.

— Pas de problème, opina Faith, qui commençait à s'habituer à son rythme de travail. Wade ?

— Hmm ?

— Tu te souviens m'avoir dit que tu m'aimais ?

— Il me semble me souvenir vaguement de quelque chose de ce genre.

— Je pense que je t'aime, moi aussi. Et tu sais quoi ? Je ne m'en trouve pas plus mal.

Une autre longue pause.

— Écoute, reprit Wade. Je vais m'arranger pour me libérer vers cinq heures et quart.

— D'accord. Je passerai te prendre.

Elle raccrocha, esquissa un pas de danse autour du comptoir et lança en direction de l'arrière-boutique :

— Tory, sors de là ! On croirait que tu es en prison !

Quand elle poussa la porte, Tory leva à peine les yeux de son inventaire.

— Tu n'as jamais travaillé, je crois ?

— Pour quoi faire ? Je profite de mon héritage.

— Dommage pour toi. Cela t'aiderait à te réaliser, à connaître la satisfaction du travail bien fait, le plaisir d'accomplir sa tâche.

— Alors, laisse-moi travailler pour toi.

— L'enfer est pavé de bonnes intentions.

— Non, réellement, insista Faith. Cela pourrait être amusant, j'en suis sûre. Bon, nous en parlerons plus tard. Pour l'instant, viens. Je dois aller à la maison chercher quelques affaires.

— Vas-y sans moi !

— Là où je vais, tu viens aussi. J'ai promis à Cade de t'avoir à l'œil. Et nous sommes ici depuis... (Faith consulta sa montre)... près de quatre heures.

— Je n'ai pas terminé.

— Eh bien, moi, si. Si nous restons encore longtemps ici, les gens du FBI pourraient bien revenir.

Tory reposa son crayon.

— Bon. Mais j'ai promis à mamie d'être à cinq heures chez J.R.

— Je te déposerai avant d'aller chercher Wade. Prends donc deux Coca dans le frigo, mon chou. J'ai la gorge desséchée.

Faith sortit pour aller se remaquiller devant l'un des miroirs décoratifs de Tory.

— Depuis quand est-ce que tu réfléchis ? lança Tory d'une voix sucrée en apportant les deux bouteilles.

Sans se formaliser, Faith reboucha son tube de rouge et le fourra dans son sac.

— Tu es simplement de mauvaise humeur parce que tu es restée enfermée dans ton trou toute la journée. Quand tu seras sur la route et que je baisserai la capote du petit bolide de Cade, tu me remercieras. Un peu de vent dans tes cheveux, ça pourrait leur donner un peu plus de volume.

— Ma coiffure est très bien.

— Pas du tout. À moins que tu ne veuilles ressembler à une vieille bibliothécaire.

— C'est un cliché stupide et une insulte pour cette profession.

Faith s'examina encore un instant dans le miroir et fit bouffer ses cheveux lisses et blonds.

— As-tu vu récemment Mlle Matilda à la bibliothèque de Progress ?

Malgré ses intentions, Tory ne put s'empêcher de sourire.

— Oh ! ça va ! fit-elle en tendant une bouteille de Coca à Faith.

— C'est ce qui me plaît en toi, répliqua Faith, imperturbable. Tu as toujours quelque chose à dire.

Après une dernière retouche à sa coiffure, elle se retourna.

— Viens. Allons-nous-en.

Tory prit encore le temps de vérifier les étagères et les vitrines, et nota quelques modifications.

— Tu as changé les objets de place, observa-t-elle.

Toujours quelque chose à dire, songea Faith. Et avec ça, un œil de lynx. Tory allait s'en plaindre, ne serait-ce que pour le principe, mais choisit finalement de le prendre bien :

— C'est pas mal du tout.

— Vraiment ? Je me sens flattée jusqu'au vertige.

— Dans ce cas, je vais conduire.

— Pas question !

Faith sortit du magasin en riant.

Tory la suivit après avoir verrouillé la porte, réalisant qu'elle prenait plaisir à sa compagnie. Il était impossible de ruminer de sombres pensées quand Faith était là. L'idée d'une course rapide dans une voiture décapotable l'attirait. Elle essaierait de profiter pleinement de cet instant de plaisir et se reposerait ensuite.

— N'oublie pas ta ceinture, conseilla-t-elle en se glissant sur le siège du passager.

— Oh ! ça va ! grogna Faith. L'air est tellement épais qu'on pourrait le mastiquer.

Elle fixa sa ceinture, sortit ses lunettes de soleil et mit le contact. Puis elle lança un coup d'œil méfiant à Tory tout en faisant ronfler le moteur.

— Maintenant, un peu de musique d'ambiance.

Elle enclencha la commande du lecteur de CD et jongla avec les pistes jusqu'à ce que Pete Seeger fasse entendre ses lancinantes mélodies rock.

— Ah ! du classique, parfait ! Bon, Victoria, voyons un peu ce que tu as dans le ventre !

Délibérément, Tory sortit à son tour ses lunettes de soleil et les posa sur son nez.

— Oh ! tu ne vas pas me faire peur.

— On va bien voir !

Faith attendit qu'un espace se libère dans la circulation puis effectua un demi-tour complet en faisant crisser les pneus. Elle réussit à se faufiler au moment où le feu passait au rouge.

— Tu vas choper une amende avant d'avoir quitté la ville.

— Les flics sont bien assez occupés avec les gars du FBI. Alors, Tory... Est-ce que ce petit joujou n'est pas formidable ?

— Pourquoi ne t'achètes-tu pas une voiture semblable ? Tu en as les moyens.

— Cela me priverait du plaisir d'énerver mon frère chaque fois que je lui emprunte la sienne.

Elles quittèrent les limites de la ville et s'engagèrent à pleine vitesse sur la grand-route. Tory sentait le vent caresser son visage, gonfler ses cheveux et accélérer la pulsation de son sang dans ses veines. Une aventure, songea-t-elle tandis que la voiture prenait les virages sur les chapeaux de roue. Un peu de folie. Il y avait longtemps, trop longtemps qu'elle ne s'était pas autorisé une simple bêtise.

La vitesse. Hope aussi avait toujours adoré la vitesse. Elle roulait à bicyclette comme si elle chevauchait un pur-sang ou pilotait une fusée.

Narguant le démon en levant les bras bien haut pour s'abandonner tout entière à l'instant.

Tory fit la même chose, la tête rejetée en arrière, se laissant envelopper par la vitesse et la musique.

L'air était chargé des parfums de l'été, un été qui rappelait à Tory les meilleurs jours de son enfance. Le goudron chaud fondant sous le soleil de plomb, les eaux stagnantes exhalant des odeurs de fruits mûrs.

Elle courait dans les champs quand les boules de coton s'entrouvraient à peine, s'imaginant qu'elle était un explorateur ou un visiteur venu d'une autre planète. Elle faisait la roue sur la route et le revêtement chaud cédait sous ses mains. Il y avait aussi le marais, qu'elle aimait tant. Courir çà et là en sentant le sol spongieux sous ses pieds, tandis que des paquets de mousse tombaient sur elle et que les moustiques bourdonnaient à la recherche de sang.

Courir. Courir à perdre haleine, le cœur battant très fort, un cri noué dans la gorge. Courir...

— Voilà Cade.

— Quoi ?

Tory sursauta, releva la tête, les mains moites et les yeux écarquillés, regardant de tous côtés.

— Là-bas.

D'un geste négligent, Faith pointa le bras en direction d'un champ. Tory distingua la silhouette de deux hommes au milieu d'un océan de cotonniers verts. Faith donna un joyeux coup de klaxon et se mit à rire.

— Oh ! il est sûrement en train de me maudire et de raconter à Piney que sa sœur est folle et irresponsable. Ne t'en fais pas, ajouta-t-elle d'un ton suffisant, il doit s'imaginer que j'essaie de te corrompre.

— Je ne m'en fais pas. (Tory s'efforça de respirer à fond.) Tout va bien.

Faith lui jeta un regard plus insistant.

— Oui. Mais tu me sembles bien pâle, tout à coup. Pourquoi est-ce que... Eh !

Un lapin traversa la route telle une flèche brune. Instinctivement, Faith freina à mort. La voiture oscilla, grinça, mais, sous ses mains fermes, retrouva rapidement son équilibre.

— Je ne peux pas supporter de heurter quoi que ce soit. Dieu seul sait pourquoi ces fichues bêtes filent ainsi sur la route. On dirait qu'elles attendent qu'une voiture passe pour bondir et...

Faith s'interrompit en regardant de nouveau Tory. Un ricanement lui échappa et elle ralentit.

— Oh ! oh..

Muette, Tory gardait les yeux baissés. La plus grande part du Coca qui se trouvait encore dans la bouteille éclaboussait à présent son chemisier. Elle le pinça entre deux doigts pour l'écarter de sa peau et jeta un regard en biais à sa compagne.

— Euh... écoute, protesta Faith. Je ne pouvais quand même pas écraser ce pauvre petit lapin !

— Rends-moi service. Ramène-moi à la maison, que je puisse me changer.

Faith pianota un instant sur le volant et, se décidant brusquement, tourna dans le chemin de Tory en faisant jaillir une gerbe de poussière et de gravier. Elle sauta hors de la voiture en riant, mais avec prudence.

— Je vais rincer ça avec un peu d'eau pendant que tu te laves. Ce serait dommage de l'abîmer, bien que, si tu veux mon avis, je le trouve affreusement ordinaire.

— Il est d'un style classique.

— Ouais, tu crois ça.

Heureuse de la diversion, Faith gravit vivement les marches.

— Tu en mets du temps pour sortir ! ajouta-t-elle comme Tory ouvrait seulement la portière. Il ne m'en faut pas autant.

— Je suppose qu'il t'en faut encore moins pour sauter dans le premier lit qui se présente.

Faith éclata de rire et la suivit dans sa chambre. Très à l'aise, elle ouvrit l'armoire et fouilla dedans.

— Tiens ? Il y a tout de même là-dedans une ou deux choses pas si mal.

— Retire tes doigts de mes vêtements.

Faith sortit un chemisier de soie d'un bleu profond, éteint, et le porta à son visage en s'étudiant devant un miroir.

— Cette couleur me va bien. Elle met mes yeux en valeur.

À présent en soutien-gorge, Tory lui enleva le chemisier des mains et, à la place, lui tendit celui qui avait été taché.

— Tiens, rends-toi utile.

Faith leva les yeux au ciel, mais se dirigea vers la salle de bains pour rincer le vêtement.

— Si tu ne le mets pas ces jours-ci, tu pourrais me le prêter ? Wade et moi allons sans doute passer une soirée à la maison demain. Si les choses évoluent comme je le pense, je ne le porterai pas longtemps.

— Dans ces conditions, ce que tu portes ne devrait guère avoir d'importance.

Faith jeta le chemisier dans le lavabo.

— Une réflexion de ce genre me prouve à quel point tu as besoin de moi. Ce que porte une femme est directement lié à ce qu'elle attend d'un homme.

Tory avança la main dans son armoire pour prendre un corsage de coton blanc. Mais elle arrêta soudain son mouvement, fronça les sourcils et jeta un coup d'œil au chemisier de soie que Faith venait d'admirer.

— Pourquoi pas ? murmura-t-elle.

Après l'avoir enfilé et boutonné, elle alla vers le miroir pour se brosser les cheveux. Pour la circonstance, mieux valait les lisser et les attacher, se dit-elle. Elle allait devoir réconforter sa grand-mère et faire son possible afin de consolider ce qui restait de sa famille. Ce n'était pas le moment de faire des coquetteries ni de penser à elle. Elle en aurait pourtant eu bien besoin.

Bras levés, elle commença à tresser ses cheveux pour en faire une natte. La monotonie du geste, le ronronnement du ventilateur au plafond l'assoupirent. Elle ferma à demi les yeux en souriant rêveusement devant le miroir.

Elle vit le lapin bondir sur la route. Une flèche brune paniquée. Courant. Fuyant l'odeur d'un homme.

Quelqu'un venait. Quelqu'un guettait.

Ses bras s'immobilisèrent au-dessus de sa tête ; la panique la submergea. L'air était soudain devenu épais, lourd, avec un faible relent de renfermé et de whisky.

C'était lui, elle le sentait. Le chasseur. Et elle en était la proie.

D'un bond, elle alla à la table de nuit et saisit le revolver que Cade lui avait donné. Elle refoula un gémissement tout au fond de sa gorge, ne laissant échapper qu'un souffle rauque de peur. Elle se précipita hors de la pièce au moment même où Faith sortait de la salle de bains.

— J'ai mis ton chemisier à tremper. Tu pourras le sortir quand...

Apercevant le revolver, elle leva les yeux pour regarder Tory et pâlit à son tour devant son expression de terreur contenue.

— Oh ! Seigneur ! s'exclama-t-elle comme Tory lui saisissait le bras.

— Écoute-moi. Ne pose pas de questions. Nous n'avons pas le temps. Sors par-devant, prends la voiture et va chercher du secours. Je l'arrêterai si je peux.

— Pas question ! Tu viens avec moi. Tout de suite.

— Non ! (Tory s'écarta et partit en direction de la cuisine.) Il arrive. Va-t'en !

Elle courut vers l'arrière de la maison pour donner à Faith le temps de se sauver.

Et se retrouva face à son père.

Il donna un coup de pied dans la porte et la franchit en titubant. Ses vêtements étaient sales, son visage et ses bras couverts d'égratignures, gonflés par les morsures d'insectes affamés. Il oscilla légèrement, mais son regard restait fermement rivé sur Tory. D'une main, il tenait une bouteille vide et de l'autre, un fusil.

— Je t'attendais.

— Je sais, dit Tory en affermissant sa prise sur la crosse du revolver.

— Où est cette garce de Lavelle ?

Partie. En lieu sûr, songea Tory avec soulagement.

— Il n'y a que moi ici.

— Tu mens, espèce de pute. Tu ne fais pas deux pas sans ce morveux de richard. Je veux parler à la fille. (Il grimaça un sourire.) Je veux vous parler à toutes les deux.

— Hope est morte. Il n'y a plus que moi maintenant.

— C'est vrai, c'est vrai.

Il leva la bouteille et, réalisant qu'elle était vide, la lança violemment contre le mur, où elle explosa avec un fracas rappelant à Tory le crépitement de balles de revolver.

— C'est Dieu qui l'a tuée, grogna-t-il. Je Le lui avais demandé. Oui, je Lui ai demandé de vous tuer toutes les deux pour tous vos mensonges et vos cachotteries. Je vous ai vues vous toucher d'une manière malsaine.

— Tout était parfaitement innocent entre Hope et moi.

Tory tendit l'oreille, espérant percevoir le grondement félin de la voiture de Cade s'éloignant sur la route. Mais seul le silence régnait.

— Allons, tu t'imagines que je ne *sais* pas ? cria-t-il en se mettant à gesticuler avec le fusil. Tu t'imagines que je ne vous ai pas vues nager toutes les deux, nues, flottant dans l'eau et vous éclaboussant ?

Elle eut la nausée à l'idée qu'il puisse profaner ainsi des souvenirs d'enfance si purs.

— Nous avions huit ans, mais pas toi. C'était en toi qu'était le péché. Comme il l'a toujours été. À présent, tu vas reculer. Et t'en aller.

Elle leva le revolver. Le tremblement de son épaule se transmit jusqu'à son doigt crispé sur la détente.

— Tu ne remettras plus la main sur moi, reprit-elle d'une voix sourde. Ni sur personne d'autre. Maman ne t'a donc pas donné assez d'argent cette fois ? Elle ne t'a pas obéi assez vite ? C'est pour ça que tu l'as tuée ?

— Je n'ai jamais porté la main sur ta mère, sauf quand c'était nécessaire. Dieu a voulu que l'homme soit le maître chez lui. Maintenant, pose ça et donne-moi à boire.

— La police va arriver. Ils te cherchent. Pour Hope. Pour Maman. Pour toutes les autres.

Le revolver tressaillit dans sa main quand il s'avança. Elle crut entendre le sifflement de la ceinture.

— Si tu t'approches, nous ne les attendrons pas. Et tout se terminera ici pour toi.

— Tu crois que ça m'inquiète ? ricana Hannibal. Tu n'as jamais su te servir de ce truc-là.

— Elle peut-être, mais moi, si, dit soudain la voix de Faith.

La jeune femme se matérialisa derrière Tory. Dans sa main, un petit revolver étincelait.

— Si elle hésite à vous tirer dessus, je peux vous assurer que, moi, je le ferai.

Croyant reconnaître Hope, il s'écria, furieux :

— Tu disais qu'elle était morte ! Tu disais qu'elle était morte !

Pris de panique, il bondit et frappa violemment Tory, qui alla heurter le mur. Un coup de revolver partit et l'odeur du sang monta à ses narines. Elle recula, chancelante, tandis que son père se ruait en hurlant à travers la porte brisée. Claquant des dents, Tory se laissa tomber à genoux.

— Faith... je t'avais dit de t'en aller.

— Eh bien, je ne l'ai pas fait, voilà. Cade m'a demandé de veiller sur toi.

Vaincue par l'émotion et sentant sa vision s'obscurcir, Faith s'appuya contre le mur. Au bout de quelques instants, elle redressa fièrement la tête.

— J'ai utilisé le téléphone de la voiture pour appeler la police.

— Et tu es revenue...

Respirant à petits coups saccadés. Faith se pencha à la recherche de taches de sang sur la tête de Tory.

— Ouais. Mais je n'ai pas fait de bruit. Tu ne m'aurais pas laissée entrer.

— Il y a du sang. J'ai senti l'odeur du sang.

Tory bondit sur ses pieds, obligeant Faith à se redresser aussi.

— Es-tu blessée ? Il t'a tiré dessus ?

— Non, c'est toi. C'est toi qui lui as tiré dessus. Tory, ne fais pas cette tête-là !

Tory contemplait fixement sa main. Elle tenait toujours le revolver, mais tremblait si fort qu'on aurait cru l'arme vivante. Avec un petit hoquet, elle le laissa glisser sur le sol.

— Je lui ai tiré dessus ?

— Le coup a dû partir quand il t'a heurtée, je pense. Tout s'est passé si vite. Il y avait du sang sur sa chemise, j'en suis certaine. Tout comme je suis certaine aussi de n'avoir pas tiré. Je crois que je vais être malade. Je déteste être malade.

Des sirènes trouèrent subitement le silence. En les entendant, Faith s'appuya contre le mur.

— Merci, mon Dieu !

Elle perçut alors le grondement d'un moteur et s'écarta vivement.

— Oh ! non ! Oh, Seigneur ! La voiture de Cade ! J'ai laissé les clés sur le contact !

Avant que Tory ait pu la retenir, elle se rua vers la porte d'entrée. Elles sortirent toutes deux à temps pour voir le cabriolet de Cade tourner sur la route en faisant crisser ses pneus.

— Cade va me tuer !

Tory émit une sorte de sanglot qui se transforma en rire. Un rire frisant l'hystérie, mais un rire malgré tout.

— Nous venons de mettre en fuite un fou furieux, et tout ce qui te préoccupes, c'est de te faire gronder par ton grand frère ! C'est bien de toi.

— Tu sais, Cade peut se montrer parfois assez redoutable.

Faith enlaça gentiment les épaules de Tory, autant pour se réconforter que pour se soutenir. Tory laissa retomber sa tête et ferma les yeux.

Le hurlement des sirènes lui emplissait les oreilles. Elle eut la vision de mains écorchées, crispées sur le volant de la voiture. Les mains de son père, larges, brutales. Elle sentit la vitesse, le dérapage des pneus quand la voiture fit une embardée tandis que les haut-parleurs continuaient de hurler du rock à tue-tête. Des lumières tournoyaient dans la nuit et se reflétaient dans le rétroviseur. Il est paniqué. Scandalisé. Rempli de haine. Les lumières se rapprochent.

Ton bras te fait mal, là où la balle t'a touché. Le sang tombe goutte à goutte. Mais tu vas t'en sortir, Dieu est à tes côtés. Il a fait en sorte que tu trouves la voiture. Vite. Plus vite.

C'est une épreuve. Rien qu'une autre épreuve. Tu vas t'en sortir. Il faut que tu t'en sortes. Ensuite tu reviendras pour elle. Oui, tu reviendras et tu lui feras payer le prix.

Tes mains sont poisseuses de sang. Le volant échappe à ta prise. Le monde se précipite vers toi, des formes se bousculent.

Un hurlement. Est-ce toi qui hurles ?

— Tory ! Bon sang, Tory, arrête ! Réveille-toi !

Elle revint à elle, le visage contre le talus de la route, le corps secoué de tremblements, des cris résonnant encore dans sa tête.

— Tory, arrête, je t'en supplie ! gémit Faith. Mon Dieu, je ne sais pas quoi faire...

Tory roula péniblement sur le côté et, de son bras, s'essuya les yeux.

— Je vais bien. Ne t'inquiète pas. J'ai besoin d'une minute.

— Que s'est-il passé ? Tu es partie en courant vers la route quand ils sont passés ; j'ai même craint que tu ne te précipites droit sous leurs roues. Et puis tes yeux se sont révulsés et tu t'es écroulée par terre. (Faith enfouit son visage entre ses mains.) C'est un peu trop pour moi. Juste un peu trop.

— C'est terminé. Il est mort.

— C'est ce que j'ai pensé. Regarde.

Elle pointa du doigt plus loin sur la route. Des flammes et de la fumée s'élevaient vers le ciel. Le soleil faisait étinceler les chromes et les vitres des voitures de police arrêtées tout autour en cercle.

— J'ai entendus un fracas, suivi d'une sorte d'explosion.

— Une mort brûlante, souffla Tory. J'avais voulu cela pour lui.

— C'est lui qui l'a voulue. Et moi, je voudrais Wade. Oh ! mon Dieu, je voudrais tellement que Wade soit là.

Tory se releva, plus solide à présent, et tendit une main à Faith.

— Nous allons trouver quelqu'un qui lui téléphonera. Nous allons aller là-bas et demander à quelqu'un de l'appeler.

— D'accord. J'ai l'impression d'être ivre.

— Moi aussi. Appuyons-nous l'une sur l'autre.

Elles s'avancèrent sur la route, enlacées. L'asphalte reflétait la cha-ieur qui faisait trembler l'air. À travers ses vagues, Tory vit le brasier, les lumières clignotantes, la voiture beige du FBI et ses agents à côté.

— Tu vois où il s'est écrasé ? murmura Tory. Juste au tournant de la route venant de chez Hope.

Elle entendit une voiture s'approcher derrière elles. Elle s'arrêta et se retourna pour voir Cade en sortir précipitamment. Il courut vers elles et les prit toutes deux dans ses bras.

— Vous allez bien ? (Il les regarda avec inquiétude.) Dieu soit loué, vous allez bien. J'ai entendu les sirènes. Et j'ai vu les flammes. Alors j'ai pensé...

— Il ne nous a pas touchées.

C'était bien l'odeur de Cade, virile, mêlée de sueur. Tory la respira et s'en emplit tout entière.

— Il est mort. Je l'ai senti mourir.

— N'y pense plus. Je vous ramène toutes les deux à la maison.

— Je veux Wade, balbutia Faith.

Il effleura d'un baiser les cheveux de sa sœur.

— Nous allons passer le prendre, mon chou. Viens avec moi. Accroche-toi à moi pour l'instant.

— Il a pris ta voiture, Cade. (Faith ferma les yeux et enfouit le visage dans l'épaule de son frère.) Je suis désolée.

Cade se contenta de hocher la tête et de la serrer plus étroitement contre lui.

— N'y pense pas. Tout va bien à présent.

Soucieux de les rassurer, il les aida à s'installer dans la voiture. Au moment où il démarrait, l'agent Williams s'avança sur la route et lui fit signe.

— Mlle Bodeen est là ? Mademoiselle, pourriez-vous vérifier qu'il s'agit bien de votre père ? (Elle désigna de la main l'épave.) C'était bien Hannibal Bodeen qui conduisait la voiture ?

— Oui. Il est mort.

— Je voudrais vous poser quelques questions.

— Pas ici. Pas maintenant. (Cade enclencha la première.) Venez à *Beaux Rêves* quand vous en aurez terminé ici. Je les y emmène.

— Entendu.

Williams porta son regard sur Tory.

— Êtes-vous blessée ?

— Non, je ne le suis plus.

Son esprit resta encore quelques instants engourdi. Comme dans un état second, elle eut vaguement conscience que Cade la faisait entrer dans la maison et monter à l'étage. Elle esquissa un mouvement de protestation quand il l'étendit sur un lit.

Un moment plus tard, Tory sentit de la fraîcheur sur son visage. Ouvrant les yeux, elle croisa ceux de Cade.

— Je vais bien. Juste un peu fatiguée.

— Voilà une chemise de nuit de Faith. Change-toi, tu te sentiras mieux.

— Non. (Elle s'assit et l'entoura de ses bras.) C'est comme ça que je me sens mieux.

Il lui caressa doucement les cheveux en la serrant plus fort contre lui.

— Ma chérie...

— Ne t'inquiète pas. J'ai juste besoin d'un peu de temps pour reprendre mes esprits.

Voyant qu'il se redressait, elle supplia :

— Ne t'en va pas.

— Je n'en ai pas l'intention. Je n'ai plus envie de te quitter. Jamais plus. Je vous ai vues passer toutes les deux. Faith conduit toujours comme une folle, je vais lui dire deux mots à ce sujet.

— Elle l'a fait exprès. Elle adore te taquiner.

— Elle ne s'en prive pas. J'ai traversé le champ en l'envoyant à tous les diables et en me promettant de lui faire payer ça pendant que Piney marchait à côté de moi, ricanant comme un idiot. Et puis j'ai entendu un coup de feu et mon cœur s'est arrêté de battre. Je me suis mis à courir, mais la route était encore loin, puis j'ai vu passer la voiture de police. Après cela, il y a eu l'explosion. J'ai cru t'avoir perdue.

Il la serra de nouveau dans ses bras et se mit à la bercer.

— J'ai cru t'avoir perdue, Tory.

— J'étais dans la voiture avec lui, par la pensée. Je pense que j'ai voulu savoir à quel moment précis ce serait fini.

— Il ne pourra plus jamais porter la main sur toi.

— Non, il ne pourra plus jamais toucher aucun de nous. (Elle posa la tête dans le creux rassurant de son épaule.) Où est Faith ?

— En bas, avec Wade. Elle ne tient pas en place. Elle va s'agiter jusqu'à tomber d'épuisement et Wade sera là pour s'occuper d'elle.

— Elle est restée avec moi. Exactement comme tu le lui avais demandé. (Tory poussa un soupir.) Il faut que j'aille voir ma grand-mère.

— Elle arrive. Je l'ai appelée. Tu es chez toi ici, maintenant, Tory. Nous irons chercher tes affaires à la maison du marais plus tard.

— Bonne idée.

Le soir tombait quand elle accompagna sa grand-mère dans les jardins.

— Je voudrais que Cecil et toi restiez ici avec nous, Gran.

— J.R. a besoin de moi. Il a perdu une sœur qu'il n'avait pas réussi à sauver d'elle-même. Et moi j'ai perdu une enfant. (Sa voix se brisa.) Je l'ai perdue depuis longtemps déjà. Mais, quoi qu'on en dise, une mère n'abandonne jamais tout à fait l'espoir de voir revenir son enfant, de le voir se reprendre. Cela aussi est terminé aujourd'hui.

— Que pourrais-je faire pour toi ?

— Ce que tu fais déjà. Tu es en vie et tu es heureuse.

Iris serra la main de Tory dans les siennes. Elle ne se lassait pas de l'étreindre, de la toucher. Elle soupira profondément.

— Chacun de nous doit à présent trouver la paix intérieure à sa manière. Je vais l'enterrer ici, à Progress. Il me semble que c'est le mieux. Elle a vécu quelques années heureuses dans cette ville et, ma foi, J.R. le souhaite aussi. Mais je ne veux pas de service à l'église. Je vais tâcher de le convaincre. Nous l'enterrerons après-demain matin. Si J.R. y tient, le prêtre pourra prononcer quelques mots sur la tombe. Si tu décides de ne pas venir, Tory, je ne t'en voudrai pas.

— Je viendrai. Bien sûr que je viendrai.

— J'en suis heureuse.

Iris se laissa tomber sur un banc. Les lumières des lucioles dansaient dans l'obscurité.

— Les enterrements sont pour les vivants, pour les aider à franchir un vide, reprit Iris. Tu seras meilleure que moi pour ça, ajouta-t-elle en attirant Tory vers elle. Tu sais, mon chou, parfois je sens le poids de mon âge.

— Ne dis pas ça.

— Oh ! ça passera. Ce soir, je me sens vieille et fatiguée. Il n'est pas normal de survivre à son enfant, mais la nature et le destin en ont décidé ainsi. Nous devons nous en arranger. Nous devons tous nous en arranger, Tory. Je veux que tu prennes des deux mains les trésors que la vie t'offre maintenant et que tu les tiennes fermement.

— Je le ferai. La sœur de Hope sait comment s'y prendre pour profiter de la vie. Elle me donne des leçons.

— J'ai toujours eu un faible pour cette fille. Va-t-elle épouser notre Wade ?

— Il y songe sûrement, mais sans doute va-t-il s'arranger pour qu'elle pense que l'idée vient d'elle.

— C'est un garçon intelligent. Et solide. Il saura la maintenir en place sans lui rogner les ailes. Je vais enfin voir mes deux-petits-enfants heureux. C'est à cela que je tiens le plus, Tory.

30

Wade se battait avec le nœud de sa cravate. Il haïssait les cravates. Chaque fois qu'il était obligé d'en mettre une, il revoyait l'image de sa mère portant un de ces chapeaux de Pâques semblables à une coupe de fleurs renversée tandis qu'elle l'étranglait à moitié avec une cravate bleu vif assortie à un costume tout aussi bleu et détestable.

Il devait avoir six ans. Cette expérience, pensa-t-il, l'avait traumatisé pour la vie.

On met une cravate pour les mariages et pour les enterrements. Il n'y avait pas moyen d'y échapper, même quand on avait la chance d'exercer une profession qui ne vous obligeait pas à vous ficeler le cou tous les matins de la semaine.

On enterrait sa tante dans une heure. Aucun moyen non plus d'échapper à cela.

Il pleuvait, un sale temps d'orage. Les enterrements exigeaient un sale temps, se dit-il, tout comme ils exigent des cravates, des brassards noirs et des fleurs aux lourds parfums.

Il aurait donné une année de sa vie pour retourner au lit, se cacher sous les couvertures et laisser cette saloperie se dérouler sans lui.

— Maxine a prévenu qu'elle s'occuperait des chiens, annonça Faith.

Elle entra, vêtue de la robe noire la plus décente qu'elle ait pu trouver dans sa penderie.

— Wade, qu'as-tu fait à cette cravate ?

— Je l'ai nouée. C'est ce qu'on fait avec des cravates, non ?

432

— Tu l'as plutôt transformée en chiffon. Viens ici, je vais tenter d'arranger ça.

— Pas tant d'histoires. Ça n'a pas d'importance.

— Non, si tu veux sortir en donnant l'impression que tu as un goitre noir sous le menton. Ma grand-tante Harriet avait un goitre et ce n'était pas particulièrement attrayant. Tiens-toi tranquille une minute. J'ai presque fini.

— Ça va, Faith. (Il se détourna pour saisir la veste de son costume.) Je veux que tu restes ici. Il n'y a aucune raison pour que tu assistes à ça. D'ailleurs, il pleut et nous allons être trempés. Tu en as fait bien assez.

Elle posa le sac qu'elle venait d'empoigner.

— Tu ne veux pas que je t'accompagne ?

— Rentre chez toi.

Elle le contempla, puis regarda tout autour d'elle. Son parfum était perceptible dans la penderie et l'une de ses robes était accrochée derrière la porte.

— C'est drôle. Je croyais justement y être. Je me trompe ?

Wade saisit son portefeuille posé sur la commode et le fourra dans sa poche arrière.

— L'enterrement de ma tante est le dernier endroit où tu dois aller.

— Tu ne réponds pas à ma question, mais je vais en poser une autre. Pourquoi l'enterrement de ta tante est-il le dernier endroit où je dois aller ?

— Pour l'amour du ciel, Faith, ça tombe sous le sens ! Ma tante était mariée à l'homme qui a tué ta sœur et qui aurait pu te tuer toi aussi il y a deux jours. Si tu l'as oublié, moi pas.

— Non, je n'ai pas oublié.

Elle se tourna vers le miroir et saisit la brosse pour occuper ses mains. Elle se mit à se brosser les cheveux avec un calme apparent.

— Tu sais, beaucoup de gens pensent que j'ai une cervelle de moineau, que je suis inconstante, un peu folle et bien trop superficielle pour m'accrocher à quelque chose plus de temps qu'il n'en faut pour se limer les ongles. C'est assez vrai, d'ailleurs.

Elle reposa la brosse, prit son flacon de parfum et en appliqua quelques gouttes au creux de son cou.

— Du moins la plupart des gens, reprit-elle. Mais, curieusement, je croyais que tu avais une autre opinion de moi, que tu me jugeais mieux que je ne le fais moi-même.

— Je pense énormément de bien de toi.

Elle croisa son regard dans le miroir.

433

— Vraiment, Wade ? Vraiment ? Cependant, tu persistes à vouloir te débarrasser de moi aujourd'hui. Peut-être devrais-je aller chez le coiffeur pendant qu'on enterre ta tante ? Et, la prochaine fois que tu auras à affronter une épreuve pénible ou difficile, j'irai faire du shopping. Et la fois d'après (sa voix prenait un ton de plus en plus coupant) je pourrai aller au cinéma !

— C'est différent, Faith.

— Je le croyais. (Elle posa le flacon et se retourna.) Je l'*espérais*. Mais tu ne veux pas de moi à tes côtés en ce moment. Si tu penses que je n'en ai pas envie, ou pas le courage, alors, ça n'est pas différent de ce que j'ai déjà connu et, dans ces conditions, ça ne m'intéresse pas de me répéter.

L'émotion le submergea et lui fit serrer les poings.

— Je déteste ça ! répliqua-t-il. Je déteste voir mon père effondré ainsi. Je déteste savoir ta famille de nouveau déchirée, et la mienne partiellement responsable de cet état de faits. Je déteste savoir que tu te trouvais dans la même pièce que ce Bodeen et songer à ce qui aurait pu arriver.

— C'est bien. Car, moi aussi, je déteste tout cela. Et je vais te révéler une chose que tu ignores peut-être. Une fois tout terminé ce jour-là, quand j'ai recommencé à penser, c'est toi que je voulais. Tu étais la seule personne dont j'avais besoin près de moi. Je sais que tu veilles sur moi, que tu me protèges, que tout ira bien parce que tu es là. Si tu n'as pas besoin de moi de la même manière, alors j'essaierai de ne pas avoir besoin de toi, de n'avoir plus besoin de toi. Je suis assez égoïste pour y parvenir. J'irai avec toi aujourd'hui, je serai à tes côtés et m'efforcerai de te réconforter. Sinon, je retourne à *Beaux Rêves* et je m'attaque au problème qui consiste à te rayer définitivement de mon existence.

— Ça aussi, tu pourrais le faire, dit-il d'une voix calme. Et j'en arrive presque à t'admirer pour ça. Inconstante, toi ? Superficielle ? (Il s'avança vers elle en faisant des signes de dénégation.) Tu es la femme la plus forte que je connaisse. Reste avec moi.

Il se pencha vers elle et répéta :

— Reste avec moi.

— C'est ce que je veux.

Elle l'enlaça et fit courir ses mains le long de son dos.

— Je veux être là, à tes côtés, et, crois-moi, Wade, c'est une sensation nouvelle pour moi. Tout ça, c'est ta faute. Tu m'as gardée près de toi jusqu'à ce que je finisse par tomber amoureuse. Pour la première fois, je ne tire pas la première et j'aime bien ça !

434

Elle l'étreignit tandis qu'il se penchait vers elle. Cela aussi lui plaisait beaucoup. Personne ne s'était jamais penché sur elle auparavant.

— Viens maintenant, fit-elle brusquement en posant un baiser sur sa joue. Nous allons être en retard, et on ne choisit pas un enterrement pour faire une entrée remarquée.

Il se mit à rire.

— Bon. Tu as un parapluie ?

— Bien sûr que non.

— Attends, je vais en prendre un.

Pendant qu'il fouillait dans sa penderie, elle inclina la tête et l'examina avec un léger sourire.

— Wade, quand nous allons nous fiancer, tu voudras bien m'offrir un saphir plutôt qu'un diamant ?

Le mouvement de Wade en direction du parapluie s'arrêta net.

— Parce que nous allons nous fiancer ?

— Un joli saphir. Pas trop gros, pas trop voyant. Taillé en carré. Le premier crétin que j'ai épousé ne m'a même pas acheté de bague et le second m'a donné un diamant absolument vulgaire.

Elle ramassa le chapeau de paille noire posé sur le lit et, devant le miroir, le plaça sur sa tête selon l'angle approprié, mais avec discrétion.

— On aurait pu le prendre pour un morceau de verre tellement il était de mauvais goût, reprit-elle gaiement. Je l'ai vendu après le divorce ; j'ai pu ainsi me payer deux semaines de séjour dans une ville d'eau super. Aussi, ce que j'aimerais maintenant, c'est un saphir taillé en carré.

Wade s'empara du parapluie et sortit de la penderie.

— C'est une demande en mariage, Faith ?

— Certainement pas. (Elle renversa la tête en arrière pour le toiser.) Et ne va pas t'imaginer que tu peux te dispenser de la faire sous prétexte que je te donne quelques indications sur mes goûts. J'entends que tu respectes la tradition au complet, genou à terre. Et, précisa-t-elle, saphir carré à la main.

— J'en prends bonne note.

— Bien. Prêt ?

— Il me semble.

Wade saisit la main tendue de Faith et noua fermement ses doigts autour des siens.

— Personne n'a jamais été plus prêt pour toi...

Ils enterrèrent Sarabeth Bodeen sous une pluie martelant le sol telles des balles tandis que les éclairs zébraient le ciel à l'est. Encore des signes de violence, songea Tory. Sa mère avait vécu avec elle, était morte par elle, et la violence la poursuivait jusqu'à cet ultime instant.

Elle n'écouta pas le discours du prêtre. Des paroles de réconfort, certainement, mais elle se sentait trop détachée pour en avoir besoin et n'éprouvait pas de réel chagrin. Elle n'avait jamais connu la femme dont la dépouille se trouvait à présent dans cette boîte couverte de fleurs. Sa mère ne l'avait jamais comprise, n'avait jamais compté sur elle. Si Tory devait éprouver du chagrin, c'était justement d'avoir dû vivre avec cela.

Elle entendait la pluie frapper le cercueil, marteler les parapluies. Et elle attendait la fin de la cérémonie.

L'assistance était plus nombreuse qu'elle ne s'y était attendue et formait un cercle noir dans l'atmosphère pesante et sombre. Elle et J.R. encadraient Iris, derrière laquelle se tenait le solide Cecil. Et Cade, fidèle à sa promesse, se trouvait tout à côté d'elle.

Boots, dont le cœur était toujours sensible, pleurait doucement entre son mari et son fils.

Les têtes s'inclinèrent pendant la prière, mais Faith releva la sienne et croisa le regard de Tory. Celle-ci fut surprise d'en être réconfortée car, dans ces yeux-là, elle lisait de la compréhension.

Dwight était venu, en tant que maire, supposa Tory. Et ami de Wade. Il se tenait un peu à l'écart d'un air solennel et respectueux. Il devait avoir hâte que ce soit fini pour retourner vers Lissy.

Lilah était là, elle aussi, solide comme un roc, les yeux secs, mais articulant en silence les prières avec le prêtre.

Et, curieusement, Rosie, la tante de Cade, était présente également, vêtue de noir, chapeautée, voilée. Tout le monde avait été surpris de la voir débarquer la veille avec une malle.

Elle avait annoncé que Margaret résidait temporairement chez elle. Rosie avait donc aussitôt fait ses bagages pour aller séjourner temporairement ailleurs. Elle avait offert à Tory la robe de mariage de sa mère, un peu jaunie par l'âge et dégageant un parfum de naphtaline. Puis elle l'avait enfilée et portée le reste de la soirée.

Quand le cercueil fut descendu dans la fosse fraîchement creusée et que le prêtre eut refermé son livre, J.R. fit un pas en avant.

— Sa vie fut plus difficile qu'il n'était nécessaire. (Il s'éclaircit la gorge.) Et sa mort plus cruelle qu'elle ne le méritait. Qu'elle repose maintenant en paix. Quand elle était petite fille, elle aimait les marguerites jaunes.

Il déposa un baiser sur celles qu'il tenait à la main et jeta le bouquet dans la tombe avant de reculer pour reprendre sa place aux côtés de sa femme.

— C'est un bon garçon, murmura Iris. Il aurait fait davantage pour ta mère si elle l'avait accepté.

Elle se tourna vers Tory.

— Je vais aller un peu chez Jimmy. Ensuite, nous rentrerons à la maison.

Saisissant Tory par les épaules, elle l'attira à elle pour l'embrasser.

— Je suis heureuse pour toi, ma chérie. Et fière. Kincade, veillez bien sur ma petite-fille.

— Oui, madame. J'espère que vous viendrez nous voir et resterez un peu près de nous tous les deux quand vous passerez par Progress.

Cecil se pencha pour poser les lèvres sur la joue de Tory.

— Je prendrai soin de votre grand-mère, chuchota-t-il. Ne vous inquiétez pas.

— Je le sais.

Tory se retourna pour recevoir les condoléances de l'assistance. Rosie fut la première, ses yeux d'oiseau brillant à travers la voilette.

— Un beau service, assura-t-elle, digne et bref. Il vous fait honneur.

— Je vous remercie, madame Rosie.

— On ne choisit pas son sang, mais on peut choisir ce qu'on en fait, ce qu'on doit réaliser avec.

Elle leva la tête pour contempler son neveu.

— Tu as fait un bon choix, Cade. Margaret s'y fera, ou ne s'y fera pas, mais cela ne doit pas vous inquiéter. Je vais aller demander à Iris qui est ce grand costaud qui l'accompagne.

Elle fendit le rideau de pluie dans son tailleur Chanel à deux mille dollars, des Birkenstock[1] aux pieds.

Luttant entre l'envie de rire et celle de pleurer, Tory posa une main sur le bras de Cade.

— Accompagne-la avec ton parapluie. Ça ira pour moi.

— Je reviens tout de suite.

Dwight serra la main de Tory et l'embrassa sur la joue, déplaçant son parapluie pour l'abriter.

— Tory, je suis vraiment désolé. Lissy voulait venir, mais j'ai exigé qu'elle reste à la maison.

— Vous avez bien fait. Ce n'aurait pas été bon pour elle d'affronter ce déluge. C'est gentil à vous d'être venu, Dwight.

— Nous nous connaissons depuis pas mal de temps. Et Wade est l'un de mes meilleurs amis. Puis-je faire quelque chose pour vous ?

— Non, merci. Je vais aller jusqu'à la tombe de Hope avant de partir. Rejoignez vite Lissy.

1. Célèbre marque de chaussures de marche. *(N.d.T.)*

— Oui, j'y vais. Prenez ceci.

Il lui tendit le manche de son parapluie.

— Non, je n'en ai pas besoin.

— Prenez-le, insista-t-il. Et ne restez pas trop longtemps dans cette humidité.

Il la quitta pour rejoindre Wade.

Heureuse d'être à l'abri, Tory s'écarta de la tombe de sa mère et fit quelques pas dans l'herbe, contournant les pierres, pour rejoindre celle de Hope.

La pluie coulait sur le visage de l'ange, semblable à des larmes, noyant les jolies roses. À l'intérieur du globe, le cheval ailé volait.

— Tout est fini à présent, soupira Tory, et pourtant je n'arrive pas à m'en convaincre. Je sens toujours un poids sur mon cœur. Sans doute trop d'événements en même temps. Je voudrais pouvoir... il y a tant de choses que je souhaite.

— Je n'ai jamais apporté de fleurs ici, intervint Faith derrière elle. Je ne sais pas pourquoi.

— Elle a des roses.

— Ce n'est pas ça. Ce ne sont pas mes roses, elles ne viennent pas de moi.

Tory se retourna, se déplaçant pour qu'elles se trouvent toutes deux côte à côte.

— Je ne la sens pas ici, murmura Tory. Peut-être, toi non plus.

— Je n'aimerais pas être mise sous terre quand le moment sera venu. J'aimerais que mes cendres soient dispersées quelque part. Dans la mer, je pense, là où je vais amener Wade afin qu'il me demande en mariage. Au bord de la mer. Hope aurait sans doute voulu la même chose, mais elle aurait préféré le fleuve, ou le marais. C'était son endroit à elle.

— Oui, c'était le sien. Ça le sera toujours, désormais.

Elle éprouva soudain le besoin de prendre la main de Faith et de la serrer.

— Il y a des fleurs à *Beaux Rêves*. C'était aussi un endroit qu'elle aimait. Je pourrais en couper quand l'orage sera terminé, les emporter au marais vers le fleuve, et les déposer là pour Hope. C'est peut-être mieux de jeter des fleurs à la surface de l'eau, au lieu de les poser par terre. Tu viendrais avec moi ?

— Je détestais la partager avec toi. (Faith se tut un instant et ferma les yeux.) Maintenant, c'est fini. Il fera beau cet après-midi. Je le dirai à Wade.

Elle s'éloigna de quelques pas et se retourna.

— Tory, si tu arrives la première...

438

— Je t'attendrai.

Tory la regarda partir. Plus loin, à travers le rideau de pluie et l'épais brouillard en train de se former, elle distingua sa grand-mère et, derrière elle, le robuste Cecil, puis Rosie enveloppée dans ses voiles et suivie de Lilah, qui brandissait un parapluie au-dessus de sa tête.

J.R. se tenait encore près de la tombe de cette sœur qu'il avait aimée plus qu'il ne l'avait réalisé. Non loin de là, Cade, entouré de ses amis, l'attendait.

Comme elle se dirigeait vers lui, la pluie sembla diminuer et un faible éclat de soleil miroita à travers la masse humide et sombre de l'air.

— Tu comprends pourquoi je veux faire cela ?

— Disons, je comprends combien tu désires le faire.

Tory sourit en secouant la pluie perlant sur les tiges de lavande à peine coupées.

— Mais ça t'ennuie quand même un peu que je ne te demande pas de m'accompagner.

— Je me console en pensant que Faith et toi êtes en train de vous lier d'amitié. Le pire de tout, c'est que je vais rester à la merci de tante Rosie jusqu'à ton retour. Elle a un cadeau pour moi, je l'ai vu. Il s'agit d'un chapeau haut de forme mangé par les mites que tante Rosie veut absolument me voir porter lors de notre mariage.

— Il ira très bien avec la robe de mariée tout aussi usée qu'elle m'a offerte, dit Tory en souriant. Tu mettras le chapeau, moi la robe, et nous demanderons à Lilah de nous prendre en photo. Puis nous la glisserons dans un joli cadre pour ta tante Rosie et nous dissimulerons ces oripeaux dans un coin obscur et secret de la maison jusqu'au mariage.

— Brillante idée. J'épouse une femme vraiment intelligente. Alors il va falloir prendre la photo dès ce soir, car nous nous marions demain.

— Demain ? Mais...

— Ça se passera ici, expliqua-t-il en la prenant dans ses bras. Tranquillement, dans le jardin. J'ai déjà arrêté la plupart des détails ; je m'occuperai du reste cet après-midi.

— Ma grand-mère...

— Je lui ai parlé. Elle et Cecil restent un jour de plus. Ils seront là.

— Je n'ai même pas eu le temps de m'acheter une robe ni de...

— Ta grand-mère y a pensé, et elle espère que tu accepteras de mettre celle qu'elle portait quand elle a épousé ton grand-père. Elle

439

fait un saut à Florence cet après-midi. Elle a dit que cela compterait beaucoup pour elle.

— Tu as pensé à tout, hein ?

— Oui. Ça te pose un problème ?

— À mon avis, cela va nous poser quantités de problèmes pendant les cinquante à soixante prochaines années, non ?

— Bon. Lilah s'occupe du gâteau, J.R. du champagne. Cette perspective a considérablement éclairci son humeur.

— Merci.

— Puisque tu te montres si reconnaissante, je dois ajouter que tante Rosie prévoit de chanter.

Elle s'écarta brusquement.

— Ne gâchons pas l'instant ! Eh bien, puisque tout le monde semble avoir approuvé le programme dans ses détails, comment pourrais-je émettre des objections ? Tu as sans doute aussi organisé le voyage de noces, je présume ?

Elle le vit tressaillir et lever les yeux au ciel.

— Cade, ce n'est pas vrai ?

— Tu ne vas pas t'opposer à un voyage à Paris, n'est-ce pas ? (Il lui donna un petit baiser avant qu'elle ait pu réagir.) Tu pourrais envisager de fermer le magasin quelques jours, mais Boots adorerait te remplacer ; Faith a aussi des idées à ce sujet.

— Oh !

— Naturellement, c'est à toi de décider.

— Merci beaucoup.

Elle se passa une main dans les cheveux.

— J'ai la tête qui tourne. Nous reparlerons de cela quand je reviendrai.

— Certainement. Je demeure ouvert à tout.

— Du diable si tu l'es ! marmonna-t-elle. Ce n'est qu'une prétention de ta part ! (Elle souleva le panier de fleurs et lui tendit les cisailles.) Ne profite pas de mon absence pour trouver des noms à nos futurs enfants !

« Quel homme exaspérant ! se dit-elle en s'installant dans la voiture et en posant le panier sur le siège. Il organise tous les détails de notre mariage avant l'heure, et en outre il trouve le moyen de prévoir exactement le genre de cérémonie dont je rêvais. » C'était à la fois irritant et délicieux d'être si bien connue.

Dans ces conditions, pourquoi ne pas se détendre ? En tournant pour s'engager sur la route, elle remua les épaules. Elle n'arrivait pas à se défaire d'une certaine tension. Au fond, quoi de plus naturel ? songea-t-elle pour se rassurer. Elle venait de traverser une dure épreuve. Et elle allait se marier d'ici vingt-quatre heures avec encore tant de nœuds à l'intérieur d'elle.

Il était temps désormais de refermer la porte du passé pour en ouvrir une autre. Elle jeta un coup d'œil aux fleurs à côté d'elle. Peut-être était-elle sur le point d'y parvenir enfin.

Elle descendit à pied sur le bas-côté de la route, là où Hope avait autrefois garé sa bicyclette, escalada le talus, traversa le petit pont où les lis tigrés offraient une floraison de conte de fées et emprunta le sentier que son amie, elle le savait, avait suivi cette nuit-là.

Hope Lavelle, espionne.

La pluie s'était transformée en une légère brume s'élevant du sol en minces rouleaux semblables à des doigts qui lui enserraient les chevilles. L'air était lourd d'humidité, chargé de reflets verts et rouges, lourd de mystères encore non résolus.

En approchant de la clairière, elle regretta de n'avoir pas apporté quelques brindilles de bois. Celui qu'elle trouverait ici serait trop humide pour faire du feu. C'était sans doute une idée stupide avec cette chaleur, mais elle aurait dû y penser et en préparer un, comme Hope savait si bien le faire.

Alors qu'elle y pensait et évoquait ce souvenir, une odeur de fumée parvint jusqu'à elle.

Un petit feu brûlait bien là. De longs bâtons pointus avaient été disposés autour de l'âtre, attendant sans doute qu'on y enfilât des marshmallows pour les faire griller.

Elle battit des paupières pour éclaircir sa vision. Les flammes rougeoyantes étaient toujours là, tandis qu'une mince fumée s'élevait paresseusement dans la brume. Abasourdie, Tory s'avança dans la clairière et le panier s'ouvrit, déversant les fleurs à ses pieds.

— Hope ?

Elle pressa une main sur son cœur, comme pour s'assurer qu'il battait toujours. L'enfant de marbre qui avait été son amie la contemplait, muette, au milieu de son parterre de fleurs.

De ses mains tremblantes, Tory ramassa une des baguettes de bois et vit qu'elle avait été fraîchement taillée.

Ce n'était pas un rêve. Ce n'était pas la résurgence d'un souvenir. C'était le présent. La réalité.

Ce n'était pas Hope. Ce ne serait plus jamais Hope.

La tension intérieure qu'elle n'avait cessé de ressentir s'accentua. La peur jaillit en elle, brûlante, la certitude d'être sur le point de savoir.

Un léger froissement se fit entendre dans les broussailles, humide, sournois. Elle se retourna brusquement. « Mot de passe ! » Elle pensa ces mots, les entendit résonner dans sa tête. Mais elle n'était pas Hope. Elle n'avait pas huit ans. Seigneur, tout n'était donc pas fini !

Dans le jardin, Cade réfléchissait à l'endroit où disposer les tables pour la réception du mariage quand le chef Russ surgit à ses côtés.

— Content de vous trouver là. Je viens d'avoir des nouvelles et je crois que vous devriez les connaître aussi.

— Entrons, il fera plus frais.

— Non. Il faut que j'y retourne, mais je voulais vous le dire en personne. Nous avons eu les rapports de la balistique pour Sarabeth Bodeen. L'arme qui l'a tuée n'était pas celle de Bodeen. Pas le même calibre.

Cade ressentit une brusque vague de terreur.

— Je ne suis pas sûr de comprendre.

— L'arme que Bodeen portait quand il a fait irruption devant Tory et votre sœur avait été volée dans une maison située à une trentaine de kilomètres d'ici, le matin où la mère de Tory a été tuée. Il s'est introduit par effraction dans cette maison entre neuf et dix heures ce jour-là.

— Comment est-ce possible ?

— Il n'y a pas trente-six explications. Ou bien Bodeen s'est trouvé des ailes pour se transporter de Darlington jusque-là, ou bien quelqu'un d'autre a tiré sur Mme Bodeen.

Carl D. se frotta longuement le menton. Ses yeux étaient rouges de fatigue.

— J'ai été en contact avec les fédéraux et j'ai mis les choses bout à bout. La poste a indiqué que Mme Bodeen avait reçu un appel juste après deux heures du matin en provenance d'une cabine située ici, devant chez Winn-Dixie, au nord de la ville. Nous pensons que ce devait être Bodeen qui l'appelait pour lui annoncer son arrivée. Jusque-là, ça va. C'est après que ça ne va plus.

— C'est certainement Bodeen. Sinon, pourquoi aurait-elle fait ses bagages ?

— Je n'en sais rien. Mais s'il lui a téléphoné d'ici vers deux heures du matin, comment a-t-il pu aller là-bas, tirer sur eux entre cinq heures et cinq heures et demie, puis parcourir une trentaine de kilomètres, entrer dans une maison par effraction pour voler une arme, une bouteille et les restes du dîner ? Pourquoi toutes ces allées et venues ?

— Il était fou.

— Je ne dirai pas le contraire, mais être fou ne lui donne pas pour autant la possibilité de battre tous ces records de vitesse dans la matinée. D'autant qu'il ne semble avoir disposé d'aucun véhicule. Bon, je ne dis pas que c'est impossible. Je dis seulement que ça n'a pas de sens.

— Quel sens cela pourrait-il avoir de toute façon ? Qui d'autre aurait pu tuer la mère de Tory ?

— Je n'en sais rien. Je travaille sur des faits. Il n'avait pas la bonne arme sur lui et, selon toute probabilité, il n'avait pas de véhicule. Mais on pourrait découvrir qu'il en avait une autre, avec laquelle il a tiré sur sa femme. C'est possible.

Il sortit son mouchoir de sa poche et s'épongea la nuque.

— Si Bodeen n'est pas responsable de ces meurtres dans le comté de Darlington, il pourrait bien n'avoir tué personne. Ce qui voudrait dire que le vrai coupable court toujours. J'aimerais en parler avec Tory.

— Elle n'est pas là. Elle est...

Une onde de peur traversa Cade de part en part.

— ... elle est allée vers Hope.

Tory s'ouvrit, s'efforça de le sentir, de le mesurer. Mais elle vit juste du noir. Un noir vide et glacial. Le bruissement la narguait, se déplaçant en cercle. Elle tournait en même temps que lui pour toujours lui faire face, la salive se desséchant dans sa bouche.

— Laquelle de nous deux vouliez-vous cette nuit-là ? Ça n'avait pas d'importance ?

— Cela n'a jamais été vous. Pourquoi vous aurais-je voulue ? Elle était si belle.

— C'était une enfant.

— En effet. (Dwight s'avança dans la clairière.) Moi aussi.

Elle sentit son cœur se briser. D'un coup sec.

— Vous étiez l'ami de Cade...

— Pour sûr. Cade et Wade, les deux amis inséparables, tels des jumeaux. Riches, privilégiés, beaux. Et moi, j'étais leur faire-valoir, le petit gros dont on se moquait. « Dwight the Dweeb », comme ils disaient. Je les ai bien fait rire tous, hein ?

« Il n'avait alors que douze ans, songea-t-elle en observant son sourire décontracté. Douze ans seulement. »

— Pourquoi ?

— Je considérais cela comme une sorte de rite de passage. Ils étaient toujours les premiers en tout. Que ce soit l'un ou l'autre, ils passaient toujours avant moi en chaque occasion. Mais moi, *moi*, j'allais être le premier à avoir une fille.

Elle le dévisagea, incrédule. Il semblait amusé. « Seigneur, pensa-t-elle. Il s'*amuse* ! »

— Bien sûr, je ne pourrais pas m'en vanter. Mais quoi, c'était comme de se sentir dans la peau de Batman.

— Mon Dieu, Dwight !

— Difficile de comprendre ça pour vous, vous êtes une femme. Appelons ça une affaire d'hommes. J'avais une sacrée démangeaison. Et pourquoi ne me serais-je pas servi de la précieuse sœur de Cade pour la gratter ?

Il parlait calmement, comme s'il s'agissait d'affaires ordinaires, pratiques, tandis que les oiseaux continuaient à chanter, égrenant leurs notes liquides telles des larmes.

— J'ignorais que je la tuerais. C'est simplement... arrivé. J'avais avalé quelques gorgées du whisky de mon père. Pour boire comme un homme, vous comprenez ? Et j'avais la tête un peu embrumée.

— Vous aviez douze ans ! Comment pouviez-vous désirer toutes ces choses... toute cette perversité ?

Il fit quelques grands pas dans la clairière, en cercle, sans chercher réellement à s'approcher, jouant avec elle au chat et à la souris.

— Je venais souvent vous observer toutes les deux, nageant nues ou étalées à plat ventre à vous raconter des secrets. Votre vieux était là lui aussi, fit-il avec un grand sourire. Dans un sens, c'est lui qui m'a donné l'idée. Il vous voulait. Votre vieux, il avait envie de vous baiser, mais il n'avait pas les couilles pour le faire. J'étais meilleur que lui, bien meilleur que les autres. Je l'ai prouvé cette nuit-là. Oui, cette nuit-là, je me suis comporté en homme.

Maire de la ville, fier d'être père, mari dévoué, ami loyal. Quelle sorte de folie pouvait se recouvrir d'un tel déguisement ?

— Avoir violé et assassiné une enfant, c'était ça pour vous être un homme ?

— Toute ma vie, j'ai entendu mon père me répéter : « Conduis-toi en homme, Dwight ! Pour l'amour de Dieu, conduis-toi en homme ! »

La lueur d'amusement s'éteignit dans ses yeux, et son regard devint vide, froid.

— Mais on ne peut pas être un homme si on est puceau, hein ? Dès lors, j'ai décidé que plus jamais aucune fille ne m'ignorerait. Cette nuit-là a changé ma vie. Regardez-moi, maintenant.

Il ouvrit les bras et s'approcha, les yeux fixés sur elle.

— Cela m'a donné de l'assurance. Je me suis occupé de ma forme et j'ai changé de physique. Après quoi, j'ai réussi à avoir la plus jolie fille de Progress. On me respecte. J'ai une belle épouse, un fils, une position enviée. Tout a commencé cette nuit-là.

— Et ces autres filles...

— Pourquoi pas ? Vous ne pouvez pas imaginer ce que c'est de...

Il s'interrompit et esquissa un sourire entendu, presque complice.

— Ah ! c'est vrai. Vous, vous savez ce que j'ai éprouvé, chaque fois. Oui, j'en suis certain. Vous pouvez sentir les émotions des autres, hein ? Leur peur, leur terreur. À ce moment-là, je suis pour elles la personne la plus importante du monde. Je *suis* le monde. Croyez-moi, Tory, j'ai vraiment pris mon pied !

Elle songea à s'enfuir à toutes jambes. L'idée la traversa, mais elle vit la lueur dans les yeux de Dwight et sut qu'il n'attendait que ça. Elle se contraignit à respirer lentement et à s'ouvrir. D'abord, ce fut le vide, un abîme, puis quelque chose apparut à la frange. Une sorte de faim ignoble.

Sa seule arme consistait à la reconnaître et à l'anticiper.

— Vous ne les connaissiez même pas, Dwight. Elles étaient des étrangères pour vous.

— J'avais juste à m'imaginer qu'elles étaient Hope, et je pouvais, alors, revivre cette première nuit. Avant, elles n'étaient rien d'autre que des vagabondes, des perdantes, puis je les transformais en Hope.

— Avec Sherry, ce n'était pas la même chose.

— Je ne pouvais plus attendre. (Il haussa les épaules.) En ce moment, Lissy n'est guère intéressée par le sexe. On ne peut pas lui en vouloir. Et cette jolie petite enseignante, elle en voulait. Elle l'aurait voulu avec Wade, cette chienne. Eh bien, elle l'a eu avec moi. Mais ce n'était pas tout à fait réussi avec elle. Pas vraiment. Avec Faith, ce sera parfait.

Il vit le sursaut de Tory.

— Ouais, vous êtes devenues joliment proches, toutes les deux, hein ? Moi aussi, j'ai l'intention de devenir proche d'elle. Il est temps de mettre les choses en train. Oh ! à propos, elle sera en retard. J'ai dit à Lissy d'aller la voir, et vous connaissez ma femme. Elle va occuper Faith juste assez longtemps...

— Ils sauront, Dwight. Vous ne pourrez plus mettre ces crimes sur le dos de quelqu'un d'autre.

— C'est sûr, votre père m'a bien aidé. Je vous ai dit que c'était moi qui avais tué votre mère ? Je lui ai téléphoné en prétendant que j'étais un ami et que son mari chéri allait venir la rejoindre. Ça a tenu les flics occupés avec lui pendant que je regardais tout ça bien tranquillement de mon siège de maire.

— Elle ne vous avait rien fait.

— Aucune ne m'a jamais rien fait. Sauf Hope. Ne vous inquiétez pas pour moi. Personne ne songera à moi. Je suis un citoyen honorable et je vais aller de ce pas acheter un ours en peluche pour mon futur bébé. Un bel ours jaune. Lissy va l'adorer.

— Je n'ai jamais réussi à vous percevoir, murmura-t-elle. Car il n'y a rien. Vous êtes vide intérieurement.

— Je me suis posé des questions à ce sujet. Ça m'a valu deux ou trois mauvais moments. J'ai pris votre main aujourd'hui comme une sorte de test, juste pour voir. Vous n'avez rien senti venant de moi. Mais vous allez ressentir bien des choses, cette fois, avant que j'en aie fini avec vous. Pourquoi ne fuyez-vous pas comme elle l'a fait ? Vous savez très bien comment elle a couru, en appelant, en criant votre nom. Je vous donne une chance.

— Non, je vais m'en donner une.

Sans un instant d'hésitation, elle se rua sur lui avec une baguette, visant les yeux.

Quand il se mit à hurler, elle partit en courant à perdre haleine. Comme Hope.

Des filaments de mousse s'emmêlaient dans ses cheveux, tels des pattes d'araignée, et ses pieds s'enfonçaient dans un sol avide de la retenir. Ses chaussures glissaient, s'accrochaient aux fougères détrempées tandis qu'elle écartait violemment les branches.

Elle voyait à travers les yeux de Hope, le passé et le présent se confondaient. La chaude nuit d'été d'autrefois se mêlait à cet après-midi brumeux. Elle comprenait ce que Hope avait ressenti, sa terreur enfantine sur laquelle venaient se superposer sa propre peur et sa propre colère.

Comme Hope, elle entendait des pas derrière elle, et le froissement des broussailles.

La rage la fit stopper et se retourner avant que l'intention de Dwight ne lui apparaisse clairement en pensée. Elle fut alors traversée par un courant de haine telle une vague brûlante et se rua sur lui, toutes griffes dehors.

Surpris par cette soudaine attaque, à demi aveuglé par le sang, il ralentit, s'affaissa et se mit à hurler quand elle lui planta ses dents dans l'épaule. Il chercha à se dégager, mais elle s'accrochait à lui comme une teigne et labourait son visage de ses ongles.

Aucune des autres n'avait réussi à lutter contre lui ; elle, elle le ferait. Dieu sait qu'elle ferait.

Je suis Tory. Les mots résonnaient à ses oreilles, virulent cri de bataille. Elle était Tory et se battait.

Elle continua à le faire au moment où les mains de Dwight se nouèrent autour de son cou. Elle luttait encore lorsque sa vision se brouilla et que l'air lui manqua.

Quelqu'un cria son nom, des appels désespérés retentirent, faisant écho au grondement de son sang dans sa tête. Elle agrippa les mains qui l'étouffaient et haleta, étourdie, quand leur étreinte se desserra soudain.

— Je te sens maintenant ! Je sens ta peur, ta douleur ! Maintenant, tu sais ce que c'est. Tu sais ce que c'est, toi, espèce de salaud !

Quelqu'un la soulevait, mais elle continuait à se battre inconsciemment, les yeux rivés sur le visage de Dwight. Du sang coulait de ses yeux, et son visage était zébré de griffures.

— Maintenant, tu sais ce que c'est ! Tu sais ce que c'est !

— Tory, arrête. Arrête ! Regarde-moi.

Cade la tint contre lui jusqu'à ce que sa vision s'éclaircisse. Il était blanc comme un linge, la sueur de la course ruisselait de son front.

— C'est lui qui l'a tuée. Il les a toutes tuées. Et, pourtant, je n'ai jamais réussi à le reconnaître dans mes visions. Il était comme caché. Oh ! Cade... Il t'a haï toute sa vie. Il nous hait tous.

— Tu es blessée.

— Non. C'est son sang.

— Cade, mon Dieu, elle est devenue folle ! Elle m'a pris pour son père !

En toussant, Dwight roula sur le côté et tenta de se redresser en s'appuyant sur ses mains et ses genoux. Il avait l'impression de saigner d'un millier de blessures. Son œil droit le brûlait comme un charbon ardent. Mais son esprit tournait sans relâche, travaillant avec froideur.

— Menteur ! hurla Tory.

La rage monta de nouveau en elle tandis qu'elle se débattait pour se dégager de l'étreinte de Cade.

— Il a tué Hope. Et il m'attendait à mon tour.

— Hope ?

Du sang perlait à la bouche de Dwight, il retomba sur ses genoux.

— Il y a près de vingt ans de ça ! protesta-t-il. Cette fille est malade, Cade. Tout le monde peut le voir, elle ne tourne pas rond. Oh ! Seigneur, mon œil ! Il faut qu'on me soigne !

Il essaya une nouvelle fois de se mettre debout et fut surpris de constater que ses jambes refusaient de le porter.

— Pour l'amour de Dieu, Cade, appelle une ambulance. Je vais perdre mon œil.

Cade retint fermement les bras de Tory en contemplant les ravages qu'ils avaient opérés sur le visage de son vieil ami.

— Tu savais que les petites venaient ici, affirma-t-il lentement. Tu savais qu'elles sortaient en cachette, le soir, pour se rencontrer ici. C'est moi-même qui te l'avais dit. Nous en avons ri ensemble.

— Mais qu'est-ce que cela a à voir avec tout ça ?

L'œil valide de Dwight se tourna vers l'endroit d'où provenait un craquement de branches humides sous des pas. Carl D., haletant sous l'effort, repoussa les buissons.

— Dieu merci ! s'écria-t-il aussitôt. Chef, appelez une ambulance. Tory a eu une crise de nerfs. Regardez... regardez ce qu'elle m'a fait !

— Seigneur Jésus..., marmonna Carl D. en se précipitant vers lui.

Tory cessa de se débattre et posa sa main sur celle de Cade tandis que Carl D. tamponnait l'œil de Dwight avec son mouchoir.

— Il a tué Hope et les autres aussi. Il a tué ma mère.

— Elle est devenue complètement folle, je vous dis ! cria Dwight. Elle ne peut pas supporter ce que son père a fait.

Il ne voyait rien. Merde, il ne voyait plus rien. Il se mit à claquer des dents.

— Nous allons vous conduire à l'hôpital, Dwight, ensuite nous tirerons tout ça au clair.

Carl D. regarda Tory.

— Êtes-vous blessée ?

— Non. Pourquoi ne voulez-vous pas me croire ? Vous ne voulez pas croire que c'est lui parce que vous avez vécu à ses côtés pendant toutes ces années, c'est ça ? Pourtant, il a bien commis ces crimes. C'est *lui* le coupable. Je trouverai bien un moyen de le prouver !

Elle s'agita et croisa le regard de Cade.

— Je suis désolée.

— Je n'ai pas envie de te croire, moi non plus. Mais je le fais.

— Je le sais. L'arme avec laquelle il a tué ma mère est dans le grenier de sa maison. En haut, dans les chevrons, sur la façade sud.

Elle se tâta la gorge là où il avait laissé la trace de ses doigts.

— Vous avez commis une erreur, Dwight, de me laisser approcher. Vous devriez mieux surveiller vos pensées.

— Elle ment ! C'est elle qui l'a mise là. Elle est folle !

Il vacilla quand Carl D. le mit sur ses pieds.

— Cade ! protesta Dwight. Nous avons été amis toute notre vie. Il faut me croire.

— Il y a une chose qu'il faut que tu croies, toi : si j'étais arrivé ici plus tôt, tu serais mort à présent. Tu peux me croire. Et t'en souvenir.

Carl D. fit claquer les menottes autour des poignets du maire.

— Il faut venir avec moi maintenant, Dwight.

— Que diable faites-vous là ? Vous croyez aux paroles d'une folle et pas aux miennes ?

— Si ce fusil n'est pas caché là où elle dit, ou si ce n'est pas celui qui a tué un jeune officier de police et une femme sans défense, alors je vous devrai des excuses. Venez avec moi à présent. Mademoiselle Tory, vous feriez mieux d'aller à l'hôpital.

Du dos de la main, elle essuya le sang qui coulait de sa bouche.

— Non. Je n'ai pas encore fait ce pour quoi j'étais venue ici.

— Bon, je m'occupe de ça, Tory, assura Carl D. Allez-y ! Je vous verrai plus tard.

— Elle est folle ! hurla Dwight. Complètement folle !

Il ne cessa de hurler tandis que Carl D. l'emmenait.

Tory pressa ses doigts sur ses yeux avec un petit rire fragile.

— On lui fait un affront ! Voilà tout ce qui le préoccupe pour l'instant. C'est une offense de le traiter comme un criminel. Lui, une personnalité honorable... le maire ! Cette émotion est encore plus forte que sa haine et sa soif de sang.

— Détourne-toi de lui, ordonna Cade. Ne regarde pas à l'intérieur de son esprit.

— Tu as raison, balbutia Tory. Je sais bien que tu as raison.

— Pour la seconde fois, j'ai failli te perdre. Du diable si ça arrive encore !

— Tu m'as crue, murmura Tory. Enfin ! J'ai senti combien cela heurtait tes sentiments, mais tu m'as crue malgré tout. Je ne peux pas te dire à quel point c'est important pour moi. (Elle l'entoura de ses bras et l'étreignit.) Pourtant tu l'aimais. Oh ! Cade, je suis désolée.

— Je ne le connaissais pas, répondit-il, envahi soudain par une immense tristesse. Si seulement je pouvais revenir en arrière.

— Nous ne le pouvons pas. Il m'a fallu pas mal de temps pour l'apprendre.

Il posa ses lèvres sur les marques.

— Ton visage est meurtri.

— Le sien l'est plus encore.

Elle inclina la tête sur son épaule quand ils se mirent à avancer.

— Je courais et ne songeais qu'à courir quand, soudain, la vie en moi a repris le dessus. Une folle rage de vivre. Et j'ai pensé alors que je ne le laisserais pas gagner, je ne fuirais pas comme un lapin poursuivi par un renard. Pour une fois, il allait savoir ce que c'était que de résister. Il allait comprendre.

Cade ne pourrait jamais oublier cette image, il le savait. Tory, le visage meurtri et sanguinolent, se jetant sur Dwight tel un chat sauvage.

Et les mains de Dwight autour de sa gorge.

— Il va continuer à nier, dit-il, prendre des avocats, mais ça n'a pas d'importance. Cette fois, rien ne réussira à le sauver.

— Non. Je crois qu'on peut compter sur l'agent Williams pour coordonner tous les faits. Pauvre Lissy, que va-t-elle devenir ?

Tory s'arrêta dans la clairière afin de ramasser les fleurs tombées. Le feu finissait de se consumer et des rayons d'une lumière aqueuse filtraient à travers les arbres. Ils s'avancèrent tous deux vers la rive du fleuve. « Je reviendrai une autre fois avec Faith, songea-t-elle. Cet instant n'est que pour nous, toi et moi. »

— Nous l'aimions et nous ne l'oublierons jamais, reprit-elle en lançant les fleurs dans l'eau. C'est terminé maintenant. Enfin. J'ai attendu si longtemps pour te dire au revoir, Hope.

Des larmes emplissaient ses yeux, cependant elles étaient douces et apaisantes. Elles brillèrent sur ses joues lorsqu'elle se tourna vers Cade.

— Je serai heureuse de t'épouser demain dans le jardin et de porter la robe de ma grand-mère.

Il lui prit la main et l'embrassa.

— Vraiment ? Tu le veux ?

— Oui, je le veux. De tout mon cœur. Et je serai heureuse d'aller à Paris avec toi, de m'asseoir à une terrasse ensoleillée en buvant du vin, de faire l'amour quand le jour se lève. Puis de revenir ici et de bâtir une vie avec toi.

— Nous avons déjà commencé.

Il la serra contre lui. De minces rayons de soleil faisaient miroiter l'air ; des gouttes d'eau tombaient des branches moussues.

Les fleurs, épanouies, descendaient lentement le cours du fleuve.